Уильям Сомерсет МОЭМ

1874 — 1965

ЗАРУБЕЖНАЯ КЛАССИКА

Уильям Сомерсет МОЭМ

Театр

Романы
Рассказы

Москва
«ЭКСМО»
2004

УДК 820
ББК 84(4 Вел)
   М 74

Разработка оформления *А. Яковлева*

Моэм С.

М 74   Театр: Романы. Рассказы / Пер. с англ. Предисл.
В. Татаринова. — М.: Изд-во Эксмо, 2004. — 640 с. (Зарубежная классика).

ISBN 5-04-002368-5

УДК 820
ББК 84(4 Вел)

Гражданин мира

омерсет Моэм прожил долгую жизнь. В искусство он пришел в конце XIX столетия, а покинул его во второй половине XX века. Писатель пережил не одну литературную эпоху, и всегда оставался современным и интересным для читателя, хотя литературная мода и злободневные проблемы часто оставляли его равнодушным. Он был подданным британской короны, но родился, умер да и жил в основном за границей. Иногда кажется, что Моэм творил вне своего времени и какой-то определенной культуры — для всего человечества и на все времена...

Уильям Сомерсет Моэм родился в 1874 году в Париже. Его отец — преуспевающий юрист — работал в то время при Британском посольстве в столице Франции. Сомерсет был младшим ребенком в семье. Его раннее детство согрела нежная любовь и ласковая забота матери, которую он потерял в возрасте восьми лет. Еще через два года умер отец, и мальчика отдали на воспитание дяде со стороны отца.

В новом доме Сомерсета преследовало ощущение одиночества. Его дядя, пятидесятилетний викарий, остался равнодушен к племяннику. Однокашники с бессердечной энергией юности потешались над его французским акцентом и ошибками в английском. Вышло так, что юный Сомерсет отлично говорил по-французски, а родной язык начал всерьез учить только с девяти лет. Учителя тоже были не в восторге от замкнутого, болезненного ребенка, который к тому же еще и сильно заикался. Со временем мальчик свыкся с положением изгоя и даже полюбил уединение. Его страстью стали книги, которые он тайком таскал из библиотеки дяди.

Три года в начальной школе «Кингз-скул» в Кентерберри прошли серой унылой чередой. К этому времени врачи обнаружили у Моэма симптомы туберкулеза, который в тридцать восемь лет унес в могилу его мать. Дядя, обеспокоенный диагнозом, отправил мальчика на юг Франции. Подлечившись, шестнадцатилетний Сомерсет направился в Германию, в старинный университетский город Гейдельберг. Отсутствие школьного аттестата не помешало талантливому юноше стать вольнослушателем знаменитого университета.

Осенью 1892 года восемнадцатилетний Уильям Сомерсет возвратился в Англию. Уже тогда он ощутил тягу к профессии литератора, но в глазах его родственников-пуритан писательство было занятием более чем сомнительным. Его три старших брата к тому времени уже стали юристами. Поразмыслив, Моэм избрал медицину и поступил в школу при лондонской больнице св. Фомы.

Литература по-прежнему оставалась его страстью, поэтому медицине приходилось довольствоваться малым. Позднее Моэм вспоминал: «За те годы, что я занимался медициной, я систематически проштудировал английскую, французскую, итальянскую и латинскую литературу. Я прочел множество книг по истории, кое-что по философии и, разумеется, по естествознанию и медицине».

Больница св. Фомы была расположена в Ламбете — беднейшем районе Лондона. На третьем курсе у Моэма началась практика, которая неожиданно увлекла его. Три года напряженной работы в больничных палатах дали ему возможность немало узнать о жизни, людях и природе человека. «Я не знаю лучшей школы для писателя, чем работа врача»,— написал он позднее.

Желание передать бумаге свои впечатления от увиденного все сильнее томило его душу. В 1897 году вниманию читающей публики был предложен первый роман Сомерсета Моэма — «Лиза из Ламбета». В нем описывался мир лондонских трущоб, переданный Моэмом с максимальной достоверностью: в Ламбете ему часто приходилось навещать закоулки, куда решался сунуться не всякий полицейский. Пропуском и охранной грамотой Моэму служил его черный докторский чемоданчик.

Его литературный дебют оказался удачным — критика, совсем недавно разносившая подобные произведения в пух и прах, приняла роман благожелательно и причислила автора к школе натурализма. Сам Моэм среди своих литературных учителей называл и эстета Оскара Уайльда, и просветителя Вольтера и, главным образом,— Мопассана. «Когда я начинал работу над «Лизой из Ламбета», я старался писать ее так, как, по моему разумению, это должен был бы сделать Мопассан»,— признавался Моэм. От Мопассана он унаследовал не только стремление видеть и описывать жизнь такой, как она есть, не оглядываясь на литературные каноны, но и страсть к путешествиям. После успеха «Лизы» Моэм первым делом отправился на лето в Андалузию.

Окрыленный удачей, Моэм порвал с медициной и сделал попытку опереться на литературный труд. Однако последующие его романы успеха не имели, а первые пьесы не были приняты всерьез. Моэм не сдавался и энергично боролся за их постановку. Так, свою первую одноактную пьесу «Браки совершаются на небесах» он перевел на немецкий язык, и в 1902 году она была поставлена в Берлине, другую пьесу — «Человек чести» — он опубликовал в виде специального приложения к «Фортнайтли Ревью», наиболее популярному журналу среди британской интеллигенции.

Успех пришел благодаря счастливой случайности. В 1907 году театр «Ройял Корт» поставил комедию Моэма «Леди Фредерик», написанную им еще в 1903 году. Весь последующий год «Леди Фредерик» шла с аншлагом, поэтому другие его пьесы тоже нашли своих постановщиков. В 1908 году одновременно в четырех лондонских театрах шли четыре разные пьесы Моэма. Одна из них провалилась, а две другие — «Миссис Дот» (1904) и «Джек Строу» (1905) — публика приняла с восторгом. Журнал «Панч» по этому поводу опубликовал карикатуру, на которой был изображен Шекспир, якобы исходящий завистью при виде букета афиш с фамилией Моэма.

Сейчас Моэм признан во всем мире наиболее читаемым английским автором после Диккенса. А тогда, после неслыханного коммерческого успеха пьес, от Моэма отвернулись многие собратья по ремеслу. Что поделать — люди плохо переносят чужие денежные успехи и интеллигенция в этом плане отнюдь не исключение. Моэма эта ситуация огорчала, но не очень. Он уже хорошо знал цену и похвалам, и критике и к тому же не забывал, что «деньги можно сравнить разве что с шестым чувством, которое позволяет пользоваться остальными пятью». Обеспеченная жизнь имела свои преимущества — он мог позволить себе регулярные поездки по Европе и визиты в Париж.

Когда началась первая мировая война, Моэма, по рекомендации Уинстона Черчилля, занимавшего тогда крупный пост в военном министерстве, направили во Францию переводчиком в автоколонну Красного Креста.

В 1916 году писатель предпринял первое далекое путешествие — в Океанию, на острова Гавайи, Фиджи, Самоа и Таити.

В эти же годы Моэм стал сотрудником британской разведки. Он побывал с секретной миссией в Швейцарии, Италии, а затем был послан в Россию, где недавно произошла Февральская революция. Его целью было наладить контакты с Временным правительством, склонить к продолжению военных действий на стороне Антанты и выяснить, чем союзники могут этому правительству помочь. Керенский как руководитель страны произвел на Моэма удручающее впечатление. Из тех, с кем ему довелось встречаться, он выделил Бориса Савинкова как личность крупную и незаурядную. 18 октября 1917 года Моэм отбыл в Лондон с секретным поручением от Керенского к Ллойд-Джорджу, а уже через неделю миссия Моэма утратила всякий смысл.

После окончания войны Моэм провел десять лет в Англии. Он прославился и как писатель, автор сборников новелл и таких романов, как «Бремя страстей человеческих» (1915), «Луна и грош» (1919), «Узорный покров» (1925) и «Пироги и пиво, или Скелет в шкафу» (1930). Экранизация романов и некоторых новелл увеличила известность Моэма среди широкой публики.

В 1928 году Моэм приобрел на французском Лазурном берегу виллу «Мориск», которая стала его постоянной резиденцией. Там писателя навещали многочисленные друзья и гости, в числе которых встречались и крупные политические деятели, и принцы крови, и другие знаменитости.

Моэм много путешествовал. До второй мировой войны он успел побывать в Малайе, Индии, Вест-Индии и Южной Америке, многих европейских странах. Начало войны застало его во Франции с очередной секретной миссией — Моэм изучал настроения французов, много времени проводил на линии Мажино и на военно-морской базе в Тулоне. По предложению британского военного ведомства он написал книгу очерков «Сражающаяся Франция» (1940). После поражения союзников Моэму пришлось бежать в Англию на угольной барже, бросив во Франции немалое движимое и недвижимое имущество. Против оккупантов оказался бессилен даже древний мавританский знак, изображенный на стене у въезда в виллу. По преданию, он предохранял от невзгод; Моэм часто помещал его на обложках своих книг.

В октябре 1940 года он прилетел в Нью-Йорк — на этот раз рассказывать американцам о войне в Европе. Он прожил в Калифорнии до 1946 года, а затем возвратился на свою разоренную, но уцелевшую виллу. Война, изгнание и преклонный возраст никак не отразились на его даровании. Моэм был профессионалом в лучшем смысле этого слова: хотя он заработал пером около четырех миллионов, он писал каждый день, и только дряхлость положила конец этой привычке, с годами превратившейся в потребность.

До конца своих дней Моэм жил на своей вилле на Лазурном берегу. Он, как и раньше, много путешествовал, бывал в США, Индокитае, Японии, каждое лето проводил в Англии, в Дорчестере. После смерти в 1965 году его прах, согласно последней воле писателя, был перевезен в Англию и захоронен у носившей его имя библиотеки школы для мальчиков «Кингз-скул», в которой он когда-то провел свои не самые счастливые годы.

Книги Сомерсета Моэма по-прежнему популярны как среди интеллектуалов, так и среди тех, кто старается жить попроще, а к разным умникам относится с подозрением. Наверное, дело в том, что сам писатель всегда с уважением относился к своему читателю, видя в нем прежде всего человека, а уже потом представителя нации, расы, религии, сторонника каких-либо политических взглядов. Поэтому и прогресс он видел не в росте нашего технического могущества и не в победе западного образа жизни над всеми прочими, а в том, что людям стало жить хоть немного, но лучше.

Вадим Татаринов

Театр

Глава первая

верь отворилась, Майкл Госселин поднял глаза. В комнату вошла Джулия.

— Это ты? Я тебя не задержу. Всего одну минутку. Только покончу с письмами.

— Я не спешу. Просто зашла посмотреть, какие билеты послали Деннорантам. Что тут делает этот молодой человек?

С безошибочным чутьем опытной актрисы приурочивая жест к слову, она указала движением изящной головки на комнату, через которую только что прошла.

— Это бухгалтер. Из конторы Лоренса и Хэмфри. Он здесь уже три дня.

— Выглядит очень юным.

— Он у них в учениках по контракту. Похоже, что дело свое знает. Поражен тем, как ведутся у нас бухгалтерские книги. Он не представлял себе, что можно поставить театр на деловые рельсы. Говорит, в некоторых фирмах счетные книги в таком состоянии, что поседеть можно.

Джулия улыбнулась, глядя на красивое лицо мужа, излучающее самодовольство.

— Тактичный юноша.

— Он сегодня кончает. Не взять ли его с собой перекусить на скорую руку? Он вполне хорошо воспитан.

— По-твоему, этого достаточно, чтобы приглашать его к ленчу?

Майкл не заметил легкой иронии, прозвучавшей в ее голосе.

— Если ты возражаешь, я не стану его звать. Я просто подумал, что это доставит ему большое удовольствие. Он страшно тобой восхищается. Три раза ходил на последнюю пьесу. Ему до смерти хочется познакомиться с тобой.

Майкл нажал кнопку, и через секунду на пороге появилась его секретарша.

— Письма готовы, Марджори. Какие на сегодня у меня назначены встречи?

Джулия вполуха слушала список, который читала Марджори, и от нечего делать оглядывала комнату, хотя помнила ее до мелочей. Как раз такой кабинет и должен быть у антрепренера первоклассного театра. Стены были обшиты панелями (по себестоимости) хорошим декоратором, на них висели гравюры на театральные сюжеты, выполненные Зоффани и де Уайльдом. Кресла удобные, большие. Майкл сидел в чиппендейле[*] — подделка, но куплена в известной мебельной фирме,— его стол, с тяжелыми пузатыми ножками, тоже чиппендейль, выглядел необыкновенно солидно. На столе стояла ее фотография в массивной серебряной рамке и, для симметрии, фотография Роджера, их сына. Между ними помещался великолепный серебряный чернильный прибор, который она подарила как-то Майклу в день рождения, а впереди — бювар из красного сафьяна с богатым золотым узором, где Майкл держал бумагу на случай, если ему вздумается написать письмо от руки. На бумаге был адрес: «Сиддонс-театр», на конвертах эмблема Майкла: кабанья голова, а под ней девиз: «Nemo me impune lacessit»[**]. Желтые тюльпаны в серебряной вазе, выигранной Майклом на состязаниях по гольфу среди актеров, свидетельствовали о заботливости Марджори. Джулия бросила на нее задумчивый взгляд. Несмотря на коротко стриженные, обесцвеченные перекисью волосы и густо накрашенные губы, у нее был бесполый вид, отличающий идеальную секретаршу. Она проработала с Майклом пять лет, должна была вдоль и поперек изучить его за это время. Интересно, хватило у нее ума влюбиться в него?

Майкл поднялся с кресла.

— Ну, дорогая, я готов.

Марджори подала ему черную фетровую шляпу и распахнула дверь. Когда они вышли в контору, юноша, которого заметила, проходя, Джулия, обернулся и встал.

— Разрешите познакомить вас с миссис Лэмберт,— сказал Майкл. Затем добавил с видом посла, представляющего атташе царственной особе, при дворе которой он аккредитован:

— Это тот джентльмен, который любезно согласился привести в порядок наши бухгалтерские книги.

Юноша залился ярким румянцем. На теплую улыбку Джулии, всегда бывшую у нее наготове, он ответил деревянной

---

[*] Стиль английской мебели XVIII века.

[**] Никто не тронет меня безнаказанно (*лат.*).— *Здесь и далее примечания переводчиков.*

улыбкой. А сердечно пожав ему руку, она отметила, что ладонь его стала влажной от пота. Его смущение было трогательно. Так, верно, чувствовали себя те, кого представляли Саре Сиддонс*. Джулия подумала, что не очень-то любезно ответила Майклу, когда он предложил позвать мальчика на ленч. Она посмотрела ему прямо в глаза своими огромными темно-карими лучистыми глазами. Без всякого усилия, так же инстинктивно, как отмахнулась бы от докучавшей ей мухи, она вложила в голос чуть ироничное, ласковое радушие:

— Может быть, вы не откажетесь поехать с нами перекусить? Майкл привезет вас обратно после ленча.

Юноша опять покраснел, кадык на его тонкой шее судорожно дернулся.

— Это очень любезно с вашей стороны.— Он встревоженно осмотрел свой костюм.— Но я невероятно грязен.

— Вы сможете умыться и почиститься, когда приедете к нам.

Машина ждала у служебного входа: длинный черный автомобиль с хромированными деталями, сиденья обтянуты посеребренной кожей, эмблема Майкла скромно украшает дверцы. Джулия села сзади.

— Садитесь со мной. Майкл поведет машину.

Они жили на Стэнхоуп-плейс. Когда они приехали, Джулия велела дворецкому показать юноше, где он может помыть руки. Сама она поднялась в гостиную. В то время как она красила губы, появился Майкл.

— Я сказал ему, чтобы он шел сюда, как только будет готов.

— Между прочим, как его зовут?

— Понятия не имею.

— Милый, надо же нам знать. Я попрошу его расписаться в книге для посетителей.

— Слишком много чести.— Майкл просил расписываться только самых почетных гостей.— Мы видим его здесь в первый и последний раз.

В этот момент молодой человек появился в дверях. В машине Джулия приложила все старания, чтобы успокоить его, но он, видно, все еще робел. Их уже ждал коктейль, Майкл разлил его по бокалам. Джулия вынула сигарету, и молодой человек зажег спичку, но рука его так сильно дрожала, что ей ни за что бы не удалось прикурить, поэтому она сжала ее своими пальцами.

---

* *Сиддонс Сара* (1755 — 1831) — знаменитая английская актриса.

«Бедный ягненочек,— подумала Джулия,— верно, сегодня самый знаменательный день в его жизни. Будет на седьмом небе от счастья, когда начнет рассказывать об этом. Он станет героем в своей конторе, и все от зависти лопнут».

Язык Джулии сильно разнился, когда она говорила сама с со́бой и с другими людьми. С собой она не стеснялась в выражениях. Джулия с наслаждением сделала первую затяжку. Право же, если подумать, разве неудивительно, что ленч с ней и получасовой разговор придаст человеку столько важности, сделает его крупной персоной в его жалком кружке.

Юноша выдавил из себя фразу:

— Какая потрясающая комната.

Джулия одарила его очаровательной улыбкой, слегка приподняв свои прекрасные брови, что он, наверное, не раз видел на сцене.

— Я очень рада, что она вам нравится,— голос у нее был низкий и чуть хрипловатый. По тону Джулии можно было подумать, что его слова сняли огромную тяжесть с ее души.— Мы в семье считаем, что у Майкла превосходный вкус.

Майкл самодовольно оглядел комнату.

— У меня такой богатый опыт. Я всегда сам придумываю интерьеры для наших пьес. Конечно, у нас есть человек для черновой работы, но идеи мои.

Они переехали в этот дом два года назад, и Майкл, так же, как и Джулия, знал, что они отдали его в руки опытного декоратора, когда отправились в турне по провинции, и тот взялся полностью его подготовить к их приезду, причем бесплатно, за то, что они предоставят ему работу в театре, когда вернутся. Но к чему было сообщать эти скучные подробности человеку, даже имя которого было им неизвестно. Дом был отлично обставлен, в нем удачно сочетались антиквариат и модерн, и Майкл мог с полным правом сказать, что это, вне сомнения, дом джентльмена. Однако Джулия настояла на том, чтобы спальня была такой, как она хочет, и, поскольку ее абсолютно устраивала спальня в их старом доме в Риджентс-парк, где они жили с конца войны, перевезла ее сюда всю целиком. Кровать и туалетный столик были обтянуты розовым шелком, кушетка и кресло — светло-голубым, который так любил Натье[*]; над кроватью порхали пухлые позолоченные херувимы, держащие лампу под розовым абажуром, такие же пухлые позолоченные херувимы окружали гирлян-

---

[*] *Натье Жан-Марк* (1685 — 1766) — французский портретист.

дой трюмо. На столе атласного дерева стояли в богатых рамах фотографии с автографами: актеры, актрисы и члены королевской фамилии. Декоратор презрительно поднял брови, но это была единственная комната в доме, где Джулия чувствовала себя по-настоящему уютно. Она писала письма за бюро из атласного дерева, сидя на позолоченном стуле.

Дворецкий объявил, что ленч подан, и они пошли вниз.

— Надеюсь, вы не останетесь голодны,— сказала Джулия.— У нас с Майклом очень плохой аппетит.

И действительно, на столе их ждали жареная камбала, котлеты со шпинатом и компот. Эта еда могла утолить законный голод, но не давала потолстеть. Кухарка, предупрежденная Марджори, что к ленчу будет еще один человек, приготовила на скорую руку жареный картофель. Он выглядел хрустящим и аппетитно пах. Но ел его только гость. Майкл уставился на блюдо с таким видом, словно не совсем понимал, что там лежит, затем, чуть заметно вздрогнув, очнулся от мрачной задумчивости и сказал: «Нет, благодарю». Они сидели за длинным и узким обеденным столом, Джулия и Майкл на торцовых концах, друг против друга, в величественных итальянских креслах, молодой человек — посредине, на не очень удобном, но гармонирующем с прочей мебелью стуле. Джулия заметила, что он посматривает на буфет, и наклонилась к нему с обаятельной улыбкой.

— Вам что-нибудь нужно?

Он покраснел.

— Нельзя ли мне ломтик хлеба?

— Конечно.

Джулия бросила на дворецкого выразительный взгляд — он в этот момент как раз наливал белое сухое вино в бокал Майкла,— и тот вышел из комнаты.

— Мы с Майклом не едим хлеба. Джевонс сглупил, не подумав, что вам он может понадобиться.

— Разумеется, есть хлеб — это только привычка,— сказал Майкл.— Поразительно, как легко от нее отучаешься, если твердо решишь.

— Бедный ягненочек, худой, как щепка, Майкл.

— Я отказался от хлеба не потому, что боюсь потолстеть. Я не ем его, так как не вижу в этом смысла. При моем моционе я могу есть все, что хочу.

Для пятидесяти двух лет у Майкла была еще очень хорошая фигура. В молодости его густые каштановые волосы, чудесная кожа, большие синие глаза, прямой нос и маленькие уши завоевали ему славу первого красавца английской сцены. Только тонкие губы несколько портили его. Высокий — шесть футов ростом,— он отличался к тому же прекрасной осанкой. Столь поразительная внешность и побудила Майкла пойти на сцену, а не в армию — по стопам отца. Сейчас его каштановые волосы почти совсем поседели, и он стриг их куда короче, лицо стало шире, на нем появились морщины, кожа перестала напоминать персик, по щекам зазмеились красные жилки. Но благодаря великолепным глазам и стройной фигуре он все еще был достаточно красив. Проведя пять лет на войне, Майкл усвоил военную выправку, и, если бы вы не знали, кто он (что вряд ли было возможно, так как фотографии его по тому или другому поводу вечно появлялись в иллюстрированных газетах), вы бы приняли его за офицера высокого ранга. Он хвастал, что его вес сохранился таким, каким был в двадцать лет, и многие годы вставал в любую погоду в восемь часов утра, надевал шорты и свитер и бегал по Риджент-парку.

— Секретарша сказала мне, что вы были на репетиции сегодня утром, мисс Лэмберт,— заметил юноша.— Вы собираетесь ставить новую пьесу?

— Отнюдь,— ответил Майкл.— Мы делаем полные сборы.

— Майкл решил, что мы немного разболтались, и назначил репетицию.

— И очень этому рад. Я обнаружил, что кое-где вкрались трюки, которых я не давал при постановке, и во многих местах актеры позволяют себе вольничать с текстом. Я очень педантичен в этих вопросах и считаю, что надо строго придерживаться авторского слова, хотя, видит Бог, то, что пишут авторы в наши дни, немногого стоит.

— Если вы хотите посмотреть эту пьесу,— любезно сказала Джулия,— я уверена, Майкл даст вам билет.

— Мне бы очень хотелось пойти еще раз,— горячо сказал юноша.— Я видел спектакль уже три раза.

— Неужели?— изумленно воскликнула Джулия, хотя она прекрасно помнила, что Майкл ей об этом говорил.— Конечно, пьеска эта не так плоха, она вполне отвечает своему назначению, но я не представляю, чтобы кому-нибудь захотелось трижды смотреть ее.

— Я не столько ради пьесы, сколько ради вашей игры.

«Все-таки я вытянула из него это»,— подумала Джулия и добавила вслух:

— Когда мы читали пьесу, Майкл еще сомневался. Ему не очень понравилась моя роль. Вы знаете, по сути, это — не для ведущей актрисы. Но я решила, что сумею кое-что из нее сделать. Понятно, на репетициях вторую женскую роль пришлось сильно сократить.

— Я не хочу сказать, что мы заново переписали пьесу,— добавил Майкл,— но, поверьте, то, что вы видите сейчас на сцене, сильно отличается от того, что предложил нам автор.

— Вы играете просто изумительно,— сказал юноша.

(«А в нем есть свой шарм».)

— Рада, что я вам понравилась,— ответила Джулия.

— Если вы будете очень любезны с Джулией, она, возможно, подарит вам на прощанье свою фотографию.

— Правда? Подарите?

Он снова вспыхнул, его голубые глаза засияли. («А он и впрямь очень-очень мил».) Красивым юношу, пожалуй, назвать было нельзя, но у него было открытое, прямодушное лицо, а застенчивость казалась даже привлекательной. Волнистые светло-каштановые волосы были тщательно приглажены, и Джулия подумала, насколько больше бы ему пошло, если бы он не пользовался бриллиантином. У него был свежий цвет лица, хорошая кожа и мелкие красивые зубы. Джулия заметила с одобрением, что костюм сидит на нем хорошо и он умеет его носить. Юноша выглядел чистеньким и славным.

— Вам, верно, раньше не приходилось бывать за кулисами?— спросила она.

— Никогда. Вот почему мне до смерти хотелось получить эту работу. Вы даже не представляете, что это для меня значит!

Майкл и Джулия благожелательно ему улыбнулись. Под его восхищенными взорами они росли в собственных глазах.

— Я никогда не разрешаю посторонним присутствовать на репетиции, но, поскольку вы теперь наш бухгалтер, вы вроде бы входите в труппу, и я не прочь сделать для вас исключение, если вам захочется прийти,— сказал Майкл.

— Это чрезвычайно любезно с вашей стороны. Я еще ни разу в жизни не был на репетиции. А вы будете играть в новой пьесе, мистер Госселин?

— Нет, не думаю. Я теперь не очень-то стремлюсь играть. Почти невозможно найти роль на мое амплуа. Понимаете, в моем возрасте уже не станешь играть любовников, а авторы перестали писать роли, которые в моей юности были в каждой пьесе. То, что французы называют «резонер». Ну, вы знаете, что я имею в виду — герцог, или министр, или известный королевский адвокат, которые говорят остроумные вещи и обводят всех вокруг пальца. Не понимаю, что случилось с авторами. Похоже, они вообще разучились писать. От нас ожидают, что мы построим здание, но где кирпичи? И вы думаете, они нам благодарны? Авторы, я хочу сказать. Вы бы поразились, если бы услышали, какие условия у них хватает наглости ставить!

— Однако факт остается фактом: нам без них не обойтись,— улыбнулась Джулия.— Если пьеса плоха, ее никакая игра не спасет.

— Все дело в том, что и публика перестала по-настоящему интересоваться театром. В великие дни расцвета английской сцены люди не ходили смотреть пьесы, они ходили смотреть актеров. Не важно, что играли Кембл* или миссис Сиддонс. Публика шла, чтобы смотреть на их игру. И хотя я не отрицаю, если пьеса плоха, мы горим. Все же, когда она хороша, даже теперь зрители приходят смотреть актеров, а не пьесу.

— Я думаю, никто с этим не станет спорить,— сказала Джулия.

— Такой актрисе, как Джулия, нужно одно — произведение, где она может себя показать. Дайте ей его, и она сделает все остальное.

Джулия улыбнулась юноше очаровательной, но чуть-чуть извиняющейся улыбкой.

— Не надо принимать моего мужа слишком всерьез. Боюсь, там, где дело касается меня, он немного пристрастен.

— Если молодой человек что-нибудь в этом смыслит, он должен знать, что в области актерского искусства ты можешь все.

— Я просто остерегаюсь делать то, чего не могу. Отсюда и моя репутация.

Но тут Майкл взглянул на часы.

— Ну, юноша, нам следует ехать.

Молодой человек проглотил залпом то, что еще оставалось у него в чашке. Джулия поднялась из-за стола.

— Вы не забыли, что обещали мне фотографию?

— Думаю, у Майкла в кабинете найдется что-нибудь подходящее. Пойдемте, вместе выберем.

*Кембл Джон Филип (1757 — 1823) — английский актер.

Джулия провела его в большую комнату позади столовой. Хотя предполагалось, что это будет кабинет Майкла — «надо же человеку иметь место, где он может посидеть без помех и выкурить трубку»,— использовали ее главным образом как гардеробную, когда у них бывали гости. Там стояло прекрасное бюро красного дерева, на нем фотографии Георга V и королевы Марии с их личными подписями. Над камином висела старая копия портрета Кембла в роли Гамлета кисти Лоренса*. На столике лежала груда напечатанных на машинке пьес. По стенам шли книжные полки, закрытые снизу дверцами. Открыв дверцу, Джулия вынула пачку своих последних фотографий. Протянула одну из них юноше.

— Эта, кажется, не так плоха.

— Очаровательна.

— Значит, я здесь не настолько похожа, как думала.

— Очень похожи. В точности, как в жизни.

На этот раз улыбка ее была иной, чуть лукавой; Джулия опустила на миг ресницы, затем, подняв их, поглядела на юношу с тем мягким выражением глаз, которое поклонники называли ее бархатным взглядом. Она не преследовала этим никакой цели, сделала это просто механически, из инстинктивного желания нравиться. Мальчик был так молод, так робок, казалось, у него такой милый характер, и она никогда больше его не увидит, ей не хотелось, так сказать, остаться в долгу, хотелось, чтобы он вспоминал об этой встрече, как об одном из великих моментов своей жизни. Джулия снова взглянула на фотографию. Неплохо бы на самом деле выглядеть так. Фотограф посадил ее, не без ее помощи, самым выгодным образом. Нос у нее был слегка толстоват, но, благодаря искусному освещению, это совсем не заметно; ни одна морщинка не портила гладкой кожи, от взгляда ее прекрасных глаз невольно таяло сердце.

— Хорошо. Получайте эту. Вы сами видите, я не красивая и даже не хорошенькая. Коклен** всегда говорил, что у меня beaute du diable***. Вы ведь понимаете по-французски?

— Для этого — достаточно.

— Я надпишу ее вам.

---

* *Лоренс Томас* (1769—1830) — английский живописец-портретист.
** *Коклен-старший Констан* (1841—1909) — французский актер.
*** Бесовская красота (*фр.*).

Джулия села за бюро и своим четким, плавным почерком написала: «*Искренне Ваша, Джулия Лэмберт*».

Глава вторая

Когда мужчины ушли, Джулия снова пересмотрела фотографии перед тем, как положить их на место.

«Неплохо для сорока шести лет,— улыбнулась она.— Я тут похожа, не приходится спорить.— Она оглянулась в поисках зеркала, но не нашла.— Чертовы декораторы. Бедный Майкл. Чего удивляться, что он редко здесь сидит. Конечно, я никогда не была особенно фотогенична».

У Джулии вдруг возникло желание взглянуть на старые снимки. Майкл был человек деловой и аккуратный. Все ее фотографии хранились в больших картонных коробках в хронологическом порядке. Его собственные, также датированные, были в других коробках в том же шкафу.

— Когда кто-нибудь захочет написать историю нашей карьеры, весь материал будет под рукой,— говорил он.

С тем же похвальным намерением он с самого первого дня на сцене наклеивал все газетные вырезки в большие конторские книги, и их накопилась уже целая полка.

Там были детские карточки Джулии и снимки, сделанные в ранней юности; Джулия в первых своих ролях, Джулия — молодая замужняя женщина с Майклом, а затем с Роджером, тогда еще младенцем. Одна их фотография — Майкл, мужественный и неправдоподобно красивый, она сама, воплощенная нежность, и Роджер, маленький кудрявый мальчик,— имела колоссальный успех. Все иллюстрированные газеты отдали ей по целой странице; ее печатали на программках. Уменьшенная до размеров художественной открытки, она в течение многих лет продавалась в провинции. Так досадно, что, поступив в Итон, Роджер наотрез отказался фотографироваться вместе с матерью. Удивительно — не хотеть попасть в газеты!

— Люди подумают, что ты — урод или еще что-нибудь,— сказала она.— В этом нет ничего зазорного. Пойди на премьеру, посмотри, как все эти дамы и господа из общества толпятся вокруг фотографов, все эти министры, судьи и прочие. Они делают вид, будто им это ни к чему, но надо видеть, какие позы они принимают, когда им кажется, что фотограф нацелил на них объектив.

Однако Роджер стоял на своем.

На глаза Джулии попалась ее фотография в роли Беатриче. Единственная шекспировская роль в ее жизни. Джулия знала, что плохо выглядит в костюмах той эпохи, хотя никогда не могла понять почему: никто лучше нее не умел носить современное платье. Она все шила себе в Париже — и для сцены, и для личного обихода; портнихи говорили, что ни от кого не получают столько заказов. Фигура у нее прелестная, все это признают: длинные ноги и, для женщины, довольно высокий рост. Жаль, что ей не выпало случая сыграть Розалинду, ей бы очень пошел мужской костюм. Разумеется, теперь уже поздно, а может, и хорошо, что она не стала рисковать. Хотя при ее блеске, ее лукавом кокетстве и чувстве юмора она, наверное, была бы идеальна в этой роли. Критикам не очень понравилась ее Беатриче. Все дело в этом проклятом белом стихе. Ее голос, низкий, глубокий, грудной голос, с такой эффектной хрипотцой, от которой в чувствительном пассаже у вас сжималось сердце, а смешные строки казались еще смешнее, совершенно не годился для белого стиха. Опять же, ее артикуляция: она всегда была настолько четка, что Джулии не приходилось нажимать, и так каждое слово слышно в последних рядах галерки; говорили, что из-за этого стихи звучат у нее, как проза. Все дело в том, думала Джулия, что она слишком современна.

Майкл начал с Шекспира. Это было еще до их знакомства. Он играл Ромео в Кембридже, и после того как, окончив университет, провел год в драматической школе, его ангажировал Бенсон[*]. Майкл гастролировал по провинции и играл самые разные роли. Он скоро понял, что с Шекспиром далеко не уедешь и, если он хочет стать ведущим актером, ему надо научиться играть в современных пьесах. В Миддлпуле был театр с постоянной труппой и постоянным репертуаром, привлекавший к себе большое внимание; им заведовал некий Джеймс Лэнгтон. Проработав в труппе Бенсона три года, Майкл написал Лэнгтону, когда они собирались в очередную поездку

---

[*] *Бенсон Франк Роберт* (1858—1939) — английский актер и режиссер, посвятивший себя постановке шекспировских пьес, организатор ежегодных фестивалей на родине Шекспира — в Стратфорде-на-Эйвоне.

в Миддлпул, и спросил, нельзя ли с ним повидаться. Джимми Лэнгтон, толстый, лысый, краснощекий мужчина сорока пяти лет, похожий на одного из зажиточных бюргеров Рубенса, обожал театр. Он был эксцентричен, самонадеян, полон кипучей энергии, тщеславен и неотразим. Он любил играть, но его внешние данные годились для очень немногих ролей, и слава Богу, так как актер он был плохой. Он не мог умерить присущую ему экспансивность, и, хотя внимательно изучал и обдумывал свои роли, все они превращались в гротеск. Он утрировал каждый жест, чрезмерно подчеркивал каждое слово. Но когда он вел репетицию с труппой — иное дело, тогда он не переносил никакой наигранности. Ухо у Джимми было идеальное, и, хотя сам он и слова не мог произнести в нужной тональности, сразу замечал, если фальшивил кто-то другой.

— Не будьте естественны,— говорил он актерам.— На сцене не место этому. Здесь все — притворство. Но извольте *казаться* естественными.

Джимми выжимал из актеров все соки. Утром, с десяти до двух, шли репетиции, затем он отпускал их домой учить роли и отдохнуть перед вечерним спектаклем. Он распекал их, он кричал на них, он насмехался над ними. Он недостаточно им платил. Но если они хорошо исполняли трогательную сцену, он плакал, как ребенок, и, когда смешную фразу произносили так, как ему хотелось, он хватался за бока. Если он был доволен, он прыгал по сцене на одной ножке, а когда сердился, кидал пьесу на пол и топтал ее, а по его щекам катились гневные слезы. Труппа смеялась над Джимми, ругала его и делала все, чтобы ему угодить. Он возбуждал в них покровительственный инстинкт, все они до одного чувствовали, что просто не могут его подвести. Они говорили, что он дерет с них три шкуры, у них минутки нет свободной, такой жизни даже скотина не выдержит, и при этом им доставляло какое-то особое удовольствие выполнять его непомерные требования. Когда он с чувством пожимал руку старого актера, получающего семь фунтов в неделю, и говорил: «Клянусь Богом, старина, ты был просто сногсшибателен»,— старик чувствовал себя Чарлзом Кином[*].

Случилось так, что, когда Майкл приехал в Миддлпул на встречу, о которой просил в письме, Джимми Лэнгтону как раз требовался актер на амплуа первого любовника. Он

---

[*] *Кин Чарлз Джон* (1811—1868) — известный английский актер.

догадался, по какому поводу Майкл хочет его видеть, и пошел накануне в театр посмотреть на его игру. Майкл выступал в роли Меркуцио и не очень ему понравился, но, когда тот вошел к нему в кабинет, Джимми был поражен его красотой. В коричневом сюртуке и серых брюках из легкой шерсти он, даже без грима, был так хорош, что прямо дух захватывало. У него были непринужденные манеры, и говорил он, как джентльмен. Пока Майкл излагал цель своего визита, Джимми внимательно за ним наблюдал. Если он хоть как-то может играть, с такой внешностью этот молодой человек далеко пойдет.

— Я видел вашего Меркуцио вчера,— сказал он.— Что вы сами о нем думаете?

— Отвратительный.

— Согласен. Сколько вам лет?

— Двадцать пять.

— Вам, наверное, говорили, что вы красивы?

— Потому-то я и пошел на сцену, а не в армию, как отец.

— Черт побери, мне бы вашу внешность, какой бы я был актер!

Кончилась встреча тем, что Майкл подписал контракт. Он пробыл у Джимми Лэнгтона два года. Вскоре он сделался любимцем труппы. Он был добродушен и отзывчив, не жалел труда, чтобы оказать услугу. Его красота произвела сенсацию в Миддлпуле, и у служебного входа вечно торчала куча девиц, поджидавших, когда он выйдет. Они писали ему любовные письма и посылали цветы. Майкл принимал их поклонение как должное, но не позволял вскружить себе голову. Он стремился к успеху и твердо решил, что не свяжет себя ничем, что может этому помешать. Джимми Лэнгтон скоро пришел к заключению, что, несмотря на настойчивость Майкла и горячее желание преуспеть, из него никогда не получится хороший актер. Спасала Майкла только красота. Голос у него был тонковат и в особо патетические моменты звучал чуть пронзительно. Это скорее было похоже на истерику, чем на бурную страсть. Но самым большим его недостатком в качестве героя-любовника было то, что он не умел изображать любовь. Он свободно вел обычный диалог, умел донести соль произносимых им строк, но, когда доходило до признания в любви, что-то его сковывало. Он смущался, и это было видно.

— Черт вас подери, не держите девушку так, словно это мешок с картофелем!— кричал на него Джимми Лэнгтон.—

Вы целуете ее с таким видом, будто боитесь заразиться простудой! Вы влюблены в нее. Вам должно казаться, будто вы таете, как воск, и, если через секунду будет землетрясение и земля вас поглотит, черт с ним, с этим землетрясением!

Но все было напрасно. Несмотря на свою красоту, изящество и непринужденные манеры, Майкл оставался холодным любовником. Это не помешало Джулии страстно им увлечься. Произошло это сразу же, как только Майкл присоединился к их труппе.

У самой Джулии все шло без сучка без задоринки. Родилась Джулия на Джерси, где ее отец, уроженец этого острова, практиковал в качестве ветеринара. Сестра ее матери вышла замуж за француза, торговца углем, который жил в Сен-Мало, и Джулию отправили к ней учиться в местном лицее. По-французски она говорила, как настоящая француженка. Она была прирожденная актриса, и, сколько себя помнила, ни у кого не вызывало сомнений, что она пойдет на сцену. Ее тетушка, мадам Фаллу, была «en relations*» со старой актрисой, бывшей в молодости societaire** в «Comedie Francaise***». Уйдя из театра, та переселилась в Сен-Мало и жила там на небольшую пенсию, которую назначил ей один из ее любовников, когда они наконец расстались после многих лет верного внебрачного сожительства. К тому времени, когда Джулии исполнилось двенадцать, эта актриса превратилась в толстую, громогласную и деятельную старуху шестидесяти лет с лишком, больше всего на свете любившую вкусно поесть. У нее был звонкий, раскатистый смех и зычный, низкий, как у мужчины, голос. Она-то и давала Джулии первые уроки драматического искусства и научила всем приемам которые сама в свое время узнала в Conservatoire****. Она же рассказывала ей о Рейхенберг, выступавшей в амплуа инженю до семидесяти лет, о Саре Бернар***** и ее золотом горле, о величественном Муне-Сюлли****** и великом Коклене. Она читала Джулии длинные отрывки из трагедий Корнеля и Расина так, как привыкла

---

* «В добрых отношениях» (*фр.*).

** Постоянный член труппы; здесь: актриса (*фр.*).

*** «Комеди Франсез» (*фр.*).

**** Высшее музыкальное и театральное училище (*фр.*).

***** *Бернар Сара* (1844—1923) — знаменитая французская актриса.

****** *Муне-Сюлли Жан* (1841—1916) — известный французский актер.

произносить их в «Comedie Francaise», и следила, чтобы та разучивала их подобным же образом. Девочка прелестно декламировала полные истомы и страсти монологи Федры, подчеркивая ритм александрийского стиха и выговаривая слова так аффектированно и вместе с тем так драматично. В свое время Жанна Тэбу, должно быть, играла в очень нарочитой манере, но она научила Джулию превосходной артикуляции, научила ходить и держаться на сцене, научила ее не бояться собственного голоса и отшлифовала ее интуитивное умение установить нужный ритм, которое впоследствии стало одним из самых больших ее достоинств.

— Не делай паузы, если в этом нет крайней необходимости,— гремела старая актриса, колотя кулаком по столу,— но уж если сделала, тяни ее, сколько сможешь.

Когда Джулии исполнилось шестнадцать и она пошла в Королевскую академию драматического искусства на Говер-стрит, она уже знала многое из того, чему там учили. Ей пришлось избавиться от некоторых приемов, которые выглядели старомодно, и приучиться к более разговорной манере исполнения. Но она занимала первые места на всех конкурсах, в которых участвовала, и, как только окончила школу, почти сразу получила, благодаря своему превосходному французскому, небольшую роль горничной в одном из лондонских театров. Какое-то время казалось, что ее знание французского языка обречет ее только на такие роли, где требуется иностранный акцент, так как следом за французской горничной она играла австрийскую официантку. Прошло два года, прежде чем ее открыл Джимми Лэнгтон. Джулия гастролировала по провинции с мелодрамой, хорошо принятой в Лондоне, в роли итальянки-авантюристки, чьи интриги в конце концов оказываются раскрытыми; она старалась, без особого успеха, изобразить сорокалетнюю женщину. Поскольку ведущая актриса, блондинка зрелого возраста, играла молодую девушку, все представление было лишено правдоподобия. Джимми дал сам себе короткий отпуск, который он проводил, посещая театр за театром в разных городах. После окончания спектакля он пошел за кулисы познакомиться с Джулией. Джимми был достаточно известен в театральных кругах для того, чтобы его комплименты польстили ей, и, когда он пригласил ее назавтра к ленчу, Джулия согласилась.

«Театр»

Не успели они сесть за столик, как он без обиняков приступил к делу.

— Я этой ночью и глаз не сомкнул, все думал о вас.

— Вот это сюрприз! И какие же у вас были мысли — честные или бесчестные?

Джимми пропустил мимо ушей легкомысленный ответ.

— Я участвую в этой игре уже двадцать пять лет. Я был мальчиком, вызывающим актеров на сцену, рабочим сцены, актером, режиссером, рекламным агентом, был даже критиком, черт побери. Я живу среди кулис с самого детства, с тех пор, как вышел из школы, и то, чего я не знаю о театре, и знать не стоит. Я думаю, что вы — огромный талант.

— Очень мило с вашей стороны.

— Заткнитесь. Говорить предоставьте мне. У вас идеальные данные. Подходящий рост, подходящая фигура, каучуковое лицо...

— Очень лестно.

— Еще как. Такое лицо и нужно актрисе. Лицо, которое может быть любым, даже прекрасным, лицо, на котором отражается каждая мысль, проносящаяся в уме. Такое лицо было у Дузе*. Вчера вечером, хотя вы по-настоящему и не думали о том, что делали, время от времени слова, которые вы произносили, были просто написаны у вас на лице.

— Это ужасная роль. Там и думать-то не о чем. Вы слышали, какую ерунду я должна пороть?

— Ужасными бывают только актеры, а не роли. У вас необыкновенный голос, голос, который может перевернуть всю душу. Как вы в комических ролях — я не знаю, но готов рискнуть.

— Что вы этим хотите сказать?

— Ваше чувство ритма почти безупречно. Этому нельзя научить; должно быть, оно у вас от природы. И это куда лучше. Перехожу к сути дела. Я навел о вас справки. Вы в совершенстве говорите по-французски, поэтому вам дают роли, где нужен ломаный английский язык. На этом, знаете, далеко не уедешь.

— Это все, что я могу получить.

— Вас удовлетворит всю жизнь изображать такие персонажи? Вы застрянете на них, и публика не станет принимать вас ни в каком другом амплуа. Вы всегда будете на второстепенных

_____
* *Дузе Элеонора* (1858—1924) — итальянская актриса.

ролях. Самое большое — двадцать фунтов в неделю и гибель большого таланта.

— Я всегда думала, что наступит день — и я получу настоящую роль.

— Когда? Вы можете прождать десять лет. Сколько вам сейчас?

— Двадцать.

— Сколько вы получаете?

— Пятнадцать фунтов в неделю.

— Неправда. Вы получаете двенадцать, и это куда больше того, что вы сейчас стоите. Вам еще всему надо учиться. Ваши жесты банальны. Вы даже не догадываетесь, что каждый жест должен что-то означать. Вы не умеете заставить публику смотреть на вас до того, как вы заговорите. Вы слишком грубо накладываете грим. С таким лицом, как у вас, чем меньше грима, тем лучше. Вы хотите стать звездой?

— Кто же не хочет?

— Переходите ко мне, и я сделаю вас величайшей актрисой Англии. Вы быстро запоминаете текст? Наверное, да, в вашем возрасте...

— Думаю, могу слово в слово запомнить любую роль через двое суток.

— Вам нужен опыт, и я — для того, чтобы вас сделать. Переходите ко мне, и вы будете иметь двадцать ролей в год. Ибсен, Шоу, Баркер, Зудерман, Хэнкин, Голсуорси. В вас есть огромное обаяние, но, судя по всему, вы еще не имеете ни малейшего представления, как им пользоваться.— Джимми засмеялся коротким смешком.— А если бы имели, эта старая карга в два счета выжила бы вас из труппы. Вы должны брать публику за горло и говорить: «Эй вы, собаки, глядите-ка на меня». Вы должны властвовать над ней. Если у человека нет таланта, никто ему его не даст, но, если талант есть, можно научить им пользоваться. Говорю вам, у вас есть все задатки великой актрисы. Я еще никогда в жизни ни в чем не был так уверен.

— Я знаю, что мне не хватает опыта. Конечно, мне надо подумать о вашем предложении. Я бы не прочь перейти к вам на один сезон.

— Идите к черту. Вы воображаете, я смогу за один сезон сделать из вас актрису? Стану тянуть из себя жилы, чтобы вы дали несколько приличных представлений, а потом уехали в Лондон играть какую-нибудь ничтожную роль в коммерческой пьесе? За какого же кретина вы меня принимаете! Я подпишу с вами контракт на три года, я буду платить вам восемь фунтов в неделю, и работать вам придется, как лошади.

— О восьми фунтах в неделю не может быть и речи. Это смешно. Такого предложения я принять не могу.

— Прекрасно можете. Это все, чего вы сейчас стоите, и все, что вы будете получать.

Джулия пробыла в театре три года и успела к этому времени многое узнать. К тому же Жанна Тэбу, не отличавшаяся строгой моралью, поделилась с ней массой полезных сведений.

— А не рассчитываете ли вы случайно, что за эти же деньги я стану спать с вами?

— О Господи, неужели вы думаете, у меня есть время крутить романы с актрисами моей труппы? У меня куча куда более важных дел, детка. И вы увидите, что после четырех часов репетиций, не говоря уж об утренних представлениях, да после того, как вы сыграете вечером в спектакле так, что я буду вами доволен, у вас тоже не будет ни времени, ни желания заниматься любовью. Когда вы ляжете наконец в постель, вам одного захочется — спать.

Но тут Джимми Лэнгтон ошибся.

Глава третья

Джулия, захваченная энтузиазмом и фантастической энергией Лэнгтона, приняла предложение. Джимми начал с ней со скромных ролей, которые под его руководством она играла так, как никогда раньше. Он заинтересовал ею критиков, польстил им, сделав вид, будто это они открыли новый необыкновенный талант, и, незаметно для них самих, выудил предложение показать ее публике в роли Магды*. Джулия имела колоссальный успех, и тогда Джимми дал ей одну за другой Нору в «Кукольном доме»**, Энн в «Человек и сверхчеловек»*** и Гедду Габлер****. Миддлпульцы были в восторге, обнаружив в своем театре актрису, которая могла затмить любую лондонскую звезду, и, чтобы увидеть ее, ломились на такие спектакли, на которые раньше ходили

---

* Героиня драмы *Германа Зудермана* (1857—1928) «Родина».

** Драма *Г. Ибсена.*

*** Пьеса *Б. Шоу.*

**** Героиня одноименной драмы *Г. Ибсена.*

только из местного патриотизма. О Джулии стали упоминать в столичных газетах, и многие восторженные ценители драмы специально приезжали в Миддлпул на нее посмотреть. Они возвращались, превознося ее до небес, и два или три лондонских антрепренера послали своих представителей, чтобы они дали о ней свой отзыв. Те колебались. В драмах Шоу и Ибсена она была хороша, а какой она окажется в обычной пьесе? У антрепренеров уже был печальный опыт. Прельстившись выдающейся игрой какого-нибудь актера в одной из этих чудных пьес, они подчас заключали с ним контракт, а потом обнаруживалось, что во всех остальных пьесах он играет ничуть не лучше других.

Когда Майкл присоединился к их труппе, Джулия играла в Миддлпуле уже целый год. Джимми выпустил его в роли Марчбенкса в «Кандиде»*. Это оказался правильный выбор, как того и следовало ожидать, ибо в этой роли красота Майкла была большим преимуществом, а отсутствие темперамента не являлось недостатком.

...Джулия протянула руку и взяла первую из картонных коробок, в которых лежали фотографии Майкла. С удобством расположившись на полу, она быстро просматривала его ранние фотографии в поисках той, которая была сделана, когда он впервые приехал в Миддлпул. Когда она наконец нашла снимок, сердце ее вдруг сжалось от острой боли. Несколько секунд Джулия боролась со слезами. Такой он тогда и был. Кандиду играла немолодая актриса, обычно выступавшая в характерных ролях или в ролях матерей и старых тетушек, и Джулия, которая была занята только по вечерам, посещала все репетиции. Она влюбилась в Майкла с первого взгляда. Джулия никогда в жизни не видела такого красавца и стала упорно добиваться его. Выждав время, Джимми поставил «Привидения»** с риском навлечь на себя гнев респектабельного Миддлпула. Майкл играл в нем юношу, Джулия — Регину. Они читали друг другу свои роли, а после репетиции вместе перекусывали — очень скромно,— чтобы их обсудить. Вскоре они стали неразлучны. Джулия не могла совладать с собой и безудержно льстила Майклу. Он не был тщеславен: зная, что красив, он выслушивал комплименты по этому поводу не то чтобы безразлично, но так,

---

* Пьеса Б. Шоу.
** Драма Г. Ибсена.

словно речь шла о прекрасном старом доме, который переходил в их семье из поколения в поколение. Было известно, что это один из лучших образчиков архитектуры своей эпохи, им гордились, о нем заботились, но в том, что он существовал, не было ничего особенного, владеть им казалось так же естественно, как дышать. Майкл был неглуп и честолюбив; он знал, что красота — пока его главный козырь, но знал также, что она недолговечна, и твердо решил стать хорошим актером, чтобы в дальнейшем опираться на кое-что еще, кроме внешних данных. Он намеревался научиться у Джимми Лэнгтона всему, чему можно, а затем уехать в Лондон.

— Если я хорошо использую обстоятельства, может быть, я найду какую-нибудь старуху, которая субсидирует меня и поможет открыть собственный театр. Это единственный способ сколотить состояние.

Джулия скоро обнаружила, что Майкл не очень-то любит тратиться, и, когда они завтракали или отправлялись по воскресеньям на небольшую прогулку, не забывала вносить свою долю в их расходы. Джулия ничего не имела против этого. Ей нравилось, что он считает пенни, и, будучи сама склонна сорить деньгами, вечно запаздывая на неделю, а то и на две с квартирной платой, она восхищалась тем, что он терпеть не может влезать в долги и даже при своем скудном жаловании умудряется регулярно кое-что откладывать. Майкл хотел скопить достаточную сумму к тому времени, как переберется в Лондон, чтобы иметь возможность не хвататься за первую предложенную роль, а подождать, пока подвернется что-нибудь стоящее. Родители его жили на небольшую пенсию и должны были лишить себя самого необходимого, чтобы послать его в Кембридж. Однако отец, которому не очень-то нравилось намерение Майкла идти на сцену, был тверд.

— Если ты решил стать актером, я, по-видимому, не смогу тебе помешать,— сказал он,— но, черт подери, я настаиваю, чтобы ты получил образование, приличествующее джентльмену.

Джулия с удовлетворением узнала, что отец Майкла был полковник в отставке, на нее произвел большое впечатление рассказ об их предке, проигравшем при регентстве в карты все свое состояние, ей нравилось кольцо с печаткой, которое носил Майкл, где была выгравирована кабанья голова и девиз: «Nemo me impune lacessit».

— Мне кажется, ты больше гордишься своей семьей, чем тем, что похож на греческого бога,— нежно говорила она ему.

— Кто угодно может быть красив,— отвечал он со своей привлекательной улыбкой,— но не всякий может похвалиться добропорядочной семьей. Сказать по правде, я рад, что мой отец — джентльмен.

Джулия собралась с духом и сказала:

— А мой — ветеринар.

На секунду лицо Майкла окаменело, но он тут же справился с собой и рассмеялся.

— Конечно, это не имеет особого значения, кто у тебя отец. Я часто слышал, как мой отец вспоминал о полковом ветеринаре. Он был у них на равных с офицерами. Отец всегда говорил, что он был один из лучших людей в полку.

Джулия была рада, что Майкл окончил Кембридж. Он был в гребной команде своего колледжа, и одно время поговаривали о том, чтобы включить его в университетскую сборную.

— Я, понятно, очень этого хотел. Это бы так пригодилось в дальнейшем. Можно было бы прекрасно использовать для рекламы.

Джулия не могла сказать, знает он, что она в него влюблена, или нет. Сам он никогда никаких авансов не делал. Ему нравилось ее общество, и, когда они оказывались в компании, он почти не отходил от нее. Иногда их приглашали в воскресенье в гости, на обед или на роскошный холодный ужин, и ему казалось вполне естественным, что они идут туда вместе и вместе уходят. Он целовал ее, прощаясь у двери, но так, как мог бы целовать пожилую актрису, с которой играл в «Кандиде». Майкл был сердечен, добродушен, ласков, но, как ей это ни было больно, Джулия не могла не видеть, что она для него всего лишь товарищ. Однако знала она и то, что ни в кого другого он тоже не влюблен. Любовные письма, которые ему писали, он со смехом читал ей вслух, а когда женщины присылали ему цветы, тут же отдавал их Джулии.

— Вот идиотки,— говорил он.— Какого черта они хотят этим достичь?

— Мне кажется, об этом нетрудно догадаться,— сухо отвечала Джулия. Хотя ей было известно, что он ни во что не ставит эти знаки внимания, она все равно злилась и ревновала.

— Я был бы последним дураком, если бы связался с кем-нибудь здесь, в Миддлпуле. В большинстве это все желторотые девчонки. Не успею я и глазом моргнуть, как на меня накинется разгневанный родитель и скажет: а не хотите ли вы под венец?

Джулия пыталась узнать, не было ли у него интрижки, когда он играл в труппе Бенсона. Она постепенно выяснила, что некоторые из молодых актрис были склонны ему докучать, но он считал, что связываться с женщинами из своей труппы — страшная ошибка. Это никогда не доводит до добра.

— Ты же знаешь, какие актеры сплетники! Всем все будет известно через двадцать четыре часа. И когда начнешь что-нибудь в этом роде, никогда не скажешь заранее, чем все кончится. Нет, я не собирался рисковать.

Когда Майклу хотелось поразвлечься, он ждал, пока они не окажутся неподалеку от Лондона, мчался туда и подцеплял девчонку в ресторане «Глобус». Конечно, это было дорого и, по сути дела, не стоило затраченных денег; к тому же у Бенсона он много играл в крикет и, если представлялась возможность, в гольф, а всякие такие вещи вредны для глаз.

Джулия выдала ему наглую ложь:

— Джимми говорит, я куда лучше играла бы, если бы завела роман.

— Не верь ему. Он просто грязный старикашка. С кем? Наверное, с ним? Все равно что сказать, будто я лучше сыграл бы Марчбенкса, если бы писал стихи.

Они столько разговаривали друг с другом, что рано или поздно она должна была выяснить его взгляды на брак.

— Я думаю, актер — просто дурак, если он женится молодым. Я знаю кучу примеров, когда это совершенно загубило человеку карьеру. Особенно если он женится на актрисе. Он делается звездой, и тогда она камнем висит у него на шее. Она хочет играть с ним, и, если у него своя труппа, он вынужден отдавать ей первые роли, а пригласи он кого-нибудь другого, она станет устраивать ему ужасные сцены. Всегда есть опасность, что у нее родится ребенок и ей придется отказаться от превосходной роли. Она на много месяцев исчезнет с глаз публики, а ты сама знаешь, что такое публика — с глаз долой, из сердца вон. Если она не видит тебя каждый день, она вообще забывает о твоем существовании.

Замужество! Что ей было замужество? Сердце таяло у нее в груди, когда она смотрела в его глубокие ласковые глаза, она трепетала от мучительного восторга, когда любовалась его блестящими каштановыми кудрями. Что бы она ему ни отдала, если бы он попросил! Но мысль об этом ни разу не закралась в его красивую голову.

«Конечно, я ему нравлюсь,— сказала себе Джулия.— Нравлюсь больше, чем кто-либо другой, он даже восхищается мной, но я не привлекаю его как женщина».

Джулия сделала все, чтобы его соблазнить, разве что не легла к нему в постель, и то лишь по одной причине — не представлялось удобного случая. Она стала опасаться, что они чересчур хорошо узнали друг друга, вряд ли их отношения смогут теперь принять другой характер, и горько упрекала себя за то, что не довела дела до конца, когда они только познакомились. Майкл слишком искренне сейчас к ней привязан, чтобы стать ее любовником. Джулия разузнала, когда у него день рождения, и подарила ему золотой портсигар — вещь, которую ему хотелось иметь больше всего на свете. Он стоил куда дороже, чем она могла себе позволить, Майкл с улыбкой попенял ей за мотовство. Он и не догадывался, с каким экстатическим наслаждением тратила она на него деньги. Когда настал ее день рождения, Майкл преподнес ей полдюжины шелковых чулок. Джулия сразу увидела, что они неважного качества. Бедный ягненочек, ему трудно было заставить себя войти в большой расход, но она была очень тронута тем, что он вообще сделал ей подарок, и чуть не расплакалась.

— Ну и чувствительная ты, крошка,— сказал Майкл, однако он был умилен — ему польстили ее слезы.

Его бережливость казалась Джулии привлекательной чертой. Майкл просто не мог сорить деньгами. Он был не то чтобы скуп, просто расчетлив. Один или два раза в ресторане ей показалось, что он недостаточно дал на чай официанту, но, когда она отважилась запротестовать, он и ухом не повел. Он давал ровно десять процентов и, если у него не было мелочи и он не мог дать точной суммы, спрашивал сдачу.

«В долг не бери и взаймы не давай»,— цитировал он Полония.

Когда кто-либо из членов труппы, оказавшись временно на мели, пытался занять у Майкла деньги, это было пустой затеей. Но отказывал он так бесхитростно, с такой сердечностью, что на него не обижались.

— Дружище, я был бы счастлив одолжить тебе пару монет, но я и сам в кулак свищу. Не представляю, как заплачу за жилье в конце недели.

В течение первых месяцев Майкл так был занят собственными ролями, что не имел возможности заметить, какая Джулия прекрасная актриса. Он, конечно, читал отзывы в газетах, где полно было похвал по ее адресу, но читал бегло, пока не доходил до строк, посвященных лично ему. Он бывал доволен, когда его одобряли, и не расстраивался, когда его бранили. Майкл был слишком скромен, чтобы возмущаться нелестными отзывами.

— Наверное, я и вправду был ужасен,— говорил он.

Самой приятной чертой в характере Майкла было его добродушие. Он переносил все громы и молнии Джимми Лэнгтона с полной невозмутимостью. Когда после долгой репетиции у остальных актеров начинали сдавать нервы, он оставался безмятежен. С ним было просто невозможно поссориться. Однажды Майкл сидел в зрительном зале и смотрел репетицию того акта, где сам он не играл. В конце была очень сильная и трогательная сцена, в которой Джулия имела возможность показать свой талант. Пока готовили декорации для следующего акта, Джулия прошла в зал и села рядом с Майклом. Он продолжал сидеть молча, сурово глядя прямо перед собой.

Джулия удивилась: не улыбнуться ей, не бросить дружеского слова — это было на него непохоже. И тут она увидела, что он стискивает зубы, чтобы они не стучали, и что глаза его полны слез.

— Что случилось, милый?

— Не заговаривай со мной. Маленькая чертовка, ты заставила меня плакать.

— Ангел!

На глаза Джулии тоже навернулись слезы и потекли по щекам. Она была так счастлива, так польщена!

— А, пропади оно все пропадом,— всхлипнул Майкл.— Ничего не могу с собой поделать.

Он вынул из кармана платок и вытер глаза.

(«Я люблю его, люблю, люблю!»)

Майкл высморкался.

— Стало немного лучше, но, клянусь Богом, ты меня потрясла.

— Неплохая сцена, правда?

— При чем тут сцена? Все дело в тебе. Ты перевернула мне всю душу. Критики правы, черт побери, ты — настоящая актриса, ничего не скажешь.

— И ты только сейчас это увидел?

— Я знал, что ты хорошо играешь, но и понятия не имел, что так хорошо. Мы все рядом с тобой ничто. Ты будешь звездой. Что бы ни стояло у тебя на пути.

— Тогда ты будешь моим партнером.

— Черта лысого это мне удастся у лондонских антрепренеров.

Джулию осенило:

— Значит, ты сам должен стать антрепренером и сделать меня исполнительницей главных ролей.

Майкл помолчал. Он был немного тугодум, и ему требовалось время, чтобы оценить по достоинству новую мысль.

— Знаешь, а это совсем неплохая идея.

За ленчем они обсудили ее поподробнее. Говорила в основном Джулия, Майкл слушал с глубоким интересом.

— Конечно, единственный способ постоянно иметь хорошие роли — это самому быть антрепренером труппы,— сказал он.

Все упиралось в деньги. Они прикинули, с чего можно начать. Майкл считал, что им надо минимум пять тысяч фунтов. Но как, скажите на милость, им раздобыть такую сумму? Конечно, некоторые из миддлпульских фабрикантов просто купаются в золоте, однако вряд ли можно ожидать, что они раскошелятся на пять тысяч фунтов, чтобы помочь двум молодым актерам, заслужившим только местную славу. К тому же они ревниво относились к Лондону.

— Придется тебе поискать богатую старуху,— весело сказала Джулия.

Она лишь наполовину верила всему, что говорила, но ей было приятно обсуждать проект, который еще больше сблизил бы ее с Майклом. Однако Майкл был вполне серьезен.

— Я не думаю, что в Лондоне можно добиться успеха, пока тебя как следует не узнают. Самое верное — года три-четыре поиграть в чужих труппах; нужно разведать все ходы и выходы. Это имеет еще одно преимущество — у нас будет время познакомиться с пьесами. Безумие открывать свой театр, не имея в запасе, по крайней мере, трех пьес. Одна из них должна стать гвоздем сезона.

— Конечно, и нам надо непременно играть вместе, чтобы публика привыкла видеть наши имена на одной и той же афише.

— Не думаю, чтобы это имело особое значение. Главное — завоевать в Лондоне хорошую репутацию, тогда нам куда легче будет найти людей, которые финансируют наше предприятие.

Глава четвертая

Дело шло к Пасхе, а Джимми Лэнгтон всегда закрывал театр на страстную неделю. Джулия не представляла, куда ей себя девать; вряд ли стоило ехать в Джерси на такое короткое время. Однажды утром она неожиданно получила письмо от миссис Госселин, матери Майкла, где говорилось, что она доставит им с полковником большое удовольствие, если приедет на недельку вместе с Майклом к ним в Челтнем. Когда она показала письмо Майклу, он просиял.

— Я попросил ее тебя пригласить. Я думал, это будет приличнее, чем просто взять тебя с собой.

— Ты — душка. Конечно, я буду очень рада поехать.

Сердце Джулии трепетало от счастья. Что могло быть восхитительней, чем провести целую неделю вместе с Майклом! И это так на него похоже: прийти на выручку, когда ему стало известно, что она не знает, что бы ей предпринять. Но тут она увидела, что он чем-то обеспокоен.

— В чем дело?

Майкл смущенно рассмеялся.

— Понимаешь, дорогая, мой отец немного старомоден, есть вещи, которые ему уже трудно постигнуть. Конечно, я не хочу, чтобы ты лгала, но боюсь, ему покажется странным, что твой отец был ветеринар. Когда я спросил их в письме, могу ли я тебя привезти, я написал, что он был врач.

— Ну, это не имеет значения.

Джулия сразу увидела, что полковник далеко не так страшен, как она ожидала. Он был худой, невысокого роста, с морщинистым лицом и коротко подстриженными седыми волосами. В его чертах сквозило несколько подержанное благородство. Он вызывал в памяти профиль на монете, которая слишком долго находилась в обращении. Держался он любезно, но сдержанно. Он не был ни раздражителен, ни деспотичен, как боялась Джулия, знакомая с полковниками только по сцене. Она не представляла себе, как этим учтивым, довольно холодным голосом можно выкрикивать слова команды. По правде говоря, полковник Госселин вышел в отставку с почетным званием шефа полка после ничем не выдающейся службы и уже много лет довольствовался тем, что копался у себя в саду и играл в бридж в клубе. Он читал «Таймс», по воскресеньям ходил в церковь и сопровождал жену на чаепития в гости. Миссис Госселин была высокая полная пожилая женщина, куда выше мужа; при взгляде на нее чудилось, будто она все время старается съежиться. В ее лице еще сохранились следы былой привлекательности, и можно было поверить, что в молодости она была настоящая красавица. Она носила волосы на прямой пробор и закручивала их узлом на затылке. Благодаря росту и классическим чертам лица миссис Госселин показалась Джулии при первой встрече весьма внушительной, но вскоре она обнаружила, что та на редкость застенчива. Движения ее были неловки и скованны, одета она была безвкусно, со старомодной роскошью, которая совсем ей не шла. Джулия, не смущавшаяся ни при каких обстоятельствах, нашла конфузливость этой немолодой уже женщины трогательной. Миссис Госселин никогда не приходилось встречаться с актрисой, и она не знала, как себя держать в этом затруднительном положении. Дом отнюдь не был великолепным — небольшой оштукатуренный особнячок в саду с живой изгородью из лавровых кустов. Поскольку Госселины несколько лет провели в Индии, в комнатах стояли большие медные подносы и вазы, на замысловатых резных столиках лежали индийские вышивки. Все это была дешевка, которую там продают на базарах, и приходилось только удивляться, что кто-то счел нужным везти все это домой, в Англию.

Джулия была далеко не глупа. Ей не понадобилось много времени, чтобы увидеть, что полковник, при всей его сдержанности, и миссис Госселин, при всей ее робости, критически изучают и оценивают ее. У нее мелькнула мысль, что Майкл привез ее родителям на смотрины. Зачем? Ответ мог быть только один, и, когда он пришел Джулии в голову, сердце подскочило у нее в груди. Она видела: ему очень хочется, чтобы она произвела хорошее впечатление. Джулия интуитивно поняла, что должна скрыть в себе актрису и, без всякого усилия, без сознательного намерения, просто потому, что чувствовала — это должно понравиться, стала играть роль простой, скромной, простодушной девушки, всю жизнь спокойно жившей на лоне природы. Она гуляла с полковником по саду и, затаив дыхание, слушала разглагольствования о горохе и спарже; она помогала миссис Госселин поливать цветы и стирала пыль с бесчисленных безделушек, которыми была забита гостиная. Она говорила с ней о Майкле. Рассказывала, как талантливо он играет, какой пользуется популярностью, восхищалась его красотой. Джулия видела: миссис Госселин очень им гордится, и внутренний голос ей подсказал, что той понравится, если она покажет, конечно, чрезвычайно тактично, словно предпочла бы держать это в тайне и лишь нечаянно выдала себя, как она, Джулия, прямо по уши влюблена в ее сына.

— Разумеется, мы надеемся, что он добьется успеха,— сказала миссис Госселин.— Мы не очень-то были рады, когда он задумал идти на сцену; мы по обеим линиям потомственные военные, но он ни о чем другом и слышать не хотел.

— Да, конечно, я понимаю, о чем вы говорите.

— Я знаю, сейчас все иначе, чем в дни моей молодости, но ведь он все же настоящий джентльмен.

— О, теперь, знаете, на сцену идут самые порядочные люди. Теперь не то, что в старые времена.

— Вероятно, да. Я так рада, что он привез вас к нам. Я немного волновалась. Я думала, вы будете накрашены и... возможно, несколько вульгарны. Ни одна живая душа не догадалась бы, что вы — актриса.

(«Еще бы, черт побери. Никто бы так не сыграл сельскую барышню, как я это делаю вот уже два дня».)

Полковник начал отпускать по ее адресу шуточки и даже иногда игриво дергал ее за ухо.

— Право, полковник, вы не должны со мной флиртовать!— восклицала она, кидая на него очаровательный плутовской взгляд.— Только потому, что я — актриса, вы думаете, можно позволить себе со мной вольности!

— Джордж, Джордж,— улыбалась миссис Госселин. Затем, обращаясь к Джулии, добавляла:— Он всегда был любитель поухаживать.

(«Черт возьми, все идет как по маслу!»)

Миссис Госселин рассказывала ей об Индии, о том, как странно было, что все слуги темнокожие, но общество там было очень приличное, только правительственные чиновники и военные, однако дома все же лучше, и она была очень рада, когда приехала обратно в Англию.

Возвращаться они должны были в понедельник, на второй день Пасхи, потому что уже был назначен спектакль, и накануне вечером после ужина полковник сказал, что ему надо пойти в кабинет написать несколько писем; через несколько минут миссис Госселин тоже поднялась с места — пошла поговорить с кухаркой. Когда они остались одни, Майкл закурил, стоя у камина.

— Боюсь, здесь было не очень-то весело. Надеюсь, ты не слишком скучала?

— Здесь было божественно.

— Ты имела колоссальный успех у родителей. Ты им страшно понравилась.

«Господи, я достаточно потрудилась для этого»,— подумала Джулия, но вслух она сказала:

— Откуда ты знаешь?

— Вижу. Отец говорит, ты — настоящая леди, ни капли не похожа на актрису, а мать утверждает, что ты очень благоразумна.

Джулия опустила глаза, словно похвалы эти были слишком преувеличены. Майкл пересек комнату и стал перед ней. У нее вдруг мелькнула мысль, что он сейчас похож на красивого молодого лакея, который просит взять его на службу. Он был непривычно взволнован. Сердце чуть не выскакивало у нее из груди.

— Джулия, дорогая, ты выйдешь за меня замуж?

Всю эту неделю она спрашивала себя, сделает ли он ей предложение, но теперь, когда это наконец свершилось, она почувствовала себя странно смущенной.

— Майкл!

— Я не хочу сказать: немедленно. Когда мы станем на ноги, продвинемся хотя бы на один шаг по пути к успеху. Я знаю, на сцене мне с тобой не тягаться, но вместе мы легче добьемся победы, а когда откроем собственный театр, из нас выйдет неплохая упряжка. Ты ведь знаешь, что ты мне ужасно нравишься. Я хочу сказать, ни одна девушка и в подметки тебе не годится.

(«Дурак несчастный! Ну чего он городит всю эту чепуху?! Неужели не понимает, что я до смерти хочу за него выйти? Почему он не целует меня? Ну почему? Почему? Хватит у меня духу сказать, что я просто больна от любви к нему?»)

— Майкл, ты так красив. Кто может тебе отказать!

— Дорогая!

(«Я лучше встану. Он не догадается сесть. Господи, сколько раз Джимми заставлял его репетировать эту сцену!»)

Джулия встала и подняла к нему лицо. Он заключил ее в объятия и поцеловал.

— Я должен сказать матери.

Он отстранился от Джулии и пошел к двери.

— Мама, мама!

Через секунду полковник и миссис Госселин вошли в комнату. На лицах было счастливое ожидание.

(«Черт подери, это все было подстроено!»)

— Мама, отец, мы обручились.

Миссис Госселин заплакала. Своей неловкой тяжелой поступью подошла к Джулии, обняла ее и поцеловала сквозь слезы. Полковник горячо пожал сыну руку и, высвободив Джулию из объятий жены, тоже ее поцеловал. Он был глубоко растроган. Все эти изъявления чувств подействовали на Джулию, и, хотя она счастливо улыбалась, у нее по щекам заструились слезы. Майкл сочувственно наблюдал эту умилительную сцену.

— Как вы смотрите, не открыть ли нам бутылочку шампанского, чтобы отметить это событие?— спросил он.— Похоже, что мама и Джулия совсем расстроились.

— За дам, благослови их Господь,— сказал полковник, когда бокалы были наполнены.

Глава пятая

Теперь Джулия держала в руках фотографию, где она была снята в подвенечном платье.

«Господи, ну и пугало!»

Они решили сохранить помолвку в тайне, и Джулия сказала о ней только Джимми Лэнгтону, двум или трем девушкам в труппе и своей костюмерше. Она брала с них слово молчать и удивлялась, каким образом через двое суток все в театре обо всем знали. Джулия была на седьмом небе от счастья. Она любила Майкла еще более страстно, чем раньше, и с радостью выскочила бы за него немедля, но его благоразумие оказалось сильнее. Что они такое? Двое провинциальных актеров. Начинать завоевание Лондона в качестве соединенной узами брака пары — значило ставить на карту возможность достичь успеха. Джулия намекнула так прозрачно, как смогла, яснее некуда, что вполне готова стать его любовницей, но на это он не пошел. Он был слишком порядочен, чтобы воспользоваться ее любовью.

— «Ты б не была мне так мила, не будь мне честь милее!»* — процитировал он.

Майкл был уверен, что, когда они поженятся, они будут горько сожалеть, что стали жить как муж и жена еще до свадьбы. Джулия гордилась его принципами. Он был внимателен, ласков, нежен, но довольно скоро стал смотреть на нее как на что-то привычное, само собой разумеющееся; по его манере, дружеской, но немного небрежной, можно было подумать, будто они женаты уже много лет. Однако с присущей ему добротой он снисходительно и даже благосклонно принимал все знаки ее любви. Джулия обожала сидеть прижавшись к Майклу — его рука обнимает ее за талию, ее щека прижата к его щеке, а уж если она могла приникнуть алчным ртом к его довольно-таки тонким губам, это было поистине райским блаженством. И хотя Майкл, когда они сидели вот так, предпочитал обсуждать роли, которые они играли, или планы на будущее, она все равно была счастлива. Ей никогда не надоедало восхищаться его красотой. Было сладостно чувствовать, когда она говорила ему, какой точеный у него нос, как прекрасны его кудрявые каштановые волосы, что рука Майкла чуть крепче сжимает ей талию, видеть нежность в его глазах.

— Любимая, я стану тщеславен, как павлин.

— Но ведь просто глупо отрицать, что ты божественно хорош.

Джулия на самом деле так думала и говорила об этом, потому что это доставляло ей удовольствие, но не только потому — она знала, что и он с удовольствием слушает ее комплименты. Майкл относился к ней с нежностью и восхищением, ему было легко с ней, он ей доверял, но Джулия прекрасно знала, что он в нее не влюблен. Она утешала себя тем, что он любит ее так, как может, и думала, что, когда они поженятся, ее страсть пробудит в нем ответную страсть. А пока она призвала на помощь весь свой такт и проявляла максимальную сдержанность. Она знала, что не может позволить себе ему докучать. Знала, что не должна быть ему в тягость, что он никогда не должен чувствовать, будто обязан чем-то поступаться ради нее. Майкл мог оставить ее ради игры в гольф или завт-

---

* Из стихотворения *Ричарда Лавлейса* (1618—1658) «Лукасте, уходя на войну».

рака со случайным знакомым — она никогда не показывала ему даже намеком, что ей это неприятно. И, подозревая, что ее сценический успех усиливает его чувство, Джулия трудилась, как каторжная, чтобы хорошо играть.

На второй год их помолвки в Миддлпул приехал американский антрепренер, выискивавший новые таланты и прослышавший про труппу Джимми Лэнгтона. Он был очарован Майклом. Он послал ему за кулисы записку с приглашением зайти к нему в гостиницу на следующий день. Майкл, еле живой от волнения, показал записку Джулии; означать это могло только одно: ему хотят предложить ангажемент. У Джулии упало сердце, но она сделала вид, что она в таком же восторге, как он, и на следующий день пошла вместе с ним. Она осталась в холле, а Майкл отправился беседовать с великим человеком.

— Пожелай мне удачи,— шепнул он, подходя к кабине лифта.— Это слишком хорошо, чтобы можно было поверить.

Джулия сидела в кожаном кресле и всем сердцем желала, чтобы антрепренер предложил Майклу такую роль, которую он отвергнет, или жалованье, принять которое Майкл сочтет ниже своего достоинства. Или, наоборот, попросит Майкла почитать роль, на которую хочет его пригласить, и увидит, что она ему не по зубам. Но когда полчаса спустя Майкл спустился в холл, Джулия поняла по его сияющим глазам и легкой походке, что контракт заключен. На какой-то миг Джулии показалось, будто ей сейчас станет дурно, и, пытаясь выдавить на губах счастливую улыбку, она почувствовала, что мышцы не повинуются ей.

— Все в порядке. Он говорит, это чертовски хорошая роль — молодого парнишки, девятнадцати лет. Восемь или девять недель в Нью-Йорке, затем гастроли по стране. Сорок недель, как одна, в труппе Джона Дру[*]. Двести пятьдесят долларов в неделю.

— Любимый, я так за тебя рада.

Было ясно, что он ухватился за предложение обеими руками. Мысль о том, чтобы отказаться, даже не пришла ему в голову.

«А я... я...— думала она,— если бы мне посулили тысячу долларов в неделю, я бы не поехала, чтобы не разлучаться с ним».

Джулия была в отчаянии. Она ничем не сможет ему помешать. Надо притворяться, будто она на седьмом небе от сча-

---

[*] *Дру Джон* (1853—1927) — американский актер.

стья. Майкл был слишком возбужден, чтобы сидеть на месте, и они вышли на людную улицу.

— Это редкая удача. Конечно, в Америке все дорого, но я постараюсь тратить от силы пятьдесят долларов в неделю; говорят, американцы очень гостеприимны, и я смогу угощаться на даровщинку. Не вижу, почему бы мне не скопить за сорок недель восемь тысяч долларов, а это тысяча шестьсот фунтов.

(«Он не любит меня. Ему на меня плевать. Я его ненавижу. Я готова его убить. Черт побери этого американца!»)

— А если он оставит меня на второй год, я буду получать триста долларов в неделю. Это значит, что за два года я скоплю большую часть нужных нам четырех тысяч фунтов. Почти достаточно, чтобы начать дело.

— На второй год?!— на какой-то миг Джулия перестала владеть собой, и в голосе ее послышались слезы.— Ты хочешь сказать, что уедешь на два года?

— Ну, летом я, понятно, вернусь. Они оплачивают мне обратный проезд, и я поеду домой, чтобы поменьше тратиться.

— Не знаю, как я тут буду без тебя!

Она произнесла эти слова весело, даже небрежно, словно из одной вежливости.

— Мы с тобой великолепно проведем время летом, и знаешь — год, даже два пролетят в мгновение ока.

Майкл шел куда глаза глядят, но Джулия все время незаметно направляла его к известной ей цели, и как раз в этот момент они оказались перед дверьми театра. Джулия остановилась.

— Пока. Мне надо заскочить повидать Джимми.

Лицо Майкла омрачилось.

— Неужели ты хочешь меня бросить? Мне же не с кем поговорить. Я думал, мы зайдем куда-нибудь перекусим перед спектаклем.

— Мне ужасно жаль. Джимми меня ждет, а ты сам знаешь, какой он.

Майкл улыбнулся ей своей милой, добродушной улыбкой.

— Ну, тогда иди. Я не буду таить на тебя зла за то, что ты подвела меня раз в жизни.

Он направился дальше, а Джулия вошла в театр через служебный вход. Джимми Лэнгтон устроил себе в мансарде крошечную квартирку, попасть в которую можно было через балкон первого яруса. Джулия позвонила у двери. Открыл ей сам Джимми. Он был удивлен, но рад.

— Хэлло, Джулия, входи.

Она прошла мимо него, не говоря ни слова, и лишь когда оказалась в его захламленной, усеянной листами рукописей, книгами и просто мусором гостиной, обернулась и посмотрела ему в лицо. Зубы ее были стиснуты, брови нахмурены, глаза метали молнии.

— Дьявол!

Одним движением она подскочила к нему, схватила обеими руками за расстегнутый ворот рубахи и встряхнула. Джимми попытался высвободиться, но она была сильная, к тому же разъярена.

— Прекрати!

— Дьявол, свинья, грязная, подлая скотина!

Джимми размахнулся и отпустил ей пощечину. Джулия инстинктивно выпустила его и прижала руку к лицу, так как ударил он больно. Джулия заплакала.

— Негодяй! Шелудивый пес! Бить женщину!

— Это ты говори кому-нибудь другому, милочка. Ты разве не знаешь, что, если меня ударят, пусть даже и женщина, я ударю в ответ?

— Я вас не трогала.

— Ты чуть не задушила меня.

— Вы это заслужили. О, Господи, да я готова вас убить.

— Ну-ка сядь, цыпочка, и я дам тебе капельку виски, чтобы ты пришла в себя. А потом все мне расскажешь.

Джулия оглянулась в поисках кресла, куда бы она могла сесть.

— Господи, настоящий свинушник. Почему вы не пригласите поденщицу, чтобы она здесь убрала?

Сердитым жестом она скинула на пол книги с кресла, бросилась в него и расплакалась, теперь уже всерьез. Джимми налил ей порядочную дозу виски, добавил каплю содовой и заставил выпить.

— Ну а теперь объясни, по какому поводу вся эта сцена из «Тоски»*?

— Майкл уезжает в Америку.

— Да?

Она вывернулась из-под руки, обнимавшей ее за плечи.

— Как вы могли? Как вы могли?

— Я тут совершенно ни при чем.

---

* Опера *Джакомо Пуччини* (1858—1924), итальянского композитора.

— Ложь. Вы, верно, не знаете даже, что этот мерзкий антрепренер в Миддлпуле? Это ваша работа, нечего и сомневаться. Вы сделали это нарочно, чтобы нас разлучить.

— Душечка, ты несправедлива ко мне. По правде говоря, я сказал, что он может забрать у меня любого члена труппы, кроме Майкла Госселина.

Джулия не видела выражения его глаз при этих словах, иначе она спросила бы себя, почему у него такой довольный вид, словно ему удалось сыграть с кем-то очень хорошую шутку.

— Даже меня?— спросила она.

— Я знал, что актрисы ему не нужны. У них и своих хватает. Им нужны актеры, которые умеют носить костюмы и не плюют в гостиной на пол.

— О, Джимми, не отпускайте Майкла. Я этого не переживу.

— Как я могу ему помешать? Его контракт со мной истекает в конце нынешнего сезона. Это приглашение — большая удача для него.

— Но я его люблю. Я хочу его. А вдруг он в Америке кого-нибудь увидит? Вдруг какая-нибудь богатая наследница увлечется им?

— Если любовь к тебе его не остановит, что ж, скатертью дорожка, сказал бы я.

Его слова вновь привели Джулию в ярость.

— Поганый евнух, что вы знаете о любви?!

— Ох уж эти мне женщины,— вздохнул Джимми.— Если пытаешься лечь с ними в постель, они называют тебя грязным старикашкой, если нет — поганым евнухом...

— Ах, вы не понимаете! Он так потрясающе красив, они станут влюбляться в него одна за другой, а он так легко поддается лести. За два года многое может случиться.

— За два года?

— Если его хорошо примут, он останется еще на год.

— Ну, насчет этого можешь не волноваться. Он вернется в конце первого же сезона, и вернется навсегда. Этот антрепренер видел его только в «Кандиде». Единственная роль, в которой он более или менее сносен. Помяни мое слово, не пройдет и месяца, как они обнаружат, что совершили невыгодную сделку. Его ждет провал.

— Что вы понимаете в актерах?

— Все.

— Я бы с радостью выцарапала вам глаза.

— Предупреждаю, если ты попробуешь меня тронуть, на этот раз не отделаешься легким шлепком, такую получишь затрещину, что неделю сесть не сможешь.

— О Господи, и не сомневаюсь. И вы называете себя джентльменом?

— Только когда я пьян.

Джулия хихикнула, и Джимми понял, что худшее осталось позади.

— Ты знаешь не хуже меня, что на сцене ему до тебя далеко. Говорю тебе: ты будешь величайшей актрисой после миссис Кендел*. Зачем тебе связывать себя с человеком, который всегда будет камнем у тебя на шее? Вы хотите иметь собственный театр, он будет претендовать на роль твоего партнера. Майкл никогда не станет хорошим актером.

— У него есть внешность. Я могу вытащить его.

— От скромности ты не умрешь. Но тут ты ошибаешься. Если ты хочешь добиться успеха, ты не можешь позволить себе иметь партнера, который не дотягивает до тебя.

— Мне наплевать. Я скорее выйду замуж за него и потерплю провал, чем за кого-нибудь другого, чтобы добиться успеха.

— Ты девственница?

Джулия снова хихикнула.

— Это вас не касается, но, представьте, да.

— Так я и думал. Ну, если это тебе не так важно, почему бы вам с ним не отправиться на пару недель в Париж, когда мы закроемся? Он не отплывет в Америку раньше августа. Может, тогда утихомиришься!

— Он не хочет. Он не такой человек. Он джентльмен.

— Даже высшие классы производят себе подобных.

— Ах, вы не понимаете!— надменно проговорила Джулия.

— Спорю, что и ты — тоже.

Джулия не снизошла до ответа. Она действительно была очень несчастна.

— Я не могу без него жить, говорю вам. Что мне с собой делать, когда он уедет?

— Оставаться у меня. Я ангажирую тебя еще на год. У меня есть для тебя куча новых ролей, и я приглядел актера на амплуа первого любовника. Не актер, а находка. Ты не поверишь, насколько легче играть с партнером, когда есть отдача. Я буду платить тебе двенадцать фунтов в неделю.

Джулия подошла к нему и испытующе посмотрела в глаза.

* Кендел Мэдж (1849—1935) — английская актриса.

— И вы все это подстроили, чтобы заставить меня пробыть у вас еще сезон? Разбили мне сердце, разрушили всю мою жизнь только ради того, чтобы удержать в своем паршивом театре?!

— Клянусь, что нет. Ты мне нравишься, я восхищаюсь тобой. И за последние два года дела у нас идут как никогда. Но, черт подери, такой подлости я бы не совершил.

— Лгун, грязный лгун!

— Клянусь, это чистая правда.

— Докажите это тогда!— горячо сказала она.

— Как я могу доказать? Ты сама знаешь, я действительно порядочный человек.

— Дайте мне пятнадцать фунтов в неделю, и я вам поверю.

— Пятнадцать фунтов в неделю! Тебе известно, какие у нас сборы. Я не могу. А, ладно... Но мне придется добавлять три фунта из собственного кармана.

— Не моя печаль!

Глава шестая

После двух недель репетиций Майкла сняли с роли, на которую его ангажировали, и три или четыре недели он ждал, пока ему подыщут что-нибудь еще. Начал он в пьесе, которая не продержалась в Нью-Йорке и месяца. Труппу послали в турне, но спектакль принимали все хуже и хуже, и его пришлось изъять из репертуара. После очередного перерыва Майклу предложили роль в исторической пьесе, где его красота предстала в таком выгодном свете, что никто не заметил, какой он посредственный актер; в этой роли он и закончил сезон. О возобновлении контракта не было и речи. Пригласивший его антрепренер говорил весьма язвительно:

— Я бы много отдал, чтобы сквитаться с этим типом, Лэнгтоном, сукин он сын! Он знал, что делает, когда подсовывал мне этого истукана.

Джулия регулярно писала Майклу толстые письма, полные любви и сплетен, а он отвечал раз в неделю четким, аккуратным почерком, каждый раз четыре страницы, ни больше ни меньше. Он неизменно подписывался «*Любящий тебя...*», но в остальном его послания носили скорее информационный характер. При всем том Джулия ожидала каждого письма со страстным нетерпением и без конца его перечитывала.

Тон у Майкла был бодрый, но, хотя он почти ничего не говорил о театре, упоминал только, что роли ему предложили дрянные, а пьесы, в которых пришлось играть, ниже всякой критики, в театральном мире быстро все узнают, и Джулия слышала, что успеха он не имел.

«Конечно, это с моей стороны свинство,— думала она,— но я так рада!»

Когда Майкл сообщил день приезда, Джулия не помнила себя от счастья. Она заставила Джимми так построить программу, чтобы она смогла поехать в Ливерпуль встретить Майкла.

— Если корабль придет поздно, я, возможно, останусь на ночь,— сказала она Джимми.

Он иронически улыбнулся.

— Ты, видно, думаешь, что в суматохе возвращения домой тебе удастся его совратить?

— Ну и свинья же вы!

— Брось, душенька. Мой тебе совет: подпои его, запрись с ним в комнате и скажи, что не выпустишь, пока он тебя не обесчестит.

Но когда Джулия собралась ехать, Джимми проводил ее до станции. Подсаживая в вагон, похлопал по руке:

— Волнуешься, дорогая?

— Ах, Джимми, милый, я безумно счастлива и до смерти боюсь.

— Ну, желаю тебе удачи. И не забывай: он тебя не стоит. Ты молода, хороша собой, и ты — лучшая актриса Англии.

После отхода поезда Джимми направился в станционный буфет и заказал виски с содовой. «Как безумен род людской»*,— вздохнул он. А Джулия в это время стояла в пустом купе и гляделась в зеркало.

«Рот слишком велик, лицо слишком тяжелое, нос слишком толстый. Слава Богу, у меня красивые глаза и красивые ноги. Не чересчур ли я накрашена? Майкл не любит грима вне сцены. Но я жутко выгляжу без румян и помады. Ресницы у меня что надо. А, черт побери, не такая уж я уродина».

Не зная до последнего момента, отпустит ли ее Джимми, Джулия не предупредила Майкла, что встретит его. Он был удивлен и откровенно рад. Его прекрасные глаза сияли.

— Ты стал еще красивее,— сказала Джулия.

— Ах, не болтай глупостей,— засмеялся он, обнимая ее.— Ты ведь можешь задержаться до вечера?

_____
* *Шекспир*, «Сон в летнюю ночь».

— Я могу задержаться до завтрашнего утра. Я заказала две комнаты в «Адельфи», чтобы мы могли вволю поболтать.

— А не слишком «Адельфи» роскошна для нас?

— Ну, не каждый же день ты возвращаешься из Америки. Плевать на расходы.

— Мотовочка, вот ты кто. Я не знал, когда мы войдем в док, поэтому написал домой, что сообщу телеграммой время приезда. Телеграфирую, что приеду завтра.

Когда они оказались в отеле, Майкл по приглашению Джулии пришел в ее комнату, чтобы поговорить без помех. Она села к нему на колени, обвила его шею рукой, прижалась щекой к щеке.

— Ах, как приятно снова быть дома,— вздохнула она.

— Можешь мне этого не говорить,— отозвался он, не догадавшись, что она имеет в виду его объятия, а не Англию.

— Я тебе все еще нравлюсь?

— Еще как!

Она горячо поцеловала его.

— Ты не представляешь, как я по тебе скучала!

— Я полностью провалился в Америке,— сказал Майкл.— Не хотел тебе об этом писать, чтобы зря не расстраивать. Они считали, что я никуда не гожусь.

— Майкл!— вскричала она, словно не могла этому поверить.

— Думаю, я для них слишком типичный англичанин. Я им больше не нужен. Я так и предполагал, но все же для проформы спросил, собираются ли они продлить контракт, и они ответили: нет, ни за какие деньги.

Джулия молчала. Вид у нее был озабоченный, но сердце громко билось от радости.

— Но мне все равно, честно. Мне не понравилась Америка. Конечно, спорить не приходится, это удар по самолюбию, но что мне остается? Улыбнуться, и все. Как-нибудь переживем. Если бы ты знала, с какими типами там приходилось якшаться! Да по сравнению с некоторыми из них Джимми Лэнгтон — настоящий джентльмен. Даже если бы они попросили меня остаться, я бы отказался.

Хотя Майкл делал хорошую мину при плохой игре, Джулия видела, что он глубоко уязвлен. С чем только, должно быть, ему не приходилось мириться! Ей было ужасно его жаль, но, ах, какое она испытывала колоссальное облегчение.

— Какие у тебя теперь планы?— спокойно спросила она.

— Ну, побуду какое-то время дома и все как следует обдумаю. А потом поеду в Лондон, посмотрю, не удастся ли получить роль.

Она знала, что предлагать ему вернуться в Миддлпул было бесполезно. Джимми Лэнгтон его не возьмет.

— Ты, вероятно, не захочешь поехать со мной?

Джулия не верила собственным ушам.

— Я? Любимый, ты же знаешь, что я с тобой — хоть на край света.

— Твой контракт кончается в конце этого сезона, и, если ты намерена чего-то достичь, пора уже завоевывать Лондон. Я экономил в Америке каждый шиллинг. Они называли меня скупердяем, но я и ухом не вел. Привез домой около полутора тысяч фунтов.

— Как это тебе удалось, ради всего святого?

— Ну, я не очень-то раскошеливался,— радостно улыбнулся он.— Конечно, театр на это не откроешь, но на то, чтобы жениться, хватит; я хочу сказать — нам будет на что опереться, если мы не получим сразу ангажемента или потом окажемся временно без работы.

Джулии понадобилось несколько секунд, чтобы осознать его слова.

— Ты хочешь сказать — пожениться сейчас?

— Конечно, это рискованно, когда у нас нет ничего в перспективе, но иногда стоит пойти и на риск.

Джулия взяла его лицо в ладони и прижалась губами к его губам. Затем от всего сердца вздохнула.

— Любимый, ты замечательный, и ты красив как греческий бог, но ты — самый большой глупец, какого я знала в жизни.

Вечером они пошли в театр, а за ужином заказали бутылку шампанского, чтобы отпраздновать их воссоединение и поднять тост за счастливое будущее. Когда Майкл проводил Джулию до дверей ее комнаты, она подставила ему щеку.

— Ты хочешь, чтобы я пожелал тебе доброй ночи в коридоре? Может, я зайду к тебе на минуту?

— Лучше нет, любимый,— ответила она со спокойным достоинством.

Джулия ощущала себя высокородной девицей, которая должна блюсти все традиции своей знатной и древней фамилии; ее чистота была бесценной жемчужиной. Она также видела, что производит на редкость хорошее впечатление. Майкл был настоящий джентльмен, и, черт подери, ей приличествовало вести себя настоящей леди. Джулия была так довольна разыгранной ею мизансценой, что, войдя в комнату и, пожалуй, излишне громко защелкнув дверь, она гордо прошлась взад-вперед, милостиво кивая направо и налево своим раболепным вассалам. Она протянула лилейную руку для поцелуя трепещущему старому мажордому (в детстве он часто качал ее на колене), и, когда он прижался к ней бледными губами, она почувствовала, как на нее что-то капнуло. Слеза.

Глава седьмая

Первый год их брака был бы очень бурным, если бы не ровный характер Майкла. Лишь радость, когда он получал хорошую роль, лихорадка во время премьеры или возбуждение после вечеринки, на которой он выпил несколько бокалов шампанского, были способны обратить практический ум Майкла к любви. Никакая лесть, никакие соблазны не могли его совратить, если на следующий день его ждала деловая встреча, для которой требовалась свежая голова, или предстоял раунд в гольф, для которого был нужен верный глаз. Джулия закатывала ему безумные сцены. Она ревновала его к приятелям по артистическому клубу, к играм, которые уводили его от нее, к официальным завтракам, которые он не пропускал под тем предлогом, что необходимо заводить знакомства среди людей, которые могут им пригодиться. Ее приводило в ярость, что, когда она доходила до истерического припадка, он сидел совершенно спокойно, скрестив на коленях руки, с добродушной улыбкой на красивом лице, словно все это просто забавно.

— Ты же не думаешь, что я бегаю за другими женщинами? — спрашивал он.

— Почем я знаю? Слепому видно, что на меня тебе наплевать.

— Тебе прекрасно известно, что ты для меня единственная женщина на свете.

— О Боже!

— Я не понимаю, чего ты хочешь.

— Я хочу любви. Я думала, что вышла за самого красивого мужчину в Англии, а я вышла за портновский манекен.

— Не говори глупостей. Я — обыкновенный нормальный англичанин, а не итальянский шарманщик.

Джулия величаво расхаживала взад-вперед по комнате. У них была небольшая квартирка на Бэкингем-гейт, и развернуться там было негде, но Джулия старалась как могла. Она вздымала руки к небесам.

— Я могла бы быть кривой и горбатой. Мне могло бы быть пятьдесят. Неужели я настолько непривлекательна? Так унизительно вымаливать твою любовь. Ах, как я несчастна!

— А это был удачный жест, дорогая. Словно ты посылаешь вперед крикетный мяч. Запомни его.

Она бросала на него презрительный взгляд.

— Единственное, о чем ты способен думать. У меня разрывается сердце, а ты говоришь о каком-то случайном жесте.

Но он видел по выражению ее лица, что она откладывала его в памяти, и знал: когда представится случай, она воспользуется им.

— В конце концов, любовь еще не все. Она хороша в положенное время и в положенном месте. Мы неплохо развлекались во время медового месяца, на то он и предназначен, а теперь пора браться за работу.

Им повезло. Оба они умудрились получить вполне приличные роли в пьесе, которая имела успех. У Джулии была одна сильная сцена, всегда вызывавшая бурные аплодисменты; удивительная красота Майкла произвела своего рода сенсацию. Майкл, с его корректной предприимчивостью, с его веселым добродушием, создал им прекрасную рекламу, фотографии их обоих стали появляться в иллюстрированных газетах. Их часто приглашали на званые вечера, и Майкл, несмотря на свою бережливость, не колеблясь, тратил деньги на прием людей, которые могли оказаться им полезны. Джулию прямо поражала его щедрость в этих случаях. Антрепренер театра, в котором они играли, предложил Джулии главную роль в следующей пьесе, и, хотя там не было ничего подходящего для Майкла и ей очень хотелось отказаться, он ей этого не разрешил. Он сказал, что они не могут позволить чувствам мешать делу. А вскоре и Майкл получил роль в исторической пьесе.

Они оба играли, когда разразилась война. К гордости и отчаянию Джулии, Майкл тут же записался в добровольцы, но с помощью одного из старых отцовских сослуживцев, который был важной персоной в военном министерстве, ему очень скоро присвоили офицерское звание. Когда Майкл отправился во Францию, Джулия горько сожалела о всех тех упреках, которыми она так часто осыпала его, и решила, если он будет убит, покончить с собой. Она хотела стать сестрой милосердия и тоже поехать на фронт — по крайней мере, станет ходить по одной земле с ним; но Майкл объяснил, что ее патриотический долг — продолжать выступления, и она была не в силах отказать ему в просьбе, которая могла оказаться последней. Майкл от души наслаждался войной. Он пользовался большой популярностью в полковом клубе, и старые кадровые офицеры приняли его как своего, несмотря на то, что он был актером. Казалось, будто семья потомственных военных, из которой он вышел, поставила на нем свою печать, так что он инстинктивно стал держаться и даже думать, как профессиональный офицер. Майкл был тактичен, умел себя вести и искусно пускал в ход свои связи, он просто неминуемо должен был попасть в свиту какого-нибудь генерала. Он проявил себя хорошим организатором и последние три года войны провел в ставке главнокомандующего. Вернулся Майкл майором с крестом и орденом Почетного легиона.

Тем временем Джулия сыграла ряд крупных ролей и была признана лучшей актрисой младшего поколения. Театр во время войны процветал, и Джулия немало выгадывала тем, что играла в спектаклях, которые долго не сходили со сцены. Жалованье возросло, и с помощью разумных советов Майкла она умудрилась, хотя и с трудом, выжимать из антрепренеров по восемьдесят фунтов в неделю. Майкл приезжал в Англию в отпуск, и Джулия бывала безумно счастлива. Хотя он не был бы в большей безопасности, занимайся он разведением овец в Новой Зеландии, Джулия вела себя так, будто те коротенькие периоды, что он с ней проводил,— последние дни, которыми ему суждено наслаждаться в этом мире, будто он только что вырвался из кошмара окопной жизни. Она была с ним нежна, заботлива и нетребовательна.

А незадолго до конца войны Джулия его разлюбила.

Она была в то время беременна. По мнению Майкла, заводить тогда ребенка было довольно опрометчиво, но Джулии было уже под тридцать, и она решила, что если они вообще хотят иметь детей, то откладывать больше нельзя. Ее положение в театре настолько упрочилось, что она могла позволить себе исчезнуть со сцены на несколько месяцев, и при том, что Майкла могли в любой момент убить,— конечно, он говорил, что ему абсолютно ничего не грозит, но он просто успокаивал ее, даже генералов и тех убивали,— удержать ее в жизни мог только его ребенок. Роды предстояли в конце года. Джулия ждала следующего отпуска Майкла как никогда раньше. Чувствовала она себя прекрасно, но немного растерянно и беспомощно, страшно тосковала по его объятиям, ей так нужны были его защита и покровительство. Майкл приехал. Он был удивительно красив в своей хорошо скроенной форме с нашивками штабиста и короной на погонах. Он загорел и в результате лишений, которые испытывал в ставке, довольно сильно пополнел. Коротко стриженный, с бравой выправкой и беспечным видом, он выглядел военным до кончиков ногтей. Настроение у него было великолепное, и не только потому, что он выбрался на несколько дней домой,— уже был виден конец войны. Майкл намеревался уйти из армии как можно скорее. Что толку иметь хоть какие-то связи, если не использовать их? Так много молодых актеров покинули сцену — кто из патриотизма, кто потому, что оставшиеся дома патриоты сделали их жизнь невыносимой, кто по призыву,— что главные роли попали в руки людей или непригодных для военной службы, или уволенных из армии по ранению. Обстановка была на редкость благоприятная, и Майкл понимал, что, если не будет терять времени, он сможет выбирать роли по своему усмотрению. А когда он вновь напомнит о себе публике, они начнут присматривать театр и при той репутации, которой добилась Джулия, без риска начнут собственное дело.

Они проговорили обо всем этом за полночь, а потом легли в постель. Джулия страстно прильнула к нему, он ее обнял. После трех месяцев воздержания Майкл был настроен на любовный лад.

— Ты моя милая женушка,— прошептал он.

Он прижался губами к ее губам. И вдруг Джулию охватило смутное отвращение. Она еле удержалась, чтобы его не оттолкнуть. Раньше ей казалось, что его тело, его юное прекрасное тело пахнет цветами и медом, она жадно вдыхала этот сладостный аромат, такие вот ощущения и приковывали ее к Майклу, но теперь каким-то таинственным образом Майкл утратил свое очарование. Джулия осознала, что он потерял аромат юности и стал просто мужчиной. Она почувствовала легкую тошноту. Она не могла ответить на его пыл, больше всего ей хотелось, чтобы он поскорее удовлетворил желание, перевернулся на другой бок и уснул. Джулия долго лежала без сна. Она была в смятении. Сердце ее щемило, она знала, что лишилась чего-то очень дорогого, ей было себя жаль, она готова была заплакать, но в то же время ее переполняло торжество; казалось, она мстит ему за свои прошлые, такие горькие муки. Она была свободна от уз, которые привязывали ее к Майклу, и ликовала. Теперь она будет с ним на равных. Джулия вытянула ноги и облегченно вздохнула: «Господи, как прекрасно быть самой себе хозяйкой».

Они позавтракали в спальне: Джулия — в постели, Майкл — за маленьким столиком рядом. Она всматривалась в него, в то время как он читал газету, острым, оценивающим взглядом. Неужели каких-то три месяца могли так его изменить? А может быть, все годы она смотрела на Майкла глазами, которые впервые увидели его, когда он вышел в Миддлпуле на сцену во всем великолепии юности и красоты и поразил ее любовью, как смертельной болезнью? Майкл все еще был удивительно хорош собой. В конце концов ему всего тридцать шесть, но юность осталась позади; с коротко стриженной головой, обветренной кожей, легкими морщинками, уже начинающими бороздить его гладкий лоб и появляться у уголков глаз, он был — решительно и бесповоротно — мужчиной. Он утратил свою щенячью грацию, жесты его стали однообразны. Взятые в отдельности, это были мелочи, но, собранные вместе, они абсолютно все меняли. Майкл постарел.

Они по-прежнему жили в квартирке, снятой, когда они только приехали в Лондон. Хотя последнее время Джулия очень неплохо зарабатывала, казалось, нет смысла переезжать, пока Майкл находится в действующей армии. Однако теперь, когда они ожидали ребенка, квартира, безусловно, была слишком мала. Джулия присмотрела дом в Риджен-парке, который очень ей понравился. Она хотела заблаговременно там обосноваться и ждать родов.

Дом выходил окнами в сад. Над бельэтажем, где помещались гостиная и столовая, были две спальни, а на втором этаже еще две комнаты, которые можно было использовать как дневную и ночную детские. Майклу все очень понравилось, даже цена показалась ему умеренной. Джулия за последние четыре года зарабатывала настолько больше него, что предложила меблировать дом за свой счет. Они стояли в одной из двух спален.

— Я могу перевезти для своей спальни то, что у нас есть,— сказала она.— А для тебя куплю хороший гарнитур у Мейпла.

— Я бы не стал входить в большие расходы на мою комнату,— улыбнулся он,— вряд ли я часто стану ею пользоваться.

Майкл любил спать с ней в одной постели. Не будучи страстным, он был нежен, и ему доставляло животное наслаждение чувствовать ее рядом с собой. Много лет это было ее величайшей радостью. Сейчас мысль об этом привела ее в раздражение.

— О, я не уверена, что мы сможем позволить себе эти глупости, пока не родится ребенок. До тех пор тебе придется спать одному.

— Я об этом не подумал. Если ты считаешь, что для малыша так лучше...

Глава восьмая

Майкл демобилизовался буквально в тот же день, как закончилась война, и сразу получил ангажемент. Он вернулся на сцену куда лучшим актером, чем раньше. Беспечные замашки, приобретенные им в армии, были на сцене весьма эффектны. Непринужденный, спортивный, всегда веселый малый, с легкой улыбкой и сердечным смехом, он хорошо подходил для салонных пьес. Его высокий голос придавал особую пикантность фривольной реплике, и, хотя серьезная страсть по-прежнему выглядела у него неубедительно, он мог предложить руку и сердце словно в шутку, объясниться с таким видом, будто сам над собой смеется, и так провести задорную любовную сцену, что публика была в восторге. Майкл никогда и не пытался играть никого, кроме самого себя. Он специализировался на ролях жуиров, богатых повес, джентльменов-игроков, гвардейцев и славных молодых бездельников. Антрепренеры любили его. Майкл усердно работал и подчинялся указаниям. Главное для него было получить роль, а какую — не имело особого значения. Он упорно добивался жалованья, которого, считал, заслуживает, но, если ему это не удавалось, предпочитал согласиться на меньшее, чем сидеть без работы.

Майкл тщательно продумал свои планы. Зимой, сразу после конца войны, разразилась эпидемия инфлюэнцы. Родители Майкла умерли. Он получил в наследство около четырех тысяч фунтов, что вместе с его сбережениями и деньгами Джулии составило почти семь тысяч. Однако плата за театральное помещение чудовищно подскочила, жалованье актерам и рабочим сцены также возросло, и, для того чтобы открыть собственный театр, требовалось теперь куда больше денег. Суммы, которой до войны с избытком могло хватить, теперь было далеко не достаточно. Оставалось одно — заинтересовать богатого человека, который вошел бы с ними в пай, чтобы один или два неудачных спектакля не выбили их из седла. Говорили, что всегда можно найти простофилю, который выпишет чек на кругленькую сумму для постановки новой пьесы, но, когда вы переходили от слов к делу, обнаруживалось, что главную роль в этой пьесе должна играть какая-нибудь красотка, которой он покровительствует, и деньги будут даны только при этом условии. Много лет назад Майкл и Джулия часто шутили насчет того, что какая-нибудь богатая старуха влюбится в Майкла и поможет ему открыть свой театр, но они уже давно поняли, что молодому актеру, у которого жена — актриса и он ей верен, никакой такой богатой старухи не отыскать. И все же они нашли женщину с деньгами, причем отнюдь не старуху. Но интересовалась она не Майклом, а Джулией.

Долли де Фриз была вдова. Эта низенькая, тучная, несколько мужеподобная женщина, с красивым орлиным носом, красивыми темными глазами, неуемной энергией, экспансивная и вместе с тем неуверенная в себе, обожала театр. Когда Джулия и Майкл решили попытать счастья в Лондоне, Джимми Лэнгтон, к которому она порой приходила на выручку, когда казалось, что ему придется закрыть театр, дал к ней рекомендательное письмо с просьбой по возможности им помочь. Миссис де Фриз уже видела Джулию в Миддлпуле. Она устроила несколько званых вечеров, чтобы познакомить молодых актеров с антрепренерами, и пригласила их в свой великолепный дом возле Гилдфорда, где они окунулись в роскошь, которая никогда им не снилась. Майкл ей совсем не понравился. Джулия восхищалась цветами, которые Долли де Фриз присылала к ней на квартиру и в уборную театра, была в восторге от ее подарков: сумочек, несессеров, бус из полудрагоценных камней, брошей, но никак не показывала, что догадывается, чем вызвана щедрость Долли, и принимала ее исключительно как дань своему таланту. Когда Майкл ушел на войну, Долли настаивала на том, чтобы Джулия переехала к ней, в ее дом на Монтегью-сквер, но Джулия, пылко поблагодарив, отказалась, причем в такой тактичной форме, что

Долли, вздохнув и уронив слезу, не могла не восхищаться ею еще сильней. Когда родился Роджер, Джулия пригласила Долли быть его крестной матерью.

Некоторое время Майкл подумывал, не обратиться ли к Долли. Но он был достаточно проницателен и понимал, что даже если бы она и сделала что-то для Джулии, она ничего не сделает для него. А Джулия наотрез отказалась прибегать к ее помощи.

— Она и так была к нам очень добра; право, я не могу еще что-то у нее клянчить, и будет так неприятно, если она откажет.

— Игра стоит свеч, а она, если и потеряет на этом кое-что, даже не почувствует. Я уверен, что ты могла бы ее уломать, если бы захотела.

Джулия ничуть в этом не сомневалась. Майкл так наивен в некоторых вещах; она не считала нужным указывать ему на очевидные факты.

Но Майкл был не из тех, кто легко отступается от того, что задумал. Госселины ехали в Гилдфорд, чтобы провести субботу и воскресенье у Долли, в новой машине, которую Джулия подарила Майклу ко дню рождения. Был прекрасный, теплый вечер, Майкл только недавно купил преимущественное право на постановку трех пьес, которые им обоим понравились, и слышал о здании театра, которое можно было снять на приемлемых условиях. Все было готово, чтобы начать дело, не хватало одного — денег. Майкл уговаривал Джулию воспользоваться предстоящим визитом.

— Сам попроси, если тебе так хочется,— нетерпеливо сказала Джулия.— Говорю тебе, я просить не стану.

— Мне она не даст. А ты можешь из нее веревки вить.

— Мы с тобой уже хорошо знаем, при каких условиях финансируют пьесы. Или человек хочет получить славу, пусть даже плохую, или он в кого-нибудь влюблен. Куча людей болтает об искусстве, но редко увидишь, чтобы они платили за него чистоганом, если не надеются извлечь из этого что-нибудь для самих себя.

— Что ж, предоставим Долли всю славу, какую она захочет.

— Ей нужно совсем другое.

— Что ты имеешь в виду?

— А ты не догадываешься?

Только тут его осенило. Майкл был так изумлен, что сбавил скорость. Неужели Джулия права? Он всегда считал, что не нравится Долли, а уж предполагать, что она в него влюблена,— это ему и в голову не могло прийти. Конечно, Джулия — женщина проницательная, ничего не пропустит, но она так ревнива, крошка, ей вечно кажется, будто женщины вешаются ему на шею. Спору нет, Долли подарила ему к Рождеству запонки, но он-то полагал, она просто не хочет, чтобы он был в обиде, ведь Джулии она подарила брошь, которая стоит не меньше двухсот фунтов. Должно быть, это было сделано для отвода глаз. Ну, он может, положа руку на сердце, сказать, что никогда не подавал ей надежд. Джулия хихикнула:

— Нет, милый, она влюблена, но не в тебя.

Майкл смутился. И как это Джулия всегда угадывает, о чем он думает? Да, от нее ничего не скроешь.

— Тогда зачем ты навела меня на эту мысль? Выражайся, ради всего святого, так, чтобы тебя можно было понять.

Это Джулия и сделала.

— В жизни не слышал такой чепухи!— воскликнул Майкл.— У тебя просто грязное воображение, Джулия.

— Брось, милый.

— Нет, я не верю ни единому твоему слову. В конце концов, у меня тоже есть глаза. Неужели я бы ничего не заметил?

Джулия еще никогда не видела его таким рассерженным.

— И даже если это правда, я думаю, ты сумеешь за себя постоять. Это один шанс на тысячу, просто безумие его пропустить.

— Клаудио и Изабелла в «Мера за меру»*.

— Подло так говорить, Джулия. Я все же джентльмен.

«Nemo me impune lacessit».

Остаток пути прошел в грозовом молчании.

Миссис де Фриз не спала и поджидала их.

— Я не хотела ложиться, пока не увижу вас,— сказала она, заключая Джулию в объятия и целуя в обе щеки. Майклу она едва пожала руку.

Джулия с удовольствием провалялась все утро в постели, просматривая воскресные газеты. Она начинала с театральных новостей, затем переходила к светской хронике, затем к женской странице и наконец скользила взглядом по заголовкам остальных статей. Рецензии на книги она не удостаивала вниманием, ей было вообще непонятно, зачем на них тратят так много места. Майкл, спавший в соседней комнате, заглянул пожелать ей доброго утра и вышел в сад. Вскоре

---

* Комедия *Шекспира*.

раздался негромкий стук в дверь, вошла Долли. Ее большие черные глаза сияли. Она села на край кровати и взяла Джулию за руку.

— Дорогая, я разговаривала с Майклом. Я хочу финансировать ваш театр.

У Джулии громко забилось сердце.

— О, Майкл не должен был вас просить. Я не хочу. Вы и так уже столько для нас сделали.

Долли наклонилась и поцеловала Джулию в губы. Голос ее был ниже, чем обычно, и слегка дрожал.

— Ах, моя любовь, разве вы не знаете, что я сделала бы для вас все на свете! Это будет так замечательно, это так сблизит нас, и я буду так вами горда!

Они услышали, что по коридору, насвистывая, идет Майкл; когда он вошел в комнату и Долли обернулась к нему, ее глаза были полны слез.

— Я ей рассказала.

Майкл не мог сдержать радости.

— Вот это женщина!— Он присел на кровать с другой стороны и взял Джулию за руку, которую только что отпустила Долли.— Ну, что скажешь, Джулия?

Она задумчиво взглянула на него.

— «Vous l`avez voulu, Georges Dandin»*.

— Что это?

— Мольер.

Как только был подписан договор товарищества и Майкл снял помещение на осенний сезон, он нанял агента по рекламе. В газеты были посланы краткие извещения об открытии нового театра. Майкл вместе с агентом приготовил интервью для Джулии и для себя самого, которые они дадут прессе. В еженедельных газетах появились их фотографии — поодиночке, вдвоем и вместе с Роджером,— они взяли семейный тон и старались выжать из него все что можно. Они еще не решили, которой из трех пьес лучше начать. И вот как-то днем, когда Джулия сидела у себя в спальне и читала роман, вошел Майкл с рукописью в руке.

— Послушай, я хочу, чтобы ты просмотрела эту пьесу. Агент только что прислал ее. По-моему, ее ждет сногсшибательный успех. Но ответ надо дать сразу.

Джулия отложила роман.

* «Ты этого хотел, Жорж Данден» (*фр.*).

— Я сейчас за нее возьмусь.

— Я буду внизу. Передай, когда кончишь, я приду, и мы с тобой ее обсудим. Там для тебя изумительная роль.

Джулия читала быстро, лишь проглядывая те сцены, которые ее не интересовали, уделяя все внимание роли героини, ведь ее, естественно, будет играть она. Окончив, она дернула колокольчик и попросила служанку (которая была также ее костюмершей) сказать Майклу, что она его ждет.

— Ну, что ты думаешь?

— Пьеса хорошая. Она должна иметь успех.

Он услышал в ее голосе некоторое сомнение.

— В чем же тогда вопрос? Твоя роль замечательная. Такие вещи ты умеешь делать лучше всех. Много комедийных сцен и чувств хоть отбавляй.

— Роль чудесная, я не спорю; меня смущает мужская роль.

— Она тоже совсем неплоха.

— Да, но ему пятьдесят, и, если ты сыграешь его моложе, пропадет самая соль. А роль пожилого человека тебе ни к чему.

— Да я и не собирался его играть. На нее годится только один актер, Монт Вернон. И мы заполучим его. А я буду играть Джорджа.

— Но это такая крошечная роль. Зачем она тебе?

— А почему нет?

— Я думала, мы откроем собственный театр для того, чтобы оба могли выступать в главных ролях.

— Ну, мне на это наплевать. Если в пьесе есть стоящая роль для тебя, меня нечего принимать в расчет. Может быть, в следующей пьесе больше повезет.

Джулия откинулась в кресле, и слезы потекли у нее по щекам.

— Ах, какая я свинья!

Майкл улыбнулся. Его улыбка была так же обаятельна, как прежде. Он подошел и опустился рядом с ней на колени, обнял.

— Что с тобой сегодня, старушка?

Глядя на него теперь, Джулия никак не могла понять, что вызывало в ней раньше такую безумную страсть. Теперь мысль об интимных отношениях с ним возбуждала в ней тошноту. К счастью, Майклу очень понравилась спальня, которую она для него обставила. Постель никогда не была для него на первом месте, и он испытал даже облегчение, увидев, что Джулия больше не предъявляет к нему никаких претензий. Он удовлетворенно думал, что рождение ребенка успокоило ее, он на это и надеялся, и лишь сожалел, что они не завели его гораздо раньше. Раза два он пытался, больше из любезности, чем по иной причине, возобновить их супружеские отношения, но Джулия выдвигала тот или иной предлог: она устала, не очень хорошо себя чувствует, у нее завтра два выступления, не считая утренней примерки костюмов. Майкл принял это с полнейшим спокойствием. С Джулией теперь было куда легче ладить, она не устраивала больше сцен, и он чувствовал себя счастливее, чем прежде. У него на редкость удачный брак; когда он глядел на другие пары, он не мог не видеть, как ему повезло. «Джулия славная женщина и умна, как сто чертей, с ней можно поговорить обо всем на свете. Лучший товарищ, какой у меня был, клянусь вам. Да, я не стыжусь признаться, что скорее проведу с ней день наедине, чем сыграю раунд в гольф».

Джулия с удивлением обнаружила, что стала жалеть Майкла, с тех пор как разлюбила его. Она была добрая женщина и понимала, каким это будет для него жестоким ударом по самолюбию, если он хотя бы заподозрит, как мало сейчас значит для нее. Она продолжала ему льстить. Джулия заметила, что он уже вполне спокойно выслушивает дифирамбы своему точеному носу и прекрасным глазам. Она посмеивалась про себя, видя, как он глотает самую грубую лесть. Больше она не боялась хватить через край. Взгляд ее все чаще останавливался на его тонких губах. Они делались все тоньше; к тому времени, когда он состарится, рот его превратится в узкую, холодную щель. Бережливость Майкла, которая в молодости казалась забавной, даже трогательной чертой, теперь внушила ей отвращение. Когда люди попадали в беду, а с актерами это бывает нередко, они могли надеяться на сочувствие и хорошие слова, но никак не на звонкую монету. Он считал себя чертовски щедрым, когда расставался с гинеей, а пятифунтовый билет был для него пределом мотовства. Скоро он обнаружил, что Джулия тратит на хозяйство много денег, и, сказав, что хочет избавить ее от хлопот, взял бразды правления в свои руки. После этого ничто не пропадало зря. Каждый пенни был на учете. Джулия не понимала, почему прислуга их не бросает. Видимо, потому, что Майкл был с ними мил. Своим сердечным, приветливым, дружеским обращением он добивался того, что все они стремились ему угодить, и кухарка разделяла его удовлетворение, когда находила мясника, который продавал на пенс с фунта дешевле, чем все остальные. Джулия не могла удержаться от смеха, думая, какая пропасть лежит между ним, с его страстью к экономии в жизни, и теми бесшабашными мотами, которых он так хорошо изображает на сцене. Она была уверена, что Майкл не способен на широкий жест, и вот вам, пожалуйста, словно ничего не может быть естественней, он готов отойти в сторону, чтобы дать ей хороший шанс. Джулия была так глубоко растрогана, что не могла говорить. Она горько упрекала себя за те дурные мысли, которые все последнее время возникали у нее в голове.

Глава девятая

Они поставили эту пьесу, и она имела успех. После того они ставили новые пьесы год за годом. Майкл вел театр тем же методом и с той же бережливостью, что и дом, извлекая каждое пенни из тех спектаклей, которые имели успех; когда же спектакль проваливался, что, естественно, порой случалось, потери их бывали сравнительно невелики. Майкл льстил себя мыслью, что во всем Лондоне не найдется театра, где бы так мало тратили на постановки. Он проявлял великую изобретательность, преображая старые декорации в новые, а используя на все лады мебель, которую он постепенно собрал на складе, не должен был тратиться на прокат. Они завоевали репутацию смелого и инициативного театра, так как Майкл был готов пойти на риск и поставить пьесу неизвестного автора, чтобы иметь возможность платить высокие отчисления известным. Он выискивал актеров, которые не имели случая создать себе имя и не претендовали поэтому на высокую оплату. И сделал несколько очень удачных находок.

Когда прошло три года, положение их настолько упрочилось, что Майкл смог взять в банке ссуду, чтобы арендовать только что построенное театральное помещение. После длительных дебатов они решили назвать его «Сиддонс-театр». Пьеса, которой они открыли тот сезон, потерпела фиаско, то же произошло и со следующей. Джулия испугалась и пришла в уныние. Она решила, что новый театр неудачливый, что она надоела публике. Вот тогда-то Майкл оказался на высоте. Он был невозмутим.

— В нашем деле всякое бывает, сегодня хорошо, а завтра плохо. Ты — лучшая актриса в Англии. В труппе есть всего три человека, которые приносят деньги в кассу независимо от пьесы, и ты — одна из них. Ну, было у нас два провала. А следующая пьеса пойдет на ура, и мы с лихвой возместим все убытки.

Как только Майкл твердо почувствовал себя на ногах, он попробовал откупиться от Долли де Фриз, но она и слушать его не хотела, а его холодность ничуть не трогала ее. Наконец-то Майкл встретил достойного противника. Долли не видела никаких оснований вынимать свой вклад из предприятия, которое, судя по всему, процветает и участие в котором позволяет ей быть в тесном контакте с Джулией. И вот теперь, набравшись мужества, он снова попытался избавиться от нее. Долли с негодованием отказалась покинуть их в беде, и Майкл в результате махнул рукой. Он утешался тем, что Долли, наверное, оставит своему крестнику Роджеру кругленькую сумму. У нее не было никого, кроме племянников в Южной Африке, а при взгляде на Долли сразу было видно, что у нее высокое кровяное давление. А пока что Майкла вполне устраивало иметь загородный дом возле Гилдфорда, куда можно было приехать в любое время. Это избавляло от расходов на собственную дачу. Третья пьеса имела большой успех, и Майкл, естественно, напомнил Джулии свои слова — теперь она видит, что он был прав. Майкл говорил так, будто вся заслуга принадлежит ему одному. Джулия чуть было не пожелала, чтобы эта пьеса тоже провалилась, как и две предыдущие,— так ей хотелось хоть немного сбить с него спесь. Майкл чересчур высокого мнения о себе. Конечно, нельзя отрицать, что он в своем роде умен, нет, скорее, хитер и практичен, но далеко не так умен, как он воображает. Не было такой вещи на свете, в которой бы он не разбирался лучше других — по его собственному мнению.

Мало-помалу Майкл все реже стал появляться на сцене. Его куда больше привлекала административная деятельность.

— Я хочу поставить наш театр на такие же деловые рельсы, на каких стоит любая фирма в Сити,— говорил он.

Майкл считал, что с большей пользой потратит вечер, если, в то время как Джулия выступает, будет посещать периферийные театры в поисках талантов. У него была записная книжка, куда он вносил имена всех актеров, которые, как ему казалось, подавали надежды. Затем Майкл взялся за режиссуру. Его всегда возмущало, что режиссеры требуют такие большие деньги за постановку спектакля, а в последнее время кое-кто из них даже претендовал на долю со сборов. Наконец выпал

«Теamp»

случай, когда два режиссера, которые больше всего нравились Джулии, были заняты, а единственный оставшийся из тех, кому она доверяла, не мог уделить им все свое время.

— Я бы не прочь сам попытать счастья,— сказал Майкл.

Джулия колебалась. Майкл не отличался фантазией, идеи его были банальны. Она не была уверена, что актеры станут слушать его указания. Но режиссер, которого они могли заполучить, потребовал такой несусветный гонорар, что им оставалось одно — дать Майклу попробовать свои силы. Он справился куда лучше, чем она ожидала. Он был добросовестен, внимателен, скрупулезен. Он не жалел труда. И, к своему изумлению, Джулия увидела, что он извлекает из нее больше, чем любой другой режиссер. Он знал, на что она способна, и, знакомый с каждой ее интонацией, каждым выражением ее чудесных глаз, каждым движением ее грациозного тела, мог преподать ей советы, которые помогли ей создать одну из своих лучших ролей. С актерами труппы он был взыскателен, но дружелюбен. Когда у них начинали сдавать нервы, его добродушие, его искренняя доброжелательность сглаживали все острые углы. После этого спектакля у них уже не возникал вопрос о том, кто будет ставить их пьесы. Авторы любили Майкла, так как, не обладая творческим воображением, он был вынужден предоставлять пьесам говорить самим за себя, и часто, не вполне уверенный в том, что именно хотел сказать автор, он должен был выслушивать их указания.

Джулия стала богатой женщиной. Она не могла не признать, что Майкл так же осмотрителен с ее деньгами, как со своими собственными. Он следил за ее вложениями и, когда ему удавалось выгодно продать ее акции, был доволен не меньше, чем если бы они принадлежали ему самому. Он положил ей очень большой оклад и с гордостью заявлял, что она — самая высокооплачиваемая актриса в Лондоне, но, когда играл сам, никогда не назначал себе больше того, что, по его мнению, стоила его роль, а ставя пьесу, записывал в статью расхода гонорар, который они дали бы второразрядному режиссеру. За дом и образование Роджера они платили пополам. Роджера записали в Итон через неделю после рождения. Нельзя было отрицать, что Майкл щепетильно честен и справедлив. Когда Джулия осознала, насколько она богаче его, она захотела взять все издержки на себя.

— Не вижу для этого никаких оснований,— сказал Майкл.— До тех пор, пока я смогу вносить свою долю, я буду это делать. Ты получаешь больше меня потому, что стоишь дороже. Я назначаю тебе такую плату потому, что ты зарабатываешь ее.

Можно было только восхищаться его самоотречением, тем, как он жертвовал собой ради нее. Если у него и были раньше честолюбивые планы относительно себя самого, он отказался от них, чтобы способствовать ее карьере. Даже Долли, не любившая его, признавала его бескорыстие. Какая-то непонятная стыдливость мешала Джулии худо говорить о нем с Долли, но Долли, при ее проницательном уме, уже давно разглядела, как невероятно Майкл раздражает свою жену, и считала долгом время от времени напоминать, насколько он ей полезен. Все его хвалили. Идеальный муж. Джулии казалось, что никто, кроме нее, не представляет, каково жить с мужем, который так чудовищно тщеславен. Его самодовольный вид, когда он выигрывал у своего противника в гольф или брал над кем-нибудь верх при сделке, совершенно выводил ее из себя. Майкл упивался своей ловкостью. Он был зануда, жуткий зануда! Он всегда все рассказывал Джулии, делился замыслами, возникавшими у него. Это было очень приятно в те времена, когда находиться рядом с ним доставляло ей наслаждение, но уже многие годы его прозаичность была ей невыносима. Что бы Майкл ни описывал, он входил в мельчайшие подробности. И он кичился не только своей деловой хваткой — с возрастом он стал невероятно кичиться своей внешностью. В молодости его красота казалась Майклу чем-то само собой разумеющимся, теперь же он начал обращать на нее большое внимание и не жалел никаких трудов, чтобы уберечь то, что от нее осталось. Это превратилось у него в навязчивую идею. Он чрезвычайно заботился о своей фигуре; не брал в рот ничего, что грозило бы ему прибавкой веса, и не забывал про моцион. Когда ему показалось, что он начинает лысеть, он тут же обратился к врачу-специалисту, и Джулия не сомневалась, что, если бы он мог сохранить это в тайне, он пошел бы на пластическую операцию и подтянул кожу лица. Он взял обыкновение сидеть немного задрав вверх подбородок, чтобы не так были видны морщины на шее, и держался неестественно прямо, чтобы не отвисал живот. Он не мог пройти мимо зеркала, не взглянув в него. Он всячески напрашивался на комплименты и сиял от удовольствия, когда ему удавалось добиться их. Хлебом его не корми — только скажи, как он хорош. Джулия горько усмехалась, думая, что сама приучила к этому Майкла. В течение многих лет она твердила ему, как он прекрасен, и теперь он просто не может жить без лести. Это была его ахиллесова пята. Безработной актрисе достаточно было сказать ему в глаза, что он неправдоподобно красив, как ему начинало казаться, будто она подходит для той роли, на которую ему нужен человек. В течение многих лет, насколько Джулии было известно, Майкл не имел дела с женщинами, но, перевалив за сорок пять, он стал заводить легкие интрижки. Джулия подозревала, что ни к чему серьезному они не приводили. Он был осторожен, и нужно ему было по-настоящему только одно — чтобы им восхищались. Джулия слышала, что, когда его дамы становились слишком настойчивы, он использовал жену как предлог, чтобы от них избавиться. Или он не мог рисковать тем, что она будет оскорблена в своих чувствах, или она подозревала что-то, или устраивала сцены ревности — не одно, так другое,— но, «пожалуй, будет лучше, если их дружба кончится».

— И что они находят в нем?— воскликнула Джулия, обращаясь к пустой комнате.

Она взяла наугад десяток его последних фотографий и пересмотрела их одну за другой. Пожала плечами.

— Что ж, не мне их винить. Я тоже влюбилась в него. Конечно, тогда он был красивее.

Джулии взгрустнулось при мысли, как сильно она любила его. Ей казалось, что жизнь обманула ее, потому что ее любовь умерла. Она вздохнула.

— И у меня так болит спина,— сказала она.

Глава десятая

В дверь постучали.

— Войдите,— сказала Джулия.

Вошла Эви.

— Вы не собираетесь лечь отдохнуть, мисс Лэмберт?— Она увидела, что Джулия сидит на полу, окруженная кучей фотографий.— Что это вы такое делаете?

— Смотрю сны.— Джулия подняла две фотографии.— «Взгляни сюда — вот два изображенья»*.

На одной Майкл был снят в роли Меркуцио, во всей сияющей красе своей юности, на другой — в своей последней

* *Шекспир, «Гамлет».*

роли: белый цилиндр, визитка, полевой бинокль через плечо. У него был невероятно самодовольный вид.

Эви шмыгнула носом.

— Потерянного не воротишь.

— Я думала о прошлом, и у меня теперь страшная хандра.

— Нечего удивляться. Коли начинаешь думать о прошлом, значит, у тебя уже нет будущего.

— Заткнись, старая корова,— сказала Джулия; она могла быть очень вульгарной.

— Ну хватит, пошли, не то вечером вы ни на что не будете годны. Я приберу весь этот разгром.

Эви была горничная и костюмерша Джулии. Она появилась у нее в Миддлпуле и приехала вместе с ней в родной Лондон — она была кокни[*]. Тощая, угловатая, немолодая, с испитым лицом и рыжими, вечно растрепанными волосами, которые не мешало помыть; у нее не хватало спереди двух зубов, но, несмотря на неоднократное предложение Джулии дать ей деньги на новые зубы, Эви не желала их вставлять.

— Сколько я ем, для того и моих зубов много. Только мешать будет, коли напихаешь себе полон рот слоновьих клыков.

Майкл уже давно хотел, чтобы Джулия завела себе горничную, чья внешность больше соответствовала бы их положению, и пытался убедить Эви, что две должности слишком трудны для нее, но Эви и слышать ничего не желала.

— Говорите что хотите, мистер Госселин, а только пока у меня есть здоровье да силы, никто другой не будет прислуживать мисс Лэмберт.

— Мы все стареем. Эви, мы все уже немолоды.

Эви, шмыгнув носом, утерла его пальцем.

— Пока мисс Лэмберт достаточно молода, чтобы играть женщин двадцати пяти лет, я тоже достаточно молода, чтобы одевать ее в театре и прислуживать ей дома,— Эви кинула на него проницательный взгляд.— И зачем это вам надо платить два жалованья — такую кучу денег!— когда вы имеете всю работу заодно?

Майкл добродушно рассмеялся:

— В этом что-то есть, Эви, милочка.

...Эви выпроводила Джулию из комнаты и погнала ее наверх. Когда не было дневного спектакля, Джулия обычно ложилась

[*] *Кокни* — уроженец Ист-Энда (рабочий квартал Лондона); речь кокни отличается особым нелитературным произношением и грамматическими неправильностями.

поспать часа на два перед вечерним, а затем делала легкий массаж. Она разделась и скользнула в постель.

— Черт подери, грелка совершенно остыла.

Джулия взглянула на стоявшие на камине часы. Ничего удивительного, грелка прождала ее чуть ли не час. Вот уж не думала, что так долго пробыла в комнате Майкла, разглядывая фотографии и перебирая в памяти прошлое.

«Сорок шесть. Сорок шесть. Сорок шесть. Я уйду со сцены в шестьдесят. В пятьдесят восемь — турне по Южной Африке и Австралии. Майкл говорит, там можно изрядно набить карман. Сыграю все свои старые роли. Конечно, даже в шестьдесят я смогу играть сорокапятилетних. Но откуда их взять? Проклятые драматурги!»

Стараясь припомнить пьесу, в которой была бы хорошая роль для женщины сорока пяти лет, Джулия уснула. Спала она крепко и проснулась, только когда пришла массажистка. Эви принесла вечернюю газету, и, пока Джулии массировали длинные стройные ноги и плоский живот, она, надев очки, читала те самые театральные новости, что и утром, ту же светскую хронику и страничку для женщин. Вскоре в комнату вошел Майкл и присел к ней на кровать.

— Ну, как его зовут?— спросила Джулия.

— Кого?

— Мальчика, которого мы пригласили к ленчу

— Понятия не имею. Я отвез его в театр и думать о нем забыл.

Мисс Филиппс, массажистке, нравился Майкл. С ним тебя не ждут никакие неожиданности. Он всегда говорит одно и то же, и знаешь, что отвечать. И нисколько не задается. А красив!.. Даже трудно поверить!

— Ну, мисс Филиппс, сгоняем жирок?

— Ах, мистер Госселин, да на мисс Лэмберт нет и унции жира. Просто чудо, как она сохраняет фигуру.

— Жаль, что вы не можете массировать меня, мисс Филиппс. Может быть, согнали бы и с меня лишек.

— Что вы такое говорите, мистер Госселин! Да у вас фигура двадцатилетнего юноши. Не представляю, как вы этого добиваетесь, честное слово, не представляю.

— «Скромный образ жизни, высокий образ мыслей»*.

---

* *Цицерон*, «Из писем к близким».

Джулия не обращала внимания на их болтовню, но ответ мисс Филиппс достиг ее слуха:

— Конечно, нет ничего лучше массажа, я всегда это говорю, но нужно следить и за диетой, с этим не приходится спорить.

«Диета,— подумала Джулия.— Когда мне стукнет шестьдесят, я дам себе волю. Буду есть столько хлеба с маслом, сколько захочу. Буду есть горячие булочки на завтрак, картофель на ленч и картофель на обед. И пиво. Господи, как я люблю пиво! Гороховый суп, суп с томатом, пудинг с патокой и вишневый пирог. Сливки, сливки, сливки. И, да поможет мне Бог, никогда в жизни больше не прикоснусь к шпинату».

Когда массаж был окончен, Эви принесла Джулии чашку чаю, ломтик ветчины, с которого было срезано сало, и кусочек поджаренного хлеба. Джулия встала с постели, оделась и поехала с Майклом в театр. Она любила приезжать туда за час до начала спектакля. Майкл пошел обедать в клуб. Эви еще раньше приехала в кэбе, и, когда Джулия вошла в свою уборную, там уже все было готово. Джулия снова разделась и надела халат. Садясь перед туалетным столиком, чтобы наложить грим, Джулия заметила в вазе свежие цветы.

— Цветы? От кого? От миссис де Фриз?

Долли всегда присылала ей огромные букеты к премьере, к сотому спектаклю и к двухсотому, если он бывал, а в промежутках, всякий раз, когда заказывала цветы для своего дома, отправляла часть их Джулии.

— Нет, мисс.

— Лорд Чарлз?

Лорд Чарлз Тэмерли был самый давний и самый верный поклонник Джулии; проходя мимо цветочного магазина, он обычно заходил туда и выбирал для Джулии розы.

— Там есть карточка,— сказала Эви.

Джулия взглянула на нее. Мистер Томас Феннел. Тэвисток-сквер.

— Ну и название. Кто бы это мог быть, как ты думаешь, Эви?

— Верно, какой-нибудь бедняга, которого ваша роковая красота стукнула обухом по голове.

— Стоят не меньше фунта. Тэвисток-сквер звучит не очень-то роскошно. Чего доброго, неделю сидел без обеда, чтобы их купить.

— Вот уж не думаю.

Джулия наложила на лицо грим.

— Ты чертовски не романтична, Эви. Раз я не хористка, ты не понимаешь, почему мне присылают цветы. А ноги у меня, видит Бог, получше, чем у большинства этих дев.

— Идите вы со своими ногами,— сказала Эви.

— А я тебе скажу, очень даже недурно, когда мне в мои годы присылают цветы. Значит, я еще ничего.

— Ну, посмотрел бы он на вас сейчас, ни в жисть бы не прислал, я их брата знаю,— сказала Эви.

— Иди к черту!

Но когда Джулия кончила гримироваться и Эви надела ей чулки и туфли, Джулия воспользовалась теми несколькими минутами, что у нее оставались, чтобы присесть к бюро и написать своим четким почерком благодарственную записку мистеру Томасу Феннелу за его великолепные цветы. Джулия была вежлива от природы, а кроме того, взяла себе за правило отвечать на все письма поклонников ее таланта. Таким образом она поддерживала контакт со зрителями. Надписав конверт, Джулия кинула карточку в мусорную корзину и стала надевать костюм, который требовался для первого акта. Мальчик, вызывающий актеров на сцену, постучал в дверь уборной.

— На выход, пожалуйста.

Эти слова все еще вызывали у Джулии глубокое волнение, хотя один Бог знает, сколько раз она их слышала. Они подбадривали ее, как тонизирующий напиток. Жизнь получала смысл. Джулии предстояло перейти из мира притворства в мир реальности.

Глава одиннадцатая

На следующий день Джулию пригласил к ленчу Чарлз Тэмерли. Его отец, маркиз Деннорант, женился на богатой наследнице, и Чарлзу досталось от родителей значительное состояние. Джулия часто бывала у него на приемах, которые он любил устраивать в своем особняке на Хилл-стрит. В глубине души она питала глубочайшее презрение к важным дамам и благородным господам, с которыми встречалась у него, ведь сама она зарабатывала хлеб собственным трудом и была художником в своем деле, но она понимала, что может завести там полезные связи. Благодаря им газеты писали о великолепных премьерах в «Сиддонс-театре», и, когда Джулия фотографировалась на загородных приемах среди кучи аристократов, она знала, что это хорошая реклама. Были одна-две первые актрисы моложе ее, которым не очень-то нравилось, что она зовет по крайней мере трех герцогинь по имени. Это не огорчало Джулию. Джулия не была блестящей собеседницей, но глаза ее так сияли, слушала она с таким внимательным видом, что, как только она научилась жаргону светского общества, с ней никому не было скучно. У Джулии был большой подражательный дар, который она обычно сдерживала, считая, что это может повредить игре на сцене, но в этих кругах она обратила его в свою пользу и приобрела репутацию остроумной женщины. Ей было приятно нравиться им, этим праздным, элегантным дамам, но она смеялась про себя над тем, что их ослепляет ее романтический ореол. Интересно, что бы они подумали, если бы узнали, как в действительности прозаична жизнь преуспевающей актрисы, какого она требует неустанного труда, какой постоянной заботы о себе, насколько необходимо вести при этом монотонный, размеренный образ жизни! Но Джулия давала им благожелательные советы, как лучше употреблять косметику, и позволяла копировать фасоны своих платьев. Одевалась она всегда великолепно. Майкл, наивно полагавший, что она покупает свои туалеты за бесценок, даже не представлял, сколько она в действительности тратит на них.

Джулия имела репутацию добропорядочной женщины в обоих своих мирах. Никто не сомневался, что ее брак с Майклом — примерный брак. Она считалась образцом супружеской верности. В то же время многие люди в кругу Чарлза Тэмерли были убеждены, что она — его любовница. Но эта связь, полагали они, тянется так долго, что стала вполне респектабельной, и, когда их обоих приглашали на конец недели в один и тот же загородный дом, многие снисходительные хозяйки помещали их в соседних комнатах. Слухи об их связи распустила в свое время леди Чарлз Тэмерли, с которой Чарлз Тэмерли давно уже не жил, но в действительности в этом не было ни слова правды. Единственным основанием для этого служило то, что Чарлз вот уже двадцать лет был безумно влюблен в Джулию и, бесспорно, разошлись супруги Тэмерли, и так не очень между собой ладившие, из-за нее. Забавно, что свела Джулию и Чарлза сама леди Чарлз. Они трое случайно оказались на вилле Долли де Фриз, когда Джулия, в то время моло-денькая актриса, имела в Лондоне свой первый успех. Был большой прием, и ей все уделяли усиленное внимание. Леди Чарлз, тогда женщина лет за тридцать, с репутацией красавицы, хотя, кроме глаз, у нее не было ни одной красивой черты, и она умудрялась производить эффектное впечатление лишь благодаря дерзкой оригинальности своей внешности, перегнулась через стол с милостивой улыбкой:

— О, мисс Лэмберт, я, кажется, знала вашего батюшку, я тоже с Джерси. Он был врач, не правда ли? Он часто приходил в наш дом.

У Джулии засосало под ложечкой. Теперь она вспомнила, кто была леди Чарлз до замужества, и увидела приготовленную ей ловушку. Она залилась смехом.

— Вовсе нет,— ответила она.— Он был ветеринар. Он ходил к вам принимать роды у сук. В доме ими кишмя кишело.

Леди Чарлз не нашлась сразу, что сказать.

— Моя мать очень любила собак,— ответила она наконец.

Джулия радовалась, что на приеме нс было Майкла. Бедный ягненочек, это страшно задело бы его гордость. Он всегда называл ее отца «доктор Ламбер», произнося имя на французский лад, и, когда, вскоре после войны, он умер и мать Джулии переехала к сестре на Сен-Мало, стал называть тещу «мадам де Ламбер». В начале ее карьеры все это еще както трогало Джулию, но теперь, когда она твердо стала на ноги и утвердила свою репутацию большой актрисы, она по-иному смотрела на вещи. Она была склонна, особенно среди «сильных мира сего», подчеркивать, что ее отец — всего-навсего ветеринар. Она сама не могла бы объяснить почему, но чувствовала, что ставит их этим на место.

Чарлз Тэмерли догадался, что его жена хотела намеренно унизить молодую актрису, и, рассердившись, лез из кожи вон, чтобы быть с ней любезным. Он попросил разрешения нанести ей визит и преподнес чудесные цветы.

Ему было тогда около сорока. Изящное тело венчала маленькая головка, с не очень красивыми, но весьма аристократическими чертами лица. Он казался чрезвычайно хорошо воспитанным, что соответствовало действительности, и отличался утонченными манерами. Лорд Чарлз был ценителем всех видов искусства. Он покупал современную живопись и собирал старинную мебель. Он очень любил музыку и был на редкость хорошо начитан. Сперва ему было просто забавно приходить в крошечную квартирку на Бэкингемплейс-роуд, где жили двое молодых актеров. Он видел, что они бедны, и ему приятно щекотало нервы знакомство с — как он наивно полагал — настоящей богемой. Он приходил к ним несколько раз, и для него было настоящим приключением, когда его пригласили на ленч, который им подавало форменное пугало по имени Эви, служившее у них горничной. Лорд Чарлз не обращал особого внимания на Майкла, который, несмотря на свою бьющую в глаза красоту, казался ему довольно заурядным молодым человеком, но Джулия покорила его. У нее были темперамент, характер и кипучая энергия, с которыми ему еще не приходилось сталкиваться. Несколько раз лорд Чарлз ходил в театр смотреть Джулию и сравнивал ее исполнение с игрой великих актрис мира, которых он видел в свое время. Ему казалось, что у нее очень яркая индивидуальность. Ее обаяние было бесспорно. Его сердце затрепетало от восторга, когда он внезапно понял, как она талантлива.

«Вторая Сиддонс, возможно, больше, чем Эллен Терри»*.

В те дни Джулия не считала нужным ложиться днем в постель, она была сильна, как лошадь, и никогда не уставала, и они часто гуляли вместе с лордом Чарлзом в парке. Она чувствовала, что ему хочется видеть в ней дитя природы. Джулии это вполне подходило. Ей не надо было прилагать усилий, чтобы казаться искренней, открытой и девически восторженной. Чарлз водил ее в Национальную галерею, в музей Тейта** и Британский музей, и она испытывала от этого почти такое удовольствие, какое выказывала. Лорд Тэмерли любил делиться сведениями, Джулия была рада их получать. У нее была цепкая память, и она очень много от него узнала. Если впоследствии она могла рассуждать о Прусте*** и Сезанне**** в самом избранном обществе так, что все поражались ее высокой культуре, обязана этим она была лорду Чарлзу. Джулия поняла, что он влюбился в нее, еще до того, как он сам это осознал. Ей казалось это довольно забавным. С ее точки зрения, лорд Чарлз был пожилой мужчина, и она думала о нем, как о добром старом дядюшке. В то время Джулия еще была без ума от Майкла. Когда Чарлз догадался, что любит ее, его манера обращения с ней немного изменилась, он стал стеснительным и часто, оставаясь с ней наедине, молчал.

* *Терри Эллен Алисия* (1847—1928) — английская актриса.
** Музей классической и современной живописи в Лондоне.
*** *Пруст Марсель* (1871—1922) — французский писатель.
**** *Сезанн Поль* (1839—1906) — французский живописец.

«Бедный ягненочек,— сказала она себе,— он такой большой джентльмен, что просто не знает, как ему себя вести».

Сама-то она уже давно решила, какой ей держаться линии поведения, когда он откроется ей в любви, что рано или поздно обязательно должно было произойти. Одно она даст ему понять без обиняков: пусть не воображает, раз он лорд, а она — актриса, что ему стоит только поманить, и она прыгнет к нему в постель. Если он попробует с ней такие штучки, она разыграет оскорбленную добродетель и, вытянув вперед руку — роскошный жест, которому ее научила Жанна Тэбу,— укажет ему пальцем на дверь. С другой стороны, если он будет скован, не сможет выдавить из себя путного слова от смущения и расстройства чувств, она и сама будет робка и трепетна — слезы в голосе и все в этом духе; она скажет, что ей и в голову не приходило, какие он испытывает к ней чувства, и — нет, нет, это невозможно, это разобьет Майклу сердце. Они хорошо выплачутся вместе, и потом все будет как надо. Чарлз прекрасно воспитан и не станет ей надоедать, если она раз и навсегда вобьет ему в голову, что дело не выгорит.

Но когда объяснение наконец произошло, все было совсем не так, как ожидала Джулия. Они с Чарлзом гуляли в Сент-Джеймс-парке, любовались пеликанами и обсуждали — по ассоциации,— будет ли она в воскресенье вечером играть Милламант*. Затем они вернулись домой к Джулии выпить по чашечке чаю. Съели пополам сдобную лепешку. Вскоре лорд Чарлз поднялся, чтобы уйти. Он вынул из кармана миниатюру и протянул Джулии.

— Портрет Клэрон. Это актриса восемнадцатого века, у нее было много ваших достоинств.

Джулия взглянула на хорошенькое умное личико, окаймленное пудреными буклями, и подумала, настоящие ли бриллианты на рамке или стразы.

— О Чарлз, это слишком дорогая вещь. Как мило с вашей стороны!

— Я так и думал, что она вам понравится. Это нечто вроде прощального подарка.

— Вы уезжаете?

*Героиня комедии «Пути светской жизни» *У. Конгрива* (1670—1729), английского комедиографа.

Джулия была удивлена, он ничего ей об этом не говорил. Лорд Чарлз взглянул на нее с легкой улыбкой.

— Нет. Но я намерен больше не встречаться с вами.

— Почему?

— Я думаю, вы сами это знаете не хуже меня.

И тут Джулия совершила позорный поступок. Она села и с минуту молча смотрела на миниатюру. Выдержав идеальную паузу, она подняла глаза, пока они не встретились с глазами Чарлза. Она могла вызвать слезы по собственному желанию, это был один из ее самых эффектных трюков, и теперь, хотя она не издала ни звука, ни всхлипа, слезы заструились у нее по лицу. Рот чуть-чуть приоткрыт, глаза, как у обиженного ребенка,— все вместе создавало на редкость трогательную картину. Лорд Чарлз не мог этого вынести; его черты исказила гримаса боли. Когда он заговорил, голос его был хриплым от обуревавших его чувств:

— Вы любите Майкла, так ведь?

Джулия чуть заметно кивнула. Сжала губы, словно пытаясь овладеть собой, но слезы по-прежнему катились у нее по щекам.

— У меня нет никаких шансов?

Он подождал ответа, но она лишь подняла руку ко рту и стала кусать ногти, по-прежнему глядя на него полными слез глазами.

— Вы не представляете, какая для меня мука видеть вас. Вы хотите, чтобы я продолжал с вами встречаться?

Она снова чуть заметно кивнула.

— Клара устраивает мне сцены. Она догадалась, что я в вас влюблен. Простой здравый смысл требует, чтобы мы расстались.

На этот раз Джулия слегка покачала головой. Всхлипнула. Откинулась в кресле и отвернулась. Вся ее поза говорила о том, сколь глубока ее скорбь. Кто бы мог устоять? Чарлз сделал шаг вперед и, опустившись на колени, заключил сломленное горем, безутешное существо в свои объятия.

— Улыбнитесь, ради всего святого. Я не могу этого вынести. О Джулия, Джулия!.. Я так вас люблю, я не могу допустить, чтобы из-за меня вы страдали. Я на все согласен. Я не буду ни на что претендовать.

Джулия повернула к нему залитое слезами лицо («Господи, ну и видок сейчас у меня!») и протянула ему губы. Он нежно ее поцеловал. Поцеловал в первый и единственный раз.

— Я не хочу терять вас,— глухим от слез голосом произнесла она.

— Любимая! Любимая!

— И все будет, как раньше?

— В точности.

Она глубоко и удовлетворенно вздохнула и минуты две оставалась в его объятиях. Когда лорд Чарлз ушел, Джулия встала с кресла и посмотрелась в зеркало. «Сукина ты дочь»,— сказала она самой себе. Но тут же засмеялась, словно ей вовсе не стыдно, и пошла в ванную комнату умыться. Она была в приподнятом настроении. Услышав, что пришел Майкл, она его позвала:

— Майкл, посмотри, какую миниатюру подарил мне только что Чарлз. Она на каминной полочке. Это настоящие драгоценные камни или подделка?

Когда леди Чарлз оставила мужа, Джулия несколько встревожилась: та грозила подать в суд на развод, и Джулии не очень то улыбалась мысль появиться в роли соответчицы. Недели две-три она сильно нервничала. Она решила ничего не рассказывать Майклу без крайней необходимости, и слава Богу, так как впоследствии выяснилось, что угрозы леди Чарлз преследовали единственную цель: заставить ни в чем не повинного супруга назначить ей как можно более солидное содержание. Джулия удивительно ловко управлялась с Чарлзом. Им было ясно без слов, что при ее любви к Майклу ни о каких интимных отношениях не может быть и речи, но в остальном он был для нее всем: ее другом, ее советчиком, ее наперсником, человеком, к помощи которого она всегда могла обратиться в случае необходимости, который утешит ее при любой неприятности. Джулии стало немного трудней, когда Чарлз, с присущей ему чуткостью, увидел, что она больше не любит Майкла; пришлось призвать на помощь весь свой такт. Конечно, она, не задумываясь, без особых угрызений совести сделалась бы его любовницей. Будь он, скажем, актером и люби ее так давно и сильно, она бы легла с ним в постель просто из дружеских чувств; но с Чарлзом это было невозможно. Джулия относилась к нему с большой нежностью, но он был так элегантен, так воспитан, так культурен, она просто не могла представить его в роли любовника. Все равно что лечь в постель с object d`art*. Даже его любовь к театру вызывала в ней легкое презрение. В конце концов, она была творцом, а он — всего-навсего

---

* Предметом искусства *(фр.)*.

зрителем. Чарлз хотел, чтобы она ушла к нему от Майкла. Они купят в Сорренто, на берегу Неаполитанского залива, виллу с огромным садом, заведут шхуну и будут проводить долгие дни на прекрасном темно-красном море. Любовь, красота и искусство вдали от мира.

«Чертов дурак,— думала Джулия.— Как будто я откажусь от своей карьеры, чтобы похоронить себя в какой-то дыре».

Джулия сумела убедить Чарлза, что она слишком многим обязана Майклу, к тому же у нее ребенок; не может же она допустить, чтобы его юная жизнь омрачилась сознанием того, что его мать — дурная женщина. Апельсиновые деревья — это, конечно, прекрасно, но на его великолепной вилле у нее не будет и минуты душевного покоя от мысли, что Майкл несчастен, а за ее ребенком присматривают чужие люди. Нельзя думать только о себе, ведь правда? О других тоже надо подумать. Джулия была так прелестна, так женственна! Иногда она спрашивала Чарлза, почему он не разведется и не женится на какой-нибудь милой девушке. Ей невыносима мысль, что из-за нее он зря тратит свою жизнь. Чарлз отвечал, что она единственная, кого он любит и будет любить до конца своих дней.

— Ах, это так печально,— говорила Джулия.

Тем не менее она всегда была начеку, и, если ей чудилось, что какая-то женщина собирается подцепить Чарлза на крючок, Джулия делала все, чтобы испортить ей игру. Если опасность казалась особенно велика, Джулия не останавливалась перед сценой ревности. Они уже давно пришли к соглашению, конечно, не прямо, а при помощи осторожных намеков и отдаленных иносказаний, со всем тактом, которого можно было ждать от лорда Чарлза при его воспитанности, и от Джулии при ее добром сердце, что, если с Майклом что-нибудь случится, они так или иначе избавятся от леди Чарлз и соединятся узами брака. Но у Майкла было идеальное здоровье.

В этот день Джулия получила огромное удовольствие от ленча на Хилл-стрит. Был большой прием. Джулия никогда не потворствовала Чарлзу в его стремлении приглашать к себе актеров и драматургов, с которыми он где-нибудь случайно встретился, и сегодня она была единственной из гостей, кто когда-либо сам зарабатывал себе на жизнь. Она сидела между старым, толстым, лысым и словоохотливым членом кабинета министров, который лез из кожи вон, чтобы ее занять, и молодым герцогом Уэстри, который был похож на младшего конюха и гордился тем, что знает французское арго лучше любого француза. Услышав, что Джулия говорит по-французски, он потребовал, чтобы она беседовала с ним только на этом языке. После ленча ее уговорили продекламировать отрывок из «Федры» так, как это делают в «Комеди Франсез», и так, как его произнес бы английский студент, занимающийся в Королевской академии драматического искусства. Джулия заставила общество сильно смеяться и ушла с приема упоенная успехом. Был прекрасный погожий день, и Джулия решила пройти пешком от Хилл-стрит до Стэнхоуп-плейс. Когда она пробиралась сквозь толпу на Оксфорд-стрит, многие ее узнавали, и, хотя она смотрела прямо перед собой, она ощущала на себе их взгляды.

«Черт знает что. Никуда нельзя пойти, чтобы на тебя не пялили глаза».

Джулия замедлила шаг. День, действительно, был прекрасный.

Она открыла дверь дома своим ключом и, войдя в холл, услышала телефонный звонок. Машинально сняла трубку.

— Да?

Обычно она меняла голос, отвечая на звонки, но сегодня забыла.

— Мисс Лэмберт?

— Я не знаю, дома ли она. Кто говорит?— спросила она на этот раз так, как говорят кокни. Но первое односложное словечко выдало ее. В трубке послышался смешок.

— Я только хотел поблагодарить вас за записку. Вы зря беспокоились. С вашей стороны было так любезно пригласить меня к ленчу, и мне захотелось послать вам несколько цветков.

Звук его голоса, не говоря о словах, объяснил ей, кто ее собеседник. Это был тот краснеющий юноша, имени которого она так и не узнала. Даже теперь, хотя она видела его карточку, она не могла вспомнить. Она запомнила только то, что он живет на Тэвисток-сквер.

— Очень мило с вашей стороны,— ответила она своим голосом.

— Вы, наверное, не захотите выпить со мной чашечку чаю как-нибудь на днях?

Ну и наглость! Да она не пойдет пить чай и с герцогиней! Он разговаривает с ней, как с какой-нибудь хористочкой. Смех, да и только.

— Почему бы и нет?

— Правда?— в голосе зазвучало волнение. («А у него приятный голос».) — Когда?

Ей совсем не хотелось сейчас ложиться отдыхать.

— Сегодня.

— О'кэй. Я отпрошусь из конторы пораньше. В половине пятого вас устроит? Тэвисток-сквер, 138.

С его стороны было очень мило пригласить ее к себе. Он мог назвать какое-нибудь модное место, где все бы на нее таращились. Значит, дело не в том, что ему просто хочется показаться рядом с ней.

На Тэвисток-сквер Джулия поехала в такси. Она была довольна собой. Всегда приятно сделать доброе дело. С каким удовольствием он будет потом рассказывать жене и детям, что сама Джулия Лэмберт приезжала к нему на чай, когда он еще был мелким клерком в бухгалтерской конторе. Она была так проста, так естественна. Слушая ее болтовню, никто бы не догадался, что она — величайшая актриса Англии. А если они ему не поверят, он покажет им ее фотографию, подписанную: *Искренне Ваша, Джулия Лэмберт*. Он скажет со смехом, что, конечно, если бы он не был таким желторотым мальчишкой, он бы никогда не осмелился ее пригласить.

Когда Джулия подъехала к дому и отпустила такси, она вдруг подумала, что так и не вспомнила его имени и, когда ей откроют дверь, не будет знать, кого попросить. Но, подойдя к двери, увидела, что там не один звонок, а целых восемь, четыре ряда по два звонка, и рядом с каждым приколота карточка или клочок бумаги с именем. Это был старый особняк, разделенный на квартиры. Джулия без особой надежды стала читать имена — вдруг какое-нибудь из них покажется ей знакомым,— как тут дверь распахнулась, и он собственной персоной возник перед ней.

— Я видел, как вы подъехали, и побежал вниз. Простите, я живу на четвертом этаже. Надеюсь, вас это не затруднит?

— Конечно, нет.

Джулия стала подниматься по голой лестнице. Она немного запыхалась, когда добралась до последней площадки. Юноша легко прыгал со ступеньки на ступеньку — как козленок, подумала она,— и Джулии не хотелось просить его идти помедленнее. Комната, в которую он ее провел, была довольно большая, но бедно обставленная — выцветшие обои, старая мебель с вытертой обшивкой. На столе стояла тарелка с кексами, две чайные чашки, сахарница и молочник. Фаянсовая посуда была из самых дешевых.

— Присядьте, пожалуйста,— сказал он.— Вода уже кипит. Одну минутку. Газовая горелка в ванной комнате.

Он вышел, и она осмотрелась кругом.

«Ах ты, ягненочек! Видно, беден, как церковная мышь». Комната напомнила Джулии многие меблированные комнаты, в которых ей приходилось жить, когда она впервые попала на сцену. Она заметила трогательные попытки скрыть тот факт, что жилище это было и гостиной, и столовой, и спальней одновременно. Диван у стены, очевидно, ночью служил ему ложем. Джулия точно скинула с плеч два десятка лет. В воображении она вернулась к дням своей молодости. Как весело жилось в таких комнатах, с каким удовольствием они поглощали самые фантастические блюда, снедь, принесенную в бумажных кульках, или зажаренную на газовой горелке яичницу с беконом!.. Вошел хозяин, неся коричневый чайник с кипятком. Джулия съела квадратное бисквитное пирожное, облитое розовой глазурью. Она не позволяла себе такой роскоши уже много лет. Цейлонский чай, очень крепкий, с сахаром и молоком, вернул ее к тем дням, о которых она, казалось, давно забыла. Она снова была молодой, малоизвестной, стремящейся к успеху актрисой. Восхитительное чувство. Оно требовало какого-то жеста, но Джулии пришел на ум лишь один: она сняла шляпу и встряхнула головой.

Они завели разговор. Юноша казался робким, куда более робким, чем по телефону; что ж, нечему удивляться, теперь, когда она здесь, он, естественно, смущен, очень волнуется, и Джулия решила, что ей надо его ободрить. Он рассказал ей, что родители его живут в Хайгейте, его отец — поверенный в делах, раньше он жил вместе с ними, но захотел быть сам себе хозяином и сейчас, в последний год учения, отделился от семьи и снял эту крошечную квартирку. Он готовится к последнему экзамену. Они заговорили о театре. Он смотрел Джулию во всех ее ролях, с тех пор как ему исполнилось двенадцать лет. Он рассказал, что стоял однажды после дневного спектакля у служебного входа и, когда она вышла, попросил ее расписаться в его книге автографов. Да, юноша очень мил: эти голубые глаза и светло-каштановые волосы! Как жаль, что он их прилизывает. И такая белая кожа и яркий румянец на скулах; интересно, нет ли у него чахотки? Дешевый костюм сидит хорошо, он умеет носить вещи, ей это нравится; и он выглядит неправдоподобным чистюлей.

Джулия спросила, почему он поселился на Тэвисток-сквер. Это недалеко от центра, объяснил он, и тут есть деревья. Так приятно глядеть в окно. Джулия поднялась взглянуть; это хороший предлог, чтобы встать, а потом она наденет шляпу и попрощается с ним.

— Да, очаровательно. Добрый старый Лондон; сразу делается весело на душе.

Юноша стоял рядом с ней, и при этих словах Джулия обернулась. Он обнял ее за талию и поцеловал в губы. Ни одна женщина на свете не удивилась бы так. Джулия не верила сама себе и стояла как вкопанная. У него были мягкие губы, и вокруг него витал аромат юности — довольно приятный аромат. Но то, что он делал, не лезло ни в какие ворота. Он раздвигал ей губы кончиком языка и обнимал ее теперь уже двумя руками. Джулия не рассердилась, но и не чувствовала желания рассмеяться, она сама не знала, что чувствует. Она видела, что он нежно тянет ее куда-то — его губы все еще прижаты к ее губам,— ощущала явственно жар его тела, словно там, внутри, была печка — вот удивительно!— а затем обнаружила, что лежит на диване, а он рядом с ней и целует ее рот, шею, щеки, глаза. У Джулии непонятно почему сжалось сердце, она взяла его голову обеими руками и поцеловала в губы.

Через некоторое время она стояла у камина перед зеркалом и приводила себя в порядок.

— Погляди на мои волосы!

Он протянул ей гребень, и она провела им по волосам. Затем надела шляпу. Он стоял позади нее, и она увидела над своим плечом его нетерпеливые голубые глаза, в которых сейчас мерцала легкая усмешка.

— А я-то думала — ты такой застенчивый мальчик,— сказала она его отражению.

Он коротко засмеялся.

— Когда я снова тебя увижу?— спросил он.

— А ты хочешь меня снова видеть?

— Еще как!

Мысли быстро проносились в ее голове. Это все было слишком нелепо; конечно, она не собиралась больше с ним встречаться, достаточно глупо было сегодня позволить ему вести себя таким образом, но, пожалуй, лучше спустить все на тормозах. Он может стать назойливым, если сказать, что этот эпизод не будет иметь продолжения.

— Я на днях позвоню.

— Поклянись.

— Честное слово.

— Не откладывай надолго.

Он настоял на том, чтобы проводить ее вниз и посадить в такси. Джулия хотела спуститься одна, взглянуть на карточки у звонков. «Должна же я, по крайней мере, знать его имя».

Но он не дал ей этой возможности. Когда такси отъехало, Джулия втиснулась в угол сиденья и чуть не захлебнулась от смеха.

«Изнасилована, голубушка. Самым натуральным образом. В мои-то годы! И даже без всяких там «с вашего позволения». Словно я — обыкновенная потаскушка. Комедия восемнадцатого века — вот что это такое. Я могла быть горничной. В кринолине с этими смешными пышными штуками — как они называются, черт побери?— которые они носили, чтобы подчеркнуть бедра, в переднике и косынке на шее». И, припомнив с пятого на десятое Фаркера[*] и Голдсмита[**], она начала воображаемый диалог: «Фи, сэр, как не стыдно воспользоваться неопытностью простой сельской девушки! Что скажет миссис Эбигейл, камеристка ее светлости, когда узнает, что брат ее светлости похитил у меня самое дорогое сокровище, каким владеет девушка моего положения,— лишил меня невинности».

Когда Джулия вернулась домой, массажистка уже ждала ее. Мисс Филиппс болтала с Эви.

— Где это вас носило, мисс Лэмберт?— спросила Эви.— И когда вы теперь отдохнете, хотела бы я знать!

— К черту отдых!

Джулия сбросила платье и белье, с размаху расшвыряла его по комнате. Затем, абсолютно голая, вскочила на кровать, постояла на ней минуту, как Венера, рожденная из пены, затем кинулась на постель и вытянулась в струнку.

— Что на вас нашло?— спросила Эви.

— Мне хорошо.

— Ну, кабы я вела себя так, люди сказали бы, что я хватила лишку.

---

[*] *Фаркер Джордж* (1677 — 1707) — английский драматург.

[**] *Голдсмит Оливер* (1728 — 1774) — английский писатель.

Мисс Филиппс начала массировать Джулии ноги. Она терла ее несильно, чтобы дать отдых телу, а не утомить его.

— Когда вы сейчас, как вихрь, ворвались в комнату,— сказала она,— я подумала, что вы помолодели на двадцать лет.

— Ах, оставьте эти разговоры для мистера Госселина, мисс Филиппс!— сказала Джулия, затем добавила, словно сама тому удивляясь: — Я чувствую себя, как годовалый младенец.

То же самое было позднее в театре. Ее партнер Арчи Декстер зашел к ней в уборную о чем-то спросить. Джулия только кончила гримироваться. На его лице отразилось изумление.

— Привет, Джулия. Что это с тобой сегодня? Ты выглядишь грандиозно. Да тебе ни за что не дать больше двадцати пяти!

— Когда сыну шестнадцать, бесполезно притворяться, будто ты так уж молода. Мне сорок, и пусть хоть весь свет знает об этом.

— Что ты сделала с глазами? Я еще не видел, чтобы они так у тебя сияли.

Джулия давно не чувствовала себя в таком ударе. Комедия под названием «Пуховка», которая шла в тот вечер, не сходила со сцены уже много недель, но сегодня Джулия играла так, словно была премьера. Ее исполнение было блестящим. Публика смеялась как никогда. В Джулии всегда было большое актерское обаяние, но сегодня казалось, что его лучи осязаемо пронизывают весь зрительный зал. Майкл случайно оказался в театре на последних двух актах и после спектакля пришел к ней в уборную.

— Ты знаешь, суфлер говорит, мы кончили на девять минут позже обычного,— так много смеялась публика,— сказал он.

— Семь вызовов. Я думала, они никогда не разойдутся.

— Ну, вини в этом только себя, дорогая. Во всем мире нет актрисы, которая смогла бы сыграть так, как ты сегодня.

— Сказать по правде, я и сама получала удовольствие. Господи, я такая голодная! Что у нас на ужин?

— Рубец с луком.

— Великолепно!— Джулия обвила Майкла руками и поцеловала.— Обожаю рубец с луком. Ах, Майкл, если ты меня любишь, если в твоем твердокаменном сердце есть хоть искорка нежности ко мне, ты разрешишь мне выпить бутылку пива.

— Джулия!

— Только сегодня. Я не так часто прошу тебя что-нибудь для меня сделать.

— Ну что ж, после того, как ты провела этот спектакль, я, наверное, не смогу сказать «нет», но, клянусь Богом, уж я прослежу, чтобы мисс Филиппс не оставила на тебе завтра живого места.

Глава двенадцатая

Когда Джулия легла в постель и вытянула ноги, чтобы ощутить приятное тепло грелки, она с удовольствием окинула взглядом свою розово-голубую спальню с позолоченными херувимчиками на туалете и удовлетворенно вздохнула. Настоящий будуар мадам де Помпадур. Она погасила свет, но спать ей не хотелось. С какой радостью она отправилась бы сейчас к Квэгу потанцевать, но не с Майклом, а с Людовиком XV, или Людвигом Баварским, или Альфредом де Мюссе. Клэрон и Bal de L`Opera*. Она вспомнила миниатюру, которую когда-то подарил ей Чарлз. Вот как она сегодня себя чувствовала. У нее уже целую вечность не было такого приключения. Последний раз нечто подобное случилось восемь лет назад. Ей бы, конечно, следовало стыдиться этого эпизода, и как она потом была напугана! Все так, но, что греха таить, она не могла вспоминать о нем без смеха.

Произошло все тоже случайно. Джулия играла много недель без перерыва, и ей необходимо было отдохнуть. Пьеса переставала привлекать публику, и они уже собирались начать репетиции новой, как Майклу удалось сдать помещение театра на шесть недель французской труппе. Это позволяло Джулии уехать. Долли сняла в Канне дом на весь сезон, и Джулия могла погостить у нее. Выехала она как раз накануне Пасхи. Поезда были так переполнены, что она не смогла достать купе в спальном вагоне, но в железнодорожном бюро компании Кука ей сказали, чтоб она не беспокоилась: при пересадке в Париже ее будет ждать спальное место. К ее крайнему смятению, на вокзале в Париже, судя по всему, ничего об этом не знали, и chef de train** сказал ей, что спальные места заняты все до одного, разве что ей повезет и кто-нибудь

* Бал в Оперном театре (фр.).
** Начальник поезда, главный кондуктор (фр.).

в последний момент опоздает. Джулии совсем не улыбалась мысль просидеть всю ночь в углу купе вагона первого класса, и она пошла в вокзальный ресторан обедать, весьма всем этим взволнованная. Ей дали столик на двоих, и вскоре какой-то мужчина занял свободное кресло. Джулия не обратила на него никакого внимания. Через некоторое время к ней подошел chef de train и сказал, что, к величайшему сожалению, ничем не может ей помочь. Джулия устроила ему сцену, но все было напрасно. Когда тот ушел, сосед Джулии обратился к ней. Хотя он бегло говорил по-французски, она поняла по его акценту, что он не француз. В ответ на его вежливые расспросы она поведала ему всю историю и поделилась с ним своим мнением о компании Кука, французской железнодорожной компании и всем человеческом роде. Он выслушал ее очень сочувственно и сказал, что после обеда сам пройдет по составу и посмотрит, нельзя ли что-нибудь организовать. Чего только не сделает проводник за хорошие чаевые!

— Я страшно устала,— вздохнула Джулия,— и с радостью отдам пятьсот франков за спальное купе.

Между ними завязался разговор. Собеседник сказал ей, что он атташе испанского посольства в Париже и едет в Канн на Пасху. Хотя Джулия проговорила с ним уже с четверть часа, она не потрудилась как следует его рассмотреть. Теперь она заметила, что у него черная курчавая бородка и черные курчавые усы. Бородка росла очень странно: пониже уголков губ были два голых пятна, что придавало ему курьезный вид. Эта бородка, черные волосы, тяжелые полуопущенные веки и довольно длинный нос напоминали ей кого-то, но кого? Вдруг она вспомнила и так удивилась, что, не удержавшись, воскликнула:

— Знаете, я никак не могла понять, кого вы мне напоминаете. Вы удивительно похожи на тициановский портрет Франциска I, который я видела в Лувре.

— С этими его поросячьими глазками?

— Нет, глаза у вас большие. Я думаю, тут все дело в бороде.

Джулия внимательно всмотрелась в него: кожа под глазами гладкая, без морщин, сиреневатого оттенка. Он еще совсем молод, просто борода старит его; вряд ли ему больше тридцати. Интересно, вдруг он какой-нибудь испанский гранд? Одет он не очень элегантно, но с иностранцами никогда ничего не поймешь, и не очень хорошо скроенный костюм может стоить кучу денег. Галстук, хотя и довольно кричащий, был явно куплен у Шарвье. Когда им подали кофе, он попросил разрешения угостить ее ликером.

— Очень любезно с вашей стороны. Может быть, я тогда лучше буду спать.

Он предложил ей сигарету. Портсигар у него был серебряный, что несколько обескуражило Джулию, но, когда он его закрыл, она увидела на уголке крышки золотую коронку. Верно, какой-нибудь граф или почище того. Серебряный портсигар с золотой короной — в этом есть свой шик. Жаль, что ему приходится носить современное платье. Если бы его одеть, как Франциска I, он выглядел бы весьма аристократично. Джулия решила быть с ним как можно любезней.

— Я, пожалуй, лучше признаюсь вам,— сказал он немного погодя,— я знаю, кто вы. И разрешите добавить, что я очень восхищаюсь вами.

Джулия одарила его долгим взглядом своих чудесных глаз.

— Вы видели мою игру?

— Да. Я был в Лондоне в прошлом месяце.

— Занятная пьеска, не правда ли?

— Только благодаря вам.

Когда к ним подошел официант со счетом, ей пришлось настоять на том, чтобы расплатиться за свой обед. Испанец проводил ее до купе и сказал, что пойдет по вагонам, может быть, ему удастся найти для нее спальное место. Через четверть часа он вернулся с проводником и сказал, что нашел купе, пусть она даст проводнику свои вещи, и он проводит ее туда. Джулия была в восторге. Испанец кинул шляпу на сиденье, с которого она встала, и она пошла следом за ним по проходу. Когда они добрались до купе, испанец велел проводнику отнести чемодан и сумку, лежавшие в сетке, в тот вагон, где была мадам.

— Неужели вы отдали мне собственное место?— вскричала Джулия.

— Единственное, которое я мог найти во всем составе.

— Нет, я и слышать об этом не хочу.

— Allez*,— сказал испанец проводнику.

— Нет, нет...

Незнакомец кивнул проводнику, и тот забрал вещи.

— Это не имеет значения. Я могу спать где угодно, но я бы и глаз не сомкнул от мысли, что такая великая актриса будет вынуждена провести ночь с тремя чужими людьми.

* Идите (фр.).

Джулия продолжала протестовать, но не слишком рьяно. Это так мило, так любезно с его стороны! Она не знает, как его и благодарить. Испанец не позволил ей даже отдать разницу за билет. Он умолял ее, чуть не со слезами на глазах, оказать ему честь, приняв от него этот пустяковый подарок. У нее был с собой только дорожный несессер с кремами для лица, ночной сорочкой и принадлежностями для вечернего туалета, и испанец положил его на столик. Его единственная просьба — разрешить у нее посидеть, пока ей не захочется лечь, и выкурить одну-две сигареты. Джулии трудно было ему отказать. Постель уже была приготовлена, и они сели поверх одеяла. Через несколько минут появился проводник с бутылкой шампанского и двумя бокалами. Недурное приключеньице! Джулия искренне наслаждалась. Удивительно любезно с его стороны. Да, эти иностранцы знают, как надо вести себя с большой актрисой! С Сарой Бернар такие вещи, верно, случались каждый день. А Сиддонс! Когда она входила в гостиную, все вставали, словно вошла сама королева.

Испанец отпустил ей комплимент по поводу того, как прекрасно она говорит по-французски. Родилась на острове Джерси, а образование получила во Франции? Тогда понятно. Но почему она решила играть на английской сцене, а не на французской? Она завоевала бы не меньшую славу, чем Дузе. Она и в самом деле напоминает ему Дузе: те же великолепные глаза и белая кожа, та же эмоциональность и потрясающая естественность в игре.

Когда они наполовину опорожнили бутылку с шампанским, Джулия сказала, что уже очень поздно.

— Право, я думаю, мне пора ложиться.

— Ухожу.

Он встал и поцеловал ей руку. Когда он вышел, Джулия заперла дверь в купе и разделась. Погасив все лампы, кроме той, что была у нее над головой, она принялась читать. Через несколько минут раздался стук в дверь.

— Да?

— Мне страшно неловко вас беспокоить. Я оставил в туалете зубную щетку. Можно мне войти?

— Я уже легла.

— Я не могу спать, пока не вычищу зубы.

«А он, по крайней мере, чистоплотен».

Пожав плечами, Джулия протянула руку к двери и открыла задвижку. При создавшихся обстоятельствах просто глупо изображать из себя слишком большую скромницу. Испанец вошел в купе, заглянул в туалет и через секунду вышел, размахивая зубной щеткой. Джулия заметила ее, когда сама чистила зубы, но решила, что ее оставил человек из соседнего купе. В те времена на два купе был один туалет. Джулия перехватила взгляд испанца, брошенный на бутылку с шампанским.

— Меня ужасно мучит жажда, вы не возражаете, если я выпью бокал?

На какую-то долю секунды Джулия задержалась с ответом. Шампанское было его, купе — тоже. Что ж, назвался груздем — полезай в кузов.

— Конечно, нет.

Он налил себе шампанского, закурил сигарету и присел на край постели. Она чуть посторонилась, чтобы ему было свободнее. Он держался абсолютно естественно.

— Вы не смогли бы заснуть в том купе,— сказал он,— один из попутчиков ужасно сопит. Уж лучше бы храпел. Тогда можно было бы его разбудить.

— Мне очень неловко.

— О, неважно. На худой конец свернусь калачиком в проходе у вашей двери.

«Не ожидает же он, что я приглашу его спать здесь, со мной,— сказала себе Джулия.— Уж не подстроил ли он все это специально? Ничего не выйдет, голубчик». Затем произнесла вслух:

— Очень романтично, конечно, но не очень удобно.

— Вы очаровательная женщина!

А все же хорошо, что у нее нарядная ночная сорочка и она еще не успела намазать лицо кремом. По правде говоря, она даже не потрудилась стереть косметику. Губы у нее были пунцовые, и она знала, что, освещенная лишь лампочкой для чтения за головой, она выглядит очень даже неплохо. Но ответила она иронически:

— Если вы решили, что я соглашусь с вами переспать за то, что уступили мне свое купе, вы ошибаетесь.

— Воля ваша. Но почему бы нет?

— Я не из тех «очаровательных» женщин, за которую вы меня приняли.

— А какая вы женщина?

— Верная жена и нежная мать.

Он вздохнул.

— Ну что ж, тогда спокойной ночи.

Он раздавил в пепельнице окурок и поднес к губам ее руку. Поцеловал ладонь. Медленно провел губами от запястья до плеча. Джулию охватило странное чувство. Борода слегка щекотала ей кожу. Затем он наклонился и поцеловал ее в губы. От его бороды исходил какой-то своеобразный душный запах. Джулия не могла понять, противен он ей или приятен. Удивительно, если подумать, ее еще ни разу в жизни не целовал бородатый мужчина. В этом есть что-то не совсем пристойное. Щелкнул выключатель, свет погас.

Он ушел лишь тогда, когда узкая полоска между неплотно закрытыми занавесками возвестила, что настало утро. Джулия была совершенно разбита, морально и физически.

«Я буду выглядеть форменной развалиной, когда приеду в Канн».

И так рисковать! Он мог ее убить или украсть ее жемчужное ожерелье. Джулию бросало то в жар, то в холод от мысли, какой опасности она подвергалась. И он тоже едет в Канн. А вдруг он станет претендовать там на ее знакомство! Как она объяснит, кто он, своим друзьям? Она была уверена, что Долли он не понравится. Еще попробует ее шантажировать... А что ей делать, если ему вздумается повторить сегодняшний опыт? Он страстен, в этом сомневаться не приходится. Он спросил, где она остановится, и, хотя она не сказала ему, выяснить это при желании не составит труда. В таком месте, как Канн, вряд ли удастся избежать встречи. Вдруг он окажется назойлив? Если он так влюблен в нее, как говорит, он от нее не отвяжется, это ясно. И с этими иностранцами ничего нельзя сказать заранее, еще станет устраивать ей публичные сцены. Утешало ее одно: он сказал, что едет только на Пасху; она притворится, будто очень устала и хочет первое время спокойно побыть на вилле.

«Как я могла так сглупить!»

Долли, конечно, приедет ее встречать и, если испанец будет настолько бестактен и подойдет к ней прощаться, она скажет Долли, что он уступил ей свое купе. В этом нет ничего такого. Всегда лучше придерживаться правды... насколько это возможно. Но в Канне на платформе была куча народу, и Джулия вышла со станции и села в машину Долли, даже не увидев испанца.

— Я никого не приглашала на сегодня,— сказала Долли.— Я думала, вы устали, и хотела побыть наедине с вами хотя бы один день.

Джулия нежно стиснула ей плечо.

Чудеснее и быть не может. Будем сидеть на вилле, мазать лицо кремами и сплетничать, сколько душе угодно.

Но на следующий день они были приглашены к ленчу, а до этого должны были встретиться с пригласившими их в баре на рю Круазетт и выпить вместе коктейли. Когда они вышли из машины, Долли задержалась, чтобы дать шоферу указания, куда за ними заехать, и Джулия поджидала ее. Вдруг сердце подскочило у нее в груди: прямо к ним направлялся вчерашний испанец; с одной стороны, держа его под руку, шла молодая женщина, с другой он вел девочку. Отворачиваться было поздно. Долли присоединилась к ней, надо было перейти на другую сторону улицы. Испанец подошел вплотную, кинул на нее безразличный взгляд и, оживленно беседуя со своей спутницей, проследовал дальше. Джулия поняла, что он так же мало жаждет видеть ее, как она — его. Женщина и девочка были, очевидно, его жена и дочь, с которыми он хотел провести в Канне Пасху. Какое облегчение! Теперь она может безбоязненно наслаждаться жизнью. Но, идя за Долли к бару, Джулия подумала: какие все же скоты эти мужчины! С них просто нельзя спускать глаз. Стыд и срам, имея такую очаровательную жену и прелестную дочурку, заводить в поезде случайное знакомство! Должно же у них быть хоть какое-то чувство пристойности!

Однако с течением времени негодование Джулии поостыло, и она даже с удовольствием думала об этом приключении. В конце концов, они неплохо позабавились. Иногда она позволяла себе предаваться мечтам и перебирать в памяти все подробности этой единственной в своем роде ночи. Любовник он был великолепный, ничего не скажешь. Будет о чем вспомнить, когда она постареет. Все дело в бороде — она так странно щекотала ей лицо — и в этом душном запахе, который отталкивал и одновременно привлекал ее. Еще несколько лет Джулия высматривала мужчин с бородами; у нее было чувство, что, если бы один из них приволокнулся за ней, она была бы просто не в силах ему отказать. Но бороды вышли из моды, и слава Богу, потому что при виде бородатого мужчины у Джулии подгибались колени; к тому же ни один из бородачей, которых она все же изредка встречала, не делал ей никаких авансов. Интересно все же, кто он, этот испанец. Джулия видела его через несколько дней после приезда в казино — он играл в chemin de fer* — и спросила о нем двух-трех знакомых. Но никто из них не был

---

* *Шмэн-де-фер* — азартная карточная игра (*фр.*).

с ним знаком, и он так и остался в ее памяти и в ее крови безымянным. Забавное совпадение — как зовут юношу, столь удивившего ее сегодня днем, Джулия тоже не знала.

«Если бы я представляла, что они намерены позволить себе со мной вольности, я бы, по крайней мере, заранее попросила у них визитные карточки».

С этой мыслью она благополучно уснула.

Глава тринадцатая

Прошло несколько дней, и однажды утром, когда Джулия лежала в постели и читала новую пьесу, ей позвонили по внутреннему телефону из цокольного этажа и спросили, не поговорит ли она с мистером Феннелом. Имя ей было незнакомо, и она уже было сказала «нет», как ей пришло в голову, не тот ли это юноша из ее приключения. Любопытство побудило ее сказать, чтобы их соединили. Джулия сразу узнала его голос.

— Ты обещала позвонить,— сказал он.— Мне надоело ждать, и я звоню сам.

— Я была ужасно занята все это время.

— Когда я тебя увижу?

— Когда у меня будет свободная минутка.

— Как насчет сегодня?

— У меня дневной спектакль.

— Приходи после него выпить чаю.

Она улыбнулась. («Нет, малыш, второй раз ты меня на ту же удочку не поймаешь».)

— Не получится,— сказала она.— Я всегда остаюсь в театре, отдыхаю у себя в уборной до вечернего представления.

— А мне нельзя зайти в то время, как ты отдыхаешь?

Какую-то секунду она колебалась. Пожалуй, это будет лучше всего. При Эви, которая без конца входит в уборную, в ожидании мисс Филиппс ни о каких глупостях не может быть и речи. Удобный случай дружески — мальчик так мил!— но твердо сказать ему, что продолжения не будет. В нескольких удачно подобранных словах она объяснит ему, что это — безрассудство и он весьма ее обяжет, если вычеркнет из памяти весь этот эпизод.

— Хорошо. Приходи в полшестого, я угощу тебя чашкой чаю.

Три часа, которые она проводила у себя в уборной между дневным и вечерним спектаклями, были самым любимым временем в ее загруженном дне. Остальные члены труппы уходили из театра, оставались лишь Эви, готовая удовлетворить все ее желания, и швейцар, следивший, чтобы никто не нарушил ее покоя. Уборная казалась Джулии каютой корабля. Весь остальной мир оставался где-то далеко-далеко, и Джулия наслаждалась своим уединением. Она словно попадала в магический круг, который делал ее еще свободней. Она дремала, читала или, улегшись на мягкий, удобный диван, позволяла мыслям блуждать без определенной цели. Думала о роли, которую ей предстояло играть, и о своих прошлых ролях. Думала о своем сыне Роджере. Приятные полумечты-полувоспоминания неторопливо проходили у нее в уме, как влюбленные в зеленом лесу. Джулия любила французскую поэзию и иногда читала вслух Верлена.

Ровно в половине шестого Эви подала ей карточку. «Мистер Томас Феннел»,— прочитала она.

— Проводи его сюда и принеси чай.

Джулия еще утром решила, как она будет с ним держаться. Любезно, но сухо. Проявит дружеский интерес к его работе, спросит насчет экзамена. Затем расскажет о Роджере. Роджеру было семнадцать, через год он поступит в Кембридж. Она постарается исподволь внушить юноше, что по своему возрасту годится ему в матери. Она будет вести себя так, словно между ними никогда ничего не было, и он уйдет, чтобы никогда больше ее не видеть, иначе как при свете рампы, почти поверив, что все это было плодом его фантазии. Но когда Джулия взглянула на него, такого хрупкого, с чахоточным румянцем и голубыми глазами, такого юного и прелестного, сердце ее пронзила внезапная боль. Эви вышла и закрыла дверь. Джулия лежала на диване; она протянула ему руку с милостивой улыбкой мадам Рекамье*, но он кинулся рядом с ней на колени и страстно приник к ее губам. Джулия ничего не могла с собой поделать, она обвила его шею руками и также страстно вернула ему поцелуй.

(«Господи, где мои благие намерения? Неужели я в него влюбилась?»)

— Сядь, ради Бога. Эви сейчас принесет чай.

— Скажи, чтобы она нам не мешала.

— Что ты имеешь в виду?

Рекамье Жюли (1777—1849) — знаменитая французская красавица, хозяйка блестящего парижского салона во времена Директории и Консульства, где собирались известные писатели тех дней.

Но что он имел в виду, было более чем очевидно. Сердце ее учащенно забилось.

— Это смешно. Я не могу. Может зайти Майкл.

— Я тебя хочу.

— И что подумает Эви? Просто идиотизм так рисковать. Нет, нет, нет.

В дверь постучали, вошла Эви с чаем. Джулия велела ей придвинуть столик к дивану и поставить кресло для молодого человека с другой стороны. Она задерживала Эви ненужным разговором и чувствовала на себе его взгляд. Его глаза быстро следовали за ее жестами, следили за выражением ее лица, она избегала их, но все равно ощущала нетерпение, горящее в них, и пыл его желания. Джулия была взволнована. Ей казалось, что голос ее звучит неестественно. («Какого черта! Что это со мной? Я еле дышу!»)

Когда Эви подошла к дверям, юноша сделал движение, которое было так безотчетно, что Джулия уловила его не столько зрением, сколько чувствами, и, не удержавшись, взглянула на него. Его лицо совсем побелело.

— О Эви,— сказала Джулия,— этот джентльмен хочет поговорить со мной о пьесе. Последи, чтобы нам не мешали. Я позвоню, когда ты мне понадобишься.

— Хорошо, мисс.

Эви вышла и закрыла за собой дверь.

(«Я просто дура. Последняя дура».)

Но он уже отодвинул столик и стоял возле нее на коленях, она уже была в его объятиях.

...Джулия отослала его незадолго до прихода мисс Филиппс и, когда он ушел, позвонила Эви.

— Хорошая пьеса?— спросила Эви.

— Какая пьеса?

— О которой он говорил с вами.

— Он неглуп. Конечно, еще очень молод...

Эви смотрела на туалетный столик. Джулия любила, чтобы ее вещи всегда были на своем месте, и, если вдруг не находила баночки с кремом или краски для ресниц, устраивала скандал.

— Где ваш гребень?

Он причесывался ее гребнем и нечаянно положил его на чайный столик. Увидев его там, Эви с минуту задумчиво на него глядела.

— Как, ради всего святого, он сюда попал?— беззаботно вскричала Джулия.

— Вот и я об этом думаю.

У Джулии душа ушла в пятки. Конечно, заниматься такими вещами в театре, в своей уборной, просто безумие. Да тут даже нет ключа в двери. Эви держит его у себя. А все же риск придает всему этому особую пикантность. Приятно было думать, что она способна до такой степени потерять голову. Так или иначе, теперь они назначили свидание. Том — она спросила, как его зовут дома, и он сказал «Томас», но у нее не поворачивался язык так его называть,— Том хотел пригласить ее куда-нибудь на ужин, чтобы они могли потанцевать, а Майкл уезжал на днях в Кембридж на репетицию нескольких одноактных пьес, написанных студентами, так что у них будет куча времени.

— Ты сможешь вернуться рано утром, когда станут развозить молоко.

— А как насчет спектакля на следующий день?

— Какое это имеет значение?

Джулия не разрешила ему зайти за ней в театр, и, когда она вошла в выбранный ими ресторан, Том ждал ее в холле. При виде Джулии лицо его засветилось.

— Уже так поздно. Я испугался, что ты совсем не придешь.

— Мне очень жаль. Ко мне зашли после спектакля разные скучные люди, и я никак не могла отделаться от них.

Это была неправда. Весь вечер Джулия волновалась, как девушка, идущая на первый бал. Она тысячу раз повторяла себе, что это просто нелепо. Но когда она сняла сценический грим и снова накрасилась, чтобы идти на ужин, результаты не удовлетворили ее. Она наложила голубые тени на веки и снова их стерла, накрасила щеки и вымыла их, затем попробовала другой оттенок.

— Что это вы такое делаете?— спросила Эви.

— Пытаюсь выглядеть на двадцать, дурочка.

— Ну, коли вы сейчас не перестанете, будете выглядеть на все свои сорок шесть.

Джулия еще не видела Тома в смокинге. Мальчик сиял, как медная пуговица. Среднего роста, он выглядел высоким из-за своей худобы. Джулию тронуло, что, хотя ему хотелось казаться человеком бывалым и светским, когда дошло до заказа, он оробел перед официантом. Они пошли танцевать. Танцевал он неважно, но и в неловкости его ей чудилось своеобразное очарование. Джулию узнавали, и она чувствовала, что он купается в отраженных лучах ее славы. Молодая пара, закончив танец, подошла к их столику поздороваться. Когда они отошли, Том спросил:

— Это не леди и лорд Деннорант?

— Да, я знаю Джорджа еще с тех пор, как он учился в Итоне.

Он следил за ними взглядом.

— Ее девичье имя — леди Сесили Лоустон, да?

— Не помню. Разве?

Для нее это не представляло интереса. Через несколько минут мимо них прошла другая пара.

— Посмотри, леди Лепар.

— Кто это?

— Разве ты не помнишь, у них был большой прием в их загородном доме в Чешире несколько недель назад; присутствовал сам принц Уэльский. Об этом еще писали в «Наблюдателе».

А-а, вот откуда он черпает все свои сведения! Бедный крошка! Он читал об этих титулованных господах в газетах и изредка в ресторане или театре видел их во плоти. Конечно, он трепетал от восторга. Романтика. Если бы он только знал, какие они все зануды. Это невинное увлечение людьми, чьи фотографии помещают в иллюстрированных газетах, делало его невероятно простодушным в ее глазах, и она нежно посмотрела на него через стол.

— Ты приглашал когда-нибудь актрису в ресторан?

Он пунцово покраснел.

— Никогда.

Джулии было очень неприятно, что он платит по счету, она подозревала, что сумма равняется его недельному заработку, но не хотела ранить его гордость, предложив заплатить самой. Она спросила мимоходом, который час, и он привычно взглянул на запястье.

— Ой, я забыл надеть часы.

Она испытующе посмотрела на него.

— А ты случайно не заложил их?

Он снова покраснел.

— Нет. Я очень спешил, когда одевался.

Достаточно было взглянуть на его галстук, чтобы увидеть, что это не так. Он ей лгал. Он отнес в заклад часы, чтобы пригласить ее на ужин. В горле у Джулии застрял комок. Она была готова, не сходя с места, сжать Тома в объятиях и целовать его голубые глаза. Она обожала его.

— Давай уйдем,— сказала Джулия.

Они взяли такси и отправились в его квартирку на Тэвисток-сквер.

Глава четырнадцатая

На следующий день Джулия пошла к Картье и купила часы, чтобы послать их Тому вместо тех, которые он заложил, а две или три недели спустя, узнав, что у него день рождения, купила ему золотой портсигар.

— Ты знаешь, это вещь, о которой я мечтал всю свою жизнь.

Джулии показалось, что у него в глазах слезы. Он страстно ее поцеловал.

Затем, то под одним предлогом, то под другим Джулия подарила ему булавку для галстука, жемчужные запонки и пуговицы для жилета. Ей доставляло острую радость делать ему подарки.

— Так ужасно, что я ничего не могу тебе подарить,— сказал он.

— Подари мне часы, которые ты заложил, чтобы пригласить меня на ужин,— попросила она.

Это были небольшие золотые часы, не дороже десяти фунтов, но ей нравилось иногда их надевать.

После ночи, которую они провели вместе вслед за ужином в ресторане, Джулия наконец призналась себе, что влюблена. Это открытие ее потрясло. И все равно она была на седьмом небе от счастья.

«А ведь я думала, что уже никогда не влюблюсь. Конечно, долго это не протянется. Но почему бы мне не порадоваться, пока можно?»

Джулия решила, что постарается снова пригласить его на Стэнхоуп-плейс. Вскоре ей представилась такая возможность.

— Ты помнишь этого своего молодого бухгалтера?— сказала она Майклу.— Его зовут Том Феннел. Я встретила его на днях на званом ужине и предложила прийти к нам в следующее воскресенье. Нам не хватает одного мужчины.

— Ты думаешь, он подойдет?

У них ожидался грандиозный прием. Потому она и позвала Тома. Ему доставит удовольствие познакомиться с людьми, которых он знал только по фотографиям в газетах. Джулия уже увидела, что он немного сноб. Что ж, тем лучше, все фешенебельное общество будет к его услугам. Джулия была проницательна, она прекрасно понимала, что Том не влюблен в нее. Роман с ней льстил его тщеславию. Он был чрезвычайно пылок и наслаждался любовной игрой. Из отдельных намеков, из рассказов, которые она постепенно вытягивала из него, Джулия узнала, что с семнадцати лет у него уже было очень много женщин. Главным для него был сам акт, с кем — не имело особого значения. Он считал это самым большим удовольствием на свете. И Джулия понимала, почему он пользуется таким успехом. Была своя привлекательность в его худобе — буквально кожа да кости, вот почему на нем так хорошо сидит костюм,— свое очарование в его чистоте и свежести. Он казался таким трогательным. А его застенчивость в сочетании с бесстыдством была просто неотразима. Как ни странно, женщинам льстит, когда на них смотрят с одной мыслью — повалить поскорей на кровать.

«Да, «секс-эпил» — вот чем он берет».

Джулия понимала, что своей миловидностью он обязан лишь молодости. С возрастом он высохнет, станет костлявым, изможденным и морщинистым; его прелестный румянец сделается багровым, нежная кожа — дряблой и пожелтелой, но чувство, что его прелесть так недолговечна, лишь усиливало нежность Джулии. Том вызывал в ней непонятное сострадание. Он всегда, как это свойственно юности, был в приподнятом настроении, и Джулия впитывала его веселость с такой же жадностью, как котенок лакает молоко. Но развлекать он не умел. Когда Джулия рассказывала что-нибудь забавное, он смеялся, но сам ничего забавного рассказать не мог. Ее не смущало то, что он скучноват. Напротив, действовало успокаивающе на нервы. У нее еще никогда не было так легко на сердце, как в его обществе, а блеска и остроумия у нее с избытком хватало на двоих.

Все окружающие продолжали твердить Джулии, что она выглядит на десять лет моложе и никогда еще она не играла так хорошо. Джулия знала, что это правда, и знала — почему. Но ей следует быть осмотрительной. Нельзя терять головы. Чарлз Тэмерли всегда говорил, что актрисе не так нужен ум, как благоразумие; наверное, он прав. Быть может, она и неумна, но чувства ее начеку, и она доверяет им. Чувства подсказывали Джулии, что она не должна признаваться Тому в своей любви. Она постаралась дать ему понять, что не имеет никаких притязаний, он сам себе хозяин. Она держалась так, словно все происходящее между ними — пустяк, которому ни он, ни она не придают особого значения. Но она делала все, чтобы привязать его к себе. Том любил приемы, и Джулия брала его с собой на приемы. Она заставила Долли и Чарлза Тэмерли приглашать его на ленч. Том любил танцевать, и Джулия доставала ему приглашения на балы. Ради него она тоже шла туда на часок и видела, какое ему доставляет удовольствие то, что она пользуется таким огромным успехом. Джулия знала, что у него кружится голова в присутствии важных персон, и знакомила его со всякими именитыми людьми. К счастью, Майклу он очень нравился. Майкл любил поговорить, а Том был прекрасным слушателем. Он превосходно знал свое дело. Однажды Майкл сказал ей:

— Толковый парень Том. Съел собаку на подоходном налоге. Научил меня, как сэкономить две-три сотни фунтов с годового дохода, когда буду платить налог в следующий раз.

Майкл, посещавший в поисках новых талантов чужие театры в самом Лондоне или пригородах, часто брал Тома по вечерам с собой; после спектакля они заезжали за Джулией и ужинали втроем. Время от времени Майкл звал Тома в воскресенье на партию гольфа и, если они не были никуда приглашены, привозил к ним обедать.

— Приятно, когда в доме молодежь,— говорил он,— не дает самому тебе заржаветь.

Том всячески старался быть полезен. Играл с Майклом в трик-трак, раскладывал с Джулией пасьянсы и, когда они заводили граммофон, был тут как тут, чтобы менять пластинки.

— Он будет хорошим товарищем Роджеру,— сказал Майкл.— У Тома есть голова на плечах, к тому же он старше Роджера. Окажет на него хорошее влияние. Почему бы тебе не пригласить его пожить у нас во время отпуска?

(«К счастью, я хорошая актриса».)

Но Джулии понадобилось значительное усилие, чтобы голос звучал не слишком радостно, а лицо не выдало восторга, от которого неистово билось сердце.

— Неплохая идея,— ответила она.— Я приглашу его, если хочешь.

Театр не закрывался до конца августа, и Майкл снял дом в Тэплоу, чтобы они могли провести там самые жаркие дни лета. Джулия ездила в город на спектакли, Майкл — когда его призывали дела, но будни до вечера, а в воскресенье целый день они оставались за городом. Тому полагалось две недели отпуска, и он с готовностью принял их приглашение.

Как-то раз Джулия заметила, что Том непривычно молчалив. Он казался бледен, всегдашняя жизнерадостность покинула его. Она поняла, что у него что-то случилось, но он не пожелал говорить ей, в чем дело, сказал только, что у него неприятности. Наконец Джулия вынудила его признаться, что он влез в долги и кредиторы настойчиво требуют, чтобы он расплатился. Жизнь, в которую Джулия втянула Тома, была ему не по карману; стыдясь своего дешевого костюма на великосветских приемах, куда она его брала, он заказал себе новые у дорогого портного. Он поставил деньги на лошадь в надежде выиграть и рассчитаться с долгами, а лошадь пришла последней. Для Джулии его долг — сто двадцать пять фунтов — был чепуховой суммой, и ей казалось нелепым, чтобы такой пустяк мог кого-нибудь расстроить. Она тут же сказала, что даст ему эти деньги.

— Нет, я не могу. Я не могу брать деньги у женщины.

Том покраснел до корней волос; ему стало стыдно от одной только мысли. Джулия приложила все свое искусство, применила все уловки, чтобы уговорить его. Она приводила ему разумные доводы, притворялась, будто обижена, даже пустила в ход слезы, и, наконец, Том согласился, так и быть, взять у нее эти деньги взаймы. На следующий день Джулия послала ему в письме два банковских билета по сто фунтов. Том позвонил и сказал, что она прислала гораздо больше, чем нужно.

— О, я знаю, люди никогда не признаются, сколько они задолжали,— сказала она со смехом.— Я уверена, что ты должен больше, чем мне сказал.

— Честное слово, нет. Я бы не стал тебе лгать ни за что на свете.

— Тогда держи остаток у себя, на всякий случай. Мне неприятно, что тебе приходится расплачиваться в ресторане. И за такси, и за прочее.

— О нет, право, не могу. Это так унизительно.

— Какая ерунда! Ты же знаешь, у меня столько денег, что мне девать их некуда. Неужели тебе трудно доставить мне удовольствие и позволить вызволить тебя из беды?

— Это ужасно мило с твоей стороны. Ты не представляешь, как ты меня выручила. Не знаю, как тебя и благодарить.

Однако голос у него был встревоженный. Бедный ягненочек, не может выйти из плена условностей. Но Джулия говорила правду, она еще никогда не испытывала такого наслаждения, как сейчас, давая ему деньги; это вызывало в ней неожиданный взрыв чувств. И у нее был в уме еще один проект, который она надеялась привести в исполнение за те две недели, что Том проведет у них в Тэплоу. Прошло то время, когда убогость его комнаты на Тэвисток-сквер казалась ей очаровательной, а скромная меблировка умиляла. Раз или два Джулия встречала на лестнице людей, и ей показалось, что они как-то странно на нее смотрят. К Тому приходила убирать и готовить завтрак грязная, неряшливая поденщица, и у Джулии было чувство, что та догадывается об их отношениях и шпионит за ней. Однажды, когда Джулия была у Тома, кто-то повернул ручку двери, а когда она вышла, поденщица протирала перила лестницы и бросила на Джулию хмурый взгляд. Джулии был противен затхлый запах прокисшей пищи, стоявший на лестнице, и ее острый глаз скоро увидел, что комната Тома отнюдь не блещет чистотой. Выцветшие пыльные занавеси, вытертый ковер, дешевая мебель — все это внушало ей отвращение. Случилось так, что Майкл, все время выискивающий способ выгодно вложить деньги, купил несколько гаражей неподалеку от Стэнхоуп-плейс — раньше там были конюшни. Он решил, что, сдавая часть из них, он окупит те, которые были нужны им самим. Над гаражами был ряд комнат. Майкл сделал из них две квартирки, одну — для их шофера, другую — для сдачи внаем. Она все еще стояла пустая, и Джулия предложила Тому ее снять. Это будет замечательно. Она сможет забегать к нему на часок, когда он будет возвращаться из конторы, иногда ей удастся заходить после спектакля, и никто ничего не узнает. Никто им не будет мешать. Они будут совершенно свободны. Джулия говорила Тому, как интересно будет обставлять комнаты; у них на Стэнхоуп-плейс куча ненужных вещей, он просто обяжет ее, взяв их на хранение. Чего не хватит, они купят с ним вместе. Тома очень соблазняла мысль иметь собственную квартиру, но о чем было мечтать — плата, пусть и невысокая, была ему не по средствам. Джулия об этом знала. Знала она и то, что, предложи она платить из своего кармана, он с негодованием откажется. Но ей казалось, что в течение праздных двух недель на берегу реки в их роскошном загородном доме она сумеет превозмочь его колебания. Она видела, как прельщает Тома ее предложение, и не сомневалась, что найдет какой-нибудь способ убедить его, что, согласившись, он на самом деле окажет ей услугу.

«Людям не нужен резон, чтобы сделать то, что они хотят,— рассуждала Джулия,— им нужно оправдание».

Джулия с волнением ждала Тома в Тэплоу. Как приятно будет гулять с ним утром у реки, а днем вместе сидеть в саду! Приедет Роджер, и Джулия твердо решила, что между нею и Томом не будет никаких глупостей, этого требует простое приличие. Но как божественно быть рядом с ним чуть не весь день! Когда у нее будут дневные спектакли, Том сможет развлекаться чем-нибудь с Роджером.

Однако все вышло совсем не так, как она ожидала. Джулии и в голову не могло прийти, что Роджер и Том так подружатся. Между ними было пять лет разницы, и Джулия полагала — хотя, по правде говоря, она вообще об этом не задумывалась,— что Том будет смотреть на Роджера, как на ребенка, очень милого, конечно, но с которым обращаются соответственно его возрасту — он у всех на побегушках, и его можно отослать поиграть, когда он надоест. Роджеру только исполнилось семнадцать. Это был миловидный юноша с рыжеватыми волосами и синими глазами, но на этом и кончались его привлекательные черты. Он не унаследовал ни живости и выразительности лица матери, ни классической красоты отца. Джулия была несколько разочарована: он не оправдал ее надежд. В детстве, когда она постоянно фотографировалась с ним вместе, он был прелестен. Теперь он сделался слишком флегматичным, и у него всегда был серьезный вид. Пожалуй, единственное, чем он мог теперь похвастать, это волосы и зубы. Джулия, само собой, очень любила его, но считала скучноватым. Когда она оставалась с ним вдвоем, время тянулось необыкновенно долго. Джулия проявляла живой интерес к вещам, которые, по ее мнению, должны были его занимать — крикету и тому подобному, но у ее сына не находилось что сказать по этому поводу. Джулия опасалась, что он не очень умен.

— Конечно, он еще мальчик,— оптимистически говорила она,— возможно, с возрастом он разовьется.

С того времени как Роджер пошел в подготовительную школу, Джулия мало его видела. Во время каникул она все вечера бывала занята в театре, и он уходил куда-нибудь с отцом или друзьями, по воскресеньям они с Майклом играли в гольф. Случалось, если Джулию приглашали к ленчу, она не виделась с ним несколько дней подряд, не считая двух-трех минут утром, когда он заходил к ней в комнату пожелать доброго утра. Жаль, что он не мог навсегда остаться прелестным маленьким мальчиком, который тихо, не мешая, играл в ее комнате и, обвив мать ручонкой за шею, улыбался на фотографиях прямо в объектив. Время от времени Джулия ездила повидать его в Итон и пила с ним чай. Ей польстило, когда она увидела в его комнате несколько своих фотографий. Она прекрасно сознавала, что ее приезд в Итон вызывал всеобщее волнение, и мистер Брэкенбридж, старший надзиратель того пансиона, где жил Роджер, считал своим долгом быть с нею чрезвычайно любезным. Когда кончилось полугодие, Джулия и Майкл уже переехали в Тэплоу, и Роджер явился прямо туда. Джулия пылко расцеловала его. Роджер не проявил восторга от того, что он наконец дома, как она ожидала. Держался он довольно небрежно. Казалось, он вдруг повзрослел не по летам.

Роджер сразу же объявил Джулии, что желает покинуть Итон на Рождество. Он получил там все, что мог, и теперь намерен поехать в Вену на несколько месяцев поучить немецкий, перед тем как поступить в Кембридж. Майкл хотел, чтобы он стал военным, но против этого Роджер решительно воспротивился. Он еще не решил, кем быть. И Майкла и Джулию чуть не с самого рождения сына мучил страх, что вдруг он вздумает пойти на сцену, но, по-видимому, Роджер не имел ни малейшей склонности к театру.

— Так или иначе, толку бы из него все равно не вышло,— сказала Джулия.

Роджер жил в Тэплоу сам по себе. С утра уходил на реку, валялся с книгой в саду. На день рождения Джулия подарила ему быстроходный дорожный велосипед, и теперь он разъезжал на нем по проселочным дорогам с головокружительной скоростью.

— Одно утешение,— говорила Джулия,— что с ним никаких хлопот. Он вполне способен сам себя занять.

По воскресеньям из города к ним наезжала куча людей — актеры, актрисы, какой-нибудь случайный писатель и кое-кто из их более именитых друзей. Джулию это развлекало, и она знала, что люди любят ездить к ним в гости. В первое воскресенье после приезда Роджера к ним нахлынула целая толпа. Роджер был очень вежлив с гостями. Выполнял обязанности сына хозяина дома, как настоящий светский человек. Но Джулии показалось, что внутренне он отчужден, словно играет роль, которой не может целиком отдаться. У нее было неуютное

«Театр»

чувство, что он не принимает всех этих людей такими, какие они есть, но хладнокровно судит их со стороны. У Джулии создалось впечатление, что сын не смотрит на них всерьез.

Они договорились с Томом, что он приедет в следующую субботу, и Джулия привезла его в своей машине после спектакля. Стояла лунная ночь, и в такой час дороги были пусты. Это была волшебная поездка. Джулия хотела бы, чтобы она длилась вечно. Она прильнула к нему, время от времени он целовал ее в темноте.

— Ты счастлив?— спросила она.

— Абсолютно.

Майкл и Роджер уже легли, но в столовой их ждал ужин. Безмолвный дом вызывал в них ощущение, будто они забрались туда без разрешения хозяев. Словно они — два странника, которые проникли из ночного мрака в чужое жилище и нашли там приготовленную для них роскошную трапезу. Было в этом что-то от сказок «Тысяча и одной ночи». Джулия показала Тому его комнату, рядом с комнатой Роджера, и пошла спать. На следующее утро она проснулась поздно. Был прекрасный день. Джулия никого не пригласила из города, чтобы весь день провести вместе с Томом. Когда она оденется, они пойдут с ним на реку. Джулия позавтракала, приняла ванну. Надела легкое белое платье, которое подходило для прогулки и очень ей шло, и широкополую шляпу из красной соломки, бросавшую теплый отсвет на лицо. Почти совсем не накрасилась. Джулия поглядела в зеркало и довольно улыбнулась. Она и правда выглядела очень хорошенькой и молодой. Беспечной походкой Джулия направилась в сад. На лужайке, спускавшейся к самой воде, она увидела Майкла в окружении воскресных газет. Он был один.

— Я думала, ты пошел поиграть в гольф.

— Нет, пошли мальчики. Я решил, им будет приятней, если я отпущу их одних,— он улыбнулся своей дружелюбной улыбкой.— Они для меня чересчур активны. В восемь утра они уже купались и, как только проглотили завтрак, унеслись в машине Роджера играть в гольф.

— Я рада, что они подружились.

Джулия сказала это искренне. Она была немного разочарована, что не смогла погулять с Томом у реки, но ей очень хотелось, чтобы он понравился Роджеру, у нее было подозрение, что Роджер весьма разборчив в своих симпатиях и антипатиях. В конце концов, Том пробудет у них еще целых две недели.

— Не скрою от тебя, рядом с ними я чувствую себя настоящим стариком,— заметил Майкл.

— Какая ерунда! Ты куда красивее, чем любой из них, и прекрасно это знаешь, мой любимый.

Майкл выдвинул подбородок и втянул живот.

Мальчики вернулись к самому ленчу.

— Простите за опоздание,— сказал Роджер.— Была чертова куча народу, приходилось ждать у каждой метки для мяча. Мы загнали шары в лунки, сделав равное число ударов.

Они были «чертовски» голодны, возбуждены и очень довольны собой.

— Как здорово, что сегодня нет гостей,— сказал Роджер.— Я боялся, что пожалует вся шайка-лейка и нам придется вести себя пай-мальчиками.

— Я решила, что не мешает отдохнуть,— сказала Джулия.

Роджер взглянул на нее.

— Тебе это не повредит, мамочка. У тебя очень утомленный вид.

(«Ну и глаз, черт побери. Нет, нельзя показывать, что меня это трогает. Слава Богу, я умею играть».)

Она весело засмеялась.

— Я не спала всю ночь, ломала себе голову, как тебе избавиться от прыщей.

— Да, ужасная гадость. Том говорит, у него тоже были.

Джулия перевела глаза на Тома. В открытой на груди тенниске, с растрепанными волосами, уже немного подзагоревший, он казался невероятно юным. Не старше Роджера, по правде говоря.

— А у него облезает нос,— продолжал со смехом Роджер.— Вот будет пугало!

Джулия ощутила легкое беспокойство. Казалось, Том скинул несколько лет и стал ровесником Роджеру не только по годам. Они болтали чепуху. Уплетали за обе щеки и осушили по нескольку кружек пива, и Майкл, который, как всегда, пил и ел очень умеренно, смотрел на них с улыбкой. Он радовался их юности и хорошему настроению. Он напоминал Джулии старого пса, который, чуть помахивая хвостом, лежит на солнце и наблюдает за возней двух щенят. Кофе пили на лужайке. Было так приятно сидеть в тени, любуясь рекой. Том выглядел очень стройным и грациозным в длинных белых брюках. Джулия никогда раньше не видела, что он курит трубку. Ее это почему-то умилило. Но Роджер стал подсмеиваться над ним.

— Ты почему куришь — потому что это тебе нравится или чтобы тебя считали взрослым?

— Заткнись,— сказал Том.

— Ты кончил кофе?

— Да.

— Тогда пошли на реку.

Том нерешительно взглянул на Джулию. Роджер это заметил.

— О, все в порядке, о моих почтенных родителях можешь не беспокоиться. У них есть воскресные газеты. Мама подарила мне недавно гоночный ялик.

(«Спокойно, спокойно... Держи себя в руках. Ну и дура я была, что подарила ему гоночный ялик!»)

— Хорошо,— сказала она со снисходительной улыбкой,— идите на реку, только не свалитесь в воду.

— Ничего не случится, если и свалимся. К чаю вернемся. Папа, теннисный корт размечен? Мы хотели поиграть после чая.

— Пожалуй, твой отец сможет кого-нибудь найти, сыграете два против двух.

— А, не беспокойтесь, одиночная игра еще интереснее, да и лучше разомнемся,— и, обращаясь к Тому: — Кто первый добежит до сарая для лодок?

Том вскочил на ноги и бросился бежать, Роджер — вдогонку. Майкл взял одну из газет и принялся искать очки.

— Они хорошо поладили, правда?

— По-видимому.

— Я боялся, Роджеру будет здесь скучно с нами. Хорошо, что теперь у него есть компания.

— Тебе не кажется, что Роджер ни с кем, кроме себя, не считается?

— Это ты насчет тенниса? Да мне, по правде говоря, все равно, играть или нет. Вполне естественно, что мальчикам хочется поиграть вдвоем. С их точки зрения, я старик и только испорчу им игру. В конце концов, главное — чтобы им было хорошо.

Джулия почувствовала угрызения совести. Майкл был прозаичен, прижимист, самодоволен, но он необычайно добр и уж совсем не эгоист! Он не знает зависти. Ему доставляет удовольствие — если это только не стоит денег — делать других счастливыми. Майкл был для Джулии раскрытой книгой. Спору нет, все его мысли банальны; с другой стороны, ни одна из них не бывает постыдна. Ее выводило из себя, что, при всех его достоинствах, вместо того чтобы вызывать в ней любовь, Майкл вызывал такую мучительную скуку.

— Насколько ты лучше меня, моя лапушка,— сказала она.

Майкл улыбнулся своей милой, дружелюбной улыбкой и покачал головой.

— Нет, дорогая, у меня был замечательный профиль, но у тебя есть огромный талант.

Джулия засмеялась. Это даже забавно — разговаривать с человеком, который никогда не догадывается, о чем идет речь. Но что имеют в виду, когда говорят об актерском таланте?

Джулия часто спрашивала себя, что именно поставило ее на голову выше других современных актеров.

В первые годы ее карьеры у нее были недоброжелатели. Ее сравнивали — и не в ее пользу — с той или иной актрисой, пользовавшейся благосклонностью публики. Но уже давно никто не оспаривал у нее пальмы первенства. Конечно, известность ее была не так велика, как у кинозвезд. Джулия попытала удачи в кино, но не имела успеха: ее лицо, такое подвижное и выразительное на сцене, на экране почему-то проигрывало, и после первой же пробы она, с одобрения Майкла, отвергала все предложения, которые получала время от времени. Играть в кино? Это ниже ее достоинства. Ее позиция сделала Джулии прекрасную рекламу. Джулия не завидовала кинозвездам: они появлялись и исчезали, она оставалась. Когда выпадал случай, она ходила смотреть игру других ведущих актрис Лондона. Джулия не скупилась на похвалы и хвалила от чистого сердца. Иногда чужая игра казалась ей настолько хорошей, что она искренно не понимала, почему люди поднимают такой шум вокруг нее, Джулии. Она прекрасно знала, какой высокой репутацией пользуется у публики, но сама была о себе достаточно скромного мнения. Джулию всегда удивляло, что люди восторгаются какой-нибудь ее интонацией или жестом, которые приходят к ней так естественно, что ей кажется просто невозможным сыграть иначе. Критики восхищались ее разносторонностью. Особенно хвалили способность Джулии войти в образ. Не то чтобы она сознательно кого-нибудь наблюдала и копировала, просто, когда она бралась за новую роль, на нее неизвестно откуда мощной волной набегали смутные воспоминания, и она обнаруживала, что знает о своей новой героине множество вещей, о которых раньше и не подозревала. У Джулии часто возникал в памяти кто-нибудь из знакомых или даже случайный человек, которого она видела на улице или на приеме. Она сочетала эти воспоминания с собственной индивидуальностью, и так создавался характер, основанный на реальной жизни, но обогащенный ее опытом, ее владением актерской техникой и личным обаянием. Люди думали, что она играет только те два-три часа, что находится на сцене; они не знали, что олицетворяемый ею персонаж подспудно жил в ней весь день, и когда она, казалось бы, увлеченно с кем-нибудь беседовала, и когда занималась каким-нибудь делом. Джулии часто казалось, что в ней сочетаются два лица: популярная актриса, всеобщая любимица, женщина, которая одевается лучше всех в Лондоне, но это — лишь иллюзия, и героиня, которую она изображает каждый вечер, и это — ее истинная субстанция.

«Будь я проклята, если я знаю, что такое актерский талант,— говорила она себе,— но зато я знаю другое: я бы отдала все, что имею, за восемнадцать лет».

Однако это была неправда. Если бы ей представилась возможность вернуться назад в юность, еще не известно, пожелала бы она это сделать. Скорее нет. И не популярность, даже если хотите — слава, была ей дорога, не ее власть над зрителями и не та искренняя любовь, которую они к ней питали, и уж, конечно, не деньги, которые принес ей талант; нет, ее опьяняло другое — та неведомая сила, которую она ощущала в себе, ее власть над материалом. Она могла получить роль, и даже не очень хорошую роль, с глупым текстом, и, благодаря своим личным качествам, благодаря своему искусству, благодаря владению актерским ремеслом, на котором она собаку съела, вдохнуть в нее жизнь. Тут ей не было равных. Иногда Джулия чувствовала себя божеством.

«И к тому же,— засмеялась она,— Тома не было бы еще на свете».

В конце концов, только естественно, что ему нравится возиться с Роджером. Ведь они почти ровесники. Они принадлежат к одному поколению. Сегодня первый день его отпуска, пусть повеселятся, впереди еще целые две недели. Тому скоро надоест проводить время с семнадцатилетним мальчишкой. Роджер очень мил, но скучен, материнская любовь не ослепляет ее. Нужно следить за собой и ни в коем случае не показывать, что она сердится. Джулия с самого начала решила, что не будет предъявлять к Тому никаких требований; если он почувствует, что чем-либо ей обязан, это может оказаться для нее роковым.

— Майкл, почему бы тебе не предложить вторую квартирку над гаражом Тому? Теперь, когда он сдал последний экзамен и получил звание бухгалтера-эксперта, ему просто неприлично жить в той его меблированной комнате.

— Неплохая мысль. Я у него спрошу.

— Сэкономишь на плате агенту по сдаче внаем. Поможем ему обставиться. У нас стоит без дела куча старой мебели. Пусть лучше Том ею пользуется, чем она будет просто гнить на чердаке.

Том и Роджер вернулись к чаю, проглотили кучу бутербродов и дотемна играли в теннис. После обеда они засели за домино. Джулия разыграла блестящую сцену — молодая мать с нежностью следит за сыном и его юным другом. Спать она легла рано. Вскоре мальчики тоже поднялись наверх. Их комнаты были расположены прямо над ее спальней. Она слышала, как Роджер зашел к Тому. Они принялись болтать; окна и у нее, и у них были открыты, до нее доносились их оживленные голоса. О чем, ради всего святого, они могли столько говорить?! Она ни разу не видела ни одного из них таким разговорчивым. Через некоторое время раздался голос Майкла:

— А ну, марш в постель, мальчики! Болтать будете завтра. Они засмеялись.

— Хорошо, папочка!— закричал Роджер.

— Ну и болтуны вы!

Снова послышался голос Роджера:

— Спокойной ночи, старина.

И сердечный ответ Тома:

— Спокойной ночи, дружище.

«Идиоты!»— гневно вскричала про себя Джулия.

На следующее утро, в то время как она завтракала в постели, к ней зашел Майкл.

— Мальчики уехали в Хантерком играть в гольф. Они намерены сыграть два раунда и спросили, обязательно ли им возвращаться к ленчу. Я ответил, что нет.

— Не скажу, чтобы я была в восторге от того, что Том смотрит на наш дом, как на гостиницу,— заметила Джулия.

— Милая, они же мальчишки. Право, пусть развлекаются, как хотят.

Значит, сегодня она вообще не увидит Тома — между пятью и шестью ей надо выезжать, если она хочет попасть в театр вовремя. Майклу хорошо, отчего ему не быть добрым... Джулия была обижена. Ей хотелось плакать. Он, должно быть, совершенно к ней равнодушен — теперь она думала о Томе,— а она-то решила, что сегодня будет иначе, чем вчера. Она проснулась с твердым намерением быть терпимой и принимать вещи такими, каковы они есть, но ей и в голову не приходило, что ее ждет такое разочарование.

— Газеты уже принесли?— хмуро спросила Джулия.

В город она уехала разъяренная.

Следующий день был немногим лучше. Мальчики решили не играть в гольф, зато с утра до вечера сражались в теннис. Их неуемная энергия страшно раздражала Джулию. В шортах, с голыми ногами, в спортивной рубашке Том казался не старше шестнадцати лет. Так как они купались по три-четыре раза в день, он не мог прилизывать волосы, и, стоило им высохнуть, они закручивались непослушными кольцами. От этого он казался еще моложе и, увы, еще прелестней. Сердце Джулии терзала мука. Ей казалось, что его манера вести себя странно изменилась; постоянно находясь в обществе Роджера, он потерял облик светского человека, который так следит за своей внешностью, так разборчив в том, что ему надеть, и снова стал неряшливым подростком. Ни намеком, ни взглядом он не выдавал, что он — ее любовник; он относился к ней так, как приличествует относиться к матери своего приятеля. Каждым замечанием, проказами, даже самой своей вежливостью он заставлял ее чувствовать, что она принадлежит к другому поколению. В его обращении к ней не было и следа рыцарственной галантности, которую молодой человек должен проявлять по отношению к обворожительной женщине; такую снисходительную доброжелательность скорее пристало выказывать незамужней старой тетушке.

Джулию возмущало, что Том послушно идет на поводу у мальчишки моложе себя. Это говорило о бесхарактерности. Но она не винила его, она винила Роджера. Его эгоизм вызывал в ней отвращение. Все это прекрасно — толковать, что он еще молод. Его безразличие ко всему, кроме собственного удовольствия, говорит о безудержном себялюбии. Он бестактен и невнимателен. Он ведет себя так, словно и дом, и прислуга, и мать, и отец существуют лишь для его удобства. У Джулии уже не раз сорвалось бы резкое слово, но она не осмеливалась при Томе читать Роджеру нотации. Незавидная роль. К тому же, стоило побранить Роджера, у него сразу делался глубоко обиженный вид, глаза — как у раненого оленёнка, и вы чувствовали, что были жестоки и несправедливы к нему. Это доводило Джулию до исступления. Джулия и сама так умела, это выражение глаз Роджер унаследовал от нее, она тысячу раз пользовалась им на сцене с соответствующим эффектом и знала, что оно ровно ничего не значит, но, когда оно появлялось в глазах сына, это страшно расстраивало ее. Даже мысль об этом вызвала в ней нежность. Столь внезапная перемена чувств открыла Джулии правду — она ревновала Тома к Роджеру, безумно ревновала.

Это открытие ее потрясло; она не знала, смеяться ей или сгорать со стыда. Несколько минут она размышляла.

— «Ну, я тебе обедню испорчу».

Уж теперь воскресенье пройдет совсем иначе, чем в прошлый раз. К счастью, Том — сноб. «Женщина привлекает к себе мужчин, играя на своем очаровании, и удерживает их возле себя, играя на их пороках»,— пробормотала Джулия и подумала: интересно, сама она придумала этот афоризм или припомнила его из какой-нибудь пьесы.

Джулия позвонила кое-кому. Пригласила на конец недели Деннорантов, Чарлза Тэмерли — тот гостил в Хенли у сэра Мейхью Брейнстона, министра финансов. Он принял приглашение приехать и пообещал привезти сэра Мейхью с собой. Чтобы их развлечь — Джулия знала, что аристократы вовсе не интересуются друг другом, когда окунаются, как они воображают, в богему,— она позвала своего партнера по сцене Арчи Декстера и его хорошенькую жену, игравшую под своим девичьим именем — Грейс Хардуил. Джулия не сомневалась, что, если на горизонте появятся маркиза и маркиз, в обществе которых он сможет вращаться, и член кабинета, на которого ему захочется произвести впечатление, Том не пойдет кататься на ялике или играть в гольф. На таком приеме Роджер займет подобающее ему место школьника, на которого никто не обращает внимания, а Том увидит, какой она может быть блестящей, если пожелает. Предвкушая свое торжество, Джулия смогла стойко перенести оставшиеся дни. Она почти не видела Тома и Роджера, а когда у нее бывали утренние спектакли, не видела их совсем. Если они не играли в теннис или гольф, то носились по окрестностям в машине Роджера.

Джулия привезла Деннорантов после спектакля. Роджер лег спать, но Майкл и Том ждали их к ужину. Это был чудесный ужин. Слуги тоже уже легли, и они сами себя обслуживали. Джулия заметила, как Том старается, чтобы у Деннорантов было все, что им нужно, с какой готовностью вскакивает, чтобы им услужить. Его вежливость казалась чуть ли не назойливой. Деннораты были скромной молодой парой, им и в голову не приходило, что их титул может иметь хоть какое-то значение, и Джордж Деннорант порядком смутился, когда Том забрал у него грязную тарелку и протянул ему чистую для следующего блюда.

«Думаю, завтра Роджеру не с кем будет играть в гольф»,— сказала себе Джулия.

Они просидели за разговорами до трех часов, и Джулия заметила, что, когда Том желал ей спокойной ночи, глаза его сияли, но от любви или шампанского — этого она не могла сказать. Он сжал ей руку.

— Чудесный вечер!— воскликнул он.

Было уже позднее утро, когда Джулия в платье из органди[*] вышла в сад во всем блеске своей красоты. Роджер сидел в шезлонге с книгой в руках.

— Читаешь?— спросила Джулия, поднимая действительно прекрасные брови.— Почему вы не играете в гольф?

У Роджера был надутый вид.

— Том говорит, что слишком жарко.

— Да?— отозвалась она с очаровательной улыбкой.— А я испугалась, что ты счел своим долгом остаться, чтобы занять моих гостей. Будет куча народу, мы вполне сможем без тебя обойтись. Где все остальные?

— Не знаю. Том ухлестывает за Сесили Деннорант.

— Она очень хорошенькая.

— Похоже, сегодня будет жуткая скука.

— Надеюсь, Том этого не скажет,— проговорила Джулия с таким видом, словно это ее сильно беспокоит.

Роджер ничего не ответил.

День прошел в точности так, как ожидала Джулия. Правда, она мало видела Тома, но Роджер видел его еще меньше. Том очень понравился Деннорантам; он объяснил им, каким образом избежать огромного подоходного налога, который им приходилось платить. Он почтительно слушал министра финансов, в то время как тот рассуждал о театре, и Арчи Декстера, когда тот излагал свои взгляды на политическую ситуацию. Джулия еще никогда не была в таком ударе. Арчи Декстер обладал живым умом, неисчерпаемым запасом театральных историй и удивительным даром их рассказывать, и во время ленча

<hr>

[*] Батист жесткой выделки.

они с Джулией на пару заставили весь стол хохотать, а после чая, когда игроки в теннис устали, Джулию уговорили (нельзя сказать, чтобы она сильно сопротивлялась) доставить всем удовольствие своей пародией на Глэдис Купер, Констанс Колье и Герти Лоренс. Однако Джулия не забыла, что Чарлз Тэмерли — ее преданный и бескорыстный воздыхатель, и улучила минутку в сумерки, чтобы погулять с ним вдвоем. С Чарлзом она не старалась быть ни веселой, ни остроумной, с ним она была мечтательна и нежна. На сердце у Джулии было тоскливо, несмотря на блестящий спектакль, который она играла весь день; когда вздохами, печальными взглядами и недомолвками она дала Чарлзу понять, что жизнь ее пуста и, несмотря на свою успешную карьеру, она не может не чувствовать, что упустила нечто очень важное, она была почти искренна. Как часто она вспоминает о вилле в Сорренто, на берегу Неаполитанского залива... Прекрасная мечта. Возможно, там ее ждало настоящее счастье, стоило лишь руку протянуть. Она сделала глупость. Что все ее сценические триумфы? Иллюзия. Pagliacci*. Люди не понимают, насколько это верно. Vesti lagiubba** и прочее. Она так одинока. Естественно, не было необходимости говорить Чарлзу, что сердце ее тоскует не из-за утерянных возможностей, а из-за того, что некий молодой человек предпочитает играть в гольф с ее сыном, а не заниматься любовью с ней.

А потом Джулия и Арчи Декстер сговорились и после обеда, когда все собрались в гостиной, без предупреждения, начав с нескольких ничего не значащих слов, устроили друг другу ужасную сцену ревности, словно были любовниками. В первый момент остальные не догадались, что это шутка, но вскоре их взаимные обвинения стали столь чудовищны и непристойны, что потонули во всеобщем хохоте. Затем они разыграли экспромтом, как подвыпивший джентльмен подбирает уличную девку-француженку на Джермин-стрит. После этого с невозмутимой серьезностью изобразили, как миссис Элвинг из «Привидений» пытается соблазнить пастора Мэндерса. Их небольшая аудитория покатывалась со смеху. Закончили они номером, который часто показывали на театральных приемах и отшлифовали его до блеска. Это был кусок из чеховской пьесы; весь текст шел по-английски, но в особо

---

* Шутовство (*итал.*).

** Буквально: сменная одежда; здесь: маскарад (*итал.*).

патетических местах они переходили на тарабарщину, звучавшую совсем как русский язык. Джулия призвала на помощь весь свой трагедийный талант, но произносила реплики с таким шутовским пафосом, что это производило неотразимо комический эффект. Джулия вложила в исполнение искреннюю душевную муку, но с присущим ей живым чувством юмора сама же над ней подсмеивалась. Зрители хохотали до упаду, держались за бока, стонали от неудержимого смеха. Быть может, это было ее лучшее представление: Джулия играла для Тома, и только для него.

— Я видел Сару Бернар и Режан*,— сказал министр финансов.—Я видел Дузе и Эллен Терри, видел миссис Кендел. «Nunc Dimittis**». Сподобился.

Джулия, сияющая, кинулась в кресло и одним глотком осушила бокал шампанского.

«Черт меня побери, если я не испортила Роджеру обедню»,— подумала она.

Но, несмотря на все это, когда она спустилась на следующее утро к завтраку, мальчики уже ушли играть в гольф. Майкл успел отвезти Деннорантов в город. Джулия чувствовала себя усталой. Ей пришлось сделать над собой усилие, чтобы весело болтать, когда Роджер и Том пришли к ленчу. Днем они втроем отправились на реку, но у Джулии было чувство, что они взяли ее с собой не потому, что им хотелось, а потому, что не сумели этого избежать. Она подавила вздох, когда подумала, как ждала отпуска Тома. Теперь она считала дни, оставшиеся до его конца. Она испытала облегчение, когда села наконец в машину, чтобы ехать в Лондон. Джулия не сердилась на Тома, но была глубоко уязвлена; сердилась она на себя за то, что потеряла над собой власть. Однако, когда Джулия вошла в театр, она почувствовала, что стряхнула это наваждение, как дурной сон, от которого пробуждаешься утром. Здесь, в своей уборной, она вновь стала себе хозяйкой, и все события повседневной жизни утратили важность. Ей ничто не страшно, пока в ее власти есть такая возможность обрести свободу.

Так прошла вторая неделя. Майкл, Роджер и Том наслаждались жизнью. Они купались, играли в теннис и гольф, слонялись у реки. Осталось четыре дня. Осталось три дня.

* *Режан Габриэль* (1856—1920) — французская актриса.

** «Ныне отпущаеши» (*лат.*).

(«Ну, теперь уж я дотерплю до конца. Все изменится, когда мы вернемся в Лондон. Нельзя показывать, как я несчастна. Нужно делать вид, что все в порядке».)

— Повезло нам, отхватили такой кусок хорошей погоды,— сказал Майкл.— А Том пользовался успехом, правда? Жаль, что он не может остаться еще на недельку.

— Да, ужасно жаль.

— Я думаю, Роджеру хорошо иметь такого товарища. Абсолютно нормальный, чистый английский юноша.

— О да, абсолютно. («Ну и дурак! Ну и дурак!»)

— Прямо удовольствие глядеть, как они едят.

— О да, аппетит у них завидный. («Господи, хоть бы они подавились!»)

Том должен был возвращаться в Лондон с ранним поездом в понедельник утром. Декстеры, у которых был загородный дом в Борн-энде, пригласили их всех в воскресенье на ленч. Ехать туда собирались на моторной лодке. Теперь, когда отпуск Тома закончился, Джулия была рада, что ни разу ничем не выдала своего раздражения. Она была уверена, что Том даже не догадывается, какую боль он ей причинил. Надо быть снисходительной; в конце концов, он — всего только мальчик, и, если уж ставить точки над «i», она годится ему в матери. Конечно, печально, что она потеряла из-за него голову, но что поделаешь, слезами горю не поможешь, она с самого начала сказала себе, что он не должен чувствовать, будто она как-то на него притязает. В воскресенье они никого не ждали к ужину. Джулии хотелось побыть вдвоем с Томом в этот последний вечер. Конечно, это невозможно, но, во всяком случае, они смогут погулять вместе в саду.

«Интересно, он заметил, что ни разу меня не поцеловал с тех пор, как сюда приехал?»

Можно было бы покататься на ялике. Как божественно будет хоть несколько мгновений побыть в его объятиях, это вознаградило бы ее за все.

У Декстеров собрались в основном актеры. Грейс Хардуил, жена Арчи, играла в музыкальной комедии, и там была целая куча хорошеньких девушек, танцевавших в оперетте, в которой Грейс тогда пела. Джулия с большой естественностью изображала примадонну, которая ничего из себя не строит. Она очаровательно улыбалась девицам с обесцвеченным перекисью перманентом, зарабатывающим в хоре три фунта в неделю. У многих гостей были с собой фотоаппараты, и она любезно позволяла себя снимать. Она восторженно аплодировала, когда Грейс исполнила свою знаменитую арию под аккомпанемент самого композитора. Она громче всех смеялась, когда комедийная старуха изобразила ее, Джулию, в одной из самых известных ролей. Было очень весело, шумно и беззаботно. Джулия искренно наслаждалась, но, когда пробило семь, без сожаления собралась уезжать. В то время как она горячо благодарила хозяев дома за приятный вечер, к ней подошел Роджер.

— Послушай, мам, тут собралась компания, едут в Мейднхед ужинать и потанцевать и зовут нас с Томом. Ты ведь не возражаешь?

Кровь прихлынула к щекам Джулии. Она не могла совладать с собой, и голос ее прозвучал довольно резко.

— А как вы вернетесь?

— Не беспокойся, все будет в порядке. Кто-нибудь нас подкинет.

Джулия беспомощно взглянула на сына. Ей нечего было возразить.

— Будет страшно весело, мама. Том безумно хочет поехать.

Ее сердце упало. Лишь с величайшим трудом ей удалось овладеть собой и не закатить ему сцену.

— Хорошо, милый. Только не возвращайся слишком поздно. Помни, что Тому вставать чуть свет.

В это время Том сам к ним подошел и услышал ее последние слова.

— Вы действительно ничего не имеете против?— спросил он.

— Конечно, нет. Надеюсь, вы хорошо проведете там время.

Она весело улыбнулась, но глаза ее сверкали холодным блеском.

— А я рад, что мальчики уехали,— сказал Майкл, садясь в лодку.— Мы уже целую вечность не были с тобой вдвоем.

Джулия стиснула зубы, чтобы не взорваться и не попросить его попридержать свой дурацкий язык. Ее душила черная ярость. Это было последней каплей. Том не замечал ее все две недели, он даже не был элементарно вежлив, а она — она вела себя, как ангел. Какая женщина проявила бы столько терпения? Любая другая на ее месте велела бы ему убираться вон, если он не знает, что такое простое приличие. Эгоист, дурак, грубиян — вот что он такое. Жаль, что он уезжает завтра сам. С каким удовольствием она выставила бы его за дверь со всеми его пожитками! Как он осмелился так с ней обращаться, этот ничтожный маленький клерк?! Поэты, члены кабинета министров, пэры Англии с радостью отменили бы самую важную встречу, лишь бы поужинать с ней, а он бросил ее и отправился танцевать с кучей крашеных блондинок, которые совершенно не умеют играть. Ясно, что он глуп как пробка. Что уж тут говорить о благодарности. За последнюю тряпку, которая надета на нем, плачено ее деньгами. А этот портсигар, которым он так гордится, разве не она подарила его? А кольцо? Ну нет, это ему даром не пройдет, она с ним сквитается. И она даже знает как. Она знает его самое уязвимое место, знает, как ранить его всего больней. Уж она сумеет задеть его за живое! Джулии стало немного полегче, когда она принялась в подробностях придумывать план мести. Ей не терпелось поскорее привести его в исполнение, и не успели они вернуться домой, как она поднялась к себе в спальню. Вынула из сумочки четыре купюры по фунту стерлингов и одну — на десять шиллингов. Написала короткую записку:

«Дорогой Том.
Вкладываю деньги, которые надо оставить слугам, так как не увижу тебя утром. Три фунта дай дворецкому, фунт — горничной, которая чистила и отглаживала тебе костюмы, десять шиллингов — шоферу. Джулия».

Она позвала Эви и велела, чтобы горничная, которая разбудит Тома завтра утром, передала ему конверт. Когда Джулия спустилась к ужину, она чувствовала себя гораздо лучше. Пока они ели, вела с Майклом оживленный разговор, потом они сели играть в безик. Даже если бы она целую неделю ломала себе голову, как сильней уколоть Тома, она не придумала бы ничего лучшего.

Но уснуть Джулия не смогла. Она лежала в постели и ждала возвращения Роджера и Тома. Ей пришла в голову мысль, прогнавшая весь ее сон. Возможно, Том поймет, как он мерзко себя вел. Если он хоть на секунду об этом задумается, он увидит, как он ее огорчил; быть может, он пожалеет об этом, и, когда они вернутся и Роджер пожелает ему доброй ночи, он прокрадется к ней в комнату. Если Том это сделает, она ему все простит. Письмо, наверное, лежит в буфетной, ей будет нетрудно спуститься тихонько вниз и забрать его. Наконец подъехала машина. Джулия включила свет, чтобы взглянуть на часы. Три часа. Она слышала, как юноши поднялись наверх и разошлись по своим комнатам. Джулия ждала. Зажгла ночник у кровати, чтобы Тому было видно, когда он откроет дверь. Она притворится, что спит, а когда он подойдет к ней на цыпочках, медленно откроет глаза и улыбнется ему. Джулия ждала. В тишине ночи она услышала, как он лег в постель; щелкнул выключатель. С минуту она глядела прямо перед собой, затем, пожав плечами, открыла ящичек в тумбочке возле кровати и взяла из пузырька две таблетки снотворного.

«Если я не усну, я сойду с ума».

Глава пятнадцатая

Когда Джулия проснулась, был двенадцатый час. Среди писем она нашла одно, которое не пришло по почте. Она узнала аккуратный, четкий почерк Тома и вскрыла конверт. Там не было ничего, кроме четырех фунтов и десяти шиллингов. Джулия почувствовала легкую дурноту. Она и сама не знала, какого ждала ответа на свое снисходительное письмо и оскорбительный подарок. Ей не пришло в голову, что он может просто его вернуть. Джулия была вчера встревожена и расстроена, она хотела его унизить, сделать ему больно, но теперь испугалась, что зашла слишком далеко.

«Надеюсь все же, что он дал прислуге на чай»,— пробормотала она, чтобы себя подбодрить. Джулия пожала плечами. «Ничего, опомнится, ему не вредно узнать, что я тоже не всегда сахар».

Но весь день она оставалась в задумчивости. Когда Джулия приехала вечером в театр, ее ждал там пакет. Как только она взглянула на обратный адрес, она поняла, что в нем. Эви спросила, вскрыть ли пакет.

— Не надо.

Но не успела Джулия остаться одна, как сама его вскрыла. Там лежала булавка для галстука, и пуговицы для жилета, и жемчужные запонки, и часы, и золотой портсигар — гордость Тома. Все до одной вещи, которые она ему подарила. И никакого письма. Ни слова объяснения. Сердце ее упало, она заметила, что вся дрожит.

«Какая я была идиотка! Почему не сдержалась?!»

Каждый удар сердца причинял Джулии боль. Она не в состоянии выйти на сцену, когда ее терзает такая адская мука. Она будет ужасно играть. Чего бы ей это ни стоило, она должна с ним поговорить. В его доме был телефон с отводом к нему в комнату. Джулия набрала номер. К счастью, Том был дома.

— Том!

— Да?

Он немного помолчал перед тем, как ответить, и голос его звучал раздраженно.

— Что все это значит? Почему ты прислал мне все эти вещи?

— Ты получила утром деньги?

— Да. Я абсолютно ничего не понимаю. Я тебя обидела?

— О нет,— ответил он.— Мне, конечно, очень приятно, чтобы со мной обращались, как с содержанкой. Мне, конечно, приятно, когда мне бросают в лицо упрек, что даже чаевые и те я не могу сам заплатить. Удивительно еще, что ты не вложила в конверт деньги на билет третьего класса до Лондона.

Хотя Джулия чуть не плакала от боли и тревоги и с трудом могла говорить, она невольно улыбнулась. Ну и глупыш!

— Неужели ты думаешь, что я хотела тебя оскорбить? Ты достаточно хорошо меня знаешь и должен понимать, что это мне и в голову не могло прийти.

— Тем хуже. («Будь я проклята»,— подумала Джулия.) Мне не надо было брать у тебя эти подарки, мне не надо было занимать у тебя деньги.

— Не понимаю, о чем ты говоришь. Все это — какое-то ужасное недоразумение. Зайди за мной после спектакля, и мы во всем разберемся. Я все тебе объясню.

— Я иду обедать к родителям и останусь у них ночевать.

— Тогда завтра.

— Завтра я занят.

— Я должна увидеться с тобой, Том. Мы слишком много значили друг для друга, чтобы вот так расстаться. Как ты можешь осуждать меня, не выслушав? Это несправедливо — наказывать человека, когда он ни в чем не виноват.

— Я думаю, будет гораздо лучше, если мы перестанем встречаться.

Джулия совсем потеряла голову.

— Но я люблю тебя, Том. Я тебя люблю. Разреши мне еще раз увидеть тебя, и, если ты по-прежнему будешь сердиться на меня, что ж, будем считать, что дело кончено.

Его молчание тянулось до бесконечности. Наконец, он ответил:

— Хорошо, я зайду во вторник после дневного спектакля.

— Не думай обо мне слишком плохо, Том.

Что бы там ни было, он придет. Джулия снова завернула присланные им вещи и спрятала их туда, где их не увидит Эви. Она разделась, накинула старый розовый халат и начала гримироваться. Настроение у нее было ужасное: она впервые призналась Тому в своей любви. Ее грызло, что пришлось унизительно умолять его, чтобы он к ней пришел. До сих пор он искал ее общества. Было невыносимо думать, что их роли переменились.

Джулия очень плохо играла на дневном представлении во вторник. Стояла страшная жара, публика принимала спектакль вяло. Джулии было все равно. Ее сердце терзали дурные предчувствия. Что ей до того, как идет пьеса! («И какого черта им вообще надо в театре в такой день?») Она была рада, когда представление окончилось.

— Я жду мистера Феннела,— сказала она Эви.— Я не хочу, чтобы меня беспокоили, пока он будет у меня.

Эви не ответила. Джулия взглянула на нее: у Эви был очень хмурый вид.

(«Ну ее к черту. Плевать мне, что она там думает!»)

Том уже должен был к этому времени прийти: шел шестой час. Он не мог не прийти, ведь он же обещал. Джулия надела халат, не тот старый халат, в котором обычно гримировалась, а мужской, из темно-вишневого шелка. Эви все еще возилась, прибирая ее вещи.

— Ради Бога, Эви, перестань суетиться. Я хочу побыть одна.

Эви не отвечала. Она продолжала методично расставлять на туалетном столике предметы в том порядке, в каком Джулия всегда желала их там видеть.

— Черт подери, ты почему не отвечаешь, когда я с тобой говорю?

Эви обернулась и посмотрела на Джулию. Задумчиво потерла пальцем нос.

— Может, вы и великая актриса, но...

— Убирайся к черту!

Сняв сценический грим, Джулия совсем не стала краситься, лишь чуть-чуть подсинила под глазами. У нее была гладкая, белая кожа, и без губной помады и румян она выглядела бледной и изнуренной. В мужском халате она казалась беспомощной, хрупкой и вместе с тем элегантной. На сердце у нее было тяжело, ее снедала тревога, но, взглянув в зеркало, она пробормотала: «Мими в последнем акте "Богемы„». Сама не замечая того, она раза два кашлянула, словно у нее чахотка. Джулия погасила яркий свет у туалетного столика и прилегла на диван. Вскоре в дверь постучали, и Эви доложила о мистере Феннеле. Джулия протянула ему белую, худую руку.

— Прости, я лежу, мне что-то нездоровится. Возьми себе стул. Очень мило, что ты пришел.

— Нездоровится? Что с тобой?

— О, ничего страшного,— бескровные губы шевельнулись в вымученной улыбке.— Просто не очень хорошо спала последние две-три ночи.

Джулия обратила к Тому свои прекрасные глаза и несколько минут пристально смотрела на него в молчании. Вид у него был хмурый, но ей показалось, что он испуган.

— Я жду, что ты объяснишь мне, в чем моя вина. Что ты имеешь против меня?— сказала Джулия, наконец, тихим голосом.

Она заметила, что голос ее чуть дрожал, но вполне естественно. («Господи, да я, кажется, испугана».)

— Нет смысла к этому возвращаться. Я хотел сказать тебе единственную вещь: боюсь, я не смогу сразу выплатить тебе те двести фунтов, что я должен, у меня их просто нет, но постепенно я все отдам. Мне очень неприятно просить у тебя отсрочку, но нет другого выхода.

Джулия приподнялась и приложила обе руки к своему разбитому сердцу.

— Я не понимаю. Я две ночи пролежала без сна, все думала, в чем дело. Я боялась, что сойду с ума. Я пыталась понять. И не могу. Не могу. («В какой пьесе я это говорила?»)

— Не можешь? Ты все прекрасно понимаешь. Ты рассердилась на меня и решила меня наказать. И сделала это. Ты расквиталась со мной как надо! Ты не могла придумать лучшего способа выразить свое презрение.

— Но почему бы мне было тебя наказывать? За что? Почему я должна была на тебя сердиться?

— За то, что я поехал в Мейднхед с Роджером на эту вечеринку, а тебе хотелось, чтобы я вернулся домой.

— Но я же сама сказала, чтобы вы ехали. Я пожелала вам хорошо провести время.

— Да, конечно, но твои глаза сверкали от ярости. У меня не было особой охоты туда ехать, но Роджеру уж так загорелось. Я говорил ему, что нам лучше вернуться и поужинать с тобой и Майклом, но он сказал, вы будете только рады сбыть нас с рук, и я решил не поднимать из-за этого шума. А когда я увидел, что ты разозлилась, уже было поздно идти на попятную.

— Я вовсе не разозлилась. Не представляю, как это могло прийти тебе в голову. Вполне естественно, что вам хотелось пойти на вечеринку. Неужели ты думаешь, я такая свинья, чтобы быть недовольной, если ты поразвлечешься в свой отпуск? Мой бедный ягненочек, я боялась только одного — что тебе будет там скучно. Я так мечтала, чтобы ты весело провел время!

— Тогда почему ты написала мне эту записку и вложила эти деньги? Это было так оскорбительно.

Голос Джулии сорвался. Губы задрожали, она не могла совладать со своим лицом. Том смущенно отвернулся: сам того не желая, он был тронут.

— Мне было невыносимо думать, что ты выкинешь свои деньги на мою прислугу. Я знаю, что ты не так уж богат и потратил кучу денег на чаевые, когда играл в гольф. Я презираю женщин, которые идут куда-нибудь с молодым человеком и позволяют ему за себя платить. Форменные эгоистки. Я поступила с тобой так, как поступила бы с Роджером. Я никак не думала, что задену твое самолюбие.

— Поклянись!

— Честное слово. Господи, неужели после всех этих месяцев ты так плохо меня знаешь! Если бы то, что ты подумал, было правдой, какой я тогда должна быть подлой, жестокой, жалкой женщиной, какой хамкой, какой бессердечной вульгарной бабой! Ты такой меня считаешь, да?

Трудный вопрос.

— Ну да неважно. Все равно, мне не следовало принимать от тебя дорогие подарки и брать взаймы деньги. Это поставило меня в ужасное положение. Почему я думал, что ты меня презираешь? Да потому, что сам чувствую — ты имеешь на это право. Я действительно не могу позволить себе водиться с людьми, которые настолько меня богаче. Я был дурак, думая, что могу. Мне было очень весело и интересно, я великолепно проводил время, но теперь с этим покончено. Больше мы видеться не будем.

Джулия глубоко вздохнула.

— Тебе просто на меня наплевать. Вот что все это означает.

— Это несправедливо.

— Ты для меня — все на свете. Ты сам это знаешь. Я так одинока. Твоя дружба так много значит для меня. Я окружена паразитами и прихлебателями, а тебе от меня ничего не надо. Я чувствовала, что могу на тебя положиться. Мне было так с тобой хорошо. Ты — единственный, с кем я могла быть сама собой. Разве ты не понимаешь, какое для меня удовольствие хоть немного тебе помочь? Я не ради тебя дарила эти мелочи, а ради себя; я была так счастлива, видя, что ты пользуешься вещами, которые я купила. Если бы я что-нибудь для тебя значила, тебя бы это не унижало, ты был бы тронут.

Джулия снова посмотрела на него долгим взглядом. Ей и всегда нетрудно было заплакать, а сейчас она чувствовала себя такой несчастной, что для этого не требовалось даже малейшего усилия. Том еще ни разу не видел ее плачущей. Она умела плакать не всхлипывая — прекрасные глаза широко открыты, лицо почти неподвижно, и по нему катятся большие, тяжелые слезы. Ее оцепенение, почти полная неподвижность трагической позы производили удивительно волнующий эффект. Джулия не плакала так с тех пор, как играла в «Раненом сердце». Господи, как эта пьеса выматывала ее! Джулия не глядела на Тома, она глядела прямо перед собой; она обезумела от боли. Но что это? Другое, внутреннее ее «я» прекрасно понимало, что она делает. Это «я» разделяло ее боль и одновременно наблюдало, как она ее выражает. Уголком глаза Джулия увидела, как Том побледнел, ощутила, как внезапная мука пронзила его до глубины души, почувствовала, что его плоть и кровь просто не в состоянии выдержать ее страдания.

— Джулия!

Голос изменил ему. Она медленно перевела на него подернутые влагой глаза. Перед ним была не плачущая женщина, перед ним была вся скорбь человеческого рода, неизмеримое, безутешное горе — вечный удел людей. Том кинулся на колени и привлек ее в свои объятия. Он был потрясен.

— Любимая! Любимая!

Джулия не двигалась. Казалось, она не осознает, что он тут, рядом. Том целовал ее плачущие глаза, искал губами ее губы. Она отдала их Тому, словно была беспомощна перед ним, словно она не понимает, что с ней, и утратила всю свою волю. Почти незаметным движением Джулия прижалась к нему всем телом, руки ее словно ненароком обвились вокруг его шеи. Она лежала в объятиях Тома не то чтобы совсем мертвая, но так, будто все ее силы, вся энергия оставили ее. Он чувствовал во рту соленый вкус ее слез. Наконец, утомленная, все еще обвивая его мягкими руками, Джулия откинулась на диван. Том прильнул к ее губам.

Глядя на нее четверть часа спустя, такую спокойную и веселую, лишь немного раскрасневшуюся, никто бы не догадался, что совсем недавно она так горько плакала. Они выпили оба по бокалу виски с содовой, выкурили по сигарете и с нежностью смотрели сейчас друг на друга.

«Он — душка»,— подумала Джулия.

Ей пришло в голову, что она может доставить Тому удовольствие.

— Сегодня на спектакле будут герцог и герцогиня Рикби, потом мы пойдем вместе ужинать в «Савой». Ты, наверное, не пожелаешь разделить с нами компанию? Я без кавалера.

— Если ты этого хочешь, пойду с удовольствием.

Румянец, сгустившийся у него на щеках, явственно сказал ей о том, как он взволнован возможностью встретиться с такими высокопоставленными особами. Джулия не стала говорить ему, что чета Рикби готова отправиться куда угодно, лишь бы угоститься за чужой счет. Том взял обратно ее подарки, смущенно правда, но взял. Когда он ушел, Джулия присела к туалетному столику и посмотрела на себя в зеркало.

«Как удачно, что у меня не распухают от слез глаза,— сказала она. Она немного помассировала веки.— И все равно, до чего мужчины глупы!»

Джулия была счастлива. Теперь все будет хорошо. Она заполучила Тома обратно.

Но где-то в самых тайниках души она чувствовала к Тому хоть и слабое, но презрение за то, что ей удалось так легко его провести.

Глава шестнадцатая

Ссора, каким-то непонятным образом сломав разделявший их барьер, сблизила Джулию и Тома еще больше. Том не так сильно сопротивлялся, как она ожидала, когда она снова подняла вопрос о квартире. Казалось, после их примирения, взяв обратно ее подарки и согласившись забыть о долге, он сделался глух к угрызениям совести. Как увлекательно было обставлять квартиру! Жена шофера убирала ее и готовила

Тому завтрак. У Джулии были свои ключи, и иногда она заходила туда и сидела в гостиной, поджидая Тома из конторы. Раза три в неделю они ужинали где-нибудь вместе, танцевали и возвращались на такси к нему. Эта осень была для Джулии очень счастливой. Пьеса, которая тогда шла, имела успех. Джулия чувствовала себя энергичной и молодой. Роджер должен был приехать к Рождеству, но дома он собирался провести всего две недели, а затем поехать в Вену. Джулия понимала, что он опять завладеет Томом, и решила не расстраиваться по этому поводу. Юность естественно тяготеет к юности, и нет никаких причин волноваться, если в течение нескольких дней мальчики будут так поглощены друг другом, что Том и думать забудет о ней. Теперь она крепко держала его. Он гордился тем, что он ее любовник, это придавало ему уверенности в себе. Ему льстило быть так близко знакомым со многими более или менее высокопоставленными особами, а это было для него возможно только через нее. Тому страшно хотелось вступить в хороший клуб, и Джулия подготавливала для этого почву. Чарлз никогда ни в чем ей не отказывал, и она не сомневалась, что, если взяться за дело тактично, она уговорит его и он предложит Тома в члены одного из своих клубов. Тратить свободно деньги также было для Тома новым и восхитительным ощущением; Джулия потворствовала его расточительности. Она вбила себе в голову, что он привыкнет к такому образу жизни и поймет, что без нее ему просто не обойтись.

«Понятно, это не может длиться вечно,— убеждала она себя,— но, когда все кончится, ему будет о чем вспомнить. И это так много ему даст! Это сделает из него настоящего мужчину».

Но хотя Джулия говорила себе, что их связь не может длиться вечно, на самом деле она не понимала, почему бы и нет. Со временем Том повзрослеет и постареет, и разница между ними не будет такой уж большой. Через десять-пятнадцать лет он не будет так молод, а она стареть не собирается. Им было очень хорошо вместе. Мужчины — рабы привычек, это помогает женщинам их удержать. Джулия не чувствовала себя старше его и на день, и конечно же сам он и не вспоминает о разнице их лет. Правда, был один момент, когда ее охватило по этому поводу некоторое беспокойство. Том причесывался у туалетного столика. Джулия, в чем мать родила, лежала на его постели в позе тициановской Венеры, которую как-то видела в одном загородном доме. Она чувствовала, что представляет собой прелестную картину, и, абсолютно убежденная в этом, не меняла положения. Она была счастлива и удовлетворена.

«Как в настоящем любовном романе»,— думала она, и легкая улыбка порхала на ее губах.

Том заметил ее отражение в зеркале, повернулся и, не говоря ни слова, быстрым движением натянул на нее простыню. Хотя она одарила его нежной улыбкой, внутри у нее все перевернулось. В чем дело — он боится, что она простудится, или, по присущей всем англичанам стыдливости, шокирован ее наготой? А вдруг теперь, когда его юношеское вожделение удовлетворено, ему просто противно глядеть на ее стареющее тело? Вернувшись домой, Джулия вновь разделась догола перед трюмо и подвергла себя внимательному осмотру. Она решила не щадить себя. Она посмотрела на шею — никаких следов ее возраста, особенно если держать повыше подбородок. Грудь у нее маленькая и упругая, совсем девичья. Живот плоский, бедра неширокие, жира на них самая малость, да и у кого его нет; можно приказать мисс Филиппс, чтобы она согнала его совсем. Никто не скажет, что у нее нехороши ноги — длинные, стройные, прекрасной формы. Джулия провела руками по всему телу; кожа как атлас, ни пятнышка, ни шрама. Конечно, под глазами уже прорезалось несколько морщинок, но нужно очень пристально вглядываться, чтобы их заметить; говорят, существует пластическая операция, при помощи которой можно от них избавиться, надо будет разузнать. К счастью, она совсем не седеет, как хорошо ни покрасишь волосы, от крашеных волос грубеет лицо; у нее они до сих пор сохранили свой сочный темно-каштановый цвет. Зубы тоже в полном порядке.

«Излишняя скромность, вот что это было, только и всего».

Однако с того дня Джулия старалась держать себя соответственно понятиям Тома о благопристойности.

У Джулии была такая прочная репутация, что она считала: ей нечего бояться показываться с Томом в публичных местах. Для нее было внове посещать ночные клубы, она наслаждалась этими вылазками, и, хотя никто лучше нее не знал, что, где бы она ни появилась, она привлекает к себе внимание, Джулии и в голову не приходило, что такая перемена в ее привычках может вызвать в городе толки. Имея за спиной двадцать лет супружеской верности — Джулия, естественно, не принимала в расчет испанца, такой инцидент мог произойти с кем угодно,— она была убеждена, что никто и на миг не вообразит, будто у нее роман с мальчиком, который годится ей в сыновья. Она не подумала, что сам Том не всегда ведет себя достаточно осмотрительно. Она не подумала также, что ее собственные глаза, когда они с Томом танцуют, выдают ее с головой. Джулия считала, что она — выше подозрений, ей было невдомек, что о ней уж начинают судачить.

Когда сплетни достигли ушей Долли де Фриз, та только расхохоталась. По просьбе Джулии она приглашала Тома к себе на приемы и раза два звала в свой загородный дом на уик-энд, но она никогда не обращала на него внимания. Славный мальчик, удобный телохранитель для Джулии, когда Майкл занят, но абсолютный нуль. Один из тех людей, которых никто не замечает, чьего лица не можешь вспомнить на следующий день. Человек, которого зовут в последний момент на обед, если не хватает кавалера. Джулия со смехом называла его «мой поклонник» или «мой воздыхатель»; вряд ли она говорила бы о нем так спокойно, так откровенно, если бы между ними что-нибудь было. К тому же Долли знала, что для Джулии существует только двое мужчин — Майкл и Чарлз Тэмерли. Но, конечно, странно — всю жизнь заботиться о своей репутации и вдруг зачастить в ночные клубы. Три-четыре раза в неделю, не реже. Долли редко видела Джулию в последнее время и, сказать по правде, была несколько задета ее невниманием. У Долли было много друзей в театральном мире, и она стала осторожно их расспрашивать. Ей крайне не понравилось то, что она услышала. Она не знала, что и думать. Одно было очевидно: Джулия не подозревает, какие вещи о ней говорят. Кто-то должен ей об этом сказать. У самой Долли не хватит на это смелости. Даже после стольких лет знакомства Долли ее немного побаивалась. Джулия была женщина уравновешенная, и, хотя язык ее частенько бывал резким и даже грубым, мало что могло вывести ее из себя. Однако было в ней что-то пресекающее всякую фамильярность; казалось, если зайдешь с ней слишком далеко, горько потом раскаешься. Но надо же что-то сделать! Целые две недели Долли тревожно обдумывала этот вопрос. Она постаралась забыть о своей уязвленной гордости и рассматривать его только с точки зрения того, что полезно или вредно для репутации самой Джулии. Наконец она пришла к заключению, что поговорить с Джулией должен Майкл. Долли он никогда не нравился, но, в конце концов, он муж, ее долг рассказать ему, чтобы он пресек то, что происходит, неважно даже — что.

Долли позвонила Майклу и условилась встретиться с ним в театре. Майкл любил Долли не больше, чем она его, хотя и по другой причине, и, услышав, что она хочет его видеть, чертыхнулся. Его бесило, что ему так и не удалось убедить ее продать свой пай, и любое ее предложение он считал недопустимым вмешательством. Но когда Долли провели к нему в кабинет, он встретил ее с распростертыми объятиями и поцеловал в обе щеки.

— Располагайтесь поудобнее, будьте как дома. Заглянули посмотреть, продолжает ли фирма загребать для вас дивиденды?

Долли де Фриз уже стукнуло шестьдесят. Она сильно растолстела, и ее лицо с крупным носом и полными красными губами казалось больше натуральной величины. Было что-то неуловимо мужское в покрое ее черного атласного платья, но на шее у нее висела двойная нитка жемчуга, на поясе сверкала бриллиантовая пряжка, другая красовалась на шляпе. Коротко стриженые волосы были выкрашены в густой рыжий цвет. Губы и ногти были пунцовыми. Говорила она громко, низким гортанным голосом; когда приходила в возбуждение, слова обгоняли друг друга и обнаруживался еле заметный акцент кокни.

— Майкл, меня очень расстраивает Джулия.

Майкл — как всегда, безупречный джентльмен — слегка поднял брови и сжал тонкие губы. Он не собирался обсуждать свою жену даже с Долли.

— Мне кажется, она заходит слишком далеко. Не понимаю, что на нее нашло. Все эти вечеринки, на которые она зачастила... Ночные клубы и всякое такое... В конце концов, она уже не так молода, она может переутомиться.

— Ерунда. Она здорова, как лошадь, и прекрасно себя чувствует. Она уже давно не выглядела так молодо. Неужели вам жалко, если она немного повеселится, когда закончит свою работу? Роль, которую она сейчас играет, не забирает ее всю целиком, я очень рад, что ее еще хватает на развлечения, это показывает, сколько в ней жизненной силы.

— Она никогда раньше не увлекалась такими вещами. Странно, право, что она вдруг полюбила танцевать допоздна, да еще в ужасной духоте.

— Для нее это единственная физическая разрядка. Нельзя же ожидать, что она наденет шорты и побежит вместе со мной по парку.

— Я думаю, вам следует знать, что о ней уже начинают чесать языки. Это сильно вредит ее репутации.

— Что вы хотите этим сказать, черт подери?

— Ну, что просто нелепо в ее годы ходить повсюду с молоденьким мальчиком. Это, естественно, бросается всем в глаза.

С минуту Майкл глядел на Долли недоуменным взглядом, когда же до него дошел наконец смысл ее слов, он разразился громким смехом.

— С Томом? Не говорите глупостей, Долли.

— Это не глупости. Я знаю, о чем говорю. Когда женщина пользуется такой известностью, как Джулия, и ее все время видят с одним и тем же мужчиной, люди начинают болтать.

— Но Том такой же друг мне, как и ей. Вы прекрасно знаете, что я не могу водить Джулию на танцы. Мне нужно вставать каждое утро ровно в восемь, чтобы успеть перед работой сделать свой моцион. Полагаю, я как-никак научился разбираться в людях, пробыв в театре тридцать лет. Том — типичный английский юноша, чистый, честный, даже можно сказать — в своем роде джентльмен. Я не спорю, он обожает Джулию, мальчики его возраста часто думают, что они влюблены в женщину старше себя; вряд ли это причинит ему вред, напротив, только пойдет на пользу. Но вообразить, что Джулия способна смотреть на него всерьез... Бедная моя Долли, не смешите меня!

— Он надоедлив, скучен, вульгарен, и он сноб.

— Ну если он таков, не кажется ли вам тем более странным, чтобы Джулия могла им увлечься?

— Только женщина знает, на что способна другая женщина.

— Неплохая реплика, Долли. Мы закажем вам следующую пьесу. Давайте выясним все до конца. Вы можете положа руку на сердце утверждать, что у Джулии роман с Томом?

Долли взглянула Майклу в лицо. В ее глазах была мука. Хотя сперва она только смеялась, слушая, что ей рассказывают о Джулии, она была не в состоянии полностью подавить сомнения, все больше обуревавшие ее. Ей вспоминались десятки мелких подробностей, на которые она в свое время не обращала внимания, но которые, если хладнокровно на них посмотреть, выглядели очень и очень подозрительно. Она не думала, что можно так терзаться. Доказательства? У нее не было никаких доказательств, лишь интуиция, которая никогда не обманывала ее. Долли хотелось ответить «да», это желание казалось неудержимым, но Долли пересилила себя. Она не могла предать Джулию. Вдруг этот дурак Майкл пойдет и все ей выложит? Джулия больше никогда в жизни не станет с ней разговаривать. Вдруг установит за Джулией слежку и поймает ее на месте преступления?! Кто знает, что может случиться, если она, Долли, скажет ему правду.

— Нет, не могу.

Слезы переполнили глаза Долли и покатились по массивным щекам. Майкл видел, что она страдает. Он считал ее комичной, но понимал, что горе ее неподдельно, и, будучи по натуре добрым, принялся ее утешать:

— Ну вот видите. Вы же знаете, как хорошо Джулия к вам относится, право, не надо ревновать ее к другим друзьям.

— Бог свидетель, мне ничего для нее не жалко,— всхлипнула Долли.— Она так изменилась ко мне за последнее время. Стала так холодна. Я всегда была ей верным другом, Майкл.

— Да, дорогая, я в этом не сомневаюсь.

— «Служи я небесам хоть вполовину с таким усердьем, как служил монарху...»[*]

— Ну полно, полно, не так уж все плохо, как кажется. Вы знаете, я не из тех людей, что обсуждают свою жену с другими. Я всегда считал это ужасно дурным тоном. Но, честно говоря, вам неизвестно о Джулии самого главного. Физическая любовь для нее ничто. Когда мы только поженились — другое дело. И могу вам признаться — ведь все это было так давно,— что мне тогда нелегко пришлось. Я не хочу сказать, что она была нимфоманкой или что-нибудь в этом роде, но порой она бывала немного утомительной. Постель, конечно, вещь по-своему неплохая, но в жизни существует еще многое другое. К счастью, после рождения Роджера она совершенно переменилась. Стала куда более уравновешенной. Все ее инстинкты ушли в игру. Вы читали Фрейда, Долли, как он это называет, когда так происходит?

— Ах, Майкл, что мне до Фрейда!

— Сублимация, вот как. Я часто думаю: потому-то она и стала такой великолепной актрисой. Актерская игра — такое дело, которое требует всего твоего времени, и, если хочешь чего-нибудь достичь, надо отдавать себя целиком. Меня просто возмущает наша публика: думают, что актеры и актрисы черт знает чем занимаются. Да у нас для этого просто нет времени.

Слова Майкла так рассердили Долли, что помогли взять себя в руки.

[*]Шекспир, «Генрих VIII».

— Но, Майкл, пусть мы с вами и знаем, что Джулия не совершает ничего дурного, то, что она повсюду разгуливает с этим жалким мальчишкой, очень вредит ее репутации. В конце концов примерная супружеская жизнь была одним из ваших самых верных козырей. Все вас уважали. Зрителям было приятно думать о том, какая вы преданная и дружная пара.

— Но мы такие и есть, черт побери!

Долли начала терять терпение.

— Говорю вам, по городу ходят сплетни. Вы же не глупы. Неужели вы не понимаете, что иначе и быть не может. Я хочу сказать, если бы она заводила один скандальный роман за другим, никто бы теперь и внимания не обратил, но после примерного поведения в течение стольких лет вдруг так сорваться... Естественно, начались пересуды. Это может повредить театру.

Майкл кинул на нее быстрый взгляд.

— Я понимаю, о чем вы толкуете, Долли. В ваших словах, пожалуй, что-то есть, и при создавшихся обстоятельствах вы имеете полное право так говорить. Вы так нам помогли, когда мы начинали, мне крайне неприятно теперь вас подводить. Знаете, что я предлагаю? Я откуплю у вас пай.

— Откупите у меня пай?

Долли выпрямилась. Ее лицо, еще минуту назад искаженное горем и тревогой, окаменело. Она была объята негодованием. А Майкл вкрадчиво продолжал:

— Я вижу, куда вы клоните. Если Джулия будет болтаться черт знает где целыми ночами, это скажется на ее исполнении. С этим не приходится спорить. У Джулии есть забавные поклонницы. На дневные спектакли приходит куча старых дам, потому что они считают ее такой милой, добропорядочной женщиной. Не могу отрицать — если ей начнут перемывать косточки, это может отразиться на сборах. Я знаю Джулию достаточно хорошо: она не допустит никакого вмешательства в свою жизнь. Я ее муж и должен с этим мириться. Вы — нет. Я не стану вас порицать, если вы захотите выйти из предприятия, пока оно еще на мази.

Долли насторожилась. Она была далеко не глупа и в деловых вопросах вполне могла потягаться с Майклом. Гнев вернул ей самообладание.

— Я думала, что после стольких лет знакомства, Майкл, вы знаете меня лучше. Я считала своим долгом вас предупредить, но меня не испугаешь превратностями судьбы. Я не из тех, кто бежит с тонущего корабля. Осмелюсь сказать, я скорее могу позволить себе потерять деньги, чем вы.

Долли с большим удовольствием наблюдала, как у Майкла вытянулось лицо. Она знала, как много значат для него деньги, и надеялась, что ее слова крепко засядут у него в голове. Майкл быстро овладел собой.

— Что ж, подумайте еще, Долли.

Она взяла сумочку, и они расстались со взаимными заверениями в любви и пожеланиями удачи.

— Старая ведьма,— произнес Майкл, когда за Долли закрылась дверь.

— Старый осел,— произнесла Долли, спускаясь в лифте.

Но когда она села в свой великолепный и очень дорогой лимузин и вернулась к себе на Монтегью-сквер, она не смогла сдержать горьких и жгучих слез. Долли чувствовала себя старой, одинокой, несчастной. Она отчаянно ревновала.

Глава семнадцатая

Майкл гордился своим чувством юмора. Вечером в воскресенье, на следующий день после разговора с Долли, он вошел в комнату Джулии в то время, как она одевалась. Они собирались в кино после раннего ужина.

— Кто идет, кроме Чарлза?— спросил он.

— Я не смогла никого найти и позвала Тома.

— Прекрасно. Я хотел его видеть.

Майкл засмеялся при мысли о шутке, которую он для них припас. Джулия с удовольствием предвкушала ожидающий их вечер. В кино она сядет между Чарлзом и Томом, и тот не выпустит ее руки, в то время как она будет вполголоса болтать с Чарлзом. Дорогой Чарлз, как мило с его стороны столько лет так преданно ее любить; она в лепешку расшибется, чтобы быть ему приятной. Чарлз и Том приехали вместе. Том в первый раз надел новый смокинг, и они с Джулией обменялись украдкой взглядом; в его глазах было удовольствие, в ее — восхищение.

— Ага, попался, молодой человек,— весело сказал Майкл, потирая руки,— а знаешь, что я о тебе слышал? Я слышал, что ты компрометируешь мою жену.

Том испуганно взглянул на него и залился краской. Привычка краснеть страшно его угнетала, но отучиться от нее он не мог.

— О Господи!— воскликнула весело Джулия.— Как чудесно! Всю жизнь мечтала, чтобы кто-нибудь меня скомпрометировал! Кто тебе рассказал, Майкл?

— Сорока на хвосте принесла,— лукаво ответил он.

— Что ж, Том, если Майкл со мной разведется, знаешь, тебе придется жениться на мне.

Чарлз улыбнулся добрыми грустными глазами.

— Что вы такое натворили, Том?— спросил он.

Чарлз держался нарочито серьезно; Майкл, которого забавляло явное смущение Тома, шутливо; Джулия, хотя внешне разделяла их веселье, была настороже.

— Оказывается, юный распутник водит Джулию по ночным клубам, в то время как ей давно пора бай-бай.

Джулия завопила от восторга.

— Ну как, Том, признаемся или будем начисто все отрицать?

— И знаете, что я сказал этой сороке,— прервал ее Майкл,— я сказал: до тех пор, пока Джулия не тащит *меня* в ночные клубы...

Джулия перестала прислушиваться к его словам. Долли, подумала она и, как ни странно, употребила те же самые два слова, что и Майкл. Объявили, что ужин подан, и их веселая болтовня обратилась к другим предметам. Но, хотя Джулия принимала в ней живейшее участие, хотя, судя по ее виду, она уделяла гостям все свое внимание и даже с величайшим интересом выслушала одну из театральных историй Майкла, которую слышала по меньшей мере двадцать раз, все это время она вела про себя оживленную беседу с Долли. Долли все больше и больше съеживалась от страха, пока Джулия говорила ей, что именно она о ней думает.

«Вы, старая корова,— сказала она Долли.— Кто вам позволил совать нос в мои дела? Молчите. Не пытайтесь оправдываться. Я знаю слово в слово, что вы сказали Майклу. Этому нет оправдания. Я думала, вы мне друг. Думала — я могу на вас положиться. Ну, теперь конец. Больше я вас знать не хочу. Ни за что. Думаете, мне очень нужны ваши вонючие деньги? И не пытайтесь говорить, что не имели в виду ничего дурного. Да что бы вы были, если бы не я, хотела бы я знать? Если вы хоть кому-нибудь известны, если что-то и представляете собой, так только потому, что случайно знакомы со мной.

Благодаря кому все эти годы ваши приемы имели такой успех? Думаете, люди приходили любоваться на вас? Они приходили посмотреть на меня. Всё. Конец».

По правде сказать, это был скорее монолог, чем диалог.

Позже, в кино, она сидела рядом с Томом, как и собиралась, и держала его за руку, но рука казалась на редкость безжизненной. Как рыбий плавник. Видно, его встревожили слова Майкла, и теперь он сидит и думает о них. Как бы улучить минутку и остаться с ним наедине? Она сумела бы его успокоить. В конце концов, никто, кроме нее, не выпутался бы из положения с таким блеском. Апломб — вот точное слово. Интересно все-таки, что именно Долли сказала Майклу. Надо будет узнать. Майкла спрашивать не годится, еще подумает, что она придала какое-то значение его словам; надо узнать у самой Долли. Пожалуй, не стоит ссориться с ней. Джулия улыбнулась при мысли, какую сцену она разыграет с Долли. Она будет со старой коровой сама нежность, она подластится к ней и выспросит все, та и не догадается, как она, Джулия, на нее сердита. Любопытно все-таки... Ее прямо мороз по коже пробрал при мысли, что о ней болтают. В конце концов, если она не может поступать как хочет, кто тогда может? Ее личная жизнь никого не касается. Однако, если люди начнут над ней смеяться, хорошего будет мало. Интересно, что выкинет Майкл, если узнает правду? Не очень-то ему удобно будет с ней развестись и оставаться ее антрепренером. Самое умное с его стороны было бы закрыть глаза, но в некоторых отношениях Майкл — человек странный: нет-нет да и вспоминает, что его родитель — полковник, и начинает изображать из себя Бог весть что. Он вполне может вдруг сказать: пропади оно все пропадом, я должен поступить как джентльмен. Мужчины такие дураки, они способны наплевать в собственный колодец. Конечно, она не очень-то и расстроится. Поедет на гастроли в Америку на год или два, пока скандал не затихнет, а потом найдет себе нового антрепренера. Но это такая докука! И потом, у них есть Роджер, об этом тоже нельзя забывать; он так станет переживать, бедный ягненочек, все это будет для него так унизительно. Нечего закрывать глаза: она будет крайне глупо выглядеть, разводясь в ее возрасте из-за мальчишки двадцати трех лет. Конечно, замуж она за Тома не выйдет, на это у нее достанет ума. А Чарлз женится на ней? Джулия обернулась и посмотрела в полумраке на его аристократический профиль. Он безумно любит ее уже много лет, он — один из тех великодушных галантных идиотов, которых женщины запросто обводят вокруг пальца; возможно, он не откажется выступать в суде в роли соответчика при расторжении брака вместо Тома. Это был бы прекрасный выход. Леди Чарлз Тэмерли. Звучит неплохо. Возможно, она и правда была несколько безрассудна. Она всегда следила, чтобы ее никто не заметил, когда шла к Тому, но ее мог увидеть кто-нибудь из шоферов по пути туда или обратно и вообразить невесть что. У таких людей всегда только непристойности на уме. Что до ночных клубов, она с радостью ходила бы с Томом в тихие местечки, где бы их никто не увидел, но он не хотел. Он любил, чтобы была куча народу, ему нравилось вращаться среди элегантных людей, на них посмотреть и себя показать. Он хотел, чтобы их видели вместе.

«Черт подери!— сказала себе Джулия.— Черт подери! Черт подери!»

Да, вечер в кино оказался далеко не таким приятным, как она ожидала.

Глава восемнадцатая

На следующий день Джулия позвонила Долли по ее личному аппарату.

— Милочка, я не видела вас тысячу лет. Что вы поделывали все это время?

— Да ничего особенного.

Голос Долли был холоден.

— Послушайте, завтра возвращается Роджер. Вы знаете, он совсем бросает Итон. Я пошлю утром за ним машину и хочу, чтобы вы приехали к ленчу. Я никого не зову. Только вы и я, Майкл и Роджер.

— Я уже приглашена на завтра к ленчу.

За двадцать лет Долли ни разу не была занята, если Джулия хотела ее видеть. Голос на другом конце провода казался враждебным.

— Долли, как вы можете быть такой злючкой? Роджер будет ужасно разочарован. Его первый день дома; к тому же я сама хочу вас видеть. Я уже целую вечность не видела вас и страшно соскучилась. Вы не можете отложить вашу встречу? Один только раз, милочка, и мы с вами всласть поболтаем после ленча вдвоем, лишь вы да я.

Когда Джулия чего-нибудь хотела, ей просто немыслимо было отказать; никто не мог вложить столько нежности в голос, быть такой обаятельной, такой неотразимой. Наступило молчание, и Джулия поняла, что Долли борется со своими оскорбленными чувствами.

— Хорошо, дорогая, я как-нибудь ухитрюсь это уладить.

— Милочка!— но, дав отбой, Джулия процедила сквозь зубы: «Старая корова!».

Долли приехала. Роджер вежливо выслушал, что он сильно вырос, и со своей серьезной улыбкой отвечал как положено на все то, что она считала уместным сказать мальчику его лет. Роджер ставил Джулию в тупик. Хотя сам он говорил мало, он, казалось, внимательно слушал все, что говорили другие, и все же ее не оставляло странное чувство, будто голова его занята собственными мыслями. Казалось, он наблюдает за ними со стороны с тем же любопытством, с каким мог бы наблюдать за зверями в зоопарке. Это вызывало в ней легкую тревогу. При первом удобном случае Джулия произнесла реплику, которую заранее приготовила ради Долли:

— Роджер, милый, твой несчастный отец занят сегодня вечером. У меня есть два билета в «Палладиум» на второе представление, и Том звал тебя обедать в «Кафе-Ройял».

— Да?— секундное молчание.— Ладно.

Джулия повернулась к Долли:

— Так хорошо, что у нас есть Том. Можно всюду пускать с ним Роджера. Они большие друзья.

Майкл бросил на Долли многозначительный взгляд. В глазах у него заплясали чертики.

— Том — очень приличный молодой человек. Он не даст Роджеру набедокурить,— сказал он.

— Мне кажется, Роджеру интереснее общаться со своими друзьями по Итону,— отозвалась Долли.

«Старая корова,— думала Джулия,— старая корова!»

После ленча она позвала Долли к себе в комнату.

— Мне надо отдохнуть. Я лягу, а вы мне расскажете все новости. Хорошенько посплетничать, вот чего я хочу.

Она нежно обвила рукой массивную талию Долли и повела ее наверх. Какое-то время они болтали о том о сем: о нарядах, прислуге, косметике; позлословили об общих знакомых; затем Джулия, облокотившись на руку, доверительно посмотрела Долли в глаза.

— Долли, мне надо с вами кое о чем поговорить. Мне нужен совет, а вы — единственный человек на свете, к кому я обращусь за советом. Я знаю, что вам я могу доверять.

— Ну конечно, дорогая.

— Оказывается, обо мне пошли гадкие сплетни. Кто-то сказал Майклу, что в городе болтают обо мне и бедном Томе Феннеле.

Хотя глаза ее хранили все то же обворожительное и трогательное выражение, перед которым — она это знала — Долли не могла устоять, Джулия внимательно следила за ней. Напрасно: Долли не вздрогнула, на лице не шевельнулся ни один мускул.

— Кто рассказал Майклу?

— Понятия не имею. Он не говорит. Сами знаете, какой он, когда ему вздумается изображать из себя джентльмена.

Ей только показалось или лицо Долли действительно стало менее напряженным?

— Мне нужна правда, Долли.

— Я так рада, что вы обратились ко мне, дорогая. Я терпеть не могу вмешиваться, куда меня не просят, если бы вы сами не затеяли этот разговор, ничто не заставило бы меня его начать.

— Милочка, кому как не мне знать, какой вы верный друг.

Долли скинула туфли и уселась поудобнее в кресле, затрещавшем под ее тяжестью. Джулия не спускала с нее глаз.

— Люди злы, для вас это не тайна. Вы всегда вели такой спокойный образ жизни. Так редко выезжали, и то лишь с Майклом или Чарлзом Тэмерли. Чарлз — другая статья: всем известно, что он вздыхает по вам тысячу лет. Естественно, все удивились, что вы вдруг ни с того ни с сего начали разгуливать по развеселым местам с клерком фирмы, которая ведет ваши бухгалтерские книги.

— Ну, это не совсем так. Том не клерк. Отец купил ему пай в деле. Он — младший компаньон.

— Да, и получает четыреста фунтов в год.

— Откуда вы знаете?— быстро спросила Джулия.

На этот раз Джулия была уверена в том, что Долли смутилась.

— Вы уговорили меня обратиться к его фирме по поводу подоходного налога. Один из главных компаньонов мне и сказал. Немного странно, что на такие деньги он в состоянии платить за квартиру, одеваться так, как он одевается, и водить вас в ночные клубы.

— Возможно, он получает денежную помощь от отца.

— Его отец — стряпчий в северной части Лондона. Вы прекрасно понимаете, что, если он купил ему пай в фирме, он не станет помогать ему наличными деньгами.

— Может быть, вы вообразили, будто я его содержу?— сказала Джулия со звонким смехом.

— Я ничего не воображаю, дорогая. Но люди — да.

Джулии не понравились ни слова, произнесенные Долли, ни то, как она их произнесла. Но она никак не выдала своей тревоги.

— Какая нелепость! Том — друг Роджера. Конечно, я с ним выезжаю. Я почувствовала, что мне надо встряхнуться. Я устала от однообразия, только и знаешь — театр и забота о самой себе. Это не жизнь. В конце концов, когда мне и повеселиться, как не сейчас? Я старею, Долли, что уж отрицать. Вы знаете, что такое Майкл. Конечно, он душка, но такая зануда!

— Не больше, чем был все эти годы,— сказала Долли ледяным тоном.

— Мне кажется, я — последняя, кого можно обвинить в шашнях с мальчиком на двадцать лет моложе меня.

— На двадцать пять,— поправила Долли.— Мне бы тоже так казалось. К сожалению, ваш Том не очень-то осторожен.

— Что вы хотите этим сказать?

— Ну, он обещал Эвис Крайтон, что получит для нее роль в вашей новой пьесе.

— Что еще за Эвис Крайтон?

— О, одна моя знакомая молодая актриса. Хорошенькая, как картинка.

— Он просто глупый мальчишка. Верно, надеется уломать Майкла. Вы же знаете, как Майкл любит молодежь.

— Он говорит, что может вас заставить сделать все, что хочет. Он говорит — вы пляшете под его дудку.

К счастью, Джулия была хорошая актриса. На миг сердце ее остановилось. Как он мог так сказать? Дурак. Несчастный дурак! Но она тут же овладела собой и весело рассмеялась:

— Какая чепуха! Да я не верю ни единому слову.

— Он очень заурядный, вульгарный молодой человек. Вы так с ним носитесь, ничего удивительного, если это вскружило ему голову.

Джулия, добродушно улыбаясь, посмотрела на Долли невинным взглядом.

— Но, милочка, надеюсь, вы не думаете, что Том — мой любовник?

— Если и нет, я единственная, кто так не думает.

— Но вы думаете или нет?

Долли молчала. С минуту они, не отводя глаз, смотрели друг на друга; в сердце каждой из них горела черная ненависть, но Джулия по-прежнему улыбалась.

— Если вы поклянетесь, что это не так, конечно, я вам поверю.

Голос Джулии сделался тихим, торжественным, в нем звучала неподдельная искренность.

— Я еще ни разу вам не солгала, Долли, и уже слишком стара, чтобы начинать. Я даю вам честное слово, что Том никогда не был мне никем, кроме друга.

— Вы снимаете тяжесть с моей души.

Джулия знала, что Долли ей не верит, и Долли это было известно. Долли продолжала:

— Но в таком случае, Джулия, дорогая, ради самой себя будьте благоразумны. Не разгуливайте повсюду с этим молодым человеком. Бросьте его.

— Не могу. Это будет равносильно признанию, что люди были правы, когда злословили о нас. Моя совесть чиста. Я могу позволить себе высоко держать голову. Я стала бы презирать себя, если бы руководствовалась в своих поступках тем, что кто-то что-то обо мне думает.

Долли сунула ноги обратно в туфли и, достав из сумочки помаду, накрасила губы.

— Что ж, дорогая, вы не ребенок и знаете, что делаете.

Расстались они холодно.

Однако две или три оброненные Долли фразы явились для Джулии очень неприятной неожиданностью. Они не выходили у нее из головы. Хоть кого приведет в замешательство, если слухи о нем так близки к истине. Но какое все это имеет значение? У миллиона женщин есть любовники, и это никого не волнует. Она же актриса. Никто не ожидает от актрисы, чтобы она была образцом добропорядочности.

«Это все моя проклятая благопристойность. Она всему причина».

Джулия приобрела репутацию исключительно добродетельной женщины, которой не грозит злословие, а теперь было похоже, что ее репутация — тюремная стена, которую она сама вокруг себя воздвигла. Но это бы еще полбеды. Что имел в виду Том, когда говорил, что она пляшет под его дудку? Это глубоко уязвило Джулию. Дурачок. Как он осмелился?! С этим она тоже не знала, что предпринять. Ей бы хотелось отругать его, но что толку? Он все равно не сознается. Джулии оставалось одно — молчать. Она слишком далеко зашла: снявши голову, по волосам не плачут; приходится принимать все таким, как оно есть. Ни к чему закрывать глаза на правду: Том ее не любит, он стал ее любовником потому, что это льстит его тщеславию, что это открывает ему доступ ко многим приятным вещам, и потому, что, по крайней мере в его собственных глазах, это дает ему своего рода положение.

«Если бы я не была дурой, я бы бросила его.— Джулия сердито засмеялась.— Легко сказать! Я его люблю».

И вот что самое странное: заглянув в свое сердце, она увидела, что возмущается нанесенной ей обидой не Джулия Лэмберт — женщина; той было все равно. Ее уязвила обида, нанесенная Джулии Лэмберт — актрисе. Она часто чувствовала, что ее талант — критики называли его гений, но это было слишком громкое слово, лучше сказать, ее дар — не она сама и не часть ее, а что-то вне ее, что пользовалось ею, Джулией Лэмберт, для самовыражения. Это была неведомая ей духовная субстанция, озарение, которое, казалось, нисходило на нее свыше и посредством нее, Джулии, свершало то, на что сама Джулия была неспособна. Она была обыкновенная, довольно привлекательная стареющая женщина. У ее дара не было ни внешней формы, ни возраста. Это был дух, который играл на ней, как скрипач на скрипке. Пренебрежение к нему, к этому духу, вот что больше всего ее оскорбило.

Джулия попыталась уснуть. Она так привыкла спать днем, что, стоило ей лечь, сразу же засыпала, но сегодня она беспокойно ворочалась с боку на бок, а сон все не шел. Наконец, Джулия взглянула на часы. Том часто возвращался с работы после пяти. Она страстно томилась по нему, в его объятиях был покой, когда она была рядом с ним, все остальное не имело значения. Джулия набрала его номер.

— Алло! Да! Кто говорит?

Джулия в панике прижала трубку к уху. Это был голос Роджера. Она дала отбой.

Глава девятнадцатая

Ночью Джулия тоже почти не спала. Она все еще лежала без сна, когда услышала, что вернулся Роджер, и, повернув выключатель, увидела, что было четыре часа. Она нахмурилась. Утром он с грохотом сбежал по ступеням, в то время как она еще только собиралась вставать.

— Можно войти, мамочка?

— Входи.

Он все еще был в пижаме и халате. Она улыбнулась ему: он выглядел таким свежим, таким юным.

— Ты очень поздно вернулся вчера.

— Не очень. Около часа.

— Врунишка! Я поглядела на часы. Было четыре утра.

— Ну, четыре так четыре,— весело согласился он.

— Что вы делали до такого времени, ради всего святого?

— Поехали после спектакля в одно место ужинать. Танцевали.

— С кем?

— С двумя девушками, которых мы там встретили. Том знал их раньше.

— Как их зовут?

— Одну Джил, другую Джун. Фамилий их я не знаю. Джун — актриса. Она спросила, не смогу ли я устроить ее дублершей в твоей следующей пьесе.

Во всяком случае, ни одна из них не была Эвис Крайтон. Это имя не покидало мыслей Джулии с той минуты, как Долли упомянула его.

— Но ведь такие места закрываются не в четыре утра.

— Да. Мы вернулись к Тому. Том взял с меня слово, что я тебе не скажу. Он думал, ты страшно рассердишься.

— Ну, чтобы я рассердилась, нужна причина поважней. Обещано, что и словом ему не обмолвлюсь.

— Если кто и виноват, так только я. Я зашел к нему вчера днем, и мы обо всем сговорились. Вся эта ерунда насчет любви, которую слышишь на спектаклях и читаешь в книгах... Мне скоро восемнадцать. Я решил, надо самому попробовать, что это такое.

Джулия села в постели и, широко раскрыв глаза, посмотрела на Роджера вопросительным взглядом.

— Роджер, ради всего святого, о чем ты толкуешь?

Он был, как всегда, сдержан и серьезен.

— Том сказал, что он знает двух девчонок, с которыми можно поладить. Он сам с ними обеими уже переспал. Они живут вместе. Ну, мы позвонили им и предложили встретиться после спектакля. Том сказал им, что я — девственник, пусть кидают жребий, кому я достанусь.

Когда мы вернулись к нему в квартиру, он пошел в спальню с Джил, а мне оставил гостиную и Джун.

На какой-то миг мысль о Томе была вытеснена ее тревогой за Роджера.

— И знаешь, мам, ничего в этом нет особенного. Не понимаю, чего вокруг этого поднимают такой шум.

У Джулии сжало горло. Глаза наполнились слезами, они потоком хлынули по щекам.

— Мамочка, что с тобой? Почему ты плачешь?

— Но ты же еще совсем мальчик!

Роджер подошел к ней и, присев на край постели, крепко обнял.

— Ну что ты, мамочка! Ну, не плачь. Если бы я знал, что ты расстроишься, я бы не стал ничего тебе рассказывать. В конце концов, рано или поздно это должно было случиться.

— Но так скоро... Так скоро! Я чувствую себя теперь совсем старухой.

— Ты — старуха?! Только не ты, мамочка. «Над ней не властны годы. Не прискучит ее разнообразие вовек»*.

Джулия засмеялась сквозь слезы.

— Глупыш ты, Роджер. Думаешь, Клеопатре понравилось бы то, что сказал о ней этот старый осел? Ты бы мог еще немного подождать.

— И хорошо, что этого не сделал. Теперь я все знаю. По правде говоря, все это довольно противно.

Джулия глубоко вздохнула. Ее обрадовало, что он так нежно ее обнимает, но было ужасно жалко себя.

— Ты не сердишься на меня, дорогая?— спросил он.

— Сержусь? Нет. Но, уж если это должно было случиться, я бы предпочла, чтобы не так прозаично. Ты говоришь об этом, точно о любопытном научном эксперименте, и только.

— Так оно и было в своем роде.

Джулия слегка улыбнулась сыну.

— И ты на самом деле думаешь, что это и есть любовь?

— Ну, большинство так считает, разве нет?

* *Шекспир*, «Цезарь и Клеопатра».

«Театр»

— 147 —

— Нет, вовсе нет. Любовь — это боль и мука, стыд, восторг, рай и ад, чувство, что ты живешь в сто раз напряженней, чем обычно, и невыразимая тоска, свобода и рабство, умиротворение и тревога.

В неподвижности, с которой он ее слушал, было что-то, заставившее Джулию украдкой взглянуть на сына. В глазах Роджера было странное выражение. Она не могла его прочесть. Казалось, он прислушивается к звукам, долетающим до него издалека.

— Звучит не особенно весело,— пробормотал Роджер.

Джулия сжала его лицо, с такой нежной кожей, обеими ладонями и поцеловала в губы.

— Глупая я, да? Я все еще вижу в тебе того малыша, которого когда-то держала на руках.

В его глазах зажегся лукавый огонек.

— Чему ты смеешься, мартышка?

— Чертовски хорошая была фотография, да?

Джулия не могла удержаться от смеха.

— Поросенок. Грязный поросенок.

— Послушай, как насчет Джун? Есть для нее надежда получить роль дублерши?

— Скажи, пусть как-нибудь зайдет ко мне.

Но когда Роджер ушел, Джулия вздохнула. Она была подавлена. Она чувствовала себя очень одиноко. Жизнь ее всегда была так заполнена и так интересна, что у нее просто не хватало времени заниматься сыном. Она, конечно, страшно волновалась, когда он подхватывал коклюш или свинку, но вообще-то ребенок он был здоровый и обычно не особенно занимал ее мысли. Однако сын всегда был к ее услугам, если на нее находила охота с ним повозиться. Джулия часто думала, как будет приятно, когда он вырастет и сможет разделять ее интересы. Мысль о том, что она потеряла его, никогда по-настоящему не обладая им, была для Джулии ударом. Когда она подумала о девице, укравшей у нее сына, губы Джулии сжались.

«Дублерша! Подумать только! Ну и ну!»

Джулия так была поглощена своей болью, что почти не чувствовала горя из-за измены Тома. Джулия и раньше не сомневалась, что он ей неверен. В его возрасте, с его темпераментом, притом, что сама она была связана выступлениями и всевозможными встречами, к которым ее обязывало положение, он, несомненно, не упускал возможности удовлетворять свои желания. Джулия на все закрывала глаза. Она хотела немногого — оставаться в неведении. Сейчас впервые ей пришлось столкнуться лицом к лицу с реальным фактом.

«Придется примириться с этим,— вздохнула она. В ее уме одна мысль обгоняла другую.— Все равно что лгать и не подозревать, что лжешь, вот что самое фатальное. Все же лучше знать, что ты дурак, чем быть дураком и не знать этого».

Глава двадцатая

На Рождество Том уехал к родителям в Истбурн. У Джулии было два выступления в «день подарков»[*], поэтому они остались в городе и пошли в «Савой» на грандиозную встречу Нового года, устроенную Долли де Фриз. Через несколько дней Роджер отправлялся в Вену. Пока он был в Лондоне, Джулия почти не видела Тома. Она не расспрашивала Роджера, что они делают, когда носятся вместе по городу,— не хотела знать; она старалась не думать и отвлекала свои мысли, отправляясь на одну вечеринку за другой. И с ней всегда была ее работа. Стоило Джулии войти в театр, как ее боль, ее унижение, ее ревность утихали. Словно на дне баночки с гримом она находила другое существо, которое не задевали никакие мирские тревоги. Это давало Джулии ощущение силы, чувство торжества. Имея под рукой такое прибежище, она может выдержать все что угодно.

В день отъезда Роджера Том позвонил ей из конторы.

— Ты что-нибудь делаешь сегодня вечером? Не пойти ли нам кутнуть?

— Не могу. Занята.

Это была неправда, но губы сами за нее ответили.

— Да? А как насчет завтра?

Если бы Том выразил разочарование, если бы попросил отменить встречу, на которую, она сказала, идет, у Джулии достало бы сил порвать с ним без лишних слов. Его безразличие сразило ее.

— Завтра? Хорошо.

— О'кэй. Захвачу тебя из театра после спектакля. Пока.

Джулия была уже готова и ждала его, когда Том вошел к ней в уборную. Она была в страшной тревоге. Когда Том

[*] Второй день Рождества, когда слуги, посыльные и т. п. получают подарки.

увидел ее, лицо его озарилось, и не успела Эви выйти из комнаты, как он привлек Джулию к себе и пылко поцеловал.

— Вот так-то лучше,— засмеялся он.

Глядя на него, такого юного, свежего, жизнерадостного, душа нараспашку, нельзя было поверить, что он причиняет ей жестокие муки. Нельзя было поверить, что он обманывает ее. Том даже не заметил, что они не виделись почти две недели. Это было совершенно ясно.

(«О Боже, если бы я могла послать его ко всем чертям!»)

Но Джулия взглянула на него с веселой улыбкой в своих прекрасных глазах.

— Куда мы идем?

— Я заказал столик у Квэга. У них в программе новый номер. Какой-то американский фокусник. Говорят — первый класс.

Весь ужин Джулия оживленно болтала. Рассказывала Тому о приемах, на которых она была, и о театральных вечеринках, на которые не могла не пойти. Создавалось впечатление, будто они не виделись так долго только потому, что она, Джулия, была занята. Ее обескураживало то, что он воспринимал это как должное. Том был рад ей, это не вызывало сомнений; он с интересом слушал ее рассказы о ее делах и людях, с которыми она встречалась, но не вызывало сомнения и то, что он нисколько по ней не скучал. Чтобы увидеть, как Том это примет, Джулия сказала ему, что получила приглашение поехать с их пьесой на гастроли в Нью-Йорк. Сообщила, какие ей предлагают условия.

— Но это же чудесно!— воскликнул Том, и глаза его заблестели.— Это же верняк. Ты ничего не теряешь и можешь заработать кучу денег.

— Да, все так, но мне не очень-то хочется покидать Лондон.

— Почему, ради всего святого? Да я бы на твоем месте ухватился за их предложение обеими руками. Пьеса уже давно не сходит со сцены, чего доброго, к Пасхе театр совсем перестанут посещать, и, если ты хочешь завоевать Америку, лучшего случая не найдешь.

— Не вижу, почему бы ей не идти все лето. К тому же я не люблю новых людей. Предпочитаю оставаться с друзьями.

— По-моему, это глупо. Твои друзья прекрасно без тебя проживут. И ты здорово проведешь время в Нью-Йорке.

Ее звонкий смех звучал вполне убедительно.

— Можно подумать, ты просто мечтаешь от меня избавиться.

— Конечно же я буду чертовски по тебе скучать. Но ведь мы расстанемся всего на несколько месяцев. Если бы мне представилась такая возможность, уж я бы ее не упустил.

Когда они кончили ужинать и швейцар вызвал им такси, Том дал адрес своей квартиры, словно это разумелось само собой. В такси он обвил рукой ее талию и поцеловал, и позднее, когда она лежала в его объятиях на небольшой односпальной кровати, Джулия почувствовала, что вся та боль, которая терзала ее последние две недели,— недорогая цена за счастливый покой, наполнивший теперь ее сердце.

Джулия продолжала ходить с Томом в модные рестораны и ночные кабаре. Если людям нравится думать, что Том ее любовник, пускай, ей это безразлично. Но все чаще, когда Джулии хотелось куда-нибудь с ним пойти, Том оказывался занят. Среди ее аристократических друзей распространился слух, что Том Феннел может дать толковый совет, как сократить подоходный налог. Денноранты пригласили его на уик-энд в свой загородный дом, и он встретил там кучу их приятелей, которые были рады воспользоваться его профессиональными познаниями. Том начал получать приглашения от неизвестных Джулии персон. Общие знакомые могли сказать ей;

— Вы ведь знаете Тома Феннела? Очень неглуп, правда? Я слышал, он помог Джиллианам сэкономить на подоходном налоге несколько сот фунтов.

Джулии все это сильно не нравилось. Раньше попасть к кому-нибудь в гости Том мог только через нее. Похоже, что теперь он вполне способен обойтись без ее помощи. Том был любезен и скромен, очень хорошо одевался и всегда имел свежий и аккуратный вид, располагающий к нему людей; к тому же мог помочь им сберечь деньги. Джулия достаточно хорошо изучила тот мирок, куда он стремился проникнуть, и понимала, что он скоро создаст себе там прочное положение. Джулия была не очень высокого мнения о нравственности женщин, которых он там встретит, и могла назвать не одну титулованную особу, которая будет рада его подцепить. Единственное, что ее утешало: все они были скупы — снега зимой не выпросишь. Долли сказала, что он получает четыреста фунтов в год; на такие деньги в этих кругах не проживешь.

Джулия решительно отказалась от поездки в Америку еще до того, как говорила об этом с Томом; зрительный зал каждый день был переполнен. Но вот неожиданно во всех театрах Лондона начался необъяснимый застой — публика почти совсем перестала их посещать, что немедленно сказалось на сборах. Похоже, спектакль действительно не продержится дольше Пасхи. У них была в запасе новая пьеса, на которую они возлагали большие надежды. Называлась она «Нынешние времена», и они намеревались открыть ею осенний сезон. В ней была великолепная роль для Джулии и то преимущество, что и Майклу тоже нашлась роль в его амплуа. Такие пьесы не выходят из репертуара по году. Майклу не очень-то улыбалась мысль ставить ее в мае, когда впереди лето, но иного выхода, видимо, не было, и он начал подбирать для нее актерский состав.

Как-то днем во время антракта Эви принесла Джулии записку. Она с удивлением узнала почерк Роджера.

«Дорогая мама!
Разреши представить тебе мисс Джун Денвер, о которой я тебе говорил. Ей страшно хочется попасть в «Сиддонс-театр», и она будет счастлива, если ты возьмешь ее в дублерши даже на самую маленькую роль».

Джулия улыбнулась официальному тону записки; ее позабавило, что ее сын уже такой взрослый, даже пытается составить протекцию своим подружкам. И тут она вдруг вспомнила, кто такая эта Джун Денвер. Джун и Джил. Та самая девица, которая совратила бедного Роджера. Джулия нахмурилась. Любопытно все же взглянуть на нее.

— Джордж еще не ушел?

Джордж был их привратник. Эви кивнула и открыла дверь.

— Джордж!

Он вошел.

— Та дама, что принесла письмо, сейчас здесь?

— Да, мисс.

— Скажите ей, что я приму ее после спектакля.

В последнем действии Джулия появлялась в вечернем платье с треном; платье было очень роскошное и выгодно подчеркивало ее прекрасную фигуру. В темных волосах сверкала бриллиантовая диадема, на руках — бриллиантовые браслеты. Как и требовалось по роли, поистине величественный вид. Джулия приняла Джун Денвер сразу же, как закончились вызовы. Она умела в мгновение ока переходить с подмостков в обычную жизнь, но сейчас без всякого усилия со своей стороны Джулия продолжала изображать надменную, холодную, величавую, хотя и учтивую героиню пьесы.

— Я и так заставила вас долго ждать и подумала, что не буду откладывать нашу встречу, потом переоденусь.

Карминные губы Джулии улыбались улыбкой королевы, ее снисходительный тон держал на почтительном расстоянии. Она с первого взгляда поняла, что представляет собой девушка, которая вошла в ее уборную. Молоденькая, с кукольным личиком и курносым носиком, сильно и не очень-то искусно накрашенная.

«Ноги слишком коротки,— подумала Джулия,— весьма заурядная девица».

На ней, видимо, было ее парадное платье, и тот же взгляд рассказал о нем Джулии все.

(«Шафтсбери-авеню. Распродажа по сниженным ценам».)

Бедняжка страшно нервничала. Джулия указала ей на стул и предложила сигарету.

— Спички рядом с вами.

Когда девушка попыталась зажечь спичку, Джулия увидела, что руки у нее дрожат. Первая сломалась, второй пришлось три раза чиркнуть по коробку, прежде чем она вспыхнула.

(«Если бы Роджер видел ее сейчас! Дешевые румяна, дешевая помада, и до смерти напугана. Веселая девчушка, так он о ней думал».)

— Вы давно на сцене, мисс... Простите, я забыла ваше имя.

— Джун Денвер.— В горле девушки пересохло, она с трудом могла говорить. Сигарета ее погасла, и она беспомощно держала ее в руке.— Два года,— ответила она на вопрос Джулии.

— Сколько вам лет?

— Девятнадцать.

(«Врешь. Добрых двадцать два».)

— Вы знакомы с моим сыном?

— Да.

— Он только что окончил Итон. Уехал в Вену изучать немецкий язык. Конечно, он еще очень молод, но мы с его отцом решили, что ему будет полезно провести несколько месяцев за границей, прежде чем поступать в Кембридж. А в каких амплуа вы выступали? Ваша сигарета погасла. Возьмите другую.

— О, неважно, спасибо. Я играла в провинции. Но мне страшно хочется играть в Лондоне.

Отчаяние придало ей храбрости, и она произнесла небольшую речь, явно заготовленную заранее:

— Я невероятно восхищаюсь вами, мисс Лэмберт. Я всегда говорила, что вы — величайшая актриса английской сцены. Я научилась у вас больше, чем за все годы, что провела в Королевской академии драматического искусства. Мечта моей жизни — играть в вашем театре, мисс Лэмберт. Если бы вы смогли дать мне хоть самую маленькую роль! Это величайший шанс, о котором только можно мечтать.

— Снимите, пожалуйста, шляпу.

Джун Денвер сняла дешевенькую шляпку и быстрым движением тряхнула своими коротко стриженными кудряшками.

— Красивые волосы,— сказала Джулия.

Все с той же чуть надменной, но беспредельно приветливой улыбкой, улыбкой королевы, которую та дарует подданным во время торжественных процессий, Джулия пристально глядела на Джун. Она ничего не говорила. Она помнила афоризм Жанны Тэбу: «Не делай паузы, если в этом нет крайней необходимости, но, уж если сделала, тяни ее сколько сможешь». Джулия, казалось, слышала, как громко бьется сердце девушки, видела, как та съеживается в своей купленной на распродаже одежде, съеживается в собственной коже.

— Что навело вас на мысль попросить у моего сына рекомендательное письмо?

Джун так покраснела, что это было видно даже под румянами, и, прежде чем ответить, проглотила комок в горле;

— Я встретила его у одного своего приятеля и сказала ему, как я вами восхищаюсь, а он сказал, что, возможно, у вас найдется что-нибудь для меня в следующей пьесе.

— Я сейчас перебираю в уме все роли.

— Я и не мечтаю о роли. Если бы я могла быть дублершей... Я хочу сказать, это дало бы мне возможность посещать репетиции и изучить вашу технику. Это уже само по себе школа. Все так говорят.

(«Дурочка, пытается мне польстить. Словно я сама этого не знаю. А какого черта я буду ее учить?»)

— Очень мило с вашей стороны так на это смотреть. Я самая обыкновенная женщина, поверьте. Публика так ко мне добра, та́к добра... Вы — хорошенькая девушка. И молоденькая. Юность прекрасна. Мы всегда старались предоставить молодежи возможность себя показать. В конце концов, мы не вечны, и мы считаем своим долгом перед публикой готовить смену, которая займет наше место, когда придет срок.

Джулия произнесла эти слова своим прекрасно поставленным голосом так просто, что Джун Денвер воспрянула духом. Ей удалось обвести старуху, место дублерши у нее в кармане! Том Феннел сказал, если она не будет дурой, то знакомство с Роджером вполне может к чему-нибудь привести.

— Ну, это случится еще не скоро, мисс Лэмберт,— сказала она, и ее глазки, хорошенькие темные глазки, засверкали.

(«Тут ты права, голубушка, еще как права. Поспорю, сыграю лучше тебя даже в семьдесят».)

— Я должна подумать. Я еще не знаю, какие дублеры понадобятся нам для следующей пьесы.

— Поговаривают, что Эвис Крайтон будет играть девушку. Я могла бы дублировать ее.

Эвис Крайтон. На лице Джулии не дрогнул ни один мускул; никто бы не догадался, что это имя для нее что-нибудь значит.

— Мой муж упоминал о ней, но еще ничего не решено. Я ее совсем не знаю. Она талантлива?

— Думаю, что да. Я была вместе с ней в театральной школе.

— И, говорят, хорошенькая, как картинка.— Поднявшись, чтобы показать, что аудиенция окончена, Джулия сбросила с себя королевский вид. Она изменила тон и в одну секунду стала славной, добродушной актрисой, которая с радостью окажет дружескую услугу, если это в ее силах.— Ну, милочка, оставьте мне ваше имя и адрес, и, если что-нибудь появится, я вам сообщу.

— Вы не забудете про меня, мисс Лэмберт?

— Нет, милочка, обещаю, что нет. Было так приятно с вами познакомиться. Вы славная девочка. Найдете сами выход? До свиданья.

«Черта лысого она получит что-нибудь в моем театре,— подумала Джулия, когда та ушла.— Грязная шлюха, совратить моего сыночка! Бедный ягненочек. Стыд и срам, да и только; таких надо карать по всей строгости закона».

Снимая свое великолепное платье, Джулия посмотрела в зеркало. Взгляд у нее был жесткий, губы кривила ироническая усмешка. Она обратилась к своему отражению:

— И могу сказать тебе, подруга, есть еще один человек, который не будет у нас играть ни в «Нынешних временах», ни вообще. Это Эвис Крайтон.

Глава двадцать первая

Но неделю спустя Майкл упомянул ее имя.

— Послушай, ты слышала о девушке, которую зовут Эвис Крайтон?

— Никогда.

— Говорят, она очень неплоха. Леди и все такое прочее. Ее отец из военных. Я подумал, не подойдет ли она на роль Онор.

— Как ты о ней узнал?

— От Тома. Он знаком с ней. Говорит, у нее есть талант. Через неделю будет выступать в воскресном театре. Том считает, что стоит на нее посмотреть.

— Что ж, пойди и посмотри.

— Я собирался поехать на уик-энд в Сэндуич поиграть в гольф. Тебе очень не хочется идти? Пьеса наверняка дрянь, но ты сможешь сказать, стоит ли давать ей читать роль. Том составит тебе компанию.

Сердце Джулии неистово билось.

— Разумеется, я пойду.

В воскресенье она позвонила Тому и пригласила его зайти к ним перекусить перед театром. Том появился раньше, чем Джулия была готова.

— Я задержалась или ты поспешил?— спросила она, входя в гостиную.

Джулия увидела, что Том с трудом сдерживает нетерпение. Он нервничал и сидел как на иголках.

— Третий звонок ровно в восемь,— ответил он.— Терпеть не могу приходить в театр после начала спектакля.

Его возбуждение сказало Джулии все, что она хотела знать. Она не стала торопиться, когда пила свой коктейль.

— Как зовут актрису, которую мы идем смотреть?— спросила она.

— Эвис Крайтон. Мне страшно хочется услышать о ней твое мнение. Я думаю, что она — находка. Она знает, что ты сегодня придешь, и страшно волнуется, но я сказал ей, что для этого нет оснований. Ты сама знаешь, что такое воскресные спектакли: репетиции наспех и все такое; я сказал ей, что ты это понимаешь и примешь все в расчет.

В течение обеда Том беспрестанно посматривал на часы. Джулия занимала его великосветской беседой. Она говорила то на одну тему, то на другую, хотя Том еле слушал. Как только ему удалось, он опять перевел разговор на Эвис Крайтон.

— Конечно, я ей об этом и не заикнулся, но, по-моему, она подойдет для Онор.— Он уже прочел «Нынешние времена», как читал все пьесы, которые ставились у них в театре, еще до постановки.— Она просто создана для этой роли. Ей пришлось побороться, чтобы встать на ноги, и, конечно, это для нее замечательный шанс. Она невероятно тобой восхищается и страшно хочет сыграть вместе с тобой.

— Ничего удивительного. Это значит — пробыть на сцене не меньше года и показаться куче антрепренеров.

— Она — очень светлая блондинка; как раз то, что нужно: будет хорошо оттенять тебя.

— Ну, при помощи перекиси водорода блондинок на сцене хоть пруд пруди.

— Но она — натуральная блондинка.

—Да? Я сегодня получила от Роджера большое письмо. Похоже, он прекрасно проводит время.

Том сразу потерял интерес к разговору. Поглядел на часы. Когда подали кофе, Джулия сказала, что его нельзя пить. Она велела сварить другой, свежий.

— О Джулия, право, не стоит. Мы опоздаем.

— Какое это имеет значение, даже если мы пропустим несколько минут?

В голосе Тома зазвучало страдание:

— Я обещал, что мы придем вовремя. У нее очень хорошая сцена почти в самом начале.

— Мне очень жаль, но, не выпив кофе, я идти не могу.

Пока они его ждали, Джулия поддерживала оживленный разговор. Том едва отвечал и нетерпеливо посматривал на дверь. Когда наконец принесли кофе, Джулия пила его со сводящей с ума медлительностью. К тому времени как они сели в машину, Том был в состоянии холодного бешенства и просидел всю дорогу с надутой физиономией, не глядя на нее. Джулия была вполне довольна собой. Они подъехали к театру за две минуты до поднятия занавеса, и, когда Джулия появилась в зале, раздались аплодисменты. Прося извинить ее за беспокойство, Джулия пробралась на свое место в середине партера. Слабая улыбка выражала признательность за аплодисменты, которыми публика приветствовала ее на редкость своевременное появление, а опущенные глаза скромно отрицали, что они имеют к ней хоть какое-то отношение.

Поднялся занавес, и после короткой вступительной сценки появились две девушки, одна — очень хорошенькая и молоденькая, другая — не такая молоденькая и некрасивая. Через минуту Джулия повернулась к Тому.

— Которая из них Эвис Крайтон — молодая или та, что постарше?

— Молодая.

— Да, конечно же, ты ведь говорил, что она блондинка.

Джулия взглянула на него. Лицо Тома больше не хмурилось, на губах играла счастливая улыбка. Джулия обратила все внимание на сцену. Эвис Крайтон была очень хороша собой, с этим не приходилось спорить, с прелестными золотистыми волосами, выразительными голубыми глазами и маленьким прямым носиком, но Джулии не нравился такой тип женщин. «Преснятина,— сказала она себе.— Так, хористочка». Несколько минут она очень внимательно следила за ее игрой, затем с легким вздохом откинулась в кресле.

«Абсолютно не умеет играть»,— таков был ее приговор.

Когда опустился занавес. Том с жадным интересом повернулся к ней. Плохого настроения как не бывало.

— Что ты о ней думаешь?

— Хорошенькая, как картинка.

— Это я и сам знаю. Я спрашиваю о ее игре. Ты согласна со мной — она талантлива?

— Да, у нее есть способности.

— Ты не можешь пойти за кулисы и сказать ей это? Это очень ее подбодрит.

— Я?

Он просто не понимает, о чем просит. Неслыханно! Она, Джулия Лэмберт, пойдет за кулисы поздравлять какую-то третьеразрядную актрисочку!

— Я обещал, что приведу тебя после второго акта. Ну же, Джулия, будь человеком! Это доставит ей такую радость.

(«Дурак! Чертов дурак! Хорошо, я и через это пройду».)

— Конечно, если ты думаешь, что это что-нибудь для нее значит, я — с удовольствием.

После второго акта они прошли через сцену за кулисы, и Том провел Джулию в уборную Эвис Крайтон. Она делила ее с той некрасивой девушкой, с которой появилась в первом акте. Том представил их друг другу. Эвис несколько аффектированно протянула Джулии вялую руку.

— Я так рада познакомиться с вами, мисс Лэмберт. Простите за беспорядок. Что толку было убирать здесь на какой-то один вечер.

Она отнюдь не нервничала. Напротив, казалась достаточно уверенной в себе.

«Прошла огонь и воду. Корыстная. Изображает передо мной полковничью дочь».

— Так любезно с вашей стороны было зайти ко мне. Боюсь, пьеса не очень интересная, но, когда начинаешь, приходится брать, что дают. Я долго колебалась, когда мне прислали ее почитать, но мне понравилась роль.

— Ваше исполнение прелестно,— сказала Джулия.

— Вы очень добры! Конечно, если бы было больше репетиций... Вам мне особенно хотелось показать, что я могу.

— Ну, знаете, я уже не первый год на сцене. Я всегда считала, если у человека есть талант, он проявит его в любых условиях. Вам не кажется?

— Я понимаю, что вы имеете в виду. Конечно, мне не хватает опыта, я не отрицаю, но главное — удачный случай. Я чувствую, что могу играть. Только бы получить роль, которая мне по зубам.

Эвис замолчала, предоставляя Джулии возможность сказать, что в их новой пьесе есть как раз такая роль, но Джулия продолжала с улыбкой молча глядеть на нее. Джулию забавляло, что та обращается с ней как жена сквайра, желающая быть любезной с женой викария.

— Вы давно в театре?— спросила она наконец.— Странно, что я никогда о вас не слышала.

— Ну, какое-то время я выступала в ревю, но почувствовала, что впустую трачу время. Весь прошлый сезон я была в турне. Мне бы не хотелось снова уезжать из Лондона.

— В Лондоне актеров больше, чем ролей,— сказала Джулия.

— О, без сомнения. Попасть на сцену почти безнадежно, если не имеешь поддержки. Я слышала, вы скоро ставите новую пьесу.

— Да.

Джулия продолжала улыбаться мало сказать сладко — прямо приторно.

— Если бы для меня нашлась там роль, я была бы счастлива сыграть с вами. Мне очень жаль, что мистер Госселин не смог сегодня прийти.

— Я расскажу ему о вас.

— Вы правда думаете, что у меня есть шансы?— сквозь всю ее самоуверенность, сквозь манеры хозяйки загородного поместья, которую она решила разыграть, чтобы произвести впечатление на Джулию, проглянула жгучая тревога.— Ах, если бы вы замолвили за меня словечко!

Джулия кинула на нее задумчивый взгляд.

— Я следую советам мужа чаще, чем он моим,— улыбнулась она.

Когда она выходила из уборной Эвис Крайтон — той пора уже было переодеваться к третьему акту,— Джулия поймала вопросительный взгляд, брошенный на Тома, в то время как она прощалась. Джулия была уверена, хотя не заметила никакого движения, что он чуть качнул головой. Все чувства ее в тот момент были обострены, и она перевела немой диалог в слова:

«Пойдешь ужинать со мной после спектакля?»

«Нет, будь оно все проклято, не могу. Надо проводить ее домой».

Третий акт Джулия слушала с суровым видом. И вполне естественно — пьеса была серьезная. Когда спектакль окончился и бледный взволнованный автор произнес с бесконечными паузами и запинками несколько положенных слов, Том спросил, где бы ей хотелось поужинать.

— Поедем домой и поговорим,— сказала Джулия.— Если ты голоден, на кухне наверняка что-нибудь найдется поесть.

— Ты имеешь в виду Стэнхоуп-плейс?

— Да.

— Хорошо.

Джулия почувствовала, что у него отлегло от сердца: он боялся, как бы она не поехала к нему. В машине Том молчал, и Джулия знала почему. Она догадалась, что где-то устраивается вечеринка, на которую идет Эвис Крайтон, и Тому хочется быть там. Когда они подъехали к дому, там было темно и тихо. Слуги уже спали. Джулия предложила, чтобы они спустились вниз, в кухню, и раздобыли себе какой-нибудь еды.

— Я не голоден, но, может быть, ты хочешь есть,— сказал Том.— Выпью виски с содовой и лягу спать. У меня завтра трудный день в конторе.

— Хорошо, принеси мне тоже в гостиную. Я зажгу свет.

Когда Том вошел, Джулия пудрилась и красила губы перед зеркалом и перестала, только когда он налил виски и сел. Тогда она обернулась. Том выглядел таким молодым, таким неправдоподобно прелестным в своем великолепно сшитом костюме, когда сидел вот так, утонув в большом кресле, что вся горечь этого вечера, вся жгучая ревность, снедавшая ее последние дни, внезапно исчезли, растворились в ее страстной любви к нему. Джулия села на ручку кресла и нежно провела рукой по его волосам. Он отпрянул с сердитым жестом.

— Не делай этого,— сказал он.— Терпеть не могу, когда мне треплют волосы.

Словно острый нож вонзился Джулии в сердце. Том еще никогда не говорил с ней таким тоном. Но она беспечно рассмеялась и, взяв со столика бокал с виски, которое он ей налил, села в кресло напротив. Его слова и жест были непроизвольны, Том даже сам слегка смутился. Он не глядел ей в глаза, лицо снова стало хмурым. Это был решающий момент. Несколько минут они молчали. Каждый удар сердца причинял Джулии боль. Наконец она заставила себя заговорить.

— Скажи мне,— сказала, улыбаясь,— ты спал с Эвис Крайтон?

— Конечно, нет!— вскричал он.

— Почему же? Она хорошенькая.

— Она не из таких. Я ее уважаю.

Лицо Джулии не выдало ни одного из охвативших ее чувств. Никто бы не догадался по ее тону, что речь идет о самом главном для нее — так она могла бы говорить о падении империй и смерти королей.

— Ты знаешь, что бы я сказала? Я бы сказала, что ты в нее безумно влюблен.

Том все еще избегал ее взгляда.

— Ты с ней случайно не помолвлен?

— Нет.

Теперь он глядел на нее, но взгляд его был враждебным.

— Ты просил ее выйти за тебя замуж?

— Как я могу?! Я, последняя дрянь!..

Он говорил с таким пылом, что Джулия даже удивилась.

— О чем, ради всего святого, ты болтаешь?

— Зачем играть в прятки? Как я могу предложить руку приличной девушке? Кто я? Мужчина, живущий на содержании, и — видит Бог!— тебе это известно лучше, чем кому-нибудь другому.

— Не болтай глупостей. Столько шума из-за несчастных нескольких подарков.

— Мне не следовало их брать. Я с самого начала знал, что это дурно. Все делалось так постепенно, я и сам не понимал, что происходит, пока не увяз по самую шею. Мне не по карману жизнь, в которую ты меня втравила. Я не знал, как выйти из положения. Пришлось взять деньги у тебя.

— Почему бы и нет? В конце концов я очень богата.

— Будь проклято твое богатство!

Том держал в руке бокал с виски и, поддавшись внезапному порыву, швырнул его в камин. Бокал разбился на мелкие осколки.

— Ну, разбивать счастливый семейный очаг все же не стоит,— улыбнулась Джулия.

— Прости. Я не хотел.— Том снова кинулся в кресло и отвернулся от нее.— Я стыжусь самого себя! Потерял к себе всякое уважение. Думаешь, это приятно?

Джулия промолчала. Она не нашлась, что сказать.

— Казалось вполне естественным помочь тебе, когда ты попал в беду. Для меня это было удовольствие.

— О, ты поступала всегда с таким тактом! Ты уверила меня, что я чуть ли не оказываю тебе услугу, когда разрешаю платить мои долги. Ты облегчила мне возможность стать подлецом.

— Мне очень жаль, если ты так думаешь.

Голос ее зазвучал колко. Джулия начала сердиться.

— Тебе не о чем жалеть. Ты хотела меня, и ты меня купила. Если я оказался настолько низок, что позволил себя купить, тем хуже для меня.

— И давно ты так чувствуешь?

— С самого начала.

— Это неправда.

Джулия знала, что пробудило в нем угрызения совести — любовь к чистой, как он полагал, девушке. Бедный дурачок! Неужели он не понимает, что Эвис Крайтон ляжет в постель хоть со вторым помощником режиссера, если решит, что тот даст ей роль.

— Если ты влюбился в Эвис Крайтон, почему не сказал мне об этом?

Том поглядел на нее жалкими глазами и ничего не ответил.

— Неужели ты боялся, что я помешаю ей принять участие в нашей новой пьесе? Ты бы мог уже достаточно хорошо меня знать и понимать, что я не позволю чувствам мешать делу.

Том не верил своим ушам.

— Что ты имеешь в виду?

— Я думаю, что Эвис — находка. Я собираюсь сказать Майклу, что она нам вполне подойдет.

— О Джулия, ты — молодчина! Я и не представлял, что ты такая замечательная женщина!

— Спросил бы меня, я бы тебе сказала.

Том облегченно вздохнул.

— Моя дорогая! Я так к тебе привязан.

— Я знаю, я тоже. С тобой так весело всюду ходить, и ты так великолепно держишься и одет со вкусом, любая женщина может тобой гордиться. Мне нравилось с тобой спать, и мне казалось, что тебе тоже нравится со мной спать, но надо смотреть фактам в лицо: я никогда не была в тебя влюблена, как и ты — в меня. Я знала, что рано или поздно наша связь должна кончиться. Ты должен был когда-нибудь влюбиться, и это, естественно, положило бы всему конец. И теперь это произошло, да?

— Да.

Джулия сама хотела это услышать от него, но боль, которую причинило ей это короткое слово, была ужасна. Однако она дружелюбно улыбнулась.

— Мы с тобой очень неплохо проводили время, но тебе не кажется, что пора прикрыть лавочку?

Джулия говорила таким естественным, даже шутливым тоном, что никто не заподозрил бы, какая невыносимая мука разрывает ей сердце. Она ждала ответа со страхом, вызывающим дурноту.

— Мне ужасно жаль, Джулия, но я должен вернуть себе чувство самоуважения.— Том взглянул на нее встревоженными глазами.— Ты не сердишься на меня?

— За что? За то, что ты перенес свои ветреные чувства с меня на Эвис Крайтон?— Ее глаза заискрились лукавым смехом.— Конечно, нет, милый. В конце концов, актерской братии ты не изменил.

— Я так благодарен тебе за все, что ты для меня сделала. Не думай, что нет.

— Полно, малыш, не болтай чепухи. Ничего я не сделала для тебя.— Джулия поднялась.— Ну, теперь тебе и правда пора ложиться. У тебя завтра тяжелый день в конторе, а я устала как собака.

У Тома гора с плеч свалилась. И все же что-то скребло у него на сердце, его озадачивал тон Джулии, такой благожелательный и вместе с тем чуть-чуть иронический; у него было смутное чувство, будто его оставили в дураках. Он подошел к Джулии, чтобы поцеловать ее на ночь. Какую-то долю секунды она колебалась, затем с дружеской улыбкой подставила по очереди обе щеки.

— Ты ведь знаешь дорогу к себе в комнату?— Она прикрыла рот рукой, чтобы скрыть тщательно продуманный зевок.— Ах, я так хочу спать!

Когда Том вышел, Джулия погасила свет и подошла к окну. Осторожно посмотрела наружу через занавески. Хлопнула входная дверь, и на улице появился Том. Оглянулся по сторонам. Джулия догадалась, что он ищет такси. Видимо, его не было, и Том зашагал пешком по направлению к парку. Она знала, что он торопится на вечеринку, где была Эвис Крайтон, чтобы сообщить ей радостные новости. Джулия упала в кресло. Она играла весь вечер, играла, как никогда, и сейчас чувствовала себя совершенно измученной. Слезы — слезы, которых на этот раз никто не видел,— покатились у нее по щекам. Ах, она так несчастна! Лишь одно помогало ей вынести горе — жгучее презрение, которое она не могла не испытывать к глупому мальчишке: предпочел ей третьеразрядную актрисочку, которая даже не представляет, что такое настоящая игра! Это было нелепо. Эвис Крайтон не знает, куда ей девать руки; да что там, она даже ходить по сцене еще не умеет.

«Если бы у меня осталось чувство юмора, я бы смеялась до упаду,— всхлипнула Джулия.— Ничего смешнее я не видела».

Интересно, как поведет себя Том? В конце квартала надо платить за квартиру. Почти вся мебель принадлежит ей. Вряд ли ему захочется возвращаться в свою жалкую комнату на Тэвисток-сквер. Джулия подумала, что при ее помощи Том завел много новых друзей. Он держался с ними умно, старался быть им полезным; они его не оставят. Но водить Эвис всюду, куда ей захочется, ему будет не так-то легко. Милая крошка весьма меркантильна, Джулия не сомневалась, что она и думать о нем забудет, как только его деньги иссякнут. Надо быть дураком, чтобы попасться на ее удочку. Тоже мне праведница! Любому ясно, что она использовала его, чтобы получить роль в «Сиддонс-театре», и, как только добьется своего, выставит его за дверь. При этой мысли Джулия вздрогнула. Она обещала Тому взять Эвис Крайтон в «Нынешние времена» потому, что это хорошо вписывалось в мизансцену, которую она разыгрывала, но она не придала никакого значения своему обещанию. У нее всегда был в запасе Майкл, чтобы воспротивиться этому.

— Черт подери, она получит эту роль!— громко произнесла Джулия. Она мстительно засмеялась.— Видит Бог, я женщина незлобивая, но всему есть предел.

Будет так приятно отплатить Тому и Эвис Крайтон той же монетой. Джулия продолжала сидеть, не зажигая света; она обдумывала, как это лучше сделать. Однако время от времени она вновь принималась плакать, так как из глубины подсознания всплывали картины, которые были для нее пыткой. Она вспоминала стройное, юное тело Тома, прижавшееся к ней, его жаркую наготу, неповторимый вкус его губ, застенчивую и вместе с тем лукавую улыбку, запах его кудрявых волос.

«Дура, дура, зачем я не промолчала! Пора мне уже его знать. Это — очередное увлечение. Оно бы прошло, и он снова вернулся бы ко мне».

Джулия была полумертвой от усталости. Она поднялась к себе в спальню. Проглотила снотворное. Легла в постель.

Глава двадцать вторая

Но проснулась она рано, в шесть утра, и принялась думать о Томе. Повторила про себя все, что она сказала ему, и все, что он сказал ей. Она была измучена и несчастна. Утешало ее лишь сознание, что она провела всю сцену их разрыва с беззаботной веселостью и Том вряд ли мог догадаться, какую он нанес ей рану.

Весь день Джулия была не в состоянии думать ни о чем другом и сердилась на себя за то, что она не в силах выкинуть Тома из головы. Ей было бы легче, если бы она могла поделиться своим горем с другом. Ах, если бы кто-нибудь ее утешил, сказал, что Том не стоит ее волнений, заверил, что он безобразно с ней поступил. Как правило, Джулия рассказывала о своих неприятностях Чарлзу или Долли. Конечно, Чарлз посочувствует ей от всего сердца, но это будет для него страшным ударом; в конце концов, он безумно любит ее вот уже двадцать лет, и просто жестоко говорить ему, что она отдала самому заурядному мальчишке сокровище, за которое он, Чарлз, пожертвовал бы десятью годами жизни. Она была для Чарлза кумиром, бессердечно с ее стороны свергать этот кумир с пьедестала. Мысль о том, что Чарлз Тэмерли, такой аристократичный, такой образованный, такой элегантный, любит ее все с той же преданностью, несомненно пошла Джулии на пользу. Долли, конечно, была бы в восторге, если бы Джулия доверилась ей. Они редко виделись последнее время, но Джулия знала, что стоит ей позвонить — и Долли мигом прибежит. Долли страшно возмутится и сойдет с ума от ревности, когда Джулия сама чистосердечно ей во всем признается; хотя Долли и так подозревает правду. Но она так обрадуется, что все кончено, она простит. С каким удовольствием они станут костить Тома! Разумеется, признаваться, что Том дал ей отставку, удовольствие маленькое, а Долли не проведешь, она и не подумает поверить, если наврать ей, будто Джулия сама бросила его. Джулии хотелось хорошенько выплакаться, а с какой стати плакать, если ты своими руками разорвала связь. Для Долли это очко в ее пользу, при всем ее сочувствии она всего-навсего человек — вполне естественно, если она порадуется в глубине души, что с Джулии немного сбили спесь. Долли всегда боготворила ее. Джулия не была намерена обнаруживать перед ней свое слабое место.

«Похоже, что единственный, к кому я могу сейчас пойти,— Майкл,— усмехнулась Джулия.— Но, пожалуй, все же не стоит».

Она в точности представила себе, что он скажет:

«Дорогая, право же, это не очень удобно — рассказывать мне такие истории. Черт подери, ты ставишь меня в крайне неловкое положение. Я льщу себя мыслью, что достаточно широко смотрю на вещи. Пусть я актер, но в конечном счете я — джентльмен, и... ну... ну, я хочу сказать... я хочу сказать, это такой дурной тон».

Майкл вернулся домой только днем, и, когда он зашел в комнату Джулии, она отдыхала. Он рассказал, как провел уик-энд и с каким результатом сыграл в гольф. Играл он очень хорошо, некоторые из его ударов были просто великолепны, и он описал их во всех подробностях.

— Между прочим, как эта девушка, которую ты ходила смотреть вчера вечером, ничего? Будет из нее толк?

— Ты знаешь, да. Очень хорошенькая. Ты сразу влюбишься.

— Дорогая, в моем возрасте! А играть она может?

— Она, конечно, неопытна. Но мне кажется, в ней что-то есть.

— Что ж, надо ее вызвать и внимательно к ней присмотреться. Как с ней связаться?

— У Тома есть ее адрес.

— Пойду ему позвоню.

Майкл снял трубку и набрал номер Тома. Том был дома, и Майкл записал адрес в блокнот.

Пауза — Том что-то ему говорил.

— Вот оно что, старина... Мне очень жаль это слышать. Да, не повезло.

— В чем дело?— спросила Джулия. Майкл сделал ей знак молчать.

— Ну, я на тебя нажимать не буду. Не беспокойся. Я уверен, мы сможем прийти к какому-нибудь соглашению, которое тебя устроит.— Майкл прикрыл рукой трубку и обернулся к Джулии.— Звать его к обеду?

— Как хочешь.

— Джулия спрашивает, не придешь ли ты к нам пообедать в воскресенье. Да? Очень жаль. Ну пока, старина.

Майкл положил трубку.

— У него свиданье. Что, молодой негодяй закрутил романчик с этой девицей?

— Уверяет, что нет. Говорит, что уважает ее. У нее отец полковник.

— О, так она леди?

— Одно не обязательно вытекает из другого,— отозвалась Джулия ледяным тоном.— О чем вы с ним толковали?

— Том сказал, что ему снизили жалованье. Тяжелые времена. Хочет отказаться от квартиры.— У Джулии вдруг кольнуло в сердце.— Я сказал ему, пусть не тревожится. Пусть живет бесплатно до лучших времен.

— Не понимаю этого твоего бескорыстия. В конце концов, у вас чисто деловое соглашение.

— Ну, ему и без того не повезло, а он еще так молод. И знаешь, он нам полезен: когда не хватает кавалера к обеду, стоит его позвать, и он тут как тут, и так удобно иметь кого-нибудь под рукой, когда хочется поиграть в гольф. Каких-то двадцать пять фунтов в квартал.

— Ты — последний человек на свете, от которого я ждала бы, что он станет раздавать свои деньги направо и налево.

— О, не волнуйся. Что потеряю на одном, выиграю на другом, у разбитого корыта сидеть не буду.

Пришла массажистка и положила конец разговору. Джулия была рада, что приближается время идти в театр,— скорее пройдет этот злосчастный день. Когда она вернется, опять примет снотворное и получит несколько часов забвения. Ей казалось, что через несколько дней худшее останется позади, боль притупится; сейчас самое главное — как-то пережить эти дни. Нужно чем-то отвлечь себя. Вечером она велела дворецкому позвонить Чарлзу Тэмерли, узнать, не пойдет ли он с ней завтра на ленч к Ритцу.

Во время ленча Чарлз был на редкость мил. По его облику, его манерам было видно, что он принадлежит совсем к другому миру, и Джулии вдруг стал омерзителен тот круг, в котором она вращалась из-за Тома весь последний год. Чарлз говорил о политике, об искусстве, о книгах, и на душу Джулии снизошел покой. Том был наваждением, пагубным, как оказалось, но она избавится от него. Ее настроение поднялось. Джулии не хотелось оставаться одной, она знала, что, если пойдет после ленча домой, все равно не уснет, поэтому спросила Чарлза, не сведет ли он ее в Национальную галерею. Она не могла доставить ему большего удовольствия: он любил говорить о картинах и говорил о них хорошо. Это вернуло их к старым временам, когда Джулия добилась своего первого успеха в Лондоне и они гуляли вместе в парке или бродили по музеям. На следующий день у Джулии был дневной спектакль, назавтра после этого она была куда-то приглашена, но, расставаясь, они с Чарлзом договорились опять встретиться в пятницу и после ленча пойти в галерею Тейта.

Несколько дней спустя Майкл сообщил Джулии, что пригласил для участия в новой пьесе Эвис Крайтон.

— По внешности она прекрасно подходит к роли, в этом нет никаких сомнений, она будет хорошо оттенять тебя. Беру ее на основании твоих слов.

На следующее утро ей позвонили из цокольного этажа и сказали, что на проводе мистер Феннел. Джулии показалось, что у нее остановилось сердце.

— Соедините меня с ним.

— Джулия, я хотел тебе сказать: Майкл пригласил Эвис.

— Да, я знаю.

— Он сказал, что берет ее по твоей рекомендации. Ты молодец!

Джулия — сердце ее теперь билось с частотой сто ударов в минуту — постаралась овладеть своим голосом.

— Ах, не болтай чепухи!— весело засмеялась она.— Я же тебе говорила, что все будет в порядке.

— Я страшно рад, что все уладилось. Она взяла роль, судя о ней только по тому, что я ей рассказывал. Обычно она не соглашается, пока не прочитает всю пьесу.

Хорошо, что он не видел в ту минуту лица Джулии. Ей бы хотелось едко ответить ему, что, когда они приглашают третьеразрядную актрису, они не имеют обыкновения давать ей для ознакомления всю пьесу, но вместо этого она произнесла чуть ли не извиняющимся тоном:

— Ну, я думаю, роль ей понравится. Как, по-твоему? Это очень хорошая роль.

— И знаешь, уж Эвис выжмет из нее все что можно. Я уверен, о ней заговорят.

Джулия еле дух перевела.

— Это будет чудесно. Я имею в виду, это поможет ей выплыть на поверхность.

— Да я тоже ей говорил. Послушай, когда мы встретимся?

— Я тебе позвоню, ладно? Такая досада, у меня куча приглашений на все эти дни...

— Ты ведь не собираешься бросить меня только потому...

Джулия засмеялась низким, хрипловатым смехом, тем самым смехом, который так восхищал зрителей.

— Ну, не будь дурачком. О Боже, у меня переливается ванна. До свидания, милый.

Джулия положила трубку. Звук его голоса! Боль в сердце была невыносимой. Сидя на постели, Джулия качалась от муки взад-вперед.

«Что мне делать? Что мне делать?»

Она надеялась, что сумеет справиться с собой, и вот этот короткий дурацкий разговор показал, как она ошибалась,— она по-прежнему его любит. Она хочет его. Она тоскует по нем. Она не может без него жить.

«Я никогда себя не переборю!»— простонала Джулия.

И снова единственным прибежищем для нее был театр. По иронии судьбы, главная сцена пьесы, в которой она тогда играла, сцена, которой вся пьеса была обязана своим успехом, изображала расставание любовников. Спору нет, расставались они из чувства долга, и в пьесе Джулия приносила свою любовь, свои мечты о счастье и все, что было ей дорого, на алтарь чести. Эта сцена сразу привлекла Джулию. Она всегда была в ней очень трогательна. А сейчас Джулия вложила в нее всю муку души; не у героини ее разбивалось сердце, оно разбивалось на глазах у зрителей у самой Джулии. В жизни она пыталась подавить страсть, которая — она сама это знала — была смешна и недостойна ее, она ожесточала себя, чтобы как можно меньше думать о злосчастном юноше, который вызвал в ней такую бурю; но, когда она играла эту сцену, Джулия отпускала вожжи и давала себе волю. Она была в отчаянии от своей потери, и та любовь, которую она изливала на партнера, была страстная, всепоглощающая любовь, которую она по-прежнему испытывала к Тому. Перспектива пустой жизни, перед которой стояла героиня пьесы, это перспектива ее собственной жизни. Джулии казалось, что никогда еще она не играла так великолепно. Хоть это ее утешало.

«Господи, ради того, чтобы так играть, стоит и помучиться».

Никогда еще она до такой степени не вкладывала в роль самое себя.

Однажды вечером, неделю или две спустя, когда Джулия вернулась после окончания спектакля в уборную, вымотанная столь бурным проявлением чувств, но торжествующая, так как вызывали ее без конца, она неожиданно обнаружила у себя Майкла.

— Привет. Ты был в зале?

— Да.

— Но ты же был в театре несколько дней назад.

— Да, я смотрю спектакль с начала до конца вот уже четвертый вечер подряд.

Джулия принялась раздеваться. Майкл поднялся с кресла и стал шагать взад-вперед по комнате. Джулия взглянула на него: он хмурился.

— В чем дело?

— Это я и хотел бы узнать.

Джулия вздрогнула. У нее пронеслась мысль, что он опять услышал какие-нибудь разговоры о Томе.

— Куда запропастилась Эви, черт ее подери?— спросила она.

— Я попросил ее выйти. Я хочу тебе кое-что сказать, Джулия. И не устраивай мне истерики. Тебе придется выслушать меня.

У Джулии побежали по спине мурашки.

— Ну ладно, выкладывай.

— До меня кое-что дошло, и я решил сам разобраться, что происходит. Сперва я думал, что это случайность. Вот почему я молчал, пока окончательно не убедился. Что с тобой, Джулия?

— Со мной?

— Да. Почему ты так отвратительно играешь?

— Что?— вот уж чего она не ожидала. В ее глазах засверкали молнии.— Дурак несчастный, да я в жизни не играла лучше!

— Ерунда. Ты играешь чертовски плохо.

Джулия вздохнула с облегчением: слава Богу, речь не о Томе, но слова Майкла были так смехотворны, что, как ни была Джулия сердита, она невольно рассмеялась.

— Ты просто идиот, ты сам не понимаешь, что городишь. Чего я не знаю об актерском мастерстве, того и знать не надо. А что знаешь ты? Только то, чему я тебя научила. Если из тебя и вышел толк, так лишь благодаря мне. В конце концов, чтобы узнать, каков пудинг, надо его отведать: судят по результатам. Ты слышал, сколько раз меня сегодня вызывали? За все время, что идет пьеса, она не имела такого успеха.

— Все это мне известно. Публика — куча ослов. Если ты вопишь, визжишь и размахиваешь руками, всегда найдутся дураки, которые будут орать до хрипоты. Так, как играла ты эти последние дни, играют бродячие актеры. Фальшиво от начала до конца.

— Фальшиво? Но я прочувствовала каждое слово!

— Мне неважно, что ты чувствовала. Ты утрировала, ты переигрывала, не было момента, чтобы ты звучала убедительно. Такой бездарной игры я не видел за всю свою жизнь.

— Свинья чертова! Как ты смеешь так со мной говорить?! Сам ты бездарь!

Взмахнув рукой, Джулия закатила ему звонкую пощечину. Майкл улыбнулся.

— Можешь меня бить, можешь меня ругать, можешь вопить, как сумасшедшая, но факт остается фактом — твоя игра никуда не годится. Я не намерен начинать репетиции «Нынешних времен», пока ты не придешь в форму.

— Тогда найди кого-нибудь, кто исполнит эту роль лучше меня.

— Не болтай глупости, Джулия. Сам я, возможно, и не очень хороший актер и никогда этого о себе не думал, но хорошую игру от плохой отличить могу. И больше того — нет такого, чего бы я не знал о тебе. В субботу я повешу извещение о том, что мы закрываемся, и хочу, чтобы ты сразу же уехала за границу. Мы выпустим «Нынешние времена» осенью.

Спокойный, решительный тон Майкла утихомирил Джулию. Действительно, когда речь шла об ее игре, Майкл знал о ней все.

— Это правда, что я плохо играла?

— Чудовищно.

Джулия задумалась. Она поняла, что произошло. Она не сумела сдержать свои эмоции, она выражала свои чувства. По спине у Джулии опять побежали мурашки. Это было серьезно. Разбитое сердце и прочее — все это прекрасно, но если это отражается на ее искусстве... Нет, нет, нет. Дело принимает совсем другой оборот! Ее игра важней любого романа на свете.

— Я постараюсь взять себя в руки.

— Что толку насиловать себя? Ты очень устала. Это моя вина. Я давно уже должен был заставить тебя уехать в отпуск. Тебе необходимо как следует отдохнуть.

— А как же театр?

— Если мне не удастся сдать помещение, я возобновлю какую-нибудь из старых пьес, в которых у меня есть роль. Например, «Сердца — козыри». Ты всегда терпеть ее не могла.

— Все говорят, что сезон будет очень неудачный. От старой пьесы многого не дождешься. Если я не буду участвовать, ты ничего не заработаешь.

— Неважно. Главное — твое здоровье.

— О Боже!— вскричала Джулия.— Не будь так великодушен. Я не могу этого вынести.

Неожиданно она разразилась бурными рыданиями.

— Любимая!

Майкл обнял ее, усадил на диван, сел рядом. Она отчаянно прильнула к нему.

— Ты так добр ко мне, Майкл. Я ненавижу себя. Я — скотина, я — потаскуха, я — чертова сука, я — дрянь до мозга костей!..

— Вполне возможно,— улыбнулся Майкл,— но факт остается фактом: ты очень хорошая актриса.

— Не представляю, как у тебя хватает на меня терпения. Я так мерзко с тобой обращаюсь. Ты такой замечательный, а я бессердечно принимаю все твои жертвы.

— Полно, милая, не говори вещей, о которых сама будешь жалеть. Смотри, как бы я потом не поставил их тебе в строку.

Нежность Майкла растрогала Джулию, и она горько корила себя за то, что так плохо относилась к нему все эти годы.

— Слава Богу, у меня есть ты. Что бы я без тебя делала?

— Тебе не придется быть без меня.

Майкл крепко ее обнимал, и, хотя Джулия все еще всхлипывала, ей стало полегче.

— Прости, что я так грубо говорила сейчас с тобой.

— Ну что ты, любимая.

— Ты правда думаешь, что я — плохая актриса?

— Дузе в подметки тебе не годится.

— Ты честно так считаешь? Дай мне твой носовой платок. Ты никогда не видел Сары Бернар?

— Нет.

— Она играла очень аффектированно.

Они посидели немного молча, и постепенно у Джулии стало спокойнее на душе. Сердце ее захлестнула волна любви к Майклу.

— Ты все еще самый красивый мужчина в Англии,— тихонько проговорила она наконец.— Никто меня в этом не переубедит.

Она почувствовала, что он втянул живот и выдвинул подбородок, и на этот раз ей это показалось умилительным.

— Ты прав. Я совершенно вымоталась. У меня ужасное настроение. Меня словно выпотрошили. Мне действительно надо уехать, только это и поможет мне.

Глава двадцать третья

Джулия была рада, что решила уехать. Возможность оставить позади терзавшую ее муку помогла ей легче ее переносить. Были повешены афиши о новом спектакле, Майкл набрал актеров для пьесы, которую он решил возобновить, и начал репетиции. Джулии было интересно смотреть из первых рядов партера, как другая актриса репетирует роль, которую раньше играла она сама. С первого дня, как Джулия пошла на сцену, она не могла без глубокого волнения сидеть в темном зале на покрытом чехлом кресле и наблюдать, как актеры постепенно лепят образы своих героев, и сейчас, после стольких лет, она все еще испытывала тот же трепет. Даже просто находиться в театре служило ей успокоением. Глядя на репетиции, она отдыхала и к вечернему спектаклю, когда ей надо было выступать самой, была вполне свежа. Джулия поняла, что все сказанное Майклом верно, и взяла себя в руки. Отодвинув свои личные переживания на задний план и став хозяйкой своего персонажа, она опять стала играть с привычной виртуозностью. Ее игра перестала быть средством, при помощи которого она давала выход собственному отчаянию, и вновь сделалась проявлением ее творческого начала. Она добилась прежнего господства над материалом, при помощи которого выражала себя. Это опьяняло Джулию, давало ей ощущение могущества и свободы.

Но победа доставалась Джулии нелегко, и вне театра она была апатична и уныла. Она утратила свою кипучую энергию. Ее обуяло непривычное смирение. У нее появилось чувство, что ее счастливая пора миновала. Она со вздохом говорила себе, что больше никому не нужна. Майкл предложил ей поехать в Вену, да ей и самой хотелось быть поближе к Роджеру, но она покачала головой:

— Я только помешаю ему.

Джулия боялась, что будет сыну в тягость. Он получает удовольствие от своей жизни в Вене, зачем стоять у него на пути. Джулии была невыносима мысль, что он сочтет для себя докучной обязанностью водить ее по разным местам и время от времени приглашать на обед или ленч. Вполне естественно, что ему интереснее с ровесниками-друзьями, которых он там завел.

Джулия решила погостить у матери. Миссис Лэмберт — «мадам де Ламбер», как упорно называл ее Майкл,— уже много лет жила со своей сестрой, мадам Фаллу, на острове Сен-Мало. Каждый год она проводила несколько дней в Лондоне у Джулии, но в этом году не приехала, так как у нее было неважно со здоровьем. Она была уже стара — ей давно перевалило за семьдесят,— Джулия знала, что она будет счастлива, если дочь приедет к ней надолго. Кому в Вене нужна английская актриса? Там она будет никто. А в Сен-Мало она окажется важной персоной, и двум старушкам доставит большое удовольствие хвастаться ею перед своими друзьями: «Ma fille, la plus grande actrice d'Angleterre»* и прочее.

Бедняжки так стары, жить им осталось совсем недолго, а влачат такое тоскливое монотонное существование. Конечно, ей будет смертельно скучно, но зато какая радость для них! Джулия признавалась себе, что, возможно, на своем

* Моя дочь, величайшая английская актриса (*фр.*).

блестящем и триумфальном жизненном пути она несколько пренебрегала матерью. Теперь она все ей возместит. Она приложит все усилия, чтобы быть очаровательной. Ее теперешняя нежность к Майклу и не оставляющее ее чувство, что она многие годы была к нему несправедлива, переполняли ее искренним раскаянием. Она была эгоистка и деспот, но постарается искупить свою вину. Ей хотелось принести себя в жертву, и она написала матери, что обязательно приедет к ней погостить.

Джулия сумела самым естественным образом не встречаться с Томом до последнего дня. Заключительное представление пьесы, в которой она играла, было за день до отъезда. Поезд отходил вечером. Том пришел попрощаться с ней около шести. В доме, кроме Майкла, был Чарлз Тэмерли и несколько друзей, так что ей даже на минуту не грозило остаться с Томом наедине. Джулии оказалось совсем нетрудно разговаривать с ним самым непринужденным тоном. Она боялась, что при взгляде на Тома испытает жгучую муку, но почувствовала в сердце лишь тупую боль. Время и место отправления Джулии хранились в тайне; другими словами, их представитель, поддерживающий связь с прессой, позвонил всего в несколько газет, и, когда Джулия с Майклом прибыли на вокзал, там было лишь с десяток газетчиков, среди них три фоторепортера. Джулия сказала им несколько любезных слов. Майкл добавил к ним еще несколько своих, затем их представитель отвел газетчиков в сторону и коротко сообщил о дальнейших планах Джулии. Тем временем при свете блицвспышек фоторепортеры запечатлевали Джулию и Майкла, идущих по перрону под руку, обменивающихся прощальным поцелуем, и последний кадр: Джулия, наполовину высунувшись из окна вагона, протягивает руку Майклу, который стоит на перроне.

— Ну и надоела мне вся эта публика,— сказала Джулия.— Никуда от них не спрячешься.

— Не представляю, как они пронюхали, что ты уезжаешь.

Небольшая толпа, собравшаяся на платформе, стояла на почтительном расстоянии. Подошел их пресс-представитель и сказал Майклу, что репортерам хватит материала на целый столбец. Поезд тронулся.

Джулия отказалась взять с собой Эви. У нее было чувство, что ей надо полностью оторваться от старой жизни, если она хочет вновь обрести былую безмятежность. Эви будет не ко двору в этом французском доме. Мадам Фаллу, тетушка Кэрри, выйдя за француза совсем молоденькой девушкой, сейчас, в старости, с большей легкостью говорила по-французски, чем по-английски. Она вдовела уже много лет, ее единственный сын был убит во время войны. Она жила в высоком, узком каменном доме на вершине холма, и, когда вы переступали его порог, вас охватывал покой прошлого столетия. За полвека здесь ничто не изменилось. Гостиная была обставлена гарнитуром в стиле Людовика XV, стоявшим в чехлах, которые снимались раз в месяц, чтобы почистить шелковую обивку. Хрустальная люстра была обернута кисеей — не дай Бог мухи засидят. Перед камином стоял экран из искусно расположенных между двумя стеклами павлиньих перьев. Хотя комнатой никогда не пользовались, тетушка Кэрри каждый день собственноручно вытирала в ней пыль. В столовой стены были обшиты деревянными панелями, мебель тоже стояла в чехлах. На буфете красовались серебряная epergne*, серебряный кофейник, серебряный заварочный чайник и серебряный поднос. Тетушка Кэрри и мать Джулии, миссис Лэмберт, проводили дни в длинной, узкой комнате с мебелью в стиле ампир. На стенах в овальных рамах висели писанные маслом портреты тетушки Кэрри, ее покойного мужа, родителей ее мужа, и пастель, изображающая их убитого сына ребенком. Здесь стояли их шкатулки для рукоделия, здесь они читали газеты — католическую «Ла Круа», «Ревю де Де-Монд» и местную ежедневную газету, здесь играли в домино по вечерам, кроме среды, когда к обеду приходили Abbe** и Commandant La Garde***, отставной офицер, здесь же они и ели, но, когда приехала Джулия, они решили, что будет удобнее есть в столовой.

Тетушка Кэрри все еще носила траур по мужу и сыну. Лишь в редкие особенно теплые дни она снимала небольшую черную шаль, которую сама себе вывязывала тамбуром. Миссис Лэмберт тоже ходила в черном, но, когда к обеду приходили господин аббат и майор, она накидывала на плечи белую кружевную шаль, подаренную ей Джулией. После обеда они вчетвером играли в plafond**** со ставкой два су за сотню. Миссис Лэмберт, много лет прожившая на Джерси и до сих пор ездившая

---

* Ваза для середины обеденного стола, обычно из нескольких отделений, ярусов (*фр.*).

** Аббат (*фр.*).

*** Майор гвардии (*фр.*).

**** *Плафон* — карточная игра (*фр.*).

в Лондон, знала все о большом свете и говорила, что теперь многие играют в бридж-контракт, но майор возражал, что это годится для американцев, его же вполне удовлетворяет plafond, а аббат добавлял, что он лично очень сожалеет о висте, который совсем забыли в последнее время. Ничего не поделаешь, люди редко бывают довольны тем, что они имеют, им подавай все новое да новое, и так без конца. Каждое Рождество Джулия посылала матери и тетке дорогие подарки, но они никогда не пускали их в ход. Они с гордостью показывали подарки приятельницам — все эти чудесные вещи, которые прибывали из Лондона,— а затем заворачивали в папиросную бумагу и прятали в шкаф. Джулия предложила матери автомобиль, но та отказалась. Они так редко и недалеко выходили, что вполне могли проделать свой путь пешком; шофер станет воровать бензин; если он будет питаться вне дома, это их разорит, если в доме — выведет из душевного равновесия Аннет. Аннет была их кухарка, экономка и горничная. Она прослужила у тетушки Кэрри тридцать пять лет. Черную работу делала ее племянница Анжель; но та была еще молода, ей не исполнилось и сорока, вряд ли удобно, чтобы в доме все время находился мужчина.

Джулию поместили в ту же комнату, где она жила девочкой, когда ее прислали к тетушке Кэрри на воспитание. Это вызвало в ней какое-то особенно сентиментальное настроение; по правде говоря, несколько минут она была на грани слез. Но Джулия очень легко втянулась в их образ жизни. Выйдя замуж, тетушка Кэрри приняла католическую веру, и, когда миссис Лэмберт потеряла мужа и навсегда поселилась в Сен-Мало, она под влиянием аббата в надлежащее время сделала то же. Обе старые дамы были очень набожны. Каждое утро они ходили к мессе, а по воскресеньям — еще и к торжественной мессе. Но, кроме церкви, они не бывали почти нигде. Изредка наносили визит какой-нибудь соседке, которая лишилась одного из своих близких или, наоборот, отмечала помолвку внучки. Они читали одни и те же газеты и один и тот же журнал, без конца что-то шили с благотворительной целью, играли в домино и слушали подаренный им Джулией радиоприемник. Хотя аббат и майор обедали у них раз в неделю много лет подряд, каждую среду старушки приходили в страшное волнение. Майор, с присущей военным прямотой, как они полагали, мог, не колеблясь, сказать, если бы какое-нибудь блюдо пришлось ему не по вкусу, и даже аббат, хоть и настоящий святой, имел свои склонности и предубеждения. Например, ему очень нравилась камбала, но он не желал ее есть, если она не была поджарена на сливочном масле, а при тех ценах на масло, которые стояли после войны, это сущее разорение. Утром в среду тетушка Кэрри брала ключи от винного погреба и собственноручно вынимала бутылку кларета. То, что в ней оставалось после гостей, они с сестрой приканчивали к концу недели.

Старушки принялись опекать Джулию. Пичкали ее ячменным отваром и страшно волновались, как бы ее где-нибудь не продуло. По правде говоря, значительная часть их жизни была занята тем, что они избегали сквозняков. Они заставляли Джулию лежать на диване и заботливо следили за тем, чтобы она прикрывала при этом ноги. Они урезонивали Джулию по поводу ее одежды. Эти шелковые чулки такие тонкие, что сквозь них все видно! А что она носит под платьем? Тетушка Кэрри не удивится, если узнает, что ничего, кроме сорочки.

— Она и сорочки не носит,— сказала миссис Лэмберт.

— Что же тогда на ней надето?

— Трусики,— сказала Джулия.

— И, вероятно, soutien-gorge*.

— Конечно, нет,— колко возразила Джулия.

— Значит, племянница, ты совсем голая под платьем?

— Практически да.

— C`est de la folie!**— воскликнула тетушка Кэрри.

— C`est vraiment pas raisonnable, ma fille***,— согласилась миссис Лэмберт.

— И хоть я не ханжа,— добавила тетушка Кэрри,— я должна сказать, что это просто неприлично.

Джулия продемонстрировала им все свои наряды, и в первую же среду после ее прибытия начался спор по поводу того, что ей надеть к обеду. Тетушка Кэрри и миссис Лэмберт чуть не поссорились друг с другом. Миссис Лэмберт считала, что, раз Джулия привезла вечерние платья, ей и следует надеть одно из них, а тетушка Кэрри полагала это вовсе необязательным.

— Когда я приезжала к тебе в Джерси и к обеду приходили джентльмены, мне помнится, ты надевала нарядный капот.

---

* Бюстгальтер (фр.).

** Ну, это безумие! (фр.).

*** Это действительно неразумно, дочь моя (фр.).

— О да, это прекрасно бы подошло.

Обе старые дамы с надеждой посмотрели на Джулию. Она покачала головой.

— Я скорее надену саван.

Тетушка Кэрри носила по средам черное платье с высоким воротничком, сшитое из тяжелого шелка, и нитку гагата, а миссис Лэмберт — такое же платье с белой кружевной шалью и стразовым ожерельем. Майор, низенький крепыш с лицом как печеное яблоко, седыми волосами, подстриженными en brosse[*], и внушительными усами, выкрашенными в иссиня-черный цвет, был весьма галантен и, хотя ему давно перевалило за семьдесят, во время обеда пожимал Джулии под столом ножку, а когда они выходили из столовой, воспользовался случаем ущипнуть ее за зад.

«Секс-эпил»,— пробормотала про себя Джулия, с величественным видом следуя за старыми дамами в гостиную.

Они носились с Джулией не потому, что она была великая актриса, а потому, что ей нездоровилось и она нуждалась в отдыхе. К своему великому изумлению, Джулия довольно скоро обнаружила, что они не только не гордятся ее известностью, а, напротив, стесняются. Куда там хвалиться ею перед знакомыми — они даже не звали ее с собой, когда наносили визиты. Тетушка Кэрри привезла из Англии обычай пить в пять часов чай и твердо его придерживалась. Однажды, вскоре после приезда Джулии, они пригласили к чаю нескольких дам, и за завтраком миссис Лэмберт обратилась к Джулии со следующими словами:

— Дорогая моя, у нас в Сен-Мало есть несколько очень хороших приятельниц, но, понятно, они все еще смотрят на нас, как на чужаков, хотя мы прожили здесь уже столько лет, и нам не хотелось бы делать ничего, что показалось бы им эксцентричным. Естественно, мы не просим тебя лгать, но, если это не будет абсолютно необходимо, тетя Кэрри считает, тебе лучше не говорить, что ты — актриса.

Джулия была поражена, но чувство юмора восторжествовало, и она чуть не расхохоталась.

— Если кто-нибудь из наших приятельниц спросит, кто твой муж, сказать, что он занимается коммерцией, не значит погрешить против истины?

— Ни в коей мере,— Джулия позволила себе улыбнуться.

[*] Бобриком (*фр.*).

— Мы, конечно, знаем, что английские актрисы отличаются от французских,— добавила тетушка Кэрри от доброго сердца.— Почти у каждой французской актрисы обязательно есть любовник.

— Боже, боже,— сказала Джулия.

Лондонская жизнь — со всеми треволнениями, триумфами и горестями — отодвинулась далеко-далеко. Скоро Джулия обнаружила, что может с полной безмятежностью думать о Томе и своей любви к нему. Она поняла, что ранено было больше ее самолюбие, чем сердце. Каждый день в Сен-Мало был похож на другой. Единственное, что заставляло ее вспоминать Лондон, были прибывающие по понедельникам воскресные газеты. Джулия забирала всю пачку и читала их до самого вечера. В этот день у нее было немного тревожно на душе. Она уходила на крепостные валы и глядела на острова, усеивающие залив. Серые облака заставляли ее тосковать по серому небу Англии. Но к утру вторника она вновь погружалась в покой провинциальной жизни. Джулия много читала: романы, английские и французские, которые покупала в местном магазине, и своего любимого Верлена. В его стихах была нежная меланхолия, которая, казалось ей, подходит к этому серому бретонскому городку, печальным старым каменным домам и тихим, крутым, извилистым улочкам. Мирные привычки двух старых дам, рутина их бедной событиями жизни, безмятежная болтовня возбуждали в Джулии жалость. Ничего не случалось с ними за долгие годы, ничего уже не случится до самой их смерти, и как мало значило их существование! Самое странное, что они вполне им удовлетворены. Им была неведома злоба, неведома зависть. Они достигли свободы от общественных уз, которую Джулия ощущала, стоя у рампы и кланяясь в ответ на аплодисменты восторженной публики. Иногда ей казалось, что эта свобода — самое драгоценное из всего, чем она обладает. В ней она была рождена гордостью, в них — смирением. В обоих случаях она давала один неоценимый результат — независимость духа, только у них она была более надежной. От Майкла приходили раз в неделю короткие деловые письма, где он сообщал, каковы сборы и как он готовится к постановке следующей пьесы, но Чарлз Тэмерли писал каждый день. Он передавал Джулии все светские новости, рассказывал своим очаровательным культурным языком о картинах, которые видел, и книгах, которые прочел. Его письма были полны нежных иносказаний и шутливой эрудиции. Он философствовал без педантизма. Он писал, что обожает ее. Это были самые прекрасные любовные письма, какие Джулия получала в жизни, и ради будущих поколений она решила их сохранить. Возможно, когда-нибудь кто-нибудь их опубликует, и люди станут ходить в Национальную галерею, чтобы посмотреть на ее портрет, тот, что написал Мак-Эвой*, и со вздохом вспоминать о романтической любовной истории, героиней которой была она.

Чарлз удивительно поддержал ее в первые две недели ее утраты, Джулия не представляла, что бы она делала без него. Он всегда был к ее услугам. Его беседа, унося Джулию совсем в иной мир, успокаивала ей нервы. Душа Джулии была замарана грязью, и она отмывалась в чистом источнике его духа. Какой покой нисходил на нее, когда она бродила с Чарлзом по картинным галереям... У Джулии имелись все основания быть ему благодарной. Она думала о долгих годах его поклонения. Он ждал ее вот уже двадцать с лишним лет. Она была не очень-то к нему благосклонна. Обладание ею дало бы ему такое счастье, а от нее, право, ничего не убудет. Почему она так долго отказывала ему? Возможно, потому, что он был беспредельно ей предан, его самозабвенная любовь так почтительна и робка; возможно, только потому, что ей хотелось сохранить в его уме тот идеал, который сам он создал столько лет назад. Право, это глупо, а она — просто эгоистка. Джулию охватил возвышенный восторг при мелькнувшей у нее внезапно мысли, что теперь наконец она сможет вознаградить его за всю его нежность, бескорыстие и постоянство. Джулией все еще владело вызванное в ней добротой Майкла чувство, что она его недостойна, все еще мучало раскаяние за то, что все эти годы она была нетерпима по отношению к нему. Желание пожертвовать собой, с которым она покидала Англию, по-прежнему горело в ее груди ярким пламенем. Джулия подумала, что Чарлз — отличный объект для его осуществления. Она засмеялась, ласково и участливо, представив, как он будет поражен, когда поймет ее намерение; в первый миг он просто не поверит себе, но потом — какое блаженство, какой экстаз! Любовь, которую он сдерживал столько лет, прорвет все преграды и затопит ее мощным потоком. Сердце Джулии переполнилось при мысли о его бесконечной благодарности. И все же ему будет трудно поверить, что фортуна наконец улыбнулась

* *Мак-Эвой* (1878—1927) — английский портретист.

ему; когда все останется позади и она будет лежать в его объятиях, она прижмется к нему и нежно шепнет: «Стоило ждать столько лет?».— «Ты, как Елена, дала мне бессмертье поцелуем»[*]. Разве не удивительно даровать своему ближнему столько счастья?

«Я напишу ему перед самым отъездом из Сен-Мало»,— решила Джулия.

Весна перешла в лето, и к концу июля наступило время ехать в Париж, надо было позаботиться о своих туалетах. Майкл хотел открыть сезон в первых числах сентября, и репетиции новой пьесы должны были начаться в августе. Джулия взяла пьесу с собой в Сен-Мало, намереваясь на досуге выучить роль, но та обстановка, в которой она жила, сделала это невозможным. Времени у нее было предостаточно, но в этом сером, суровом, хотя и уютном городке, в постоянном общении с двумя старыми дамами, интересы которых ограничивались приходскими и домашними делами, пьеса, как ни была хороша, не могла увлечь Джулию.

«Мне давно пора возвращаться,— сказала она себе.— Что будет, если я в результате решу, что театр не стоит всего того шума, который вокруг него поднимают?»

Джулия распрощалась с матерью и тетушкой Кэрри. Они были очень к ней добры, но она подозревала, что они не будут слишком сожалеть об ее отъезде, который позволит им вернуться к привычной жизни. К тому же они успокоятся, что им больше не будет грозить эксцентричная выходка, которую всегда можно ожидать от актрисы, не надо будет больше опасаться неблагосклонных комментариев дам Сен-Мало.

Джулия приехала в Париж днем и, когда ее провели в апартаменты в отеле «Ритц», удовлетворенно вздохнула. Какое удовольствие опять окунуться в роскошь! Несколько друзей прислали ей цветы. Джулия приняла ванну и переоделась. Чарли Деверил, всегда шивший для нее и уже давно ставший ее другом, зашел, чтобы повести ее обедать в «Буа».

— Я чудесно провела время,— сказала ему Джулия,— и, конечно, мой приезд доставил большую радость старым дамам, но у меня появилось ощущение, что еще один день — и я умру со скуки.

Поездка по Елисейским полям в этот прелестный вечер наполнила ее восторгом. Как приятно было вдыхать запах бен-

[*] Перефразированная строка из «Трагической истории доктора Фауста» *К. Марло*: «Елена, дай бессмертье поцелуем».

зина! Автомобили, такси, звуки клаксонов, каштаны, уличные огни, толпа, снующая по тротуарам и сидящая за столиками у кафе,— что может быть чудесней? А когда они вошли в «Шато де Мадрид», где было так весело, так цивилизованно и так дорого, как приятно было снова увидеть элегантных, умело подкрашенных женщин и загорелых мужчин в смокингах.

— Я чувствую себя, как королева, вернувшаяся из изгнания.

Джулия провела в Париже несколько счастливых дней, выбирая себе туалеты и делая первые примерки. Она наслаждалась каждой минутой. Однако она была женщина с характером и, когда принимала решение, выполняла его. Прежде чем уехать в Лондон, она послала Чарлзу коротенькое письмецо. Он был в Гудвуде и Каузе и должен был задержаться на сутки в Лондоне по пути в Зальцбург.

«Чарлз, милый.

Как замечательно, что я скоро Вас снова увижу. В среду я буду свободна. Пообедаем вместе. Вы все еще любите меня?

Ваша Джулия».

Опуская конверт в ящик, она пробормотала: «Bis dat qui, cito dat»*. Это была избитая латинская цитата, которую всегда произносил Майкл, когда в ответ на просьбу о пожертвовании на благотворительные цели посылал с обратной же почтой ровно половину той суммы, которую от него ждали.

Глава двадцать четвертая

Утром в среду Джулия сделала массаж и завилась. Она никак не могла решить, какое платье надеть к обеду: из пестрой органди, очень нарядное и весеннее, приводящее на ум боттичеллевскую «Весну»**, или одно из белых атласных, подчеркивающих ее стройную девичью фигуру и очень целомудренное, но, пока принимала ванну, остановилась на белом атласном: оно должно было послужить тонким намеком на то, что приносимая ею жертва была своего рода искуплением за ее длительную неблагодарность к Чарлзу. Джулия не надела

---

* «Кто скоро даст, тот дважды даст» (*лат.*) — изречение *Сенеки*.

** *Боттичелли Сандро* (1445—1510) — флорентийский живописец.

никаких драгоценностей, кроме нитки жемчуга и бриллиантового браслета; на том же пальце, где было обручальное кольцо, сверкал бриллиантовый перстень. Ей хотелось напудриться пудрой цвета загара, это молодило ее и очень ей шло, но, вспомнив, что ей предстоит, она отказалась от этой мысли. Не могла же она, как актер, чернящийся с ног до головы, чтобы играть Отелло, покрыть всю себя искусственным загаром. Как всегда пунктуальная, Джулия спустилась в холл в ту самую минуту, как швейцар распахнул входную дверь перед Чарлзом Тэмерли. Джулия приветствовала его взглядом, в который вложила нежность, лукавое очарование и интимность. Чарлз носил теперь свои поредевшие волосы довольно длинно, с годами его интеллигентное, аристократическое лицо несколько обвисло, он немного горбился, и костюм выглядел так, словно его давно не касался утюг.

«В странном мире мы живем,— подумала Джулия.— Актеры из кожи вон лезут, чтобы быть похожими на джентльменов, а джентльмены делают все возможное, чтобы выглядеть, как актеры».

Не было сомнения, что она произвела надлежащий эффект. Чарлз подкинул ей великолепную реплику, как раз то, что нужно для начала.

— Почему вы так прелестны сегодня?— спросил он.

— Потому, что я предвкушаю наше с вами свидание.

Своими прекрасными выразительными глазами Джулия глубоко заглянула в глаза Чарлза. Слегка приоткрыла губы, как на портрете леди Гамильтон кисти Ромни[*],— это придавало ей такой обольстительный вид.

Обедали они в «Савое». Метрдотель дал им столик у прохода, так что их было превосходно видно. Хотя предполагалось, что все порядочные люди за городом, ресторан был переполнен. Джулия улыбалась и кивала направо и налево, приветствуя друзей. У Чарлза было что ей рассказать, Джулия слушала его с неослабным интересом.

— Вы самый лучший собеседник на свете, Чарлз,— сказала она ему.

Пришли они в ресторан поздно, обедали не торопясь, и к тому времени, как Чарлз кончал бренди, начали собираться посетители к ужину.

— Господи Боже мой, неужели уже окончились спектакли?— сказал он, взглянув на часы.— Как быстро летит время,

---

[*] *Ромни Джордж* (1734—1802) — английский портретист.

когда я с вами. Как вы думаете, они уже хотят избавиться от нас?

— Не имею ни малейшего желания ложиться спать.

— Майкл, вероятно, скоро будет дома?

— Вероятно.

— Почему бы нам не поехать ко мне и не поболтать еще? Вот это называется понять намек!

— С удовольствием,— ответила Джулия, вкладывая в свою интонацию стыдливый румянец, который, как она чувствовала, так хорошо выглядел бы сейчас на ее щеках.

Они сели в машину и поехали на Хилл-стрит. Чарлз провел Джулию к себе в кабинет. Он находился на первом этаже. Двустворчатые, до самого пола окна, выходящие в крошечный садик, были распахнуты настежь. Они сели на диван.

— Погасите верхний свет и впустите в комнату ночь,— сказала Джулия. И процитировала строчку из «Венецианского купца»:— «В такую ночь, когда лобзал деревья нежный ветер...».

Чарлз выключил все лампы, кроме одной, затененной абажуром, и, когда он снова сел, Джулия прильнула к нему. Он обнял ее за талию, она положила ему голову на плечо.

— Божественно,— прошептала она.

— Я страшно тосковал по вам все это время.

— Успели набедокурить?

— Да. Купил рисунок Энгра* и заплатил за него кучу денег. Обязательно покажу его вам, прежде чем вы уйдете.

— Не забудьте. Где вы его повесили?

С первой минуты, как они вошли в дом, Джулия задавала себе вопрос: где должно произойти обольщение — в кабинете или наверху.

— У себя в спальне,— ответил Чарлз.

«И правда, там будет куда удобнее»,— подумала Джулия. Она засмеялась в кулак при мысли, что бедняга Чарлз не додумался ни до чего лучшего, чтобы завлечь ее к себе в постель. Ну и глупы эти мужчины! Слишком уж они решительны, вот в чем беда. Сердце Джулии пронзила мгновенная боль — она вспомнила о Томе. К черту Тома! Чарлз такой душка, и она не отступит от своего решения наградить его за многолетнюю преданность.

_____

* *Энгр Жан-Огюст-Доминик* (1780—1867) — французский художник-классицист.

— ◆◆ 183 ◆◆ —

— Вы были мне замечательным другом, Чарлз,— сказала она своим грудным, чуть хрипловатым голосом. Она повернулась к нему так, что ее лицо оказалось рядом с его лицом, губы — опять, как у леди Гамильтон,— чуть приоткрыты.— Боюсь, я не всегда была достаточно с вами ласкова.

Джулия выглядела такой пленительно податливой — спелый персик, который нельзя не сорвать,— что поцелуй казался неизбежным. Тогда она обовьет его шею своими белыми нежными руками и... Но Чарлз только улыбнулся.

— Не говорите так. Вы всегда были божественны.

(«Он боится, бедный ягненочек!»)

— Меня никто никогда не любил так, как вы.

Он слегка прижал ее к себе.

— Я и сейчас люблю вас. Вы сами это знаете. Вы — единственная женщина в моей жизни.

Поскольку Чарлз не принял предложенные ему губы, Джулия чуть отвернулась. Посмотрела задумчиво на электрический камин. Жаль, что он не зажжен. В этой мизансцене камин был бы очень кстати.

— Наша жизнь могла бы быть совсем иной, если бы мы тогда сбежали вдвоем из Лондона. Хей-хоу!

Джулия никогда не знала, что означает это восклицание, хотя его очень часто употребляли в пьесах, но, произнесенное со вздохом, оно всегда звучало очень печально.

— Англия потеряла бы свою величайшую актрису. Теперь я понимаю, каким я был ужасным эгоистом, когда предлагал вам покинуть театр.

— Успех еще не все. Я иногда спрашиваю себя, уж не упустила ли я величайшую ценность ради того, чтобы удовлетворить свое глупое, мелкое тщеславие. В конце концов, любовь — единственное, ради чего стоит жить.

Джулия снова посмотрела на него. Глаза ее, полные неги, были прекрасны как никогда.

— Знаете, если бы я снова была молода, я думаю, я сказала бы: увези меня.

Ее рука скользнула вниз, нашла его руку. Чарлз грациозно ее пожал.

— О, дорогая...

— Я так часто думаю об этой вилле нашей мечты! Оливковые деревья, олеандры и лазурное море. Мир и покой. Порой меня ужасают монотонность, скука и вульгарность моей жизни. Вы предлагали мне Красоту. Я знаю, теперь уже поздно; я сама не понимала тогда, как вы мне дороги, я и не помышляла, что с годами вы будете все больше и больше значить для меня.

— Блаженство слышать это от вас, любимая. Это вознаграждает меня за многое.

— Я бы сделала для вас все на свете. Я была эгоистка. Я погубила вашу жизнь, ибо сама не ведала, что творю.

Низкий голос Джулии дрожал, она откинула голову, ее шея вздымалась, как белая колонна. Декольте открывало — и изрядно — ее маленькую, упругую грудь; Джулия прижала к ней руки.

— Вы не должны так говорить, вы не должны так думать,— мягко ответил Чарлз.— Вы всегда были само совершенство. Другой вас мне не надо. Ах, дорогая, жизнь так коротка, любовь так преходяща. Трагедия в том, что иногда мы достигаем желаемого. Когда я оглядываюсь сейчас назад, я вижу, что вы были мудрее, чем я. «Какие мифы из тенистых рощ...» Вы помните, как там дальше? «Ты, юноша прекрасный, никогда не бросишь петь, как лавр не сбросит листьев; любовник смелый, ты не стиснешь в страсти возлюбленной своей — но не беда: она неувядаема, и счастие с тобой, пока ты вечен и неистов».

(«Ну и идиотство!»)

— Какие прелестные строки,— вздохнула Джулия.— Возможно, вы и правы. Хей-хоу!

Чарлз продолжал читать наизусть. Эту его привычку Джулия всегда находила несколько утомительной.

— «Ах, счастлива весенняя листва, которая не знает увяданья, и счастлив тот, чья музыка нова и так же бесконечна, как свиданье»*.

Но сейчас это давало ей возможность подумать. Джулия уставилась немигающим взором на незажженный камин, словно завороженная совершенной красотой стихов. Чарлз просто ничего не понял, это видно невооруженным глазом. И чему тут удивляться. Она была глуха к его страстным мольбам в течение двадцати лет, вполне естественно, если он решил, что все его упования тщетны. Все равно что покорить Эверест. Если бы эти стойкие альпинисты, так долго и безуспешно пытавшиеся добраться до его вершины, вдруг обнаружили пологую лестницу, которая туда ведет, они бы про-

---

* «Ода греческой вазе» английского поэта-романтика *Джона Китса* (1795—1821). Пер. *О. Чухонцева*.

сто не поверили своим глазам; они бы подумали, что перед ними ловушка. Джулия почувствовала, что надо поставить точки хоть над несколькими «i». Она должна, так сказать, подать руку помощи усталому пилигриму.

— Уже поздно,— мягко сказала она.— Покажите мне новый рисунок, и я поеду домой.

Чарлз встал, и она протянула ему обе руки, чтобы он помог ей подняться с дивана. Они пошли наверх. Пижама и халат Чарлза лежали аккуратно сложенные на стуле.

— Как вы, холостяки, хорошо устраиваетесь. Такая уютная, симпатичная спальня.

Чарлз снял оправленный в рамку рисунок со стены и поднес его к свету, чтобы Джулия могла лучше его рассмотреть. Это был сделанный карандашом портрет полноватой женщины в чепчике и платье с низким вырезом и рукавами с буфами. Женщина показалась Джулии некрасивой, платье — смешным.

— Восхитительно!— вскричала она.

— Я знал, что вам понравится. Хороший рисунок, верно?

— Поразительный.

Чарлз повесил картинку обратно на гвоздь. Когда он снова обернулся к Джулии, она стояла у кровати, как черкешенка-полонянка, которую главный евнух привел на обозрение великому визирю; в ее позе была прелестная нерешительность — казалось, она вот-вот отпрянет назад — и вместе с тем ожидание непорочной девы, стоящей на пороге своего королевства. Джулия испустила томный вздох.

— Дорогой, это был такой замечательный вечер. Я еще никогда не чувствовала себя такой близкой вам.

Джулия медленно подняла руки из-за спины и с тем поразительным чувством ритма, которое было даровано ей природой, протянула их вперед, вверх ладонями, словно держала невидимое взору роскошное блюдо, а на блюде — свое, отданное ему сердце. Ее прекрасные глаза были нежны и покорны, на губах порхала робкая улыбка: она сдавалась.

Джулия увидела, что лицо Чарлза застыло. Теперь-то он наконец понял, и еще как!

(«Боже, я ему не нужна! Это все было блефом».)

В первый момент это открытие совершенно ее потрясло.

(«Господи, как мне из этого выпутаться? Какой идиоткой я, верно, выгляжу!»)

Джулия чуть не потеряла равновесие, и душевное и физическое. Надо было что-то придумать, да побыстрей. Чарлз стоял перед ней, глядя на нее с плохо скрытым замешательством. Джулия была в панике. Что ей делать с этими держащими роскошное блюдо руками? Видит Бог, они невелики, но сейчас они казались ей окороками, висящими на крюке в колбасной лавке. И что ему сказать? С каждой секундой ее поза и вся ситуация становились все более невыносимы.

(«Дрянь, паршивая дрянь! Так дурачить меня все эти годы!»)
Джулия приняла единственно возможное решение. Она сохранила свою позу. Считая про себя, чтобы не спешить, она соединила ладони и, сцепив пальцы и откинув голову назад, очень медленно подняла руки к шее. Эта поза была так же прелестна, как и прежняя, и она подсказала Джулии нужные слова. Ее глубокий полнозвучный голос слегка дрожал от избытка чувств.

— Когда я думаю о нашем прошлом, я радуюсь, что нам не в чем себя упрекнуть. Горечь жизни не в том, что мы смертные, а в том, что умирает любовь. («Что-то в этом роде произносилось в какой-то пьесе».) Если бы мы стали любовниками, я бы вам давным-давно надоела, и что бы нам теперь осталось? Только сожалеть о своей слабости. Повторите эту строчку из Шелли — «...она неувядаема...»,— которую вы мне только что читали.

— Из Китса,— поправил он,— «...она неувядаема, и счастье...».

— Вот-вот. И дальше.
Ей надо было выиграть время.

— «...с тобой, пока ты вечен и неистов».
Джулия раскинула руки в стороны широким жестом и встряхнула кудрями. То самое, что ей надо.

— И это правда. Какие бы мы были глупцы, если бы, поддавшись минутному безумию, лишили себя величайшего счастья, которое принесла нам дружба. Нам нечего стыдиться. Мы чисты. Мы можем ходить с поднятой головой и всему свету честно глядеть в глаза.

Джулия нутром чувствовала, что эта реплика — под занавес, и, подкрепляя слова жестом, высоко держа голову, отступила к двери и распахнула ее настежь.

Сила ее таланта была так велика, что она сохранила настроение мизансцены до нижней ступеньки лестницы. Там она сбросила его и, обернувшись к Чарлзу, идущему за ней по пятам, сказала донельзя просто:

— Мою накидку.

— Машина ждет,— сказал он, закутывая ее.— Я отвезу вас домой.

— Нет, разрешите мне уехать одной. Я хочу запечатлеть этот вечер в своем сердце. Поцелуйте меня на прощание.

Она протянула ему губы. Чарлз поцеловал их, Джулия, подавив рыдание, вырвалась от него и, одним движением растворив входную дверь, побежала к ожидавшему ее автомобилю.

Когда она добралась домой и очутилась в собственной спальне, она издала хриплый вопль облегчения.

«Дура чертова. Так попасться. Слава Богу, я благополучно выпуталась. Он такой осел, что, верно, даже не додумался, куда я клоню». Но его застывшая улыбка все же приводила ее в смущение. «Ну, может, он и заподозрил, что тут нечисто, точно-то он знать не мог, а уж потом и совсем убедился, что ошибся. Господи, что я несла! Но все сошло в наилучшем виде, он все проглотил. Хорошо, что я вовремя спохватилась. Еще минута, и я бы скинула платье. Тут было бы не до шуток».

Джулия захихикала. Конечно, ситуация была унизительная, она оказалась в дурацком положении, но, если у тебя есть хоть какое-то чувство юмора, во всем найдешь свою смешную сторону. Как жаль, что никому нельзя ничего рассказать! Пусть даже она выставила бы себя на посмешище, это такая великолепная история. Смириться она не могла с одним: с тем, что поверила всей этой комедии о нетленной любви, которую он разыгрывал столько лет. Конечно, это была только поза, ему нравилось выступать в роли верного воздыхателя, и, по-видимому, меньше всего он хотел, чтобы его верность была вознаграждена.

«Обвел меня вокруг пальца, втер очки, замазал глаза!»

Но тут Джулии пришла в голову мысль, стершая улыбку с ее лица. Если мужчина отвергает авансы, которые делает ему женщина, она склонна приходить к одному из двух заключений: или он гомосексуалист, или импотент. Джулия задумчиво зажгла сигарету. Она спрашивала себя, не использовал ли ее Чарлз как ширму для прикрытия иных склонностей. Она покачала головой. Нет, уж на это кто-нибудь ей да намекнул бы. После войны в обществе практически не говорили ни о чем другом. А вот импотентом он вполне мог быть. Она подсчитала его годы. Бедный Чарлз! Джулия снова улыбнулась.

Если таково положение вещей, не она, а он оказался в неловком и даже смешном положении. Он, должно быть, до смерти перепугался, бедный ягненочек. Ясно, это не из тех вещей, в которых мужчина охотно признается женщине, особенно если он безумно в нее влюблен. Чем больше Джулия об этом думала, тем более вероятным казалось ей это объяснение. Она почувствовала к Чарлзу прямо-таки материнскую жалость.

«Я знаю, что я сделаю,— сказала она, начиная раздеваться.— Я пошлю ему завтра большой букет белых лилий».

Глава двадцать пятая

На следующее утро Джулия некоторое время пролежала в постели, прежде чем позвонить. Она думала. Вспоминая свое вчерашнее приключение, она похвалила себя за то, что проявила такое присутствие духа. Сказать, что она вырвала победу из рук поражения, было бы преувеличением, но как стратегический маневр отход ее был мастерским. При всем том у нее на сердце кошки скребли. Могло быть еще одно объяснение странному поведению Чарлза. Вполне возможно, что она не соблазнила его просто потому, что больше не была соблазнительна. Джулия вдруг подумала об этом ночью. Тогда она тут же выбросила эту мысль из головы: нет, это невероятно; однако приходилось признать, что утром она показалась куда серьезней. Джулия позвонила. Поскольку Майкл часто заходил к ней в комнату, когда она завтракала в постели, Эви, раздвинув занавески, обычно подавала ей зеркальце, гребень, помаду и пудреницу. Сегодня, вместо того чтобы провести гребнем по волосам и почти не глядя обмахнуть лицо пуховкой, Джулия не пожалела труда. Она тщательно подкрасила губы, подрумянилась, привела в порядок волосы.

— Говоря бесстрастно и беспристрастно,— сказала она, все еще глядя в зеркало, в то время как Эви ставила на постель поднос с завтраком,— как, по-твоему, Эви, я — красивая женщина?

— Я должна знать, как это мне отольется, прежде чем отвечать на такой вопрос.

— Ах ты, чертовка!— вскричала Джулия.

— Ну, знаете, ведь красавицей вас не назовешь.

— Ни одна великая актриса не была красавицей.

— Ну, как вы вырядитесь в пух и прах, вроде как вчера вечером, да еще свет будет сзади, так и похуже вас найдутся.

(«Черта лысого это мне вчера помогло!»)

— Мне вот что интересно: если я вдруг очень захочу закрутить роман с мужчиной, как ты думаешь, я смогу?

— Зная, что такое мужчины, я бы не удивилась. А с кем вы сейчас хотите закрутить?

— Ни с кем. Я говорила вообще.

Эви шмыгнула носом.

— Не шмыгай носом. Если у тебя насморк, высморкайся.

Джулия медленно ела крутое яйцо. Ее голова была занята одной мыслью. Она посмотрела на Эви. Старое пугало, но — кто знает?..

— А к тебе когда-нибудь приставали на улице, Эви?

— Ко мне? Пусть бы попробовали!

— Сказать по правде, я бы тоже хотела, чтобы кто-нибудь попробовал. Женщины вечно рассказывают, как мужчины преследуют их на улице, а если они останавливаются у витрины, подходят и стараются перехватить их взгляд. Иногда от них очень трудно отделаться.

— Мерзость, вот как я это называю.

— Ну, не знаю, по-моему, скорее лестно. И понимаешь, странно, но меня никто никогда не преследовал. Не помню, чтобы кто-нибудь когда-нибудь пытался ко мне приставать.

— Прогуляйтесь как-нибудь вечерком по Эдвард-роуд. Не отвяжетесь.

— И что мне тогда делать?

— Позвать полисмена,— мрачно ответила Эви.

— Я знаю одну девушку, так она стояла у витрины шляпного магазина на Бонд-стрит, и к ней подошел мужчина и спросил, не хочется ли ей купить шляпку. Очень, ответила она, и они вошли внутрь. Она выбрала себе шляпку, дала продавцу свое имя и адрес, и мужчина тут же расплатился наличными. Тогда она сказала ему: «Большое спасибо» — и вышла, пока он дожидался сдачи.

— Это она вам так сказала,— Эви скептически шмыгнула носом, затем с удивлением поглядела на Джулию.— К чему вы все это клоните?

— Да ни к чему. Просто я подумала, почему это мужчины ко мне не пристают. Вроде бы «секс-эпила» во мне достаточно.

А вдруг его и правда нет? Джулия решила проверить это на опыте.

В тот же день, после того как она отдохнула, Джулия встала, накрасилась немного сильней, чем обычно, и, не позвав Эви, надела платье не совсем уж простое, но и не дорогое на вид и широкополую шляпу из красной соломки.

«Я не хочу быть похожей на уличную девку,— сказала она себе, глядя в зеркало.— С другой стороны, слишком респектабельный вид тоже не подойдет».

Она на цыпочках спустилась по лестнице, чтобы ее никто не услышал, и тихонько прикрыла за собой входную дверь. Джулия немного нервничала, но волнение это было ей приятно; она чувствовала: то, что она затеяла, не лезет ни в какие ворота. Джулия пересекла Коннот-сквер и вышла на Эдвард-роуд. Было около пяти часов дня. Сплошной лентой тянулись автобусы, такси, грузовики, мимо них, с риском для жизни, прокладывали себе путь велосипедисты. Тротуары были забиты людьми. Джулия медленно двинулась в северном направлении. Сперва она шла, глядя прямо перед собой, не оборачиваясь ни направо, ни налево, но вскоре поняла, что так она ничего не добьется. Надо смотреть на людей, если хочешь, чтобы они смотрели на тебя. Два или три раза, увидев, что перед витриной стоит несколько человек, Джулия тоже останавливалась, но никто из них не обращал на нее никакого внимания. Она двигалась дальше. Прохожие обгоняли ее, шли навстречу. Казалось, все они куда-то спешат. Ее никто не замечал. Увидев одинокого мужчину, приближающегося к ней, Джулия смело посмотрела ему прямо в глаза, но он прошел мимо с каменным лицом. Может быть, у нее слишком суровое выражение? На губах Джулии запорхала легкая улыбка. Двое или трое мужчин подумали, что она улыбается им, и быстро отвели глаза. Джулия оглянулась на одного из них, он тоже оглянулся, но тут же ускорил шаг. Джулия почувствовала себя уязвленной и решила не глазеть больше по сторонам. Она шла все дальше и дальше. Ей часто приходилось слышать, что лондонская толпа самая приличная в мире, но в данном случае — это уж чересчур!

«На улицах Парижа, Рима или Берлина такое было бы невозможно»,— подумала Джулия.

Джулия решила дойти до Мэрилибоун-роуд и повернуть обратно. Слишком унизительно возвращаться домой, когда на тебя ни разу никто даже не взглянул. Джулия шла так медленно, что прохожие иногда ее задевали. Это вывело ее из себя.

«Надо было пойти на Оксфорд-стрит,— подумала она.— Эта дура Эви! На Эдвард-роуд толку не будет».

Внезапно сердце Джулии торжествующе подпрыгнуло. Она поймала взгляд какого-то молодого человека, и ей показалось, что она заметила в нем огонек. Молодой человек прошел мимо, и она с трудом удержалась, чтобы не оглянуться. Джулия вздрогнула, так как через минуту он ее обогнал, на этот раз он уставился прямо на нее. Джулия скромно опустила ресницы. Он отстал на несколько шагов, но она чувствовала, что он следует за ней по пятам. Все в порядке. Джулия остановилась перед витриной, молодой человек — тоже. Теперь она знала, как себя вести. Джулия сделала вид, будто всецело поглощена товарами, выставленными на витрине, но, прежде чем двинуться дальше, сверкнула на него своими слегка улыбающимися глазами. Молодой человек был невысок, в сером костюме и мягкой коричневой шляпе. Клерк или продавец скорее всего. Если бы Джулии предложили выбрать мужчину, который бы к ней пристал, она вряд ли остановила бы свой выбор на этом человеке, но что поделаешь, на безрыбье и рак рыба — пристать к ней собирался именно он. Джулия забыла про усталость. Ну а что теперь? Конечно, она не собирается заходить слишком далеко, но все же любопытно, какой будет его следующий шаг. Что он ей скажет? Джулия была в приятном возбуждении, у нее прямо камень с души свалился. Она медленно шла вперед, молодой человек — за ней. Джулия остановилась у витрины, на этот раз он остановился прямо позади нее. Ее сердце неистово билось. Похоже, что ее ждет настоящее приключение.

«Куда он меня поведет? В гостиницу? Вряд ли, это ему не по карману. Скорее в кино. Вот будет забавно!»

Джулия посмотрела ему прямо в лицо, ее губы слегка улыбались. Молодой человек снял шляпу.

— Мисс Лэмберт, если не ошибаюсь?

Она так и подскочила. Сказать по правде, она была захвачена врасплох и так растерялась, что даже не подумала это отрицать.

— Мне показалось, что я сразу узнал вас, вот почему я вернулся, чтобы убедиться наверняка. Я сказал себе: я буду не я, если это не Джулия Лэмберт. А тут мне совсем подвезло: вы остановились у витрины, и я смог вас разглядеть. Я почему только сомневался? Что встретил вас тут, на Эдвард-роуд.

Не очень-то подходящее место для чистой публики. Вы понимаете, что я хочу сказать?

Дело было еще более нечисто, чем он думал. Однако, раз он догадался, кто она, это теперь не имеет значения. И как она не подумала, что рано или поздно ее обязательно узнают. Судя по манере говорить, молодой человек — кокни; у него было бледное одутловатое лицо, но Джулия улыбнулась ему веселой дружеской улыбкой. Пусть не подумает, что она задирает нос.

— Простите, что я заговорил с вами, когда мы незнакомы и вообще, но я не мог упустить эту возможность. Не дадите ли вы мне ваш автограф?

У Джулии перехватило дыхание. И ради этого он следовал за ней целых десять минут! Быть не может. Это просто предлог, чтобы с ней заговорить. Что ж, она ему подыграет.

— С удовольствием. Но не могу же я писать на улице. Люди начнут пялить глаза.

— Верно. Слушайте, я как раз шел пить чай. В кондитерскую Лайонза, на следующем углу. Почему бы вам тоже не зайти выпить чашечку чаю?

Что ж, все идет как по маслу. Когда они выпьют чай, он, вероятно, пригласит ее в кино.

— Хорошо,— сказала Джулия.

Они двинулись по улице и вскоре подошли к кондитерской, сели за столик.

— Две чашки чаю, пожалуйста, мисс,— сказал молодой человек официантке и обратился к Джулии:— Может быть, съедите чего-нибудь? И когда Джулия отказалась, добавил:— И одну ячменную лепешку, мисс.

Теперь Джулия могла как следует его рассмотреть. Низкий и коренастый, с прилизанными черными волосами, он был, однако, недурен, особенно хороши ей показались глаза; однако зубы у него были плохие, а бледная кожа придавала лицу нездоровый вид. Держался он довольно развязно, что не особенно-то нравилось Джулии, но, как она разумно рассудила, вряд ли можно ожидать особой скромности от человека, который пристает к женщинам на Эдвард-роуд.

— Давайте прежде всего напишем этот автограф, э? «Не отходя от кассы» — вот мой девиз.

Он вынул из кармана перо, а из пухлого бумажника карточку.

— Карточка нашей фирмы,— сказал он.— Ничего, сойдет.

Джулии казалось глупым, что он все еще продолжает ломать комедию, но она благодушно расписалась на обратной стороне карточки.

— Вы собираете автографы?— спросила она с легкой усмешкой.

— Я? Нет. Чушь это, я так считаю. Моя невеста собирает. У нее уже есть Чарли Чаплин, Дуглас Фербенкс и Бог весть кто еще. Хотите посмотреть на ее фото?

Молодой человек извлек из бумажника моментальный снимок девицы довольно дерзкого вида, показывающей все свои зубы в ослепительной кинематографической улыбке.

— Хорошенькая,— сказала Джулия.

— Еще бы! Идем с ней сегодня в кино. Вот удивится, когда я ей покажу ваш автограф. Как я вас узнал на улице, так перво-наперво сказал себе: умру, а достану для Гвен автограф Джулии Лэмберт. Мы с ней поженимся в августе, когда у меня будет отпуск, поедем на остров Уайт на медовый месяц. Ну и повеселюсь я сегодня. Она ни в жисть не поверит, что мы с вами пили чай, а тут я покажу ей автограф. Ясно?

Джулия вежливо слушала его, но улыбка с ее лица исчезла.

— Боюсь, мне пора идти,— сказала она.— Я и так задержалась.

— У меня и самого немного времени. Раз я иду на свидание, хочу уйти из магазина минута в минуту.

Официантка принесла чек вместе с чаем, и, вставая из-за стола, Джулия вынула шиллинг.

— Это еще к чему? Неужто думаете, я дам вам платить? Я вас пригласил.

— Очень любезно с вашей стороны.

— Но я вам вот что скажу: разрешите мне привести мою невесту как-нибудь к вам в уборную. Просто поздоровайтесь с ней, и все. Она с ума сойдет от радости. Будет рассказывать всем встречным и поперечным до самой смерти.

За последние минуты обращение Джулии делалось все холодней, а сейчас, хотя все еще любезное, казалось чуть ли не высокомерным.

— Я очень сожалею, но мы не пускаем посторонних за кулисы.

— Простите. Вы не в обиде, что я спросил, нет? Я хочу сказать, я ведь не для себя.

— Ничуть. Я вполне вас понимаю.

Джулия подозвала такси, медленно ползущее вдоль обочины, и подала руку молодому человеку.

— До свидания, мисс Лэмберт. Всего хорошего, желаю успеха и все такое. Спасибо за автограф.

Джулия сидела в уголке такси вне себя от ярости.

«Вульгарная скотина. Пропади он пропадом вместе со своей... невестой! Какая наглость! Спросить, нельзя ли привести ее за кулисы, и к кому? Ко мне!»

Дома она сразу поднялась к себе в комнату. Сорвала шляпу с головы и в сердцах швырнула ее на кровать. Подошла стремительно к туалетному столику и пристально посмотрела на себя в зеркало.

— Старуха, старуха,— пробормотала она.— С какой стороны ни посмотришь, у меня абсолютно нет «секс-эпила». Невероятно, да? Противоречит здравому смыслу? Но как же иначе все это объяснить? Я вышагиваю из конца в конец всю Эдвард-роуд, и одета я, как надо для роли, и хоть бы один мужчина на меня взглянул, кроме этого мерзкого продавца, которому понадобился для его барышни мой автограф. Это нелепо. Бесполые ублюдки! Не представляю, куда катится Англия. Британская империя, ха!

Последние слова были произнесены с таким презрением, которое могло бы испепелить весь кабинет министров. Джулия начала подкреплять слова жестами.

— Смешно предполагать, что я достигла бы своего положения, если бы во мне не было «секс-эпила». Почему люди приходят в театр смотреть на актрису? Да потому, что им хотелось бы с ней переспать. Думаете, публика ходила бы три месяца подряд на эту дрянную пьесу, да так, что в зале яблоку упасть негде, если бы у меня не было «секс-эпила»? Что такое, в конце концов, этот «секс-эпил»?

Джулия приостановилась, задумчиво посмотрела на свое отражение.

«Бесспорно, я могу изобразить «секс-эпил». Я могу изобразить все».

Джулия принялась перебирать в памяти актрис, которые пользовались скандальной славой секс-бомб. Особенно хорошо она помнила одну из них, Лидию Мейн, которую всегда ангажировали на амплуа обольстительниц-«вамп». Актриса она была неважная, но в определенных ролях производила огромный эффект. Джулия всегда прекрасно подражала, и вот она принялась копировать Лидию Мейн. Веки ее опустились, сладострастно прикрыли глаза, тело под платьем начало извиваться волнообразным движением. Взгляд стал соблазнительно бесстыдным, как у Лидии, змеившиеся жесты — манящими. Она заговорила, как и та, слегка растягивая слова, отчего каждая ее фраза казалась чуть непристойной.

— Ах, мой дорогой, я так часто слышу подобные вещи. Я не хочу вносить раздор в вашу семью. Почему мужчины не могут оставить меня в покое?

Это была безжалостная карикатура. Джулия не знала пощады. Ей стало так смешно, что она расхохоталась.

«Что ж, одно не вызывает сомнений: может, у меня и нет «секс-эпила», но кто увидел бы, как я копирую Лидию Мейн, не нашел бы его потом и у нее».

У Джулии стало куда легче на душе.

Глава двадцать шестая

Начались репетиции и отвлекли растревоженные мысли Джулии в другую сторону. Старая пьеса, которую Майкл поставил, когда Джулия уезжала за границу, давала весьма средние сборы, но он предпочитал, чем закрывать театр, не снимать ее с репертуара, пока не будет готов их новый спектакль «Нынешние времена». Поскольку сам он два раза в неделю выступал днем, Майкл решил, что они не будут репетировать до упаду. У них был впереди целый месяц.

Хотя Джулия уже много лет играла в театре, репетиции по-прежнему приводили ее в радостный трепет, а на первой репетиции она так волновалась, что чуть не заболевала. Это было началом нового приключения. Она в это время совсем не ощущала себя ведущей актрисой театра, ей было тревожно и весело, словно она вновь молоденькая девушка, исполняющая свою первую крошечную роль. И вместе с тем она испытывала восхитительное чувство собственного могущества. Ей вновь предоставлялась возможность его проявить.

В одиннадцать часов Джулия поднялась на сцену. Актеры праздно стояли кто где. Джулия расцеловалась с теми актрисами и пожала руки тем актерам, с которыми была знакома, Майкл учтиво представил ей тех, кого она не знала. Джулия сердечно приветствовала Эвис Крайтон. Сказала ей, какая она хорошенькая и как ей, Джулии, нравится ее новая шляпка, поведала о тех костюмах, которые выбрала для нее в Париже.

— Вы видели Тома в последнее время?

— Нет. Он уехал в отпуск.

— Ах так? Славный мальчик, правда?

— Душка.

Обе женщины улыбнулись, глядя в глаза друг другу. Джулия внимательно следила за Эвис, когда та читала свою роль, вслушивалась в ее интонации. Она хмуро улыбнулась. Конечно, другого она и не ждала. Эвис была из тех актрис, которые абсолютно уверены в себе с первой репетиции. Она и не догадывалась, что ей предстоит. Том теперь ничего не значил для Джулии, но с Эвис она собиралась свести счеты и сведет. Потаскушка!

Пьеса была современной версией «Второй миссис Тэнкори»[*], но, поскольку у нового поколения были и нравы другие, автор сделал из нее комедию. В нее были введены некоторые старые персонажи, во втором акте появлялся, уже дряхлым стариком, Обри Тэнкори. После смерти Полы он женился в третий раз. Миссис Кортельон решила вознаградить его за злосчастный второй брак; сама она превратилась к этому времени в сварливую и высокомерную старую даму. Элин, его дочь, и Хью Ардейл решили забыть прошлое — кто старое помянет, тому глаз вон — и заключили супружеский союз; казалось, трагическая смерть Полы стерла воспоминания об его экстрабрачных отношениях. Хью в этой пьесе был бригадный генерал в отставке, который играл в гольф и сетовал по поводу упадка Британской империи («Черт побери, сэр, была бы на то моя воля, я поставил бы всех этих проклятых социалистов к стенке»), а Элин, теперь уже далеко не молодая, превратилась из жеманной барышни в веселую, современную, злую на язык женщину. Персонажа, которого играл Майкл, звали Роберт Хамфри. Подобно Обри из пьесы Пинеро, он был вдовец и жил с единственной дочерью. В течение многих лет он был консулом в Китае; разбогатев, вышел в отставку и поселился в поместье, оставленном ему в наследство, неподалеку от того места, где по-прежнему жили Тэнкори. Его дочь Онор (на роль которой как раз и взяли Эвис Крайтон) изучала медицину с целью практиковать в Индии. Растеряв всех старых друзей за много лет пребывания за границей и не заведя новых, Роберт Хамфри знакомится в Лондоне с известной дамой полусвета по имени

---

[*] Пьеса *Пинеро Артура Уинга* (1855—1934), английского драматурга.

миссис Мартен. Это была женщина того же пошиба, что Пола, но менее разборчивая; она «работала» летний и зимний сезон в Канне, а в промежутках жила в квартирке на Элбемарл-стрит, где принимала офицеров бригады его величества. Она хорошо играла в бридж и еще лучше в гольф. Роль прекрасно подходила Джулии.

Автор почти не отходил от старого текста. Онор объявляет мистеру Хамфри, что отказывается от медицинской карьеры, так как она только что обручилась с молодым гвардейцем, сыном Элин, и до своего замужества собирается жить с отцом. В некотором замешательстве тот открывает ей свое намерение жениться на миссис Мартен. Онор принимает сообщение с полным спокойствием.

«Ты, конечно, знаешь, что она шлюха?»— хладнокровно произносит она.

Отец, еще более смущенный, говорит о несчастной жизни миссис Мартен и о том, как он хочет вознаградить ее за страдания.

«Ах, не болтай чепухи,— отвечает ему дочь,— это великолепная работа, если только можешь ее иметь».

Сын Элин был одним из бесчисленных любовников миссис Мартен, точно так же, как муж Элин был в свое время любовником Полы Тэнкори. Когда Роберт Хамфри привозит свою новую жену в загородное поместье и этот факт обнаруживается, они решают, что следует сообщить обо всем Онор. К их ужасу, она и бровью не повела: ей уже было об этом известно.

«Я была страшно рада, когда узнала,— сказала она своей мачехе.— Понимаете, душечка, теперь вы можете сказать мне, хорош ли он в постели».

Это была лучшая мизансцена Эвис Крайтон; она продолжалась целых десять минут, и Майкл с самого начала понял, как она важна и эффектна. Холодная, сухая, миловидная Эвис — то самое, что здесь нужно. Но после нескольких репетиций Майкл стал подозревать, что ничего, кроме этого, она дать не сможет, и решил посоветоваться с Джулией.

— Как, по-твоему, Эвис?

— Трудно сказать. Еще слишком рано.

— Я расстроен из-за нее. Ты говорила, она актриса. Пока я этого не вижу.

— Да это готовая роль. Ее просто невозможно испортить.

— Ты знаешь не хуже меня, что нет такой вещи, как готовая роль. Как бы роль ни была хороша, ее надо сыграть, из нее надо извлечь все, что в ней заложено. Может быть, лучше расстаться с Эвис, пока не поздно, и взять вместо нее кого-нибудь другого?

— Это не так просто. Я все же думаю, надо дать ей возможность себя показать.

— Она так неуклюжа, ее жесты так бессмысленны!

Джулия задумалась. У нее были все основания желать, чтобы Эвис осталась в числе исполнителей пьесы. Она уже достаточно ее изучила и была уверена, что, если ее уволить, она скажет Тому, будто Джулия сделала это из ревности. Том ее любит и поверит каждому ее слову. Еще, чего доброго, подумает, что Джулия преднамеренно нанесла ей оскорбление в отместку за его уход. Нет, нет, Эвис должна остаться. Она должна исполнить свою роль и провалить ее. Том должен собственными глазами увидеть, какая она никудышняя актриса. Они с Эвис думали, будто пьеса поможет ей выплыть на поверхность. Дураки! Пьеса утопит ее.

— Ты же умелый режиссер, Майкл. Я уверена, ты сумеешь ее натаскать, если постараешься.

— В том-то и беда: она совсем не слушает указаний. Я объясняю ей, как надо произнести реплику, и — нате вам! — она опять говорит ее на свой лад. Ты не поверишь, но иногда у меня создается впечатление, что она воображает, будто все знает лучше меня.

— Ты ее нервируешь. Когда ты велишь ей что-нибудь сделать, она пугается и просто перестает соображать.

— Господи, да с кем легче работать, чем со мной! Я ни разу не сказал ей ни одного резкого слова.

Джулия нежно улыбнулась ему.

— И ты хочешь уверить меня, будто не догадываешься, что с ней?

— Нет. А что?

Майкл глядел на Джулию недоумевающим взглядом.

— Брось притворяться, милый. Она по уши в тебя влюблена.

— В меня? Да я думал, она помолвлена с Томом. Глупости. Твои вечные фантазии.

— Но это же видно невооруженным глазом. В конце концов, она не первая жертва твоей роковой красоты и, думаю, не последняя.

— Видит Бог, я не хочу подкладывать свинью бедняге Тому.

— Ты-то в чем виноват?

— Так как же, по-твоему, мне поступить?

— Будь с ней ласков. Она еще так молода, бедняжка. Ей нужна рука помощи. Если бы ты прошел несколько раз роль только с ней одной, я уверена, вы сотворили бы чудеса. Почему бы тебе как-нибудь не пригласить ее к ленчу и не поговорить наедине?

Джулия увидела, что глаза Майкла чуть заблестели, на губах появилась тень улыбки: он обдумывал ее слова.

— Конечно, главное — чтобы пьеса прошла как можно лучше.

— Я понимаю, что для тебя это обуза, но ради пьесы... Право, стоит того.

— Ты же знаешь, Джулия, я ни за что на свете не хотел бы тебя расстраивать. Я бы с удовольствием выставил ее и взял кого-нибудь другого.

— Я думаю, это будет большой ошибкой. Я убеждена, что, если ты поработаешь с Эвис как следует, она прекрасно сыграет.

Майкл прошелся раза два взад-вперед по комнате. Казалось, он рассматривает вопрос со всех сторон.

— Что ж, моя работа в том и заключается, чтобы заставить каждого исполнителя играть как можно лучше. И в каждом конкретном случае приходится искать самый правильный подход.

Майкл выдвинул подбородок и втянул живот. Выпрямил спину. Джулия поняла, что Эвис Крайтон останется в труппе. На следующий день на репетиции Майкл отвел Эвис в сторонку и долго с ней говорил. По его манере Джулия в точности знала, что именно, и, поглядывая искоса, вскоре заметила, как Эвис Крайтон улыбнулась и кивнула головой. Майкл пригласил ее на ленч. Джулия, успокоенная, углубилась в собственную роль.

Глава двадцать седьмая

Репетиции шли уже две недели, когда Роджер вернулся из Австрии. Он провел несколько недель на Коринфском озере и собирался пробыть в Лондоне день-два, а затем ехать к друзьям в Шотландию. Майкл должен был пообедать пораньше и уйти в театр, и встречала Роджера одна Джулия. Когда она одевалась, Эви, шмыгая по обыкновению носом, заметила, что уж она так старается, так старается выглядеть покрасивее, словно идет на свидание. Джулии хотелось, чтобы

Роджер ею гордился, и действительно, она выглядела молоденькой и хорошенькой в своем летнем платье, когда ходила взад-вперед по платформе. Можно было подумать — и напрасно,— что она не замечает взглядов, обращенных на нее. Роджер, проведя месяц на солнце, сильно загорел, но от прыщей так и не избавился и казался еще более худым, чем когда уезжал из Лондона на Новый год. Джулия обняла его с преувеличенной нежностью. Он слегка улыбнулся.

Обедать они должны были вдвоем. Джулия спросила, куда он хочет потом пойти — в театр или в кино. Роджер ответил, что предпочел бы остаться дома.

— Чудесно,— сказала она,— посидим с тобой, поболтаем.

У нее и правда был один предмет на уме, который Майкл просил ее обсудить с Роджером, если предоставится такая возможность. Совсем скоро он поступит в Кембридж, пора уже было решать, чем он хочет заняться. Майкл боялся, как бы он не потратил там попусту время, а потом пошел служить в маклерскую контору или еще, чего доброго, на сцену. Считая, что Джулия сумеет сделать это тактичнее и что она имеет больше влияния на сына, Майкл настоятельно просил ее нарисовать Роджеру, какие блестящие возможности откроются перед ним, если он пойдет на дипломатическую службу или займется юриспруденцией. Джулия была уверена, что на протяжении двух-трех часов разговора сумеет навести Роджера на эту важную тему. За обедом она пыталась расспросить сына о Вене, но он отмалчивался.

— Ну что я делал? То, что делают все остальные. Осматривал достопримечательности и усердно изучал немецкий. Шатался по пивным. Часто бывал в опере.

Джулия спросила себя, не было ли у него там интрижек.

— Во всяком случае, невесты ты себе там не завел,— сказала она, надеясь вызвать его на откровенность.

Роджер кинул на нее задумчивый, чуть иронический взгляд. Можно было подумать, что он разгадал, что у нее на уме. Странно: родной сын, а ей с ним не по себе.

— Нет,— ответил он,— я был слишком занят, чтобы тратить время на такие вещи.

— Ты, верно, перебывал во всех театрах.

— Ходил раза два-три.

— Ничего не видел, что могло бы нам пригодиться?

— Знаешь, я совершенно забыл об этом.

Слова его могли показаться весьма нелюбезными, если бы не сопровождались улыбкой, а улыбка у него была премилая. Джулия снова с удивлением подумала, как это вышло, что сын унаследовал так мало от красоты отца и очарования матери. Рыжие волосы были хороши, но светлые ресницы лишали лицо выразительности. Один Бог знает, как он умудрился при таких родителях иметь неуклюжую, даже грузноватую фигуру. Ему исполнилось восемнадцать, пора бы уже ему стать стройнее. Он казался немного апатичным, в нем не было ни капли ее бьющей через край энергии и искрящейся жизнерадостности. Джулия представляла, как живо и ярко она рассказывала бы о пребывании в Вене, проведи она там полгода. Даже из поездки на Сен-Мало к матери и тетушке Кэрри она состряпала такую историю, что люди плакали от хохота. Они говорили, что ее рассказ ничуть не хуже любой пьесы, а сама Джулия скромно полагала, что он куда лучше большинства из них. Она расписала свое пребывание в Сен-Мало Роджеру. Он слушал ее со своей спокойной улыбкой, но у Джулии возникло неловкое чувство, что ему все это кажется не таким забавным, как ей. Джулия вздохнула про себя. Бедный ягненочек, у него, видно, совсем нет чувства юмора. Роджер сделал какое-то замечание, позволившее Джулии заговорить о «Нынешних временах». Она изложила ему сюжет пьесы, объяснила, как она мыслит себе свою роль, обрисовала занятых в ней актеров и декорации. В конце обеда ей вдруг пришло в голову, что она говорит только о своем. Как это вышло? У нее закралось подозрение, что Роджер сознательно направил разговор в эту сторону, чтобы избежать расспросов о себе и собственных делах. Нет, вряд ли. Он для этого недостаточно умен. Позднее, когда они сидели в гостиной, курили и слушали радио, Джулия умудрилась наконец задать ему самым естественным тоном приготовленный заранее вопрос:

— Ты уже решил, кем ты хочешь быть?

— Нет еще. А что — это спешно?

— Ты знаешь, я сама в этом ничего не смыслю, но твой отец говорит, что, если ты намерен быть адвокатом, тебе надо изучать в Кембридже юриспруденцию. С другой стороны, если тебе больше по вкусу дипломатическая служба, надо браться за современные языки.

Роджер так долго глядел на нее с привычной спокойной задумчивостью, что Джулии с трудом удалось удержать на лице шутливое, беспечное и вместе с тем нежное выражение.

— Если бы я верил в Бога, я стал бы священником,— сказал наконец Роджер.

— Священником?

Джулия подумала, что она ослышалась. Ее охватило острое чувство неловкости. Но его ответ проник в сознание, и, словно при вспышке молнии, она увидела сына кардиналом, в окружении подобострастных прелатов, обитающих в роскошном палаццо в Риме, где по стенам висят великолепные картины, затем — в образе святого в митре и вышитой золотом ризе, милостиво раздающим хлеб беднякам. Она увидела себя в парчовом платье и жемчужном ожерелье. Мать Борджиа.

— Это годилось для шестнадцатого века,— сказала она.— Ты немножко опоздал.

— Да. Ты права.

— Не представляю, как это пришло тебе в голову.— Роджер не ответил. Джулия была вынуждена продолжать сама.— Ты счастлив?

— Вполне,— улыбнулся он.

— Чего же ты хочешь?

Он опять поглядел на мать приводящим ее в замешательство взглядом. Трудно было сказать, говорит ли он на самом деле всерьез, потому что в глазах у него поблескивали огоньки.

— Правды.

— Что, ради всего святого, ты имеешь в виду?

— Понимаешь, я прожил всю жизнь в атмосфере притворства. Я хочу добраться до истинной сути вещей. Вам с отцом не вредит тот воздух, которым вы дышите, вы и не знаете другого и думаете, что это воздух райских кущ. Я в нем задыхаюсь.

Джулия внимательно слушала, стараясь понять, о чем говорит сын.

— Мы — актеры, преуспевающие актеры, вот почему мы смогли окружить тебя роскошью с первого дня твоей жизни. Тебе хватит одной руки, чтобы сосчитать по пальцам, сколько актеров отправляли своих детей в Итон.

— Я благодарен вам за все, что вы для меня сделали.

— Тогда за что же ты нас упрекаешь?

— Я не упрекаю вас. Вы дали мне все что могли. К несчастью, вы отняли у меня веру.

— Мы никогда не вмешивались в твою веру. Я знаю, мы не религиозны. Мы актеры, и после восьми спектаклей в неделю хочешь хотя бы в воскресенье быть свободным. Я, естественно, ожидала, что всем этим займутся в школе.

Роджер помолчал. Можно было подумать, что ему пришлось сделать над собой усилие, чтобы продолжать.

— Однажды — мне было тогда четырнадцать, я был еще совсем мальчишкой — я стоял за кулисами и смотрел, как ты играла. Это была, наверное, очень хорошая сцена, твои слова звучали так искренно, так трогательно, что я не удержался и заплакал. Все во мне горело, не знаю, как тебе это получше объяснить. Я чувствовал необыкновенный душевный подъем. Мне было так жаль тебя, я был готов на любой подвиг. Мне казалось, я никогда больше не смогу совершить подлость или учинить что-нибудь тайком. И надо же было тебе подойти к заднику сцены, как раз к тому месту, где я стоял. Ты повернулась спиной к залу — слезы все еще струились у тебя по лицу — и самым будничным голосом сказала режиссеру: «Что этот чертов осветитель делает с софитами? Я велела ему не включать синий». А затем, не переводя дыхания, снова повернулась к зрителям с громким криком, исторгнутым душевной болью, и продолжала сцену.

— Но, милый, это и есть игра. Если бы актриса испытывала все те эмоции, которые она изображает, она бы просто разорвала в клочья свое сердце. Я хорошо помню эту сцену. Она всегда вызывала оглушительные аплодисменты. В жизни не слышала, чтобы так хлопали.

— Да, я был, наверное, глуп, что попался на твою удочку. Я верил: ты думаешь то, что говоришь. Когда я понял, что это одно притворство, во мне что-то надломилось. С тех пор я перестал тебе верить. Во всем. Один раз меня оставили в дураках; я твердо решил, что больше одурачить себя не позволю.

Джулия улыбнулась ему прелестной обезоруживающей улыбкой.

— Милый, тебе не кажется, что ты болтаешь чепуху?

— А тебе, конечно, это кажется. Для тебя нет разницы между правдой и выдумкой. Ты всегда играешь. Эта привычка — твоя вторая натура. Ты играешь, когда принимаешь гостей. Ты играешь перед слугами, перед отцом, передо мной. Передо мной ты играешь роль нежной, снисходительной, знаменитой матери. Ты не существуешь. Ты — это только бесчисленные роли, которые ты исполняла. Я часто спрашиваю себя: была ли ты когда-нибудь сама собой или с самого начала служила лишь средством воплощения в жизнь всех тех персонажей, которые ты изображала. Когда ты заходишь в пустую комнату, мне иногда хочется внезапно распахнуть дверь туда, но я ни разу не решился на это — боюсь, что никого там не найду.

Джулия быстро взглянула на сына. Ее била дрожь, от слов Роджера ей стало жутко. Она слушала внимательно, даже с некоторым волнением: он был так серьезен. Она поняла, что он пытается выразить то, что гнетет его много лет. Никогда в жизни еще Роджер не говорил с ней так долго.

— Значит, по-твоему, я просто подделка? Или шарлатан?

— Не совсем. Потому что это и есть ты. Подделка для тебя правда. Как маргарин — масло для людей, которые не пробовали настоящего масла.

У Джулии возникло ощущение, что она в чем-то виновата. Королева в «Гамлете»: «Готов твое я сердце растерзать, когда бы можно в грудь твою проникнуть». Мысли ее отвлеклись. («Да, наверное, я уже слишком стара, чтобы сыграть Гамлета. Сиддонс и Сара Бернар его играли. Таких ног, как у меня, не было ни у одного актера, которых я видела в этой роли. Надо спросить Чарлза, как он думает. Да, но там тоже этот проклятый белый стих. Глупо не написать «Гамлета» прозой. Конечно, я могла бы сыграть его по-французски в Comedie Francaise. Вот был бы номер!»)

Она увидела себя в черном камзоле и длинных шелковых чулках. «Увы, бедный Йорик». Но Джулия тут же очнулась.

— Ну, про отца ты вряд ли можешь сказать, что он не существует. Вот уже двадцать лет он играет самого себя. («Майкл подошел бы для роли короля, не во Франции, конечно, а если бы мы рискнули поставить «Гамлета» в Лондоне».)

— Бедный отец. Я полагаю, дело он свое знает, но он не больно-то умен. И слишком занят тем, чтобы оставаться самым красивым мужчиной в Англии.

— Не очень это хорошо с твоей стороны так говорить о своем отце.

— Я сказал тебе что-нибудь, чего ты не знаешь?— невозмутимо спросил Роджер.

Джулии хотелось улыбнуться, но она продолжала хранить вид оскорбленного достоинства.

— Наши слабости, а не наши достоинства делают нас дорогими нашим близким,— сказала она.

— Из какой это пьесы?

Джулия с трудом удержалась от раздраженного жеста. Слова сами собой слетели с ее губ, но, произнеся их, она вспомнила, что они действительно из какой-то пьесы. Поросенок! Они были так уместны здесь.

— Ты жесток,— грустно сказала Джулия. Она все больше ощущала себя королевой Гертрудой.— Ты совсем меня не любишь.

— Я бы любил, если бы мог тебя найти. Но где ты? Если содрать с тебя твой эксгибиционизм, забрать твое мастерство, снять, как снимают шелуху с луковицы, слой за слоем притворство, неискренность, избитые цитаты из старых ролей и обрывки поддельных чувств, доберешься ли, наконец, до твоей души?— Роджер посмотрел на нее серьезно и печально, затем слегка улыбнулся.— Но ты мне очень нравишься.

— Ты веришь, что я тебя люблю?

— Да. По-своему.

На лице Джулии внезапно отразилось волнение.

— Если бы ты только знал, как я страдала, когда ты болел. Не представляю, что бы со мной было, если бы ты умер.

— Ты продемонстрировала бы великолепное исполнение роли осиротевшей матери у гроба своего единственного сына.

— Ну, для великолепного исполнения мне нужно хоть несколько репетиций,— отпарировала она.— Ты не понимаешь одного: актерская игра не жизнь, это искусство, искусство же — то, что ты сам творишь. Настоящее горе уродливо; задача актера представить его не только правдиво, но и красиво. Если бы я действительно умирала, как умираю в полдюжине пьес, думаешь, меня заботило бы, достаточно ли изящны мои жесты и слышны ли мои бессвязные слова в последнем ряду галерки? Коль это подделка, то не больше, чем соната Бетховена, и я такой же шарлатан, как пианист, который играет ее. Жестоко говорить, что я тебя не люблю. Я привязана к тебе. Тебя одного я только и любила в жизни.

— Нет, ты была привязана ко мне, когда я был малышом и ты могла со мной фотографироваться. Получался прелестный снимок, который служил превосходной рекламой. Но с тех пор ты не очень много обо мне беспокоилась. Я скорее был для тебя обузой. Ты всегда была рада видеть меня, но тебя вполне устраивало, что я могу сам себя занять и тебе не надо тратить на меня время. Я тебя не виню: у тебя никогда не было времени ни на кого, кроме самой себя.

Джулия начала терять терпение. Роджер был слишком близок к истине, чтобы это доставляло ей удовольствие.

— Ты забываешь, что дети довольно надоедливы.

— И шумны,— улыбнулся он.— Но тогда зачем же притворяться, что ты не можешь разлучаться со мной? Это тоже игра.

— Мне очень тяжело все это слышать. У меня такое чувство, будто я не выполнила своего долга перед тобой.

— Это неверно. Ты была очень хорошей матерью. Ты сделала то, за что я всегда буду тебе благодарен: ты оставила меня в покое.

— Не понимаю все же, чего ты хочешь.

— Я тебе сказал: правды.

— Но где ты ее найдешь?

— Не знаю. Возможно, ее вообще нет. Я еще молод и невежествен. Возможно, в Кембридже, читая книги, встречаясь с людьми, я выясню, где ее надо искать. Если окажется, что она только в религии, я пропал.

Джулия обеспокоилась. То, что говорил Роджер, не проникало по-настоящему в ее сознание, его слова нанизывались в строки, и важен был не смысл их, а доходили они или нет, но Джулия ощущала его глубокое волнение. Конечно, ему всего восемнадцать, было бы глупо принимать его слишком всерьез, она невольно думала, что он набрался этого у кого-нибудь из друзей и во всем этом много позы. А у кого есть собственные представления и кто не позирует, хоть самую чуточку? Но, вполне возможно, сейчас он ощущает все, о чем говорит, и с ее стороны будет нехорошо отнестись к его словам слишком легко.

— Теперь мне ясно, что ты имеешь в виду,— сказала она.— Мое самое большое желание — чтобы ты был счастлив. С отцом я управлюсь — поступай как хочешь. Ты должен сам искать спасения своей души, это я понимаю. Но, может быть, твои мысли просто вызваны плохим самочувствием и склонностью к меланхолии? Ты был совсем один в Вене и, наверное, слишком много читал. Конечно, мы с отцом принадлежим к другому поколению и вряд ли во многом сумеем тебе помочь. Почему бы тебе не обсудить все эти вещи с кем-нибудь из ровесников? С Томом, например?

— С Томом? С этим несчастным снобом? Его единственная мечта в жизни — стать джентльменом, и он не видит, что, чем больше он старается, тем меньше у него на это шансов.

— А я думала, он тебе нравится. Прошлым летом в Тэплоу ты бегал за ним, как собачонка.

— Я ничего не имею против него. И он был мне полезен. Он рассказал мне кучу вещей, которые я хотел знать. Но я считаю его глупым и ничтожным.

Джулия вспомнила, какую безумную ревность вызывала в ней их дружба. Даже обидно, сколько муки она приняла зря.

— Ты порвала с ним, да?— неожиданно спросил Роджер. Джулия чуть не подскочила.

— Более или менее.

— И правильно сделала. Он тебе не пара.

Роджер глядел на Джулию спокойными задумчивыми глазами, и ей чуть не стало дурно от страха: а вдруг он знает, что Том был ее любовником. Невозможно, говорила она себе, ей внушает это нечистая совесть. В Тэплоу между ними ничего не было. Невероятно, чтобы до ушей сына дошли какие-нибудь мерзкие слухи; и все же выражение его лица неуловимо говорило о том, что он знает. Джулии стало стыдно.

— Я пригласила Тома в Тэплоу только потому, что думала — тебе будет приятно иметь товарища твоего возраста.

— Мне и было приятно.

В глазах Роджера вспыхнули насмешливые огоньки. Джулия была в отчаянии. Ей бы хотелось спросить его, что его забавляет, но она не осмеливалась. Джулия была оскорблена в лучших чувствах. Она бы заплакала, но Роджер только рассмеется. И что она может ему сказать? Он не верит ни единому ее слову. Игра! С ней никогда этого не бывало, но на этот раз Джулия не смогла найти выхода из положения. Она столкнулась с чем-то, чего она не знала, чем-то таинственным и пугающим. Может, это и есть правда? И тут она услышала, что к дому подъехала машина.

— Твой отец!— воскликнула Джулия.

Какое облегчение! Вся эта сцена была невыносима. Благодарение Богу, приезд Майкла положил ей конец. Через минуту в комнату стремительно вошел Майкл — подбородок выдвинут, живот втянут,— невероятно красивый для своих пятидесяти с лишним лет, и с радушной улыбкой протянул руку — как мужчина мужчине — своему единственному сыну, вернувшемуся домой после шестимесячной отлучки.

Глава двадцать восьмая

Через три дня Роджер уехал в Шотландию. Джулия приложила всю свою изобретательность, чтобы больше не оставаться надолго с ним наедине. Когда они случайно оказывались вместе на несколько минут, они говорили о посторонних вещах. В глубине души Джулия была рада, что он уезжает. Она не могла выкинуть из ума тот странный разговор, который произошел в день его возвращения. Особенно встревожили Джулию его слова о том, что, если она войдет в пустую комнату и кто-нибудь неожиданно откроет туда дверь, там никого не окажется. Ей было от этого не по себе.

«Я никогда не считала себя сногсшибательной красавицей, но в одном мне никто не отказывал — в моем собственном «я». Если я могу сыграть сто различных ролей на сто различных ладов, нелепо говорить, что у меня нет своего лица, индивидуальности. Я могу это сделать потому, что я — чертовски хорошая актриса».

Джулия попыталась вспомнить, что происходит, когда она входит одна в пустую комнату.

«Но я никогда не бываю одна, даже в пустой комнате. Рядом всегда Майкл, или Эви, или Чарлз, или зрители, не во плоти, конечно, а духовно. Надо поговорить о Роджере с Чарлзом...»

К сожалению, Чарлза Тэмерли не было в городе. Однако он скоро должен был вернуться — к генеральной репетиции и премьере; за двадцать лет он ни разу не пропустил этих событий, а после генеральной репетиции они всегда вместе ужинали. Майкл задержится в театре, занятый освещением и всем прочим, и они с Чарлзом будут одни. Они смогут как следует поговорить.

Джулия готовила свою роль. Она не то чтобы сознательно лепила персонаж, который должна была играть. У нее был дар влезть, так сказать, в шкуру своей героини, она начинала думать ее мыслями и чувствовать ее чувствами. Интуиция подсказывала Джулии сотни мелких штрихов, которые потом поражали зрителей своей правдивостью, но, когда Джулию спрашивали, откуда она их взяла, она не могла ответить. Теперь ей хотелось показать, что миссис Мартен, которая любила гольф и была своей в мужской компании, при всем ее кураже и кажущейся беззаботности, по сути — респектабельная женщина из средних слоев общества, страстно мечтающая о замужестве, которое позволит ей твердо стоять на ногах.

Майкл никогда не разрешал, чтобы на генеральную репетицию приходила толпа народу, а на этот раз, желая поразить публику во время премьеры, пустил в зал, кроме Чарлза, только тех людей — фотографа и костюмеров,— присутствие которых было абсолютно необходимо. Джулия играла вполсилы. Она не собиралась выкладываться и отдавать все, что она может, до премьеры. Сейчас достаточно, если ее исполнение будет просто профессионально. Под опытным руководством Майкла все шло без сучка без задоринки, и в десять вечера Джулия и Чарлз уже сидели в зале «Савоя». Первый вопрос, который она ему задала, касался Эвис Крайтон.

— Совсем недурна и на редкость хорошенькая. Во втором акте она прелестно выглядела в этом платьице.

— Я не хочу надевать на премьеру то платье, в котором была сегодня. Чарли Деверил сшил мне другое.

Чарлз не видел злорадного огонька, который сверкнул при этом в ее глазах, а если бы и видел, не понял бы, что он значит. Майкл, последовав совету Джулии, не пожалел усилий, чтобы натаскать Эвис. Он репетировал с ней одной у себя в кабинете и вложил в нее каждую интонацию, каждый жест. У Джулии были все основания полагать, что он к тому же несколько раз приглашал ее к ленчу и возил ужинать. Все это дало свои результаты — Эвис играла на редкость хорошо. Майкл потирал руки.

— Я ею очень доволен. Уверен, что она будет иметь успех. Я уже подумываю, не заключить ли с ней постоянный контракт.

— Я бы пока не стала,— сказала Джулия.— Во всяком случае подожди до премьеры. Никогда нельзя быть уверенным в том, как пойдет спектакль, пока не прокатишь его на публике.

— Она милая девушка и настоящая леди.

— «Милая девушка», вероятно, потому, что она от тебя без ума, а «настоящая леди» — так как отвергает твои ухаживания, пока ты не подпишешь с ней контракта?

— Ну, дорогая, не болтай глупостей. Да я ей в отцы гожусь!

Но при этом Майкл самодовольно улыбнулся. Джулия прекрасно знала, что все его ухаживания сводились к пожиманию ручек да одному-двум поцелуям в такси, но она знала также, что ему льстят ее подозрения в супружеской неверности.

Удовлетворив аппетит с соответствующей оглядкой на интересы своей фигуры, Джулия приступила к предмету, который был у нее на уме.

— Чарлз, милый, я хочу поговорить с вами о Роджере.

— О да, он на днях вернулся. Как он поживает?

— Ах, милый, случилась ужасная вещь. Он стал страшным резонером, не знаю, как с ним и быть.

Джулия изобразила — в своей интерпретации — разговор с сыном. Опустила одну-две подробности, которые ей казалось неуместным упоминать, но в целом рассказ ее был точен.

— Самое трагическое в том, что у него абсолютно нет чувства юмора,— закончила она.

— Ну, в конце концов ему всего восемнадцать.

— Вы представить себе не можете, я просто онемела от изумления, когда он все это мне выложил. Я чувствовала себя в точности, как Валаам, когда его ослица завязала светскую беседу.

Джулия весело взглянула на него, но Чарлз даже не улыбнулся. Ее слова не показались ему такими уж смешными.

— Не представляю, где он всего этого набрался. Нелепо думать, будто он своим умом дошел до этих глупостей.

— А вам не кажется, что мальчики этого возраста думают гораздо больше, чем представляем себе мы, старшее поколение? Своего рода духовное возмужание. Результаты, к которым оно приводит, часто бывают удивительными.

— Таить такие мысли все эти годы и даже словечком себя не выдать! В этом есть что-то вероломное. Он ведь обвиняет меня.— Джулия засмеялась.— Сказать по правде, когда Роджер говорил со мной, я чувствовала себя матерью Гамлета.— Затем, почти без паузы:— Интересно, я уже слишком стара, чтобы играть в «Гамлете»?

— Роль Гертруды не слишком выигрышная.

Джулия откровенно расхохоталась.

— Ну и дурачок вы, Чарлз. Я вовсе не собираюсь играть королеву. Я бы хотела сыграть Гамлета.

— А вы считаете, что это подходит женщине?

— Миссис Сиддонс играла его, и Сара Бернар. Это бы скрепило печатью мою карьеру. Вы понимаете, что я хочу сказать? Конечно, там есть своя трудность — белый стих.

— Я слышал, как некоторые актеры читают его,— не отличишь от прозы.

— Да, но это все же не одно и то же, не так ли?

— Вы были милы с Роджером?

Джулию удивило, что Чарлз вернулся к старой теме так внезапно, но она сказала с улыбкой:

— Обворожительна.

— Трудно относиться спокойно ко всем глупостям молодежи; они сообщают, что дважды два — четыре, будто это для нас новость, и разочарованы, если мы не разделяем их удивления по поводу того, что курица несет яйца. В их тирадах полно ерунды, и все же там не только ерунда. Мы должны им сочувствовать, должны стараться их понять. Мы должны помнить, что многое нужно забыть и многому научиться, когда впервые лицом к лицу сталкиваешься с жизнью. Не так это легко — отказаться от своих идеалов, и жестокие факты нашего повседневного бытия — горькие пилюли. Душевные конфликты юности бывают очень жестоки, и мы так мало можем сделать, чтобы как-то помочь.

— Неужели вы действительно думаете, будто во всей этой чепухе, которую нес Роджер, хоть что-то есть? Я полагаю, это бредни; он наслушался их в Вене. Лучше бы мы его туда не отпускали.

— Возможно, вы и правы. Возможно, года через два он перестанет витать в облаках и стремиться к небесной славе, примирится с цепями. А возможно, найдет то, чего ищет, если не в религии, так в искусстве.

— Мне бы страшно не хотелось, чтобы Роджер пошел на сцену, если вы это имеете в виду.

— Нет, вряд ли это ему понравится.

— И, само собой, он не может быть драматургом: у него совсем нет чувства юмора.

— Да, пожалуй, дипломатическая служба подошла бы Роджеру больше всего. Там это стало бы преимуществом.

— Так что вы мне советуете?

— Ничего. Не трогайте его. Это, вероятно, самое лучшее, что вы для него можете сделать.

— Но я не могу не волноваться.

— Для этого нет никаких оснований. Вы считали, что родили гадкого утенка; кто знает, настанет день — и он превратится в белокрылого лебедя.

Чарлз разочаровал Джулию, она хотела от него совсем другого. Она надеялась встретить у него сочувствие.

«Он стареет, бедняжка,— думала она.— Стал хуже разбираться в вещах и людях; он, наверное, уже много лет импотент. И как это я раньше не догадалась?»

Джулия спросила, который час.

— Пожалуй, мне пора идти. Надо как следует выспаться этой ночью.

Спала Джулия хорошо и проснулась с ощущением душевного подъема. Вечером премьера. Она с радостным волнением вспомнила, что, когда она после репетиции уходила вчера из театра, у касс начали собираться люди, и сейчас, в десять часов утра, там, вероятно, уже стоят длинные очереди.

«Им повезло сегодня с погодой».

В прежние, такие далекие теперь времена Джулия невыносимо нервничала перед премьерой. Уже с утра ее начинало подташнивать, и, по мере того как день склонялся к вечеру, она приходила в такое состояние, что начинала подумывать, не оставить ли ей театр. Но сейчас, пройдя через это тяжкое испытание столько раз, Джулия в какой-то степени закалилась. В первую половину дня она чувствовала себя счастливой и чуть-чуть взволнованной, лишь под вечер ей делалось немного не по себе. Она становилась молчаливой и просила оставить ее одну. Она становилась также раздражительной, и Майкл знал по горькому опыту, что в это время лучше не попадаться ей на глаза. Руки и ноги у нее холодели, а когда Джулия приезжала в театр, они превращались в ледышки. И все же тревожное ожидание, томившее ее, было ей даже приятно.

Утро у нее было свободно — ехать в театр на прогон всего спектакля без костюмов надо было лишь в полдень, поэтому встала она поздно. Майкл не появился к ленчу, так как должен был еще повозиться с декорациями, Джулия ела одна. Затем легла и проспала не просыпаясь целый час. Она намеревалась отдыхать до самого спектакля. Мисс Филиппс придет в шесть, сделает ей легкий массаж; к семи Джулия хотела снова быть в театре. Но, проснувшись, она почувствовала себя такой свежей и отдохнувшей, что ей показалось скучно лежать в постели; она решила пойти погулять. Был прекрасный солнечный день. Так как городской пейзаж она предпочитала загородному и дома ей нравились больше, чем деревья, Джулия не пошла в парк, а стала медленно прогуливаться по соседним улицам, пустынным в это время года, глядя от нечего делать на особняки и думая, насколько их собственный нравится ей больше. У нее было спокойно и легко на душе. Наконец Джулия решила, что, пожалуй, пора возвращаться. Только она подошла к углу Стэнхоуп-плейс, как услышала голос, звавший ее по имени, не узнать который она не могла.

— Джулия!

Она обернулась, и Том, расплывшись в улыбке, догнал ее. Джулия не видела его еще после возвращения из Франции.

Он был весьма элегантен в нарядном сером костюме и коричневой шляпе. Лицо покрывал густой загар.

— Я думала, тебя нет в Лондоне.

— Вернулся в понедельник. Не звонил, так как знал, что ты занята на последних репетициях. Я сегодня буду в театре. Майкл дал мне кресло в партере.

— Прекрасно.

Не вызывало сомнений, что он очень рад ее видеть. Он сиял, глаза его блестели. Джулия с удовлетворением отметила, что встреча с Томом не всколыхнула никаких чувств в ее душе. И, в то время как они продолжали разговор, задавалась про себя вопросом, что в нем раньше так глубоко волновало ее.

— С чего, ради всего святого, ты вздумала бродить одна по городу?

— Вышла подышать. Как раз собиралась возвращаться и выпить чаю.

— Пойдем выпьем чаю у меня.

Его квартира была за углом. Том заметил Джулию, когда подходил к своим дверям.

— Ты так рано вернулся с работы?

— Сейчас в конторе не особенно много дел. Знаешь, один из компаньонов умер около двух месяцев назад, и у меня увеличился пай. А это значит — мне все же удастся не расставаться с квартирой. Майкл вел себя на редкость порядочно, сказал, что я могу не платить до лучших времен. Мне ужасно не хотелось уезжать отсюда. Заходи. Я с удовольствием приготовлю тебе чашку чаю.

Том болтал так оживленно, что Джулии стало смешно. Слушая его, никому бы и в голову не пришло, что между ними когда-нибудь что-нибудь было. В нем не заметно было ни малейшего смущения.

— Хорошо. Но у меня есть всего одна минута.

— О'кэй.

Они свернули к его дому, Джулия первой пошла по узкой лестнице наверх.

— Проходи дальше, в гостиную, а я поставлю воду на огонь.

Джулия вошла в комнату и села. Огляделась. В этих стенах разыгралась трагедия ее жизни. Здесь ничего не изменилось. Ее фотография стояла на старом месте, но на каминной полке появилась еще одна — большой снимок Эвис

Крайтон. На ней было написано: «Тому от Эвис». Чтобы увидеть все это, Джулии хватило одного взгляда. Комната казалась ей декорацией, в которой она когда-то давно играла; была знакома, но ничего больше не значила для нее. Любовь, которая снедала ее, ревность, которую она подавляла, исступленный восторг поражения — все это было не более реально, чем любая из ее бесчисленных прошлых ролей. Джулия наслаждалась своим равнодушием. Вошел Том — в руках его была подаренная ею скатерть — и аккуратно расставил чайный сервиз, который тоже подарила она. Джулия и сама не понимала, почему при мысли, что он так вот бездумно пользуется всеми ее подарками, ее начал разбирать смех. Том принес чай; и они выпили его, сидя бок о бок на диване. Он продолжал рассказывать ей, насколько улучшилось его положение. Как всегда стараясь быть любезным, он признался, что больший пай в фирме ему дали за то, что он привлек туда много новых клиентов, а это ему удалось только благодаря ей, Джулии. Рассказал, как провел отпуск. Джулии было ясно, что Том даже не подозревает, какие жгучие страдания он некогда ей причинял. От этого ей тоже захотелось рассмеяться.

— Я слышал, тебя ждет сегодня колоссальный успех.

— Неплохо бы, правда?

— Эвис говорит, вы оба, ты и Майкл, замечательно относитесь к ней. Смотри, как бы она тебя не обошла.

Том хотел ее подразнить, но Джулия спросила себя, уж не обмолвилась ли ему Эвис, что надеется на это.

— Вы обручены?

— Нет. Эвис нужна свобода. Она говорит, что помолвка помешает ее карьере.

— Чему?— Слово само собой сорвалось у Джулии с губ, но она тут же поправилась:— Ах да, ясно.

— Естественно, я не хочу стоять у нее на пути. Вдруг после сегодняшней премьеры она получит приглашение в Америку? Конечно, я понимаю, ничто не должно помешать ей его принять.

Ее карьера! Джулия улыбнулась про себя.

— Знаешь, я и вправду думаю — ты молодец, что так ведешь себя по отношению к Эвис.

— Почему?

— Ну, тебе самой известно, что такое женщины.

Говоря это, Том обнял ее за талию и поцеловал. Джулия рассмеялась ему в лицо.

— Ну и забавный ты мальчик!

— Может, позанимаемся немного любовью?

— Не болтай глупостей.

— Что в этом глупого? Тебе не кажется, что мы и так слишком долго были в разводе?

— Я за полный развод. И как же Эвис?

— Ну, это другое. Пойдем, а?

— У тебя совсем выскочило из памяти, что у меня сегодня премьера?

— У нас еще куча времени.

Том привлек ее к себе и снова нежно поцеловал. Джулия глядела на него насмешливыми глазами. Внезапно решилась:

— Хорошо.

Они поднялись и пошли в спальню. Джулия сняла шляпу и сбросила платье. Том обнял ее, как обнимал раньше. Он целовал ее закрытые глаза и маленькие груди, которыми она так гордилась. Джулия отдала ему свое тело — пусть делает с ним что хочет, но душу ее это не затрагивало. Она возвращала ему поцелуи из дружелюбия, но поймала себя на том, что думает о роли, которую ей сегодня предстоит играть. В ней словно сочетались две женщины: любовница в объятиях своего возлюбленного и актриса, которая уже видела мысленным взором огромный полутемный зал и слышала взрывы аплодисментов при своем появлении. Когда немного поздней они лежали рядом друг с другом, ее голова на его руке, Джулия настолько забыла о Томе, что чуть не вздрогнула, когда он прервал затянувшееся молчание.

— Ты меня совсем не любишь больше?

Она слегка прижала его к себе.

— Конечно, люблю, милый. Души не чаю.

— Ты сегодня такая странная.

Джулия поняла, что он разочарован. Бедняжка, она вовсе не хочет его обижать. Право же, он очень милый.

— Я сама не своя, когда у меня впереди премьера. Не обращай внимания.

Окончательно убедившись, что ей ни жарко ни холодно от того, существует Том или нет, Джулия невольно почувствовала к нему жалость. Она ласково погладила его по щеке.

— Леденчик мой. («Интересно, не забыл ли Майкл послать тем, кто стоит в очереди, горячий чай? Стоит это недорого, а зрители так это ценят».) Знаешь, мне и правда пора. Мисс Филиппс придет ровно в шесть. Эви с ума сойдет. Она и так, верно, голову себе ломает, что со мной стряслось.

Джулия весело болтала все время, пока одевалась. Она видела, не глядя на Тома, что он не в своей тарелке. Джулия надела шляпу, затем сжала его лицо обеими руками и дружески поцеловала.

— До свидания, мой ягненочек. Надеюсь, ты хорошо проведешь вечер.

— Ни пуха ни пера.

Он неловко улыбнулся. Она догадалась, что он не может ее понять. Джулия выскользнула из квартиры, и, если бы она не была ведущей английской актрисой и женщиной, которой далеко за сорок, она бы проскакала на одной ножке до самого дома. Она была страшно довольна. Джулия открыла парадную дверь своим ключом и захлопнула ее за собой.

«А в словах Роджера, пожалуй, что-то есть. Любовь и вправду не стоит всего того шума, который вокруг нее поднимают».

Глава двадцать девятая

Четыре часа спустя все было уже позади. Пьесу прекрасно принимали с самого начала; публика, самый бомонд, несмотря на неподходящее время года, была рада после летнего перерыва вновь очутиться в театре, и ей нетрудно было угодить. Это было удачным началом театрального сезона. Каждый акт завершался бурными аплодисментами. После окончания спектакля было больше десяти вызовов. На последние два Джулия выходила одна, и даже она была поражена горячим приемом. Прерывающимся от волнения голосом она произнесла несколько слов — приготовленных заранее,— которых требовал этот торжественный случай. Затем на сцену вышла вся труппа, и оркестр заиграл национальный гимн. Джулия, довольная, взволнованная, счастливая, вернулась к себе в уборную. Никогда еще она не была так уверена в своем могуществе. Никогда еще не играла с таким блеском, разнообразием и изобретательностью. Пьеса кончалась длинным монологом, в котором Джулия — удалившаяся на покой проститутка — клеймит легкомыслие, никчемность и аморальность того круга бездельников, в который она попала благодаря замужеству. Монолог занимал в тексте целые две страницы, и вряд ли в Англии нашлась бы еще актриса, которая могла бы удержать внимание публики в течение такого долгого времени. Благодаря своему тончайшему чувству ритма, богатому оттенками прекрасному голосу, мастерскому владению всей палитрой чувств, Джулия сумела, при ее блестящей актерской технике, сотворить чудо — превратить свой монолог в захватывающий, эффектный, чуть не зримый кульминационный пункт всей пьесы. Самые острые сюжетные ситуации не могли быть столь волнующими, никакая, самая неожиданная развязка — столь поразительной. Все актеры играли превосходно, за одним исключением — Эвис Крайтон.

Направляясь в уборную, Джулия весело мурлыкала что-то себе под нос.

Майкл зашел почти вслед за ней.

— Что ж, победа за нами,— сказал он и, обняв Джулию, поцеловал ее.— Господи, как ты играла!

— Ты и сам был очень хорош, милый.

— Ну, такую роль я могу сыграть, стоя на голове,— ответил он беззаботно, как всегда скромный в отношении собственных возможностей.— Ты слышала, какая тишина была в зале во время твоего последнего монолога? Критики будут сражены.

— Ну, ты знаешь, что такое критики. Все внимание чертовой пьесе и три строчки под конец — мне.

— Ты — величайшая актриса Англии, любимая, но, клянусь Богом, ты — ведьма.

Джулия широко открыла глаза, на ее лице было самое простодушное удивление.

— Что ты хочешь этим сказать, Майкл?

— Не изображай из себя невинность. Ты прекрасно знаешь. Старого воробья на мякине не проведешь.

Его глаза весело поблескивали, и Джулии было очень трудно удержаться от смеха.

— Я невинна, как новорожденный младенец.

— Брось. Если кто-нибудь когда-нибудь подставлял другому ножку, так это ты сегодня — Эвис. Я не мог на тебя сердиться, ты так красиво это сделала.

Тут уж Джулия была не в состоянии скрыть легкую улыбку. Похвала всегда приятна артисту. Единственная большая мизансцена Эвис была во втором акте. Кроме нее, в ней участвовала Джулия, и Майкл поставил сцену так, что все внимание зрителей должно было сосредоточиться на девушке. Это соответствовало и намерению драматурга. Джулия, как всегда, следовала на репетициях всем указаниям Майкла. Чтобы оттенить цвет глаз и подчеркнуть белокурые волосы Эвис, они одели ее в бледно-голубое платье. Для контраста Джулия выбрала себе желтое платье подходящего оттенка. В нем она и выступала на генеральной репетиции. Но одновременно с желтым Джулия заказала себе другое, из сверкающей серебряной парчи, и, к удивлению Майкла и ужасу Эвис, в нем она и появилась на премьере во втором акте. Его блеск и то, как оно отражало свет, отвлекало внимание зрителей. Голубое платье Эвис выглядело рядом с ним линялой тряпкой. Когда они подошли к главной мизансцене, Джулия вынула откуда-то — как фокусник вынимает из шляпы кролика — большой платок из пунцового шифона и стала им играть. Она помахивала им, она расправляла его у себя на коленях, словно хотела получше рассмотреть, сворачивала его жгутом, вытирала им лоб, изящно сморкалась в него. Зрители, как завороженные, не могли оторвать глаз от красного лоскута. Джулия уходила в глубину сцены, так что, отвечая на ее реплики, Эвис приходилось обращаться к залу спиной, а когда они сидели вместе на диване, взяла девушку за руку, словно бы повинуясь внутреннему порыву, совершенно естественным, как казалось зрителям, движением и, откинувшись назад, вынудила Эвис повернуться в профиль к публике. Джулия еще на репетициях заметила, что в профиль Эвис немного похожа на овцу. Автор вложил в уста Эвис строки, которые были так забавны, что на первой репетиции все актеры покатились со смеху. Но сейчас Джулия не дала залу осознать, как они смешны, и тут же кинула ей ответную реплику; зрители, желая услышать ее, подавили свой смех. Сцена, задуманная как чисто комическая, приобрела сардонический оттенок, и персонаж, которого играла Эвис, стал выглядеть одиозным. Эвис, не слыша ожидаемого смеха, от неопытности испугалась и потеряла над собой контроль, голос ее зазвучал жестко, жесты стали неловкими. Джулия отобрала у Эвис мизансцену и сыграла ее с поразительной виртуозностью. Но ее последний удар был случаен. Эвис должна была произнести длинную речь, и Джулия нервно скомкала свой платочек; этот жест почти автоматически повлек за собой соответствующее выражение: она поглядела на Эвис встревоженными глазами, и две тяжелые слезы покатились по ее щекам. Вы чувствовали, что она сгорает со стыда за ветреную девицу, вы видели ее боль из-за того, что все ее скромные идеалы, ее жажда честной, добродетельной жизни осмеиваются столь жестоко. Весь эпизод продолжался не больше минуты, но за эту минуту Джулия сумела при помощи слез и муки, написанной на лице, показать все горести жалкой женской доли. С Эвис было покончено навсегда.

— А я, дурак, еще хотел подписать с ней контракт,— сказал Майкл.

— Почему бы и не подписать...

— Когда ты имеешь против нее зуб? Да ни за что. Ах ты, гадкая девчонка,— так ревновать! Неужели ты думаешь, Эвис что-нибудь для меня значит? Могла бы уже знать, что для меня нет на свете никого, кроме тебя.

Майкл вообразил, что Джулия сыграла свою злую шутку с Эвис в отместку за довольно бурный флирт, который он с ней завел, и хотя, конечно, сочувствовал Эвис — ей чертовски не повезло!— не мог не быть польщенным.

— Ах ты, старый осел,— улыбнулась Джулия, слово в слово читая его мысли и смеясь про себя над его заблуждением.— В конце концов, ты — самый красивый мужчина в Лондоне.

— Полно, полно. Но что скажет автор? Эта мартышка Бог весть что мнит о себе, а то, что ты сегодня сыграла, и рядом не лежит с тем, что он написал.

— А, предоставь его мне! Я все улажу.

Послышался стук, и — легок на помине — в дверях возник автор собственной персоной. С восторженным криком Джулия подбежала к нему, обвила его шею руками и поцеловала в обе щеки

— Вы довольны?

— Похоже, что пьеса имела успех,— ответил он довольно холодно.

— Дорогой мой, она не сойдет со сцены и через год.— Джулия положила ладони ему на плечи и пристально посмотрела в лицо.— Но вы гадкий, гадкий человек!

— Я?

— Вы едва не погубили мое выступление. Когда я дошла до этого местечка во втором акте и вдруг поняла, что вы имели в виду, я чуть не растерялась. Вы же знали, что это за сцена, вы — автор, почему же вы позволили нам репетировать ее так, будто в ней нет ничего, кроме того, что лежит на поверхности? Мы только актеры, вы не можете ожидать от нас, чтобы мы... чтобы мы постигли всю вашу тонкость и глубину. Это лучшая мизансцена в пьесе, а я чуть было не испортила ее. Никто, кроме вас, не написал бы ничего подобного. Ваша пьеса великолепна, но в этой сцене виден не просто талант, в ней виден гений!

Автор покраснел. Джулия глядела на него с благоговением. Он чувствовал себя смущенным, счастливым и гордым.

(«Через сутки этот олух будет воображать, что он и впрямь именно так все и задумал».)

Майкл сиял.

— Зайдемте ко мне, выпьем по бокальчику виски с содовой. Не сомневаюсь, что вам нужно подкрепиться после всех этих переживаний.

В то время как они выходили из комнаты, вошел Том. Его лицо горело от возбуждения.

— Дорогая, это было великолепно! Ты поразительна! Черт, вот это спектакль!

— Тебе понравилось? Эвис была хороша, правда?

— Эвис? Ужасна.

— Милый, что ты хочешь этим сказать? Мне она показалась обворожительной.

— Да от нее осталось одно мокрое место! Во втором акте она даже не выглядела хорошенькой. («Карьера Эвис!») Послушай, что ты делаешь вечером?

— Долли устраивает прием в нашу честь.

— Ты не можешь как-нибудь от него отделаться и пойти ужинать со мной? Я с ума по тебе схожу.

— Что за чепуха! Не могу же я подложить Долли такую свинью.

— Ну пожалуйста!

В его глазах горел огонь. Джулия видела, что никогда еще не вызывала в нем такого желания, и порадовалась своему триумфу. Но она решительно покачала головой. В коридоре послышался шум множества голосов: они оба знали, что в уборную, обгоняя друг друга, спешат друзья, чтобы поздравить ее.

— Черт их всех подери! Как мне хочется тебя поцеловать! Я позвоню утром.

Дверь распахнулась, и Долли, толстая, потная, бурлящая энтузиазмом, ворвалась в уборную во главе толпы, забившей комнату так, что в ней нечем стало дышать. Джулия подставляла щеки для поцелуев всем подряд. Среди прочих присутствующих там были три или четыре известные актрисы, и они тоже не скупились на похвалы. Джулия выдала прекрасное исполнение неподдельной скромности. Теперь уже и коридор был забит людьми, которые хотели взглянуть на нее хоть одним глазком. Долли пришлось локтями прокладывать себе дорогу к выходу.

— Постарайтесь прийти не очень поздно,— сказала она Джулии.— Вечер должен быть изумительным.

— Приду сразу же, как смогу.

Наконец удалось избавиться от последних посетителей, и Джулия, раздевшись, принялась снимать грим. Вошел Майкл в халате.

— Послушай, Джулия, придется тебе идти к Долли без меня. Мне надо повидаться с газетчиками, и я не успею управиться. Ну и наплету я им!

— Ладно.

— Меня уже ждут. Увидимся утром.

Майкл вышел, в комнате осталась одна Эви. На стуле лежало платье, которое Джулия собиралась надеть на прием. Джулия намазала лицо очищающим кремом.

— Эви, завтра утром мне будет звонить мистер Феннел. Скажи ему, пожалуйста, что меня нет дома.

Эви поймала в зеркале взгляд Джулии.

— А если он позвонит снова?

— Мне очень жаль обижать бедного ягненочка, но почему-то кажется, что все ближайшее время я буду очень занята.

Эви громко шмыгнула носом и подтерла его указательным пальцем. Отвратительная привычка!

— Понятно,— сухо сказала она.

— Я всегда говорила, что ты не так глупа, как кажешься. Зачем тут это платье?

— Это? Вы же говорили, что наденете его на прием.

— Убери его. Я не могу идти на прием без мистера Госселина.

— С каких это пор?

— Заткнись, старая карга. Позвони туда и скажи, что у меня ужасно разболелась голова и я вынуждена была уехать домой и лечь, а мистер Госселин придет попозже, если сможет.

— Прием устроен в вашу честь. Неужели вы так подведете несчастную старуху?

Джулия топнула ногой.

— Я не хочу идти на прием и не пойду!

— Дома пусто, вам нечего будет есть.

— Я не собираюсь ехать домой. Я поеду ужинать в ресторан.

— С кем?

— Одна.

Эви изумленно взглянула на нее.

— Но пьеса имела успех, так ведь?

— Да. Все было прекрасно. Я на седьмом небе от счастья. Мне очень хорошо. Я хочу быть одна и полностью этим насладиться. Позвони к Баркли и скажи, чтобы мне оставили столик на одного в малом зале. Они поймут.

— Что с вами такое?

— У меня в жизни больше не будет подобной минуты. Я ни с кем не намерена ее делить.

Сняв грим, Джулия не накрасила губы, не подрумянилась. Снова надела коричневый костюм, в котором пришла в театр, и ту же шляпу. Это была фетровая шляпа с полями, и Джулия низко надвинула ее, чтобы получше прикрыть лицо. Одевшись, посмотрела в зеркало.

— Я похожа на портниху со швейной фабрики, которую бросил муж,— и кто его обвинит? Не думаю, чтоб меня узнали.

Эви ходила звонить к служебному входу, и, когда она вернулась, Джулия спросила, много ли народу поджидает ее на улице.

— Сотни три.

— Черт!— Джулию охватило внезапное желание никого не видеть и ни с кем не встречаться. Захотелось хоть на один час скрыться от своей славы.— Попроси пожарника, чтобы выпустил меня с парадного входа. Я возьму такси, а как только я уеду, скажешь людям, что ждать бесполезно.

— Один Бог знает, с чем только мне не приходится мириться,— туманно произнесла Эви.

— Ах ты, старая корова!

Джулия взяла лицо Эви обеими руками и поцеловала ее в испитые щеки, затем выскользнула тихонько из комнаты на сцену, а оттуда — через пожарный ход в темный зал.

Незатейливый маскарадный костюм Джулии, по-видимому, оказался достаточным, потому что, когда она вошла в малый зал у Баркли, который особенно любила, метрдотель не сразу ее узнал.

— У вас не найдется уголка, куда бы вы могли меня сунуть?— неуверенно произнесла Джулия.

Ее голос и вторично брошенный взгляд сказали ему, кто она.

— Ваш столик ждет вас, мисс Лэмберт. Нам передали, что вы будете одни.— Джулия кивнула, и он провел ее к столику в углу зала.— Я слышал, что вы имели большой успех сегодня, мисс Лэмберт.

Хорошие вести не лежат на месте!

— Что будем заказывать?

Метрдотель был удивлен тем, что Джулия ужинала одна, но единственное чувство, которое он считал уместным показывать клиентам, было удовольствие, которое он испытывал, видя их.

— Я очень устала, Анджело.

— Немного икры для начала, мадам, или устрицы?

— Устрицы, Анджело, только жирные.

— Я собственноручно их отберу, мисс Лэмберт, а потом?

Джулия глубоко вздохнула — наконец-то она могла с чистой совестью заказать то, о чем мечтала с самого конца второго акта. Она чувствовала, что заслужила хорошее угощение, чтобы отпраздновать свой триумф, и собиралась в кои-то веки забыть о благоразумии.

— Бифштекс с луком, Анджело, жареный картофель и бутылку басса*. Принесите его в серебряной кружке с крышкой.

Джулия не ела жареного картофеля, пожалуй, лет десять. Но этот день стоил того. Ей удалось утвердить свою власть над публикой, дав представление, которое она не могла назвать иначе как блестящим, свести старые счеты, одним остроумным ходом избавившись от Эвис и показав Тому, какого он свалял дурака, и — это было самое главное — доказать себе, что она свободна от раздражавших и подавлявших ее пут. Везет так уж везет. Мысли ее на миг задержались на Эвис.

— Дурочка, захотела сунуть мне палку в колеса. Ладно, завтра я позволю публике посмеяться.

Принесли устрицы; Джулия лакомилась ими с наслаждением. Она съела два куска черного хлеба с маслом с восхитительным чувством, что губит свою бессмертную душу, и отпила большой глоток из высокой пивной кружки.

— «О пиво, славное пиво!»** — пробормотала Джулия.

Она представляла, как вытянулось бы у Майкла лицо, если бы он узнал, что она делает. Бедный Майкл! Воображает, будто она испортила мизансцену Эвис из-за того, что он проявил слишком большое внимание к этой блондиночке. Право, жа-

---

* Сорт пива.

** Начало стихотворения «Пиво» английского поэта *Чарлза С. Коверли* (1831—1884).

лость берет, когда подумаешь, как глупы мужчины. Говорят, женщины тщеславны; да они просто сама скромность по сравнению с мужчинами. Джулия не могла без смеха думать о Томе. Он хотел ее сегодня днем и еще больше — сегодня вечером. Только подумать, что он значит теперь для нее не больше, чем один из рабочих сцены. Как замечательно чувствовать, что твое сердце принадлежит тебе одной, это вселяет такую веру в себя.

Зал, в котором она сидела, был соединен тремя арочными проходами с большим залом ресторана. Среди наполнявшей его толпы несомненно были люди, видевшие ее сегодня в театре. Вот бы удивились они, узнай, что тихая женщина, лицо которой наполовину скрыто полями фетровой шляпы, за столиком в уголке соседней комнаты,— Джулия Лэмберт. Было так приятно сидеть тут незамечаемой и неизвестной, это давало сладостное ощущение независимости. Теперь посетители ресторана были актерами, разыгрывающими перед ней пьесу, а она — зрителем. Джулия видела их мельком, когда они проходили мимо арок: молодые мужчины и молодые женщины; молодые мужчины и немолодые женщины; мужчины с лысиной, с брюшком; старые греховодницы, отчаянно цепляющиеся за раскрашенную личину юности, надетую ими на себя. Одни были влюблены, другие равнодушны, третьи — сгорали от ревности.

Подали бифштекс. Он был приготовлен точно по ее вкусу, с подрумяненным хрустящим луком. Джулия ела жареный картофель, деликатно держа его пальцами, смакуя каждый ломтик, с таким видом, словно хотела воскликнуть: «Остановись, мгновение, ты прекрасно!».

«Что такое любовь по сравнению с бифштексом?» — спросила себя Джулия. Как восхитительно было сидеть одной и бесцельно переходить мыслями с предмета на предмет. Джулия вновь подумала о Томе и пожала в душе плечами. «Это было забавное приключение и кое-что мне дало».

Несомненно, в будущем она извлечет из него пользу. Фигуры танцоров, двигающихся мимо полукруглых проходов, напоминали ей сцену из пьесы, и Джулия вновь подумала о том, что впервые пришло ей в голову, когда она гостила на Сен-Мало. Та мука, которая терзала ее, когда Том ее бросил, привела ей на память «Федру» Расина[*], которую она разучивала в ранней

---

[*] Согласно греческой мифологии, Федра, дочь критского царя Миноса, супруга Тезея, оклеветала перед Тезеем своего пасынка Ипполита, который отверг ее любовь, и после его насильственной смерти повесилась.

юности с Жанной Тэбу. Джулия перечитала трагедию. Страдания, поразившие супругу Тезея, были те же, что поразили и ее. Джулия не могла не видеть удивительного сходства между своей и ее судьбой. Эта роль была создана для нее; уж кому, как не ей, знать, что такое быть отвергнутой юношей намного моложе тебя, когда ты его любишь. Вот это было бы представление! Теперь Джулия понимала, почему весной играла так плохо, что Майкл предпочел снять пьесу и закрыть театр. Это произошло из-за того, что она на самом деле испытывала те чувства, которые должна была изображать. От этого мало проку. Сыграть чувства можно только после того, как преодолеешь их. Джулия вспомнила слова Чарлза, как-то сказавшего ей, что поэзия проистекает из чувств, которые понимаешь тогда, когда они позади, и становишься безмятежен. Она ничего не смыслит в поэзии, но в актерской игре дело обстоит именно так.

«Неглупо со стороны бедняжки Чарлза дойти до такой оригинальной мысли. Вот как неверно поспешно судить о людях. Думаешь, что аристократы — куча кретинов, и вдруг один из них выдаст такое, что прямо дух захватывает, так это чертовски хорошо».

Но Джулия всегда считала, что Расин совершает большую ошибку, выводя свою героиню на сцену лишь в третьем акте.

«Конечно, я такой нелепости не потерплю, если возьмусь за эту роль. Пол-акта, чтобы подготовить мое появление, если хотите, но и этого более чем достаточно».

И правда, что ей мешает заказать кому-нибудь из драматургов вариант на эту тему, в прозе или в стихах, только чтобы строчки были короткие. С такими стихами она бы справилась, и с большим эффектом. Неплохая идея, спору нет, и она знает, какой костюм надела бы: не эту развевающуюся хламиду, которой обматывала себя Сара Бернар, а короткую греческую тунику, какую она видела однажды на барельефе, когда ходила с Чарлзом в Британский музей.

«Ну не забавно ли? Идешь во все эти музеи и галереи и думаешь: ну и скучища, а потом, когда меньше всего этого ждешь, обнаруживаешь, что можешь использовать какую-нибудь вещь, которую ты там увидел. Это доказывает, что живопись и все эти музеи — не совсем пустая трата времени».

Конечно, с ее ногами только и надевать тунику, но удастся ли в ней выглядеть трагически? Джулия две-три минуты серьезно обдумывала этот вопрос. Когда она будет изнывать от тоски по равнодушному Ипполиту (Джулия хихикнула, представив себе Тома в его костюмах с Сэвил-роуд, замаскированного под юного греческого охотника), удастся ли ей добиться соответствующего эффекта без кучи тряпок? Эта трудность лишь подстегнула ее. Но тут Джулии пришла в голову мысль, от которой настроение ее сразу упало.

«Все это прекрасно, но где взять хорошего драматурга? У Сары был Сарду[*], у Дузе — Д'Аннунцио[**]. А кто есть у меня? «У королевы Шотландии прекрасный сын, а я — смоковница бесплодная»[***].

Однако Джулия не допустила, чтобы эта печальная мысль надолго лишила ее безмятежности. Душевный подъем был так велик, что она чувствовала себя способной создавать драматургов из ничего, как Девкалион создавал людей из камней, валявшихся на поле[****].

«О какой это ерунде толковал на днях Роджер? А бедный Чарлз еще так серьезно отнесся к этому. Глупый маленький резонер, вот он кто».

Джулия протянула руку к большому залу. Там притушили огни, и с ее места он еще больше напоминал подмостки, где разыгрывается представление.

«Весь мир — театр, в нем женщины, мужчины — все актеры»[*****]. Но то, что я вижу через ту арку, всего-навсего иллюзия, лишь мы, артисты, реальны в этом мире. Вот в чем ответ Роджеру. Все люди — наше сырье. Мы вносим смысл в их существование. Мы берем их глупые, мелкие чувства и преобразуем их в произведения искусства, мы создаем из них красоту, их жизненное назначение — быть зрителями, которые нужны нам для самовыражения. Они инструменты, на которых мы играем, а для чего нужен инструмент, если на нем некому играть?»

[*] *Сарду Викторьен* (1831—1908) — французский драматург.

[**] *Д'Аннунцио Габриэль* (1863—1938) — итальянский писатель.

[***] Перефразированные слова королевы Елизаветы I, приведенные в «Мемуарах *сэра Джеймса Мелвилла*», деятеля эпохи Реформации (1556—1614).

[****] *Девкалион* в греческой мифологии — сын Прометея, супруг Пирры, вместе с нею спасся на ковчеге во время потопа, который должен был по воле Зевса погубить греховный род человеческий. Ковчег после потопа остановился на горе Парнас. Новый род людской возник из брошенных по воле оракула Девкалионом и Пиррою за спину камней.

[*****] *Шекспир*, «Как вам это нравится».

Эта мысль развеселила Джулию, и несколько минут она с удовольствием смаковала ее; собственный ум казался ей удивительно ясным.

«Роджер утверждает, что мы не существуем. Как раз наоборот, только мы и существуем. Они тени, мы вкладываем в них телесное содержание. Мы — символы всей этой беспорядочной, бесцельной борьбы, которая называется жизнью, а только символ реален. Говорят: игра — притворство. Это притворство и есть единственная реальность».

Так Джулия своим умом додумалась до платоновской теории идей. Это преисполнило ее торжества. Джулия ощутила, как ее внезапно залила горячая волна симпатии к этой огромной безымянной толпе, к публике, которая существует лишь затем, чтобы дать ей возможность выразить себя. Вдали от всех, на вершине своей славы, она рассматривала кишащий у ее ног, далеко внизу, людской муравейник. У нее было удивительное чувство свободы от всех земных уз, и это наполняло ее таким экстазом, что все остальное по сравнению с ним не имело цены. Джулия ощущала себя душой, витающей в райских кущах.

К ней подошел метрдотель и спросил с учтивой улыбкой:

— Все в порядке, мисс Лэмберт?

— Все великолепно. Знаете, просто удивительно, какие разные у людей вкусы. Миссис Сиддонс обожала отбивные котлеты; я в этом на нее ни капельки не похожа, я обожаю бифштекс.

*Острие
бритвы*

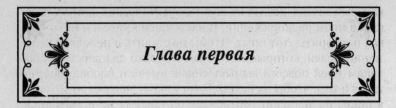

Глава первая

*Трудно пройти по острию бритвы;
так же труден, говорят мудрецы,
путь, ведущий к Спасению.*

Катха Упанишады.

I

икогда еще я не начинал писать роман с таким чувством неуверенности. Да и романом я называю эту книгу только потому, что не знаю, как иначе ее назвать. Сюжет ее беден, и она не кончается ни смертью, ни свадьбой. Смертью кончается все, так что она — естественное завершение любого сюжета, но и брак — неплохая развязка, и напрасно умудренные скептики издеваются над так называемым счастливым концом. Не что иное, как здравый инстинкт, подсказывает рядовому человеку, что, поженив героев, автор вполне может поставить точку. Если мужчина и женщина после каких угодно перипетий обретают друг друга, значит, они выполнили свою биологическую функцию, и интерес переключается на то поколение, что идет им на смену. А я вот оставляю моих читателей в неведении. Эта книга содержит мои воспоминания о человеке, с которым я непосредственно сталкивался лишь через большие промежутки времени, и я мало осведомлен о том, что он делал между нашими встречами. Как беллетрист, я бы мог, вероятно, заполнить эти пробелы достаточно убедительно и таким образом сделать мое повествование более связным; но мне не хочется этим заниматься. Я хочу писать только о том, что мне доподлинно известно.

Много лет тому назад я написал роман под названием «Луна и грош». В нем я вывел знаменитого французского художника Поля Гогена и, пользуясь правом писателя на вымысел, сочинил целый ряд эпизодов, чтобы полнее обрисовать характер, который создал, исходя из скудных фактических данных, бывших в моем распоряжении. В настоящей книге я и не пробовал повторить этот опыт. Чтобы не ставить в неловкое положение людей, которые еще живы, я только дал действующим лицам моей повести вымышленные имена и вообще позаботился о том, чтобы их нельзя было узнать. Человек, о котором я пишу, не знаменит. Возможно, он никогда не прославится. Возможно, уйдя из жизни, он оставит о своем пребывании на земле не более заметный след, чем камень, брошенный в реку, оставляет на поверхности воды. Тогда если мою книгу вообще будут читать, то только как литературное произведение, более или менее интересное. Но возможно и то, что влияние, которое оказывает на окружающих образ жизни, избранный моим героем, и необычайная сила и прелесть его характера будут распространяться все шире, и со временем, пусть через много лет после его смерти, люди поймут, что между нами жил человек поистине выдающийся. Тогда станет ясно, о ком я пишу в этой книге, и те, кому захочется хоть что-нибудь узнать о ранней поре его жизни, найдут здесь чем поживиться. Думаю, что для биографов моего друга книга эта, при всех ее недочетах, послужит ценным источником информации.

Разговоры, приведенные в этой книге, не следует воспринимать как стенограммы. Я никогда не записывал того, что говорилось в тот или иной день, но у меня хорошая память на все, что меня лично касается, и, хотя разговоры эти я воспроизвожу своими словами, суть сказанного, думается мне, передана верно. Выше я отметил, что ничего в этой книге не сочинил; здесь требуется некоторая оговорка. Я допустил ту же вольность, какую допускали историки со времен Геродота,— вложил в уста моих персонажей речи, которых сам не слышал и не мог слышать. Сделал я это с той же целью, что и историки,— чтобы придать живость и правдоподобие сценам, которые, будь они только описаны, оставили бы читателя равнодушным. Я хочу, чтобы мои книги читали, и не считаю зазорным по мере сил этого добиваться. Сообразительный читатель с легкостью обнаружит, где именно я прибегаю к этой уловке, и его дело принять ее или отвергнуть.

Приступаю я к этой работе с опаской и по другой причине: люди, о которых мне предстоит говорить, по большей части американцы. Знание людей — вообще дело трудное, а по-настоящему знать можно, мне кажется, только своих соотечественников. Ведь ни один человек не существует сам по себе.

Люди — это и страна, где они родились; и ферма или городская квартира, где они учились ходить; и игры, в которые они играли детьми; и сплетни, которые им довелось подслушать; и еда, которой их кормили; школа, где их обучали; спорт, которым они увлекались; поэты, которых читали; и Бог, в которого верили. Все это и сделало их такими, как они есть, и все это нельзя усвоить понаслышке, а можно постичь, только если сам это пережил. Если это часть тебя самого. И оттого, что представителей другой нации знаешь только по наблюдениям со стороны, очень трудно изобразить их убедительно на страницах книги. Даже такому внимательному и тонкому наблюдателю, как Генри Джеймс, к тому же сорок лет прожившему в Англии, не удалось изобразить ни одного англичанина так, чтобы в него можно было до конца поверить. Сам я никогда и не пробовал писать ни о ком, кроме англичан, разве что в нескольких коротких рассказах — в этом жанре можно обойтись без углубленных характеристик. Даешь читателю общие контуры, а подробности пусть додумывает сам. Могут спросить, почему, если я превратил Поля Гогена в англичанина, я не поступил так же с героями этой книги. Ответить на это просто: потому что не мог. Они тогда стали бы другими людьми. Я не утверждаю, что они — американцы, какими те себя видят; они — американцы, увиденные глазами англичанина. Я не старался передать особенности их речи. Английские писатели, пытающиеся это делать, терпят неудачу точно так же, как американские писатели, когда пытаются изобразить, как говорят в Англии. Особенно много опасностей таит в себе разговорный язык. В своих английских вещах Генри Джеймс много им пользовался, но всегда не совсем так, как англичане, почему и диалог у него не производит впечатления естественной легкости, к чему он стремился, а сплошь и рядом режет слух английскому читателю.

II

В 1919 году, по дороге на Дальний Восток, я оказался в Чикаго и по причинам, не имеющим никакого касательства к этой повести, задержался там недели на три. Незадолго до того вышел в свет один мой роман. Роман имел успех, и не успел я прибыть в Чикаго, как ко мне явился интервьюер. На следующее утро у меня зазвонил телефон. Я поднял трубку.

— Это говорит Эллиот Темплтон.

— Эллиот? Я думал, вы в Париже.

— Нет, я здесь, гощу у сестры. Приезжайте к нам сегодня завтракать.

— С удовольствием.

Он уточнил время и дал мне адрес.

С Эллиотом Темплтоном я был знаком пятнадцать лет. Сейчас, когда ему шел шестой десяток, это был высокий представительный мужчина с правильными чертами лица и густыми волнистыми волосами, поседевшими лишь настолько, чтобы придать ему еще более аристократический вид. Одевался он безупречно. Галстуки покупал у Шарве, а костюмы, обувь и шляпы — в Англии. В Париже он снимал квартиру на левом берегу Сены, на фешенебельной улице Сен-Гийом. Люди, не любившие его, говорили, что он делец, однако он гневно отметал такое обвинение. У него был вкус, были знания, и он не отрицал, что в минувшие годы, когда он только что поселился в Париже, ему случалось давать советы богатым коллекционерам, пополнявшим свои собрания картин; а когда благодаря своим связям в обществе он узнавал, что какой-нибудь обедневший высокородный француз или англичанин не прочь продать первоклассную картину, охотно сводил его со знакомым экспертом из американского музея, которому, как ему было известно, как раз требовался высокий образец работы данного мастера. Во Франции, да и в Англии тоже, имелось немало старинных семейств, в силу обстоятельств вынужденных расставаться то с подписным столиком-буль, то с конторкой собственноручной работы Чиппендейла, и представители этих семейств бывали рады познакомиться с культурным, прекрасно воспитанным человеком, который мог им в этом помочь деликатно и без огласки. Естественно было предположить, что Эллиоту кое-что перепадало от этих сделок, но упоминать об этом было бы бестактно. Злые языки утверждали, что в его квартире любая вещь продается и что стоит ему угостить богатых американцев отличным обедом с марочными винами, как из его гостиной исчезают два-три ценнейших рисунка либо вместо секретера-маркетри появляется новый, лакированный. Когда его спрашивали, куда пропала та или иная вещь, он очень правдоподобно объяснял, что она его не вполне удовлетворяла и он обменял ее на другую, более высокого качества. И добавлял, что скучно все время иметь перед глазами одно и то же.

— Nous autres americains,— мы, американцы,— говорил он,— любим разнообразие. В этом и наша сила, и наша слабость.

Некоторые американцы, наезжавшие в Париж, уверяли, что знают про него решительно все, что он из очень бедной семьи и если сейчас живет так широко, то лишь потому, что сумел проявить большую ловкость. Я не знаю, сколько у него было денег, но титулованный домовладелец, безусловно, брал с него за квартиру недешево, и произведений искусства в ней хватало. По стенам висели рисунки великих французских художников: Ватто, Фрагонара, Клода Лоррена, на паркетных полах раскинулись во всей своей красе ковры из Савоннери и Обюссона, а в гостиной стоял обитый вышитым атласом гарнитур в стиле Людовика XV, такой изящный, что в свое время им и впрямь, как он утверждал, могла владеть мадам де Помпадур. Во всяком случае, Эллиот мог позволить себе не искать заработка и вести жизнь, по его мнению, подобающую джентльмену; а откуда у него взялись на это средства — о том поминали только те, кто был готов с ним раззнакомиться. Избавленный, таким образом, от материальных забот, он целиком отдался своей главной страсти — продвижению по общественной лестнице. Деловые связи с неимущими вельможами как во Франции, так и в Англии добавились к тем первым зацепкам, которые у него оказались, когда он молодым человеком прибыл в Европу с рекомендательными письмами. Некоторые из этих писем были адресованы американкам, породнившимся с европейской знатью, и тут помогло его происхождение: он был из старой виргинской семьи, и один из его предков по материнской линии поставил свою подпись под Декларацией независимости. У него была приятная внешность, он хорошо танцевал, недурно стрелял, прекрасно играл в теннис. Ему везде были рады. Он не скупился на цветы и на коробки дорогих шоколадных конфет; у себя принимал редко, но всегда с выдумкой. Богатым американкам нравилось, когда их возили в богемные ресторанчики Сохо и в бистро Латинского квартала. Он всегда был готов к услугам и выполнял любые просьбы, даже самые обременительные. Не жалея сил, он ублажал стареющих дам и вскоре стал вхож в многие чопорные особняки на правах общего любимца, ami de la maison*. Любезности его не было границ. Он и не думал

* Друга дома (фр.).

обижаться, если его приглашали в последнюю минуту, лишь потому, что кто-то другой из приглашенных подвел хозяев, и за столом его можно было посадить рядом с очень скучной старухой, не сомневаясь, что он будет с ней отменно остроумен и обходителен.

За два-три года он перезнакомился со всеми, с кем стоило познакомиться молодому американцу,— как в Лондоне, куда он отправлялся в конце сезона и откуда осенью ездил гостить в загородные поместья, так и в Париже, где он обосновался. Дамы, которые первыми ввели его в общество, с удивлением обнаруживали, как быстро разросся круг его знакомств. Это вызывало у них смешанные чувства. С одной стороны, им было приятно, что их молодой протеже не обманул ожиданий, с другой — немного досадно, что он так близко сошелся с людьми, с которыми сами они поддерживали чисто официальные отношения. Хоть он по-прежнему бывал им полезен и всегда готов услужить, невольно закрадывалась мысль, не использовал ли он их как ступеньки в своей светской карьере. Они подозревали в нем сноба. И не без оснований. Конечно, он был сноб и даже не стыдился этого. Он готов был претерпеть любой афронт, снести любую насмешку, проглотить любую грубость, лишь бы получить приглашение на раут, куда жаждал попасть, или быть представленным какой-нибудь сварливой старой аристократке. Он был неутомим. Наметив себе добычу, он преследовал ее с упорством ботаника, разыскивающего редкостную орхидею, невзирая на наводнения, землетрясения, лихорадки и враждебных туземцев. Война 1914 года позволила ему окончательно утвердиться. Он был зачислен в санитарную часть, служил сперва во Фландрии, потом в Аргонне, а через год вернулся с красной ленточкой в петлице и был назначен на ответственный пост в Красном Кресте в Париже. К тому времени он уже был состоятельным человеком и щедро жертвовал на добрые дела под эгидой разных влиятельных лиц. Он всегда был готов поставить свой безупречный вкус и организаторские способности на службу любого благотворительного начинания, достаточно широко разрекламированного. Он стал членом двух самых недоступных парижских клубов. Для высокопоставленных французских дам он был теперь се cher Elliott*. Он достиг желанных высот.

* Наш милый Эллиот (*фр.*).

III

Я познакомился с Эллиотом, когда был заурядным молодым писателем, и он не удостоил меня вниманием. У него была отличная память на лица, и, встречаясь со мной, он сердечно пожимал мне руку, однако не выказывал желания сойтись со мной ближе, а если я попадался ему на глаза, скажем, в опере, где он был с каким-нибудь титулованным приятелем, мог и вовсе меня не заметить. Но потом я как-то сразу приобрел известность как драматург и убедился, что его отношение ко мне потеплело. Однажды я получил от него записку с приглашением позавтракать в отеле «Кларидж», где он останавливался, когда бывал в Лондоне. Общество собралось небольшое и не самое шикарное, и у меня создалось впечатление, что Эллиот ко мне примеривается. Однако благодаря успеху моих пьес у меня появилось много новых друзей, и мы стали встречаться чаще. Тут я как-то провел несколько осенних недель в Париже и встретил его у одних общих знакомых. Он спросил, где я остановился, и через несколько дней я снова получил приглашение на завтрак — на этот раз у него дома, а приехав, с удивлением убедился, что общество у него собралось самое изысканное. Мысленно я посмеялся. Мне было ясно, что с присущим ему безошибочным светским чутьем он сообразил, что в Англии я как писатель не бог весть какая персона, тогда как во Франции, где писателю создает престиж сама его профессия,— другое дело. В последующие годы мы сошлись ближе, хотя друзьями так и не стали. Едва ли Эллиот Темплтон вообще мог стать кому-нибудь другом. Люди интересовали его только с точки зрения их места в обществе. Когда я бывал в Париже или он в Лондоне, он продолжал приглашать меня на обеды, если требовался лишний мужчина или предстояло принимать путешествующих американцев. Среди них, как я подозревал, бывали и прежние его клиенты, и незнакомые ему люди, направленные к нему с рекомендательными письмами. Это был его крест. Он чувствовал, что должен что-то для них сделать, а вместе с тем ему вовсе не улыбалось знакомить их со своими знатными друзьями. Проще всего было, конечно, накормить их обедом и сводить в театр, но и это порой оказывалось затруднительно, поскольку все вечера у него были обычно расписаны на три недели вперед, да и не верилось ему, что они этим удовлетворятся. Со мною, как с писателем, он особенно не церемонился и не прочь был мне поплакаться.

— В Америке любого готовы снабдить рекомендательным письмом. Я не говорю, сам я всегда рад повидать земляков, но почему я должен навязывать их общество моим друзьям?

Он пробовал отделаться корзинами роз и огромными коробками конфет, но иногда этого оказывалось мало. И вот тогда он немного наивно, если учесть то, что он перед тем мне говорил, приглашал меня на обед.

«Они просто жаждут с вами познакомиться,— писал он, чтобы мне польстить.— Миссис Такая-то очень культурная женщина и ваши книги знает буквально наизусть».

А затем миссис Такая-то сообщала мне, что ей ужасно понравился мой роман «Мистер Перрен и мистер Трэйл», и поздравляла с успехом моей пьесы «Моллюск». Роман этот написал Хью Уолпол, а пьесу — Хьюберт Генри Дэвис.

IV

Если у читателя создалось впечатление, что Эллиот Темплтон был препротивный тип, значит, я не отдал ему должное.

Прежде всего он был serviable, что в переводе с французского означает примерно: добрый, обязательный, готовый помочь. Он был великодушен, и если в начале своей карьеры задаривал знакомых цветами, конфетами и сувенирами безусловно не без задней мысли, то продолжал в том же духе и тогда, когда надобность в этом отпала. Он любил делать подарки. Он был гостеприимен. Повар его был одним из лучших в Париже, и можно было не сомневаться, что к столу будут поданы самые ранние овощи и фрукты. Его вина свидетельствовали об отменном вкусе хозяина. Правда, гостей он выбирал главным образом по признаку их положения в обществе, однако заботился и о том, чтобы среди них оказалось хотя бы двое чем-либо интересных, так что скучно у него почти никогда не бывало. Многие смеялись над ним у него за спиной, называли его бессовестным снобом, но приглашения принимали охотно. По-французски он говорил правильно и свободно, с безукоризненным произношением. По-английски приучил себя говорить как англичане, так что лишь очень чувствительное ухо время от времени улавливало в его речи американские интонации. Он был отличным собеседником, если только не давать ему разглагольствовать про герцогов и герцогинь; но теперь, когда положение его было прочно, он даже о них позволял себе поговорить забавно, особенно с глазу на глаз. Он умел позлословить, а уж сплетни, ходившие про этих высокопоставленных личностей, знал все до одной. Это он сообщил мне, кто отец последнего ребенка принцессы Н. И кто любовница маркиза Д. Даже Марсель Пруст, по-моему, был осведомлен об интимной жизни аристократии не лучше, чем Эллиот Темплтон.

Бывая в Париже, я часто с ним завтракал — когда у него, когда в ресторане. Я люблю бродить по антикварным лавкам — изредка покупаю что-нибудь, а чаще просто гляжу — и Эллиот с радостью сопровождал меня в этих походах. Он по-настоящему любил красивые вещи и знал в них толк. Кажется, не было в Париже такой антикварной лавки, о которой бы он не слышал, с владельцем которой не был бы на короткой ноге. Он обожал вести переговоры и, пускаясь в путь, предупреждал меня:

— Если вам что-нибудь приглянется, не вздумайте покупать сами. Вы только дайте мне знак, остальное я беру на себя.

Он искренне радовался, когда ему удавалось отторговать для меня что-нибудь за полцены. А торговался он мастерски — спорил, улещивал, сердился, взывал к лучшим чувствам продавца, высмеивал его, находил в облюбованной вещи изъяны, грозил, что ноги его здесь больше не будет, вздыхал, пожимал плечами, корил, в гневе поворачивал к выходу, а одержав наконец победу, сокрушенно качал головой, словно принимая неизбежное поражение. И тут же успевая шепнуть мне по-английски:

— Берите. Вдвое больше — и то было бы дешево.

Эллиот был ревностным католиком. Еще в первые свои парижские годы он повстречал некоего аббата, известного тем, скольких безбожников и еретиков он вернул в лоно истинной церкви. Аббат этот усердно посещал званые обеды и блистал остроумием. Своим духовным руководством он удостаивал только богачей и аристократов. Как человек скромного происхождения, сделавшийся желанным гостем в самых знатных семействах, он не мог не импонировать Эллиоту, и последний признался одной богатой американке, недавно обращенной аббатом, что, хотя семья его спокон веку принадлежала к епископальной церкви, сам он давно интересуется католичеством. Дама пригласила его на обед — только его и аббата,— и тот показал себя во всем блеске. Хозяйка дома навела разговор на католичество, и аббат подхватил эту тему благоговейно, но без педантства, как светский человек (хоть и священник) в беседе с другим светским человеком. Эллиоту было лестно убедиться, что аббат хорошо о нем осведомлен.

— На днях мне рассказывала о вас герцогиня Вандомская. Вы произвели на нее впечатление очень умного человека.

Эллиот даже вспыхнул от удовольствия. Да, он был представлен ее светлости, но никак не думал, что она его запомнила. Аббат толковал о религии мудро и мягко, проявил терпимость, широту взглядов и современность подхода. В его изображении церковь предстала перед Эллиотом как некий клуб для избранных, в котором воспитанному человеку ради собственного престижа просто необходимо состоять членом. Через полгода он был туда принят. Обращение его в сочетании со щедрыми пожертвованиями на католическую благотворительность открыло перед ним двери нескольких домов, в которые он до того не имел доступа.

Можно по-разному расценить мотивы, заставившие его отречься от веры отцов, но, после того как он это сделал, набожность его не вызывала сомнений. Каждое воскресенье он ездил в одну из самых фешенебельных парижских церквей, он регулярно исповедовался и периодически совершал паломничество в Рим. За свое благочестие он со временем был награжден зачислением в папские камергеры, а за усердие, с каким выполнял свои новые обязанности,— орденом (если не ошибаюсь — Гроба Господня). Словом, как католик он преуспел не меньше, чем как homme du monde*.

Я часто спрашивал себя, в чем причина снобизма, которым был одержим этот человек, такой неглупый, образованный и добрый. Он не был безродным выскочкой. Отец его был ректором университета в одном из южных штатов, дед — вполне почтенным доктором богословия. У Эллиота хватало ума понять, что многие принимали его приглашения только ради того, чтобы бесплатно пообедать, что среди них есть и тупицы, и ничтожества. Но блеск их громких титулов затмевал в его глазах любые их недостатки. Я могу только догадываться, что тесное общение с этими родовитыми господами и верная служба их дамам вселяли в него непреходящее

---

* Светский человек *(фр.)*.

чувство одержанной победы и что за всем этим крылась страстная романтическая натура, позволявшая ему видеть в тщедушном французском маркизе того крестоносца, что побывал в Святой земле с Людовиком IX, а в английском графе, хвастающем своей псарней,— предка этого графа, сопровождавшего Генриха VIII на Парчовое поле[*]. Ему, наверно, казалось, что в обществе таких людей он сам живет в каком-то великолепном, доблестном прошлом. И, вероятно, сердце его радовалось, когда он перелистывал Готский альманах, и одно имя за другим вызывало в его памяти давно минувшие войны, исторические осады, прославленные поединки, дипломатические интриги и любовные похождения королей. Вот таким человеком был Эллиот Темплтон.

V

Только я собрался помыться и почиститься, чтобы ехать к Эллиоту и его родным, как мне позвонили от портье сказать, что сам Эллиот ждет меня внизу. Я немного удивился и, как только привел себя в порядок, спустился в вестибюль.

— Я решил зайти за вами,— сказал он, пожимая мне руку.— Я не был уверен, хорошо ли вы знаете Чикаго.

Мне уже приходилось подмечать, что у некоторых американцев, долго проживших за границей, складывается представление, будто Америка — очень трудная, даже опасная страна, в которой европеец рискует пропасть без посторонней помощи.

— Время еще есть, часть дороги можно пройти пешком,— предложил он.

Воздух был чуть морозный, в небе ни облачка, и размяться было приятно.

— Я хотел кое-что рассказать вам о моей сестре, прежде чем вы ее увидите,— сказал Эллиот, бодро шагая со мною рядом.— Она приезжала ко мне в Париж, но вас тогда, помнится, там не было. Сегодня мы завтракаем тесным кружком — только сестра, ее дочь Изабелла и Грегори Брабазон.

— Специалист по интерьерам?

[*] *Парчовое поле* — равнина близ Кале, где в 1520 году английский король Генрих VIII встретился для переговоров с французским королем Франциском I, причем участники этой встречи блистали пышными нарядами.

— Он самый. Дом у моей сестры в ужасном виде, и мы с Изабеллой все уговариваем ее отделать его заново. А тут я случайно услышал, что Грегори сейчас в Чикаго, и подал идею пригласить его к завтраку. Он, конечно, не в полном смысле джентльмен, но вкус у него есть. Мэри Олифант поручала ему всю отделку своего замка, а Сент-Эрты — свой дом в Сент-Клемент-Толбот. Герцогиня не могла им нахвалиться. А дом Луизы... Да вот вы сами увидите. Как она могла прожить в нем столько времени — уму непостижимо. Впрочем, для меня вообще загадка, как она может жить в Чикаго.

Он рассказал мне, что миссис Брэдли — вдова, у нее трое детей: два сына и дочь; но сыновья намного старше, женаты и с ней не живут. Один занимает государственный пост на Филиппинах, другой сейчас в Буэнос-Айресе, он дипломат, пошел по стопам отца. Покойный муж миссис Брэдли представлял свою родину во многих странах, несколько лет был первым секретарем посольства в Риме, а затем был назначен послом в одну из республик на западном побережье Южной Америки, где и скончался.

— Я хотел, чтобы Луиза тогда же продала этот дом,— продолжал Эллиот,— но ей было жаль с ним расстаться. Семейство Брэдли владело им много лет. Брэдли — одно из старейших семейств Иллинойса. Они переселились из Виргинии в тысяча восемьсот тридцать девятом году и обзавелись землей милях в шестидесяти от тогдашнего Чикаго. Земля эта до сих пор им принадлежит.— Эллиот помолчал и взглянул на меня, проверяя, как я отнесся к этим сведениям.— Тот Брэдли, что здесь обосновался, был, в сущности, по нынешним понятиям, фермер. Не знаю, известно ли это вам, но в середине прошлого века, когда началось освоение Среднего Запада, многие виргинцы, все больше, знаете ли, младшие сыновья из хороших семей, охваченные тягой к неизвестному, стали покидать благоденствующие усадьбы своего родного штата. Отец моего зятя, Честер Брэдли, понял, что у Чикаго есть будущее, и поступил там в юридическую контору. И нажил, между прочим, достаточно денег, чтобы оставить своему сыну вполне порядочное состояние.

Не столько слова Эллиота, сколько его тон означали, что, на его взгляд, Честер Брэдли поступил не совсем прилично, променяв наследственный дом с колоннами и обширные плантации на какую-то контору, но то обстоятельство, что он нажил состояние, хотя бы частично оправдывало этот шаг. Эллиот был явно раздосадован, когда миссис Брэдли — не в тот день, а позже — показала мне любительские снимки того, что ему угодно было именовать их «поместьем», и я увидел скромный оштукатуренный дом с веселым садиком, но тут же рядом, увы, сарай, коровник и хлев, а вокруг — унылые плоские поля. Мне подумалось, что мистер Честер Брэдли знал, что делал, когда махнул на все это рукой и подался в город.

Дальше мы поехали в такси. Машина остановилась перед кирпичным домом, высоким и узким, к парадной двери которого вело несколько крутых ступеней. Он стоял в ряду других домов на улице, отходящей от набережной, и выглядел даже в этот яркий осенний день таким бесцветным и скучным, что непонятно было, как можно питать к нему теплые чувства. Дверь отворил дородный седовласый дворецкий-негр, и нас провели в гостиную. Миссис Брэдли поднялась нам навстречу, и Эллиот представил меня. В молодости она, видимо, была хороша собой — у нее были правильные, хоть и довольно крупные черты лица и очень красивые глаза. Но лицо это, желтоватое, почти вызывающе не накрашенное, уже немного оплыло, и было ясно, что она проиграла битву с полнотой, этим врагом пожилых женщин. Принять свое поражение она, однако, не соглашалась — сидела очень прямо на стуле с жесткой спинкой, так ей, в тесной броне корсета, было, очевидно, удобнее, чем в мягком кресле. На ней было синее платье, щедро расшитое тесьмой, высокий воротник на китовом усе подпирал подбородок. Ее густые белые волосы были туго завиты и уложены в затейливую прическу.

Второй гость еще не прибыл, и, поджидая его, мы болтали о всяких пустяках.

— Эллиот говорит, вы ехали южным путем,— сказала миссис Брэдли.— Вы в Риме останавливались?

— Да, я провел там неделю.

— Ну, как там поживает дорогая королева Маргарита? Немного удивленный этим вопросом, я отвечал, что не знаю.

— Как, вы ее не навестили? Такая славная женщина. Она была к нам очень добра, когда мы жили в Риме. Мистер Брэдли был первым секретарем посольства. Что же вы ее не навестили? Вы же не Эллиот, не такой строгий католик, что вам и в Квиринале бывать нельзя?

— Отнюдь нет,— улыбнулся я.— Дело в том, что я с нею не знаком.

— Не знакомы?— Миссис Брэдли словно не поверила своим ушам.— А почему?

— Да потому, что писатели, как правило, не водят дружбу с королями и королевами.

— Но она такая милая женщина,— горячо возразила миссис Брэдли, словно обвиняя меня в высокомерии.— Я уверена, что она бы вам понравилась.

Тут дверь отворилась, и дворецкий доложил о приходе Грегори Брабазона.

Грегори Брабазон, несмотря на свою фамилию, не был романтической фигурой. Низенький, толстый, с лысой, как яйцо, головой — бахрома черных курчавых волос осталась только за ушами и на затылке,— красное бритое лицо, которое, казалось, вот-вот вспотеет, живые серые глаза, чувственные губы и тяжело обвисшие щеки. Он был англичанин, и я несколько раз встречался с ним на артистических вечеринках в Лондоне. Держался он всегда по-дружески весело и открыто, много смеялся, но не требовалось особого знания человеческой природы, чтобы понять, что за этой шумной общительностью скрывается цепкая деловая хватка. Уже несколько лет он слыл лучшим в Лондоне специалистом по внутренней отделке домов. У него был гулкий бас и маленькие пухлые руки, на редкость выразительные. Красноречивыми жестами, целым потоком взволнованных слов он умел так разжечь воображение сомневающегося клиента, что тот просто не мог не дать ему заказ, а принимал он этот заказ с таким видом, будто сам делает клиенту одолжение.

Дворецкий внес на подносе коктейли.

— Изабеллу ждать не будем,— сказала миссис Брэдли, беря с подноса бокал.

— А где она?— спросил Эллиот.

— Поехала с Ларри играть в гольф. Она предупредила, что, может быть, опоздает.

— Ларри — это Лоренс Даррел,— объяснил мне Эллиот.— Он считается женихом Изабеллы.

— А я и не знал, что вы пьете коктейли, Эллиот,— сказал я.

— Я и не пью,— ответил он мрачно.— Но что поделаешь в этой варварской стране с ее сухим законом?— Он вздохнул.— Теперь коктейли стали подавать и в некоторых домах в Париже. Вредоносные влияния пагубны для чистоты нравов.

— Какая чушь, Эллиот,— сказала миссис Брэдли.

Сказано это было добродушно, но так решительно, что выдало в ней женщину с характером; а по тому взгляду, который она бросила на брата, веселому, но проницательному, я сильно заподозрил, что она не обольщается на его счет. Интересно, подумал я, как она отнесется к Брабазону. Я заметил, что он еще с порога окинул комнату профессиональным взглядом и невольно вздернул косматые брови. А комната и вправду была поразительная. Обои, занавески и кретонная обивка кресел были одного и того же рисунка; на стенах висели картины в массивных золоченых рамах, очевидно, купленные супругами Брэдли в пору их проживания в Риме. Мадонны школы Рафаэля, мадонны школы Гвидо Рени, пейзажи школы Цукарелли, руины школы Паннини. Были тут и трофеи их пребывания в Пекине — столы черного дерева, не в меру изукрашенные резьбой, огромные расписные вазы, были и вещи, вывезенные из Чили и Перу,— обрюзгшие каменные идолы, глиняные сосуды. Был чиппендейловский секретер и столик-маркетри. Абажуры на лампах были из белого шелка, на котором какому-то художнику взбрело в голову изобразить пастушков и пастушек в духе Ватто. Все это было сплошное уродство и, однако же, не знаю почему, радовало глаз. Вид у комнаты был уютный, обжитой, и чувствовалось, что в этой невероятной мешанине есть какой-то смысл. Все эти несовместимые предметы составляли единое целое, потому что были частью жизни хозяйки.

Не успели мы допить коктейли, как дверь распахнулась и вошла девушка, а за нею молодой человек.

— Мы опоздали?— сказала она.— Я и Ларри привела. Найдется для него что-нибудь поесть?

— Надеюсь,— улыбнулась миссис Брэдли.— Позвони и скажи Юджину, пусть поставит еще один прибор.

— Он нам открывал дверь. Я ему уже сказала.

— Это моя дочь Изабелла,— обратилась миссис Брэдли ко мне.— А это — Лоренс Даррел.

Изабелла наскоро поздоровалась со мной и тут же переключилась на Грегори Брабазона.

— Вы мистер Брабазон? Мне безумно хотелось с вами познакомиться. У Клементины Дормер вы создали просто чудо. Правда, эта комната какой-то кошмар? Я уже сколько лет уговариваю маму что-то с ней сделать, а сейчас, когда вы здесь, просто грех упускать такой случай. Скажите откровенно, что вы о ней думаете?

«Острие бритвы»

Я знал, что меньше всего от Брабазона можно ждать откровенности. Он бросил взгляд на миссис Брэдли, но лицо ее было непроницаемо. Тогда он решил, что равняться следует на Изабеллу, и громко, раскатисто рассмеялся.

— Комната, конечно, комфортабельная и все такое,— сказал он,— но, если уж говорить начистоту, эстетическое чувство она оскорбляет.

Изабелла была высокого роста и, видимо, унаследовала семейные черты — удлиненный овал лица, прямой нос, очень красивые глаза и полные губы. Она была хороша, хоть и немного полновата, но я решил, что с годами она постройнеет. И руки ее, красивые и крепкие, могли бы быть потоньше, и ноги, видные из-под короткой юбки,— тоже. У нее была прекрасная кожа и яркий румянец, пуще разгоревшийся после гольфа и возвращения домой в открытом автомобиле. Молодость била в ней ключом. Ее лучезарное здоровье, шаловливая веселость, жизнерадостность, счастье, написанное на ее лице, пьянили, как вино. Она была так естественна, что Эллиот, при всей его элегантности, выглядел рядом с ней чуть ли не манекеном. Так свежа, что поблекшее, в морщинках лицо миссис Брэдли сразу показалось усталым и старым.

Мы спустились в столовую, при виде которой Грегори Брабазон растерянно заморгал. Здесь стены были оклеены темно-красными обоями под штоф и увешаны портретами угрюмых, сердитых мужчин и женщин, предков покойного мистера Брэдли. И сам он здесь был, с густыми усами, в парадном сюртуке с крахмальным воротничком. А миссис Брэдли, кисти французского художника девяностых годов, висела над камином в вечернем платье голубого атласа, с жемчугом на шее и бриллиантовой звездой в волосах. Одной рукой, унизанной кольцами, она касалась кружевного шарфа, столь искусно выписанного, что видна была каждая петелька, в другой небрежно держала веер из страусовых перьев. Мебель была массивная, мореного дуба.

— Ну, что вы скажете?— спросила Изабелла Грегори Брабазона, когда мы сели за стол.

— Этот гарнитур, несомненно, стоил больших денег,— отвечал он.

— Еще бы,— сказала миссис Брэдли.— Это отец мистера Брэдли подарил нам к свадьбе. Мы его повсюду с собой возили. В Пекин, в Лиссабон, в Кито, в Рим. Дорогая королева Маргарита очень им восхищалась.

— Что бы вы с ним сделали, если б он был ваш?— спросила Изабелла Брабазона, но Эллиот не дал ему ответить, а ответил сам:

— Сжег бы.

Они втроем принялись обсуждать, как лучше обставить столовую. Эллиот ратовал за Людовика XV, Изабелле виделся узкий стол, как в монастырских трапезных, и итальянские стулья. Брабазон высказался в том смысле, что с личностью миссис Брэдли будет лучше гармонировать чиппендейл.

— Я придаю огромное значение личности,— сказал он и обратился к Эллиоту.— Вы, конечно, знакомы с герцогиней Олифант?

— С Мэри? Мы с ней близкие друзья.

— Она просила меня придумать ей столовую, и я, как только ее увидел, сказал — Георг Второй.

— И были совершенно правы. Я обратил внимание на эту комнату, когда в последний раз у них обедал. Прелесть что такое.

Разговор продолжался все в том же духе. Миссис Брэдли слушала, но что она думает, было не понять. Я лишь изредка вставлял слово, а Ларри (фамилию его я успел забыть) вообще молчал. Он сидел напротив меня, между Брабазоном и Эллиотом, и я время от времени на него поглядывал. На вид он был очень молод. Худой, голенастый, примерно одного роста с Эллиотом. Внешность приятная, не красавец и не урод, ничего примечательного. Но вот что меня заинтересовало: хотя он, с тех пор как вошел в дом, не произнес, сколько помнится, и десяти слов, держался он совершенно свободно и, не раскрывая рта, словно бы даже участвовал в разговоре. Мне запомнились его руки — длинные, хотя по его росту и небольшие, красивые, но отнюдь не изнеженные. Мне подумалось, что любой художник был бы рад их написать. В его худобе не было ничего болезненного; напротив, он показался мне жилистым и выносливым. Лицо у него было загорелое, но не богатое красками, черты, хоть в общем правильные, довольно ординарные. Чуть выдающиеся скулы, чуть запавшие виски, волосы темно-каштановые, волнистые. Глаза казались очень большими, потому что были глубоко посажены и опушены длинными, густыми ресницами. Необычные эти глаза были не чисто карие, как у Изабеллы, ее матери и дяди, а такие темные, что радужная оболочка сливалась со зрачком, и это делало его взгляд особенно пристальным. Было в нем какое-то прирожденное изящество, и нетрудно было понять, почему Изабелла им пленилась. Когда она взглядывала на него, я читал в ее лице не только любовь, но и ласку. А в его глазах, когда он ловил на себе ее взгляд, светилась чудесная неприкрытая нежность. Нет ничего трогательнее, чем юная любовь, и я, как человек уже не первой молодости, завидовал им, но в то же время, неизвестно почему, испытывал к ним жалость. Это было глупо, ведь, насколько я знал, их счастью ничто не грозило; обстоятельства как будто им благоприятствовали, так почему бы им не пожениться и не жить счастливо весь свой век, как в сказке.

Изабелла, Эллиот и Грегори Брабазон все толковали о новом убранстве дома, пытаясь выведать у миссис Брэдли, считает ли она нужным хоть что-то предпринять, но она отделывалась приветливыми улыбками.

— Не торопите меня. Дайте мне время подумать.— И повернулась к молодому человеку:— А как твое мнение, Ларри?

Он оглядел нас всех, улыбаясь одними глазами.

— По-моему, все равно, что так, что этак.

— Ларри, противный! — вскричала Изабелла.— Я же специально просила тебя нас поддержать.

— Если тете Луизе и так хорошо, зачем нужно что-то менять?

Вопрос его был так к месту и так разумен, что я рассмеялся. Тогда он посмотрел на меня и улыбнулся уже не таясь.

— Ну вот, сболтнул глупость и радуешься,— сказала Изабелла.

Но он только улыбнулся еще шире, и я заметил, что зубы у него мелкие, белые и ровные. Под его взглядом Изабелла вспыхнула и притихла. Судя по всему, она была отчаянно в него влюблена, но у меня, сам не знаю почему, появилось ощущение, что в ее любви есть и что-то материнское. В такой молоденькой девушке это было неожиданно. С мягкой улыбкой на губах она опять повернулась к Грегори Брабазону.

— Не обращайте на него внимания. Он очень глупый и совершенно необразованный. Понятия не имеет ни о чем, кроме полетов.

— Полетов?— удивился я.

— Он был на войне авиатором.

— Я думал, он был слишком молод, чтобы воевать.

— Ну да, так оно и было. Он вел себя очень дурно. Удрал из школы и прямо в Канаду. Наврал там с три короба, убедил их, что ему восемнадцать лет, и поступил в авиацию. К концу войны он сражался во Франции.

— Гостям твоей мамы это неинтересно, Изабелла,— сказал Ларри.

— Я знаю его с пеленок, и, когда он вернулся, такой красавчик, с такими хорошенькими нашивками на френче, я, можно сказать, села у него на пороге и не ушла, пока он не обещал на мне жениться — верно, для того только, чтобы я от него отстала. Конкуренция была зверская.

— Перестань, Изабелла,— остановила ее мать.

Ларри наклонился ко мне через стол.

— Надеюсь, вы не верите ни одному ее слову. Изабелла неплохая девушка, но любит приврать.

Завтрак кончился, и мы с Эллиотом ушли. Я еще раньше говорил ему, что хочу сходить в музей, и он вызвался меня сопровождать. Смотреть картины я предпочитаю один, но сказать ему это было бы неудобно, и я согласился. По дороге мы заговорили про Изабеллу и Ларри.

— Прелестное это зрелище, молодые влюбленные,— сказал я.

— Молоды они, чтобы жениться.

— Почему? Это так хорошо — быть молодыми, влюбленными и пожениться.

— Бросьте, вздор это. Ей девятнадцать лет, ему только что минуло двадцать. Он нигде не работает. Есть крошечный доход. Луиза говорит — три тысячи годовых, а Луиза сама небогатая женщина. Лишних денег у нее нет.

— Ну, так он может поступить на работу.

— В том-то и дело, что он к этому не стремится. Бездельничает, как будто так и надо.

— На войне ему, надо полагать, пришлось несладко. Наверно, хочется отдохнуть.

— Он уже год так отдыхает. Вполне достаточно.

— Мне показалось, он славный мальчик.

— Да и я ничего против него не имею. Семья вполне почтенная, и все такое. Отец его переехал сюда из Балтимора. Был в Йельском университете профессором по романским языкам или что-то в этом роде. А мать была из Филадельфии, из старинного квакерского рода.

— Вы говорите о них в прошедшем времени. Они что, умерли?

— Да, мать умерла в родах, а отец — лет двенадцать тому назад. Его воспитывал университетский товарищ отца, один врач из Марвина. Там Луиза и Изабелла с ним и познакомились.

— А Марвин это где?

— Там же, где поместье Брэдли. Луиза ездит туда на лето. Она жалела мальчика. Доктор Нелсон — холостяк, в воспитании детей ничего не смыслил. Это Луиза настояла, чтобы его отдали заканчивать школу в Сент-Пол, а на рождественские каникулы всегда приглашала его к себе.— Эллиот пожал плечами на французский манер.— Казалось бы, должна была предвидеть, чем это кончится.

Мы уже дошли до музея и теперь занялись картинами. И опять я отдал должное знаниям и вкусу Эллиота. Он водил меня по залам, словно я был группой туристов, и своими рассуждениями мог заткнуть за пояс любого искусствоведа. Я подчинился ему, решив, что приду еще раз и поброжу здесь один в свое удовольствие; через какое-то время он взглянул на часы.

— Пошли,— сказал он.— Я никогда не провожу в музее больше часа. Дольше нельзя — восприятие притупляется. Досмотрим в другой раз.

Я горячо поблагодарил его на прощание и пошел своей дорогой, напичканный сведениями, но несколько утомленный.

Провожая меня, миссис Брэдли сказала, что на следующий день у Изабеллы соберется к обеду кое-кто из молодежи, после обеда они поедут танцевать. Может быть, и я приду, тогда мы с Эллиотом могли бы спокойно побеседовать вечерок.

— Порадуйте его,— добавила она.— Он так долго прожил за границей, что здесь чувствует себя не в своей тарелке. Ни с кем не может найти общий язык.

Я принял приглашение, и теперь, выходя из музея, Эллиот сказал мне, что очень этому рад.

— В этом огромном городе я как в пустыне,— сказал он.— Я обещал Луизе прогостить у нее шесть недель, мы не виделись с тысяча девятьсот двенадцатого года, а теперь жду не дождусь, когда смогу возвратиться в Париж. Только там и можно жить цивилизованному человеку. Дорогой мой, вы знаете, как на меня здесь смотрят? На меня смотрят как на ископаемое. Дикари.

Я посмеялся, и мы простились.

VI

На следующий день Эллиот по телефону предложил заехать за мной, но я отказался и к вечеру вполне благополучно добрался до дома миссис Брэдли. Меня задержал какой-то посетитель, так что я немного опоздал. Когда я поднимался по лестнице, из гостиной несся такой шум, что я ожидал увидеть там целую толпу и был удивлен, насчитав вместе с собой всего двенадцать человек. Миссис Брэдли выглядела весьма импозантно в зеленых шелках, с ошейником из мелкого жемчуга; Эллиот в отлично сшитом смокинге был сама элегантность. Когда я с ним здоровался, все ароматы Аравии повеяли мне в лицо. Меня познакомили с грузным краснолицым мужчиной, который в вечернем костюме явно чувствовал себя стесненным. Его назвали доктор Нелсон, но в ту минуту это мне ничего не сказало. Остальные гости были друзья Изабеллы, их имена я пропустил мимо ушей. Девушки все были молодые и хорошенькие, мужчины — молодые и ладные. Никого из них я особенно не отметил, кроме разве одного, и то лишь потому, что он был такой огромный — не меньше шести футов трех дюймов ростом, с могучими плечами. Изабелла была очень мила в белом шелковом платье с длинной узкой юбкой, скрывавшей ее толстые ноги; фасон платья подчеркивал ее хорошо развитую грудь, обнаженные руки были полноваты, зато шея прелестна. От веселого волнения красивые ее глаза так и сверкали. Да, несомненно, она была очень хороша и по-женски соблазнительна, но верно и то, что ей следовало остерегаться, как бы не расползнеть сверх меры.

За обедом меня посадили между миссис Брэдли и тихой бесцветной девушкой, на вид еще моложе, чем остальные. Миссис Брэдли сразу же объяснила, что дед и бабушка ее живут в Марвине и она училась в одной школе с Изабеллой. Называли ее Софи, фамилию я не расслышал. Разговор за столом шел громкий, пересыпанный шутками, то и дело прерываемый смехом. Все здесь, видимо, хорошо друг друга знали. Когда хозяйка дома не требовала моего внимания, я пытался поговорить со своей юной соседкой, но без особого успеха. Она была молчаливее других. Красотой не блистала, но мордочка у нее была забавная — вздернутый носик, большой рот и зеленовато-голубые глаза; волосы гладко причесаны, каштановые, с рыжеватым отливом. Очень худенькая и плоскогрудая, почти как мальчик. Шуткам она смеялась, но несколько натянуто, словно больше притворялась, что ей весело. Мне показалось, что она нарочно старается не отстать от других. Я не мог разобрать, то ли она глуповата, то ли болезненно застенчива, и, перепробовав несколько тем разговора, ни одной из которых она не поддержала, с горя попросил ее рассказать мне немножко обо всех, кто сидит за столом.

— Ну, доктора Нелсона вы знаете,— сказала она, указывая глазами на пожилого мужчину, сидевшего напротив меня по другую руку от миссис Брэдли.— Он опекун Ларри. Наш марвинский доктор. Ужасно умный. Он все изобретает разные приспособления для аэропланов, только никто не хочет их использовать, а в остальное время пьет.

По тому, как блеснули ее светлые глаза, когда она это говорила, я понял, что не так уж она проста. А она между тем стала перечислять мне своих сверстников, сообщая, кто их родители, а про мужчин — в каком колледже они учились и чем теперь занимаются. Это было не слишком вразумительно: «Она — прелесть», «Он хорошо играет в гольф».

— А кто вон тот великан с бровями?

— Этот? О, это Грэй Мэтюрин. У его отца в Марвине большущий дом на реке. Он наш миллионер. Мы им очень гордимся. Как-никак марка. «Мэтюрин, Хобс, Райнер и Смит». Он один из самых богатых людей в Чикаго, а Грэй — его единственный сын.

Она вложила в это перечисление фамилий столько тонкой иронии, что я взглянул на нее вопросительно. Заметив это, она покраснела.

— Расскажите мне еще про мистера Мэтюрина.

— Да рассказывать-то нечего. Он богат. Его все уважают. Он построил нам в Марвине новую церковь и пожертвовал миллион долларов Чикагскому университету.

— Сын его — видный молодой человек.

— Он славный. Даже не верится, что дед у него был нищий эмигрант-ирландец, а бабка — шведка, прислуживала в харчевне.

Внешность у Грэя была не столько красивая, сколько заметная. Черты грубоватые, словно бы недоделанные — тупой короткий нос, чувственный рот, ирландский румянец во всю щеку; волосы иссиня-черные, гладко прилизаны, под густыми бровями — ясные ярко-синие глаза. При таком мощном сложении он был очень пропорционален. Я представил его себе обнаженным и залюбовался. Сила в нем угадывалась незаурядная, это был ярко выраженный мужчина. Рядом с ним Ларри, хоть и всего дюйма на три ниже его ростом, казался тщедушным юнцом.

— Он пользуется огромным успехом,— продолжала между тем моя застенчивая соседка.— Многие девушки, я знаю, готовы чуть ли не убийство совершить, лишь бы он им достался. Но шансов у них ни малейших.

— Почему же?

— Вы, наверно, ничего не знаете?

— Откуда мне знать?

— Он до безумия влюблен в Изабеллу, а Изабелла влюблена в Ларри.

— А что ему мешает отбить ее у Ларри?

— Ларри его лучший друг.

— Это, надо полагать, усложняет дело.

— Для такого принципиального человека, как Грэй,— безусловно.

Я не был уверен, сказала она это всерьез или с чуть заметной насмешкой. В ее тоне не было ничего дерзкого или озорного, и все же у меня создалось впечатление, что она наделена и чувством юмора, и проницательностью. Интересно было бы узнать, что у нее на уме, но я понимал, что этого мне не дождаться. Она была явно не уверена в себе, и я подумал, что, вероятно, она единственный ребенок и всю жизнь прожила среди людей намного ее старше. Мне нравилась ее скромность и сдержанность, но если она действительно росла одиноким ребенком, то, вероятно, втихомолку наблюдала за взрослыми, которые ее окружали, и составила себе о них вполне определенное мнение. Мы, зрелые люди, и не подозреваем, как беспощадно, и притом безошибочно, судят о нас дети. Я снова глянул в ее зеленоватые глаза.

— Вам сколько лет?

— Семнадцать.

— Много ли вы читаете?— спросил я, чтобы что-нибудь спросить, но она не успела ответить, потому что миссис Брэдли, как любезная хозяйка, нашла нужным отвлечь меня каким-то замечанием, а тут и обед подошел к концу. Молодежь сразу уехала выполнять намеченную программу, а мы вчетвером опять поднялись в гостиную.

Я не совсем понимал, зачем меня пригласили на этот вечер: остальные трое чуть не с первых слов заговорили на тему, которую им, казалось бы, удобнее было обсуждать без посторонних. Я уже подумывал о том, чтобы тактично встать и уйти, но меня удерживала мысль, что, может быть, я нужен им на роль беспристрастного свидетеля. Темой обсуждения было странное нежелание Ларри заняться делом, а непосредственным поводом — предложение мистера Мэтюрина, чьего сына я видел за обедом, взять его на работу к себе в контору. Перед Ларри это открывало блестящие возможности. Можно было смело рассчитывать на то, что при должных способностях и усердии он со временем станет зарабатывать большие деньги. Грэй, его товарищ, только об этом и мечтал.

Многое из того, что тогда говорилось, я забыл, но суть разговора запомнил хорошо. Когда Ларри вернулся из Франции, доктор Нелсон, его опекун, предлагал ему поступить в университет, но Ларри отказался. Все понимали, что ему хочется передохнуть после тягот войны, к тому же он дважды был ранен, хоть и легко. Доктор Нелсон считал, что он еще не оправился, пусть отдохнет до полного выздоровления. Но недели складывались в месяцы, и пошел уже второй год, как он снял военную форму. В авиации он отличился, первое время считался в Чикаго героем, в результате чего несколько крупных фирм приглашали его на работу. Он благодарил, но отказывался. Причин он не приводил, кроме одной — он еще не решил, чем хочет заняться. Он обручился с Изабеллой. Миссис Брэдли это не удивило, поскольку они годами были неразлучны, и она знала, что Изабелла в него влюблена. Сама она любила его как сына и верила, что Изабелла будет с ним счастлива.

— У нее характер сильнее, чем у него. В ней есть как раз то, чего ему недостает.

Хотя оба были так молоды, миссис Брэдли была не против того, чтобы они поженились теперь же, но с одним условием: что Ларри сперва поступит на работу. Пусть у него есть кое-какие доходы, но на этом условии она стала бы настаивать, даже будь у него в десять раз больше. Насколько я понял, она и Эллиот надеялись выпытать у доктора Нелсона, каковы намерения Ларри, и просили его употребить свое влияние, чтобы заставить его принять предложение мистера Мэтюрина.

— Вы же знаете, он никогда не прислушивался к моим советам,— отбивался тот.— Мальчишкой и то делал все по-своему.

— Знаю. Вы его запустили. Удивительно еще, как он вообще не сбился с пути.

Доктор Нелсон, немало выпивший за обедом, сердито уставился на миссис Брэдли. Его красная физиономия покраснела еще гуще.

— Я был занят по горло. Работы и без него хватало. Я его взял к себе потому, что ему было некуда деваться, и потому, что дружил с его отцом. А мальчишка был трудный.

— Не понимаю, как вы можете так говорить,— резко возразила миссис Брэдли.— У него чудесный характер.

— Что прикажете делать с парнем, который никогда не спорит, а поступает как ему заблагорассудится, а рассердишься на него, раскричишься — только говорит, что ему очень жаль и кричи, мол, сколько влезет. Будь он моим сыном, я бы его порол. Но не мог я пороть круглого сироту, да и отец мне его завещал в надежде, что я его не обижу.

— Это к делу не относится,— раздраженно прервал его Эллиот.— Сейчас положение такое: без дела он слонялся достаточно, ему предлагают прекрасную возможность продвинуться и стать обеспеченным человеком, и, если он хочет жениться на Изабелле, он должен это предложение принять.

— Он должен понять,— добавила миссис Брэдли,— что в наше время мужчина не может не работать. Он давно уже выздоровел и окреп. Все мы знаем, как после войны между штатами некоторые мужчины, вернувшись из походов, потом до конца жизни палец о палец не ударили. Были обузой в семье и совершенно бесполезны для общества.

Тут и я вставил свое слово:

— Но как он сам объясняет, что не принял всех этих лестных предложений?

— А никак. Просто говорит, что это ему не подходит.

— Но чем-то заняться ему хочется?

— Видимо, нет.

Доктор Нелсон подлил себе виски. Отхлебнул и поднял глаза на своих старых друзей.

— Сказать вам, какое у меня ощущение? Может, я не Бог весть какой знаток человеческой природы, но после тридцати пяти лет практики немножко в ней разбираюсь. Это все виновата война. Ларри вернулся не таким, каким уходил. И он не просто возмужал. Что-то с ним там случилось такое, что изменило всю его сущность.

— Что же это могло быть?— спросил я.

— Да вот не знаю. Делиться своими впечатлениями он не любит.— Доктор Нелсон повернулся к миссис Брэдли:— Вам он что-нибудь рассказывал, Луиза?

Она покачала головой.

— Нет. Сначала, когда он вернулся, мы все расспрашивали его, как там было, а он только улыбался этой своей улыбкой и уверял, что рассказывать нечего. Он даже Изабелле не рассказывал. Уж она как старалась, но так ничего из него и не вытянула.

Мы еще поговорили, все так же невразумительно, а потом доктор Нелсон посмотрел на часы и сказал, что ему пора. Я хотел было уйти вместе с ним, но Эллиот упросил меня подождать. Когда мы остались втроем, миссис Брэдли извинилась, что надоедала мне их семейными делами, и выразила надежду, что я не очень скучал.

— Но, понимаете, меня это не на шутку заботит,— объяснила она в заключение.

— Мистер Моэм очень деликатный человек, Луиза, ему можно довериться. Я не думаю, чтобы Боб Нелсон откровенничал с Ларри, но все-таки мы с Луизой решили, что о некоторых вещах при нем лучше не упоминать.

— Эллиот!

— Ты столько ему рассказала, можно рассказать и остальное. Скажите, вы за обедом заметили Грэя Мэтюрина?

— Он такой большой, как его не заметить.

— Он поклонник Изабеллы. Пока Ларри не было, он от нее не отходил. Он ей нравится; если бы война не кончилась, она вполне могла за него выйти. Он ей делал предложение. Она не сказала ни да, ни нет. Луиза догадалась, что она не хотела решать до возвращения Ларри.

— А почему он сам не был на войне?— спросил я.

— Перетрудил сердце футболом. Ничего страшного, но в армию его не взяли. Так или иначе, когда Ларри вернулся, его шансы свелись к нулю. Изабелла сразу ему отказала.

Не зная, какого отклика на это от меня ожидают, я промолчал. А Эллиот после паузы заговорил снова. Изысканные манеры, оксфордский выговор — ну точь-в-точь какое-нибудь высокое должностное лицо из английского министерства иностранных дел.

— Ларри, конечно, очень милый юноша и показал себя молодцом, когда сбежал и поступил в авиацию, но, уверяю вас, в людях я разбираюсь...— Он позволил себе самодовольную полуулыбку и единственный раз на моей памяти дал понять, что нажил состояние перепродажей произведений искусства.— Иначе я бы сейчас не владел толстенькой пачкой солидных акций. Так вот, я убежден, что из Ларри никогда не выйдет толку. Денег у него, можно сказать, никаких, положения тоже. Грэй Мэтюрин — совсем другое дело. Он носит хорошую старую ирландскую фамилию. У них в роду был и епископ, и драматург, и несколько выдающихся военных и ученых.

— Откуда вам это известно?— спросил я.

— Как-то такие вещи узнаются,— ответил он уклончиво.— Да вот я только на днях просматривал в клубе Американский биографический словарь, и мне там попалась эта фамилия.

Я не счел нужным повторять то, что услышал за обедом от своей соседки про бедняка-ирландца и шведку-официантку — деда и бабку Грэя. А Эллиот продолжал:

— Генри Мэтюрина мы знаем много лет. Он прекрасный человек и очень богатый. Грэй поступает в лучшую маклерскую контору Чикаго. Перед ним открываются неограниченные возможности. Он хочет жениться на Изабелле, и для нее это безусловно отличная партия. Я бы лучшего не желал, и Луиза, разумеется, тоже.

— Ты слишком долго не был в Америке, Эллиот,— сказала миссис Брэдли, сухо улыбнувшись.— Ты забыл, что девушки здесь выходят замуж не потому, что их матери и дяди лучшего не желали бы.

— И гордиться тут нечем, Луиза,— резко отпарировал Эллиот.— Тридцатилетний опыт убедил меня в том, что брак, устроенный с должным учетом общественного и материального положения и общности интересов, имеет все преимущества перед браком по любви. Во Франции, а это в конечном счете единственная цивилизованная страна в мире, Изабелла, не задумываясь, вышла бы за Грэя, а через год-другой, если бы захотела, взяла бы Ларри в любовники. А Грэй мог бы снять роскошную квартиру и поселить там какую-нибудь известную актрису, и все были бы довольны.

Миссис Брэдли была не глупа. Она взглянула на брата весело и лукаво.

— Горе в том, Эллиот, что нью-йоркские театры приезжают сюда каждый раз ненадолго, так что обитательницы той роскошной квартиры стали бы очень уж часто сменяться, а это могло бы нарушить семейный покой.

Эллиот улыбнулся.

— Ну, Грэй мог бы купить место на нью-йоркской бирже. В конце концов, если уж нужно жить в Америке, то имеет смысл жить только в Нью-Йорке.

Вскоре затем я откланялся, но еще до этого Эллиот почему-то решил пригласить меня на завтрак, на который им уже были приглашены Мэтюрины, отец и сын.

— Генри — лучший тип американского бизнесмена,— сказал он.— Хорошо бы вы с ним познакомились. Он уже сколько лет советует нам, как помещать наши деньги.

Особенного желания идти у меня не было, но не было и причин отказываться. Я поблагодарил и согласился.

VII

В Чикаго мне предоставили комнату в одном клубе, располагавшем хорошей библиотекой, и на следующее утро я пошел туда посмотреть кое-какие университетские журналы, труднодоступные для тех, кто на них не подписан. Было еще рано, и в библиотеке я застал только одного посетителя. Он сидел с книгой в глубоком кожаном кресле. Я с удивлением увидел, что это Ларри. Вот уж кого я не ожидал встретить в таком месте. Он поднял голову, когда я проходил мимо него, узнал меня и хотел было встать.

— Сидите, сидите,— сказал я и спросил почти машинально: — Что хорошего читаете?

— Книжку,— ответил он с улыбкой, до того подкупающей, что этот нахальный ответ совсем не показался мне обидным.

Он закрыл книгу и, глядя на меня своими странными непрозрачными глазами, повернул ее так, чтобы мне не видно было заглавие.

— Хорошо провели вчера время?— спросил я.

— Замечательно. Домой добрался в пять часов утра.

— А сейчас уже здесь? Ну и энергия!

— Я сюда часто прихожу. Обычно в это время здесь никого не бывает.

— Ну, не буду вам мешать.

— Вы мне не мешаете,— сказал он и опять улыбнулся, и тут я подумал, что улыбка у него просто чарующая. Она не сверкала, не вспыхивала, а словно озаряла его лицо изнутри каким-то мягким светом. Он сидел в нише между полками, поставленными под углом к стене, рядом стояло второе кресло. Он коснулся его ручки.— Может быть, присядете?

— Ну что ж.

Он протянул мне свою книгу.

— Я вот что читал.

Это были «Научные основы психологии» Уильяма Джеймса. Что и говорить, это классический труд, важная веха в развитии психологической науки; к тому же это книга, которая удивительно легко читается; но странно было увидеть ее в руках у очень молодого человека, бывшего авиатора, только что протанцевавшего до пяти часов утра.

— Зачем вы это читаете?— спросил я.

— Я очень невежественный человек.

— И очень еще молодой,— улыбнулся я.

Он молчал так долго, что я начал этим тяготиться и уже готов был встать и отправиться на розыски интересующих меня журналов. Но мне казалось, что он вот-вот что-то скажет. Он смотрел в пространство серьезно и сосредоточенно, словно о чем-то размышляя. Я ждал. Мне было интересно, что за этим кроется. Наконец он заговорил — так, словно разговор и не прерывался, словно он не заметил долгого молчания.

— Когда я вернулся из Франции, все они хотели, чтобы я поступил в университет. А я не мог. После того, что я пережил, я просто думать не мог о том, чтобы опять сесть за парту. Впрочем, я и последний год в школе почти не учился. А первокурсником просто не мог себя представить. На меня смотрели бы косо. Притворяться не тем, что я есть, я не хотел. И боялся, что меня станут обучать совсем не тому, что меня интересовало.

— Конечно, мое дело сторона,— отвечал я,— но я не уверен, что вы были правы. Кажется, я вас понял, и я согласен, что после двух лет на войне вам не улыбалось стать тем вчерашним школьником, каким студент остается и на первом, и на втором курсе. Что на вас стали бы коситься — я не верю. Я мало знаком с американскими университетами, но думаю, что американские студенты не так уж отличаются от английских, разве что тон погрубее и развлечения попроще. Но в общем они очень порядочные и неглупые, и я думаю, что, если человек не склонен жить их жизнью и сумеет проявить немного такта, они очень скоро перестанут его замечать. Братья мои учились в Кембридже, а я нет. Имел возможность, но не захотел. Мне не терпелось окунуться в жизнь. И теперь я об этом жалею. Думаю, что университет уберег бы меня от многих ошибок. А учиться под руководством опытных преподавателей быстрее. Если некому тебя вести, то и дело упираешься в тупик и теряешь даром массу времени.

— Возможно, вы правы. Но ошибки — это ничего. А вдруг в одном из тупиков я найду что-то для себя нужное?

— А чего вы ищете?

Он чуть помедлил.

— В том-то и дело — я еще сам толком не знаю.

Я промолчал, ответить было как будто нечего. Я-то еще в очень раннем возрасте поставил перед собой вполне определенную и ясную цель, поэтому его слова меня немного рассердили, но я тут же себя одернул; чисто интуитивно я угадывал в душе этого мальчика какую-то смутную тревогу — то ли недодуманные мысли, то ли неосознанные чувства не давали ему покоя, гнали его неведомо куда. Он будил во мне непонятное сочувствие. В сущности, я разговаривал с ним впервые и только теперь оценил, какой у него мелодичный голос. Это был до странности убедительный голос, голос-бальзам. Такой голос, и подкупающая улыбка, и эти выразительные черные-пречерные глаза — да, можно было понять, чем он пленил Изабеллу. В нем и в самом деле было что-то очень пленительное. Он повернулся ко мне и спросил без тени смущения, но глядя на меня пытливо и не без лукавства:

— Правильно я думаю, когда мы вчера уехали танцевать, у вас там был разговор обо мне?

— Был и о вас.

— Я так и думал, раз уж дядю Боба вытащили обедать. Он терпеть не может бывать в гостях.

— Вам, как я понимаю, предлагают хорошее место?

— Замечательное.

— И что же вы, ответите согласием?

— Едва ли.

— Почему?

— Не хочется.

Не люблю я вмешиваться не в свое дело, но тут мне подумалось, что именно потому, что я человек посторонний, да еще приехавший из другой страны, он сам не прочь поговорить со мной.

— Существует мнение, что, когда человек ни на что иное не пригоден, он становится писателем,— усмехнулся я.

— Это не для меня. Таланта нет.

— Так что же вам хочется делать?

Он озарил меня своей чарующей улыбкой.

— Бездельничать.

— Едва ли Чикаго самое подходящее для этого место,— сказал я.— Ну, а пока я вас покину. Вы читайте, а я хочу заглянуть в «Йельский альманах».

Я встал. Когда я уходил из библиотеки, Ларри все еще читал Уильяма Джеймса. Я позавтракал в клубе один и решил еще часок посидеть в библиотеке — выкурить в тишине сигару, почитать, написать кое-какие письма. Ларри по-прежнему был погружен в свою книгу. Казалось, он так и не сдвинулся с места после нашей беседы. И в четыре часа, когда я уходил, он все еще был там. Меня поразила его усидчивость. Он не заметил, когда я вошел, когда вышел. У меня было несколько дел в городе, и в клуб «Блекстоун» я вернулся только к вечеру, переодеться, чтобы ехать обедать. Из чистого любопытства я по дороге опять заглянул в библиотеку. Теперь там было порядочно народу, большинство читали газеты. Ларри сидел все в том же кресле, углубившись все в ту же книгу. Чудеса!

VIII

На следующий день в ресторане отеля «Пальмер-Хаус» состоялась предложенная Эллиотом встреча с отцом и сыном Мэтюринами. Завтракали мы только вчетвером. Генри Мэтюрин был почти такого же огромного роста, как его сын, с красным мясистым лицом и таким же, как у сына, тупым, уверенным носом, но глаза у него были меньше, чем у Грэя, не такие синие и очень-очень зоркие. Было ему, очевидно, только-только за пятьдесят, но выглядел он на десять лет старше, и поредевшие волосы уже были белоснежно-седые. На первый взгляд он показался мне малопривлекательным. Впечатление было такое, что он уже много лет ни в чем себе не отказывал, что это человек грубый, смекалистый, знающий свое дело и — во всяком случае в деловых вопросах — беспощадный. Сперва он говорил мало и словно задался целью меня раскусить. Эллиота, как я сразу заметил, он вообще не принимал всерьез. Грэй держался вежливо и любезно, но почти все время молчал, и настроение за столом было бы совсем никуда, если бы Эллиот с присущим ему тактом и ловкостью не занимал нас светскими разговорами. Я подумал, что в былые годы он приобрел немалый опыт обращения с дельцами Среднего Запада, когда уговаривал их заплатить бешеные деньги за картину старого мастера. Понемногу мистер Мэтюрин стал оттаивать и отпустил два-три замечания, показавших, что он умнее, чем кажется, и даже наделен суховатым чувством юмора. Разговор коснулся ценных бумаг, и я удивился бы тому, как Эллиот осведомлен в этом вопросе, если бы уже давно не пришел к выводу, что он, несмотря на свои чудачества, очень себе на уме. И тут мистер Мэтюрин вдруг заметил:

— Нынче утром я получил письмо от Грэева приятеля Ларри Даррела.

— А ты мне и не сказал, папа,— удивился Грэй.

Мистер Мэтюрин обратился ко мне:

— Вы ведь знакомы с Ларри?— Я кивнул.— Грэй уломал меня взять его на работу. Они закадычные друзья. Послушать Грэя — лучше его нет человека на свете.

— И что он пишет, папа?

— Благодарит. И он, мол, понимает, какие это открывает возможности для молодого человека, и очень тщательно все обдумал и пришел к заключению, что он бы обманул мои ожидания, так что лучше ему отказаться.

— Очень глупо с его стороны,— сказал Эллиот.

— Согласен,— сказал мистер Мэтюрин.

— Мне ужасно жаль, папа,— сказал Грэй.— Так было бы здорово, если бы мы работали вместе.

— Насильно мил не будешь.

Говоря это, мистер Мэтюрин посмотрел на Грэя, и взгляд его зорких глаз смягчился. Я понял, что у этого жесткого дельца есть и вторая ипостась: он души не чаял в своем верзиле-сыне. Он опять обратился ко мне:

— Вы знаете, в воскресенье этот малый обыграл меня семь к шести. Я чуть не дал ему клюшкой по голове. И что самое обидное — я же и научил его играть в гольф.

Гордость так и распирала его. Он начинал мне нравиться.

— Просто мне повезло, папа.

— Ничего подобного. Разве это везенье, когда человек прямо из впадины кладет мяч в шести дюймах от лунки? Тридцать пять ярдов, не меньше, вот какой это был удар. В будущем году хочу отправить его на чемпионат любителей.

— У меня на это времени не хватит.

— Это мне виднее. Не я, что ли, твой хозяин?

— Знаю, знаю. Недаром ты рвешь и мечешь, если мне случится опоздать в контору хоть на одну минуту.

Мистер Мэтюрин весело хмыкнул.

— Хочет изобразить меня деспотом,— объяснил он мне.— Вы ему не верьте. Мое дело — это я, компаньоны у меня ни к черту, делом своим я горжусь. И малого своего стал натаскивать с азов, пусть продвигается постепенно, как любой наемный сотрудник, и чтобы был готов занять мое место, когда придет время. Такое дело, как у меня,— это огромная ответственность. Некоторых своих клиентов я обслуживаю по тридцать лет, и они мне доверяют. Я лучше себе в убыток поступлю, лишь бы сберечь их деньги.

Грэй рассмеялся.

— Тут недавно явилась одна старушенция, хотела поместить тысячу долларов в какое-то дутое предприятие, ей, видите ли, священник присоветовал; так он отказался принять у нее распоряжение, а когда она стала спорить, так на нее наорал, что она ушла вся в слезах. А потом позвонил тому священнику и ему тоже намылил голову.

— Про нас, маклеров, много чего говорят, но маклеры-то бывают разные. Я не хочу, чтобы люди теряли деньги, я хочу, чтобы они наживались, а они, во всяком случае большинство, такое выделывают, точно у них одна забота — как бы поскорее спустить все до последнего цента.

— Ну, что вы о нем скажете?— спросил Эллиот, когда Мэтюрины укатили обратно в свою контору, а мы с ним вышли на улицу.

— Меня новые человеческие разновидности всегда интересуют. Эта взаимная любовь отца и сына очень трогательна. В Англии такое редко встретишь.

— Он обожает сына. А вообще он — странная смесь. То, что он сказал о своих клиентах,— сущая правда. Он опекает сбережения каких-то бесчисленных старух, военных в отставке, бедных священников. Казалось бы, зачем это ему, одна морока, но его самолюбию льстит, что они так свято в него верят. Зато уж если речь идет о крупной сделке, где ему противостоят могущественные интересы, тут он может себя показать и жестким, и безжалостным. Тут от него пощады не жди. Ни перед чем не остановится, а свой фунт мяса получит. Кто ему враг, того он мало что пустит по миру, но еще и руки будет потирать от удовольствия.

Вернувшись домой, Эллиот рассказал миссис Брэдли, что Ларри отклонил предложение Генри Мэтюрина. Как раз в это время в комнату вошла Изабелла, завтракавшая у подруги. Сказали и ей. Последовал разговор, во время которого Эллиот, если верить тому, как он мне об этом рассказывал, проявил недюжинное красноречие. Хотя сам он последние десять лет не проработал и часа и хотя работа, которой он нажил себе прочный достаток, отнюдь не была изнурительной, он твердо держался того мнения, что рядовому человеку трудиться необходимо. Ларри — самый обыкновенный молодой человек, положения в обществе у него никакого, а значит, нет и причин нарушать похвальные обычаи своей родины. Такому прозорливому человеку, как Эллиот, было ясно, что Америка вступает в пору небывалого в ее истории процветания. Ларри представляется возможность оказаться среди первых, и при должном усердии он к сорока годам свободно может нажить несколько миллионов. А тогда, если он захочет удалиться от дел и вести жизнь джентльмена, скажем, в Париже, на авеню дю Буа, да еще приобрести замок в Турени,— пожалуйста, он, Эллиот, ничего не имеет против.

Луиза Брэдли, со своей стороны, высказалась не столь пространно, но недвусмысленно:

— Если он тебя любит, должен быть готов для тебя поработать.

Не знаю, что ответила на все это Изабелла, но она не могла не признать, что и мать и дядя рассуждают здраво. Все ее знакомые молодые люди либо учились, готовясь к какой-нибудь профессии, либо уже поступили на службу. Не может же Ларри рассчитывать, что, если он отличился в авиации, этого хватит ему на всю жизнь. Война кончилась, всем она до смерти надоела, и все стараются как можно скорее про нее забыть. Разговор кончился тем, что Изабелла согласилась теперь же выяснить свои отношения с Ларри раз и навсегда. Миссис Брэдли подала мысль, чтобы она попросила Ларри свозить ее в автомобиле в Марвин. Ей нужно заказать новые занавески для тамошней гостиной, а размеры она куда-то затеряла, вот Изабелле и поручение — перемерить их заново.

— Боб Нелсон покормит вас завтраком,— добавила она.

— А еще лучше вот что,— сказал Эллиот.— Дай им корзинку с завтраком, и пусть поедят на веранде, а потом и поговорить можно.

— Это бы хорошо,— сказала Изабелла.

— Ничего нет приятнее, чем импровизированный завтрак на свежем воздухе,— назидательно произнес Эллиот.— Старая герцогиня д'Юсез говорила мне, что в такой обстановке самый строптивый мужчина и тот поддается на уговоры. Что ты им дашь на завтрак?

— Фаршированных яиц и сандвичей с курицей.

— Глупости. Какой же это пикник без паштета? И еще, на закуску дай им креветок, заливную куриную грудку и салат-латук, я его сам заправлю. А после паштета в виде уступки вашим американским вкусам — яблочный пирог.

— Я дам им фаршированных яиц и сандвичей с курицей, Эллиот,— твердо повторила миссис Брэдли.

— Ну так попомни мои слова: ничего не выйдет, и все по твоей вине.

— Ларри ест очень мало, дядя Эллиот,— сказала Изабелла.— Он, по-моему, и не замечает, что ест.

— Надеюсь, ты не ставишь ему это в заслугу, бедная моя девочка,— отозвался Эллиот.

Но миссис Брэдли не дала сбить себя с толку. Позже Эллиот рассказал мне о результатах этой поездки, пожимая плечами, как истый француз.

— Говорил я им, что ничего не выйдет. Я просил Луизу подкинуть хоть бутылку монтраше, из тех, что я прислал ей перед самой войной, но она меня не послушалась. Дала им только термос с горячим кофе. Чего же было и ждать?

А рассказал он мне, что сидел с Луизой в гостиной, когда автомобиль остановился у подъезда и Изабелла вошла в дом. Совсем недавно стемнело, занавески были задернуты, Эллиот, развалясь в кресле, читал роман, а миссис Брэдли вышивала экран для камина. Изабелла, не заходя в гостиную, прошла к себе в спальню. Эллиот посмотрел поверх очков на сестру.

— Наверно, пошла снять шляпу,— сказала та.— Сейчас явится.

Но Изабелла не явилась. Прошло несколько минут.

— Может быть, устала и прилегла.

— А ты разве не думала, что Ларри тоже зайдет?

— Ох, Эллиот, отстань.

— Да мне что ж? Дело ваше.

Он опять уткнулся в книгу. Миссис Брэдли продолжала вышивать. Но через полчаса она вдруг встала с места.

— Посмотрю, пожалуй, как она там. Если задремала, я не стану ее тревожить.

Она вышла, но очень скоро вернулась.

— Она плакала. Ларри уезжает в Париж. На два года. Она обещала его ждать.

— Зачем ему понадобилось ехать в Париж?

— Не задавай мне вопросов, Эллиот. Я не знаю. Она мне ничего не говорит. Сказала только, что понимает и не хочет ему мешать. Я ей говорю: «Если он готов расстаться с тобой на два года, значит, не очень тебя любит», а она: «Что же делать, главное — я-то его очень люблю».— «Даже после сегодняшнего?»— «После сегодняшнего,— говорит,— я его еще больше полюбила. Да и он меня любит, я уверена».

Эллиот помолчал, подумал.

— А через два года что будет?

— Говорю же тебе, не знаю.

— Очень это что-то неопределенно.

— Очень.

— Тут можно сказать только одно: оба они еще молоды. Подождать два года им не повредит, а за это время мало ли что может случиться.

Они решили пока оставить Изабеллу в покое. Вечером им предстоял званый обед.

— Я не хочу ее расстраивать,— сказала миссис Брэдли.— А то приедет туда заплаканная, еще пойдут кривотолки.

Но на следующий день, когда они втроем позавтракали дома, миссис Брэдли вернулась к этой теме. Впрочем, легче ей от этого не стало.

— Право же, мама, я уже все тебе рассказала.

— Но что он хочет делать в Париже?

Изабелла улыбнулась: она знала, каким нелепым ее ответ покажется матери.

— Бездельничать.

— Что?! Это как же надо понимать?

— Я только передаю, что он сказал.

— Нет, с тобой всякое терпение потеряешь. Будь у тебя хоть капля гордости, ты бы тут же разорвала помолвку. Он просто над тобой издевается.

Изабелла посмотрела на колечко, которое носила на левой руке.

— А что я могу поделать? Я его люблю.

Тут в разговор вступил Эллиот и, как всегда, проявил бездну такта. «Понимаете, дорогой, я говорил с ней не как дядя с племянницей, а просто как человек, знающий жизнь, с неопытной девушкой»,— но тоже ничего не добился. У меня создалось впечатление, что Изабелла предложила ему — в вежливой форме, разумеется,— не соваться не в свое дело. Рассказывал он мне об этом в тот же день ближе к вечеру, сидя у меня в комнате.

— Луиза, конечно, права,— сказал он.— Все это очень неопределенно, но вот так и бывает, когда молодым людям позволяют самостоятельно устраивать свою судьбу, а для брака у них нет никаких оснований, кроме взаимной склонности. Я уговариваю Луизу не волноваться, по-моему, все устроится не так уж плохо. Ларри будет далеко, а Грэй Мэтюрин — рядом, ну и всякому, кто хоть немножко знает людей, ясно, к чему это приведет. В восемнадцать лет чувства горячи, но недолговечны.

— Житейской мудрости у вас хватает, Эллиот,— сказал я с улыбкой.

— Недаром же я читал Ларошфуко. Что такое Чикаго — вы знаете. Они постоянно будут встречаться. Девушке такая преданность всегда льстит, да еще когда она знает, что любая ее подруга хоть завтра вышла бы за него замуж,— ну скажите сами, в человеческих ли это силах устоять против искушения восторжествовать над всеми? Все равно как ехать на вечер, когда знаешь, что будешь смертельно скучать и вместо ужина подадут только лимонад с печеньем; так нет же, едешь, потому что знаешь, что лучшие твои подруги отдали бы все на свете, лишь бы туда поехать, а их не пригласили.

— Ларри когда уезжает?— спросил я.

— Не знаю. Кажется, это еще не решено.

Эллиот достал из кармана длинный плоский портсигар, платиновый с золотом, и извлек из него египетскую папиросу. Всякие «Фатимы», «Честерфилды», «Кэмел» и «Лаки-страйк» — это было не для него. Он посмотрел на меня и многозначительно улыбнулся.

— Конечно, Луизе я бы этого не стал говорить, но вам признаюсь: втайне я питаю к этому юноше симпатию. Я понимаю, во время войны он мельком увидел Париж, и не мне его осуждать, если он ощутил прелесть этого города, единственного города в мире для цивилизованного человека. Он молод, и ему, видно, хочется все испытать, прежде чем связать себя браком. Это очень естественно, так и должно быть. Я о нем позабочусь. Познакомлю его с кем нужно; манеры у него хорошие, несколько беглых указаний с моей стороны — и можно будет ввести его в любую гостиную. Я могу показать ему такую сторону парижской жизни, которую видят лишь очень немногие американцы. Поверьте мне, милейший, рядовому американцу куда легче попасть в царствие небесное, чем в особняк на Сен-Жерменском бульваре. Ему двадцать лет, он не лишен обаяния, и я, вероятно, мог бы устроить ему связь с женщиной постарше его. Это придало бы ему лоск. Я всегда считал, что для молодого человека лучшее воспитание — это стать любовником женщины известного возраста и, разумеется, известного круга, femme du monde*, вы меня понимаете. Это сразу упрочило бы его положение в Париже.

— А миссис Брэдли вы это говорили?— улыбнулся я.

Эллиот поперхнулся смешком.

— Дорогой мой, если я чем-нибудь горжусь, так это своим тактом. Нет, ей я этого не говорил. Она, бедняжка, и не поняла бы меня. А мне в Луизе одно непонятно — как она, полжизни вращаясь в дипломатических кругах чуть ли не во всех столицах мира, умудрилась сохранить такой безнадежно американский образ мыслей.

IX

В тот вечер я был на обеде в большом каменном доме на Набережной, производившем такое впечатление, словно архитектор начал строить средневековый замок, а достроив до половины, передумал и решил превратить его в швейцарское шале. Приглашенных было не счесть, и, войдя в огромную пышную гостиную — сплошь статуи, пальмы, канделябры, старые мастера и мягкая мебель,—я был рад увидеть хотя бы несколько знакомых лиц. Генри Мэтюрин представил меня своей худенькой, хрупкой, сильно накрашенной жене. Миссис Брэдли и Изабелла дружески со мной поздоровались. Изабелла была прелестна, красное шелковое платье очень шло к ее темным волосам и ярко-карим глазам. Она, казалось, была в ударе, и никто бы не догадался, что только накануне она прошла через такое мучительное испытание. Ее окружало несколько молодых людей, в том числе Грэй Мэтюрин, и она весело с ними болтала. Обедали мы за разными столами, и я ее

* Светской женщины (фр.).

не видел, но позже, когда мы, мужчины, просидев невесть сколько времени за кофе с ликером и сигарами, вернулись наконец в гостиную, мне удалось с нею поговорить. Я не был с ней знаком достаточно близко, чтобы прямо коснуться того, о чем рассказал мне Эллиот, но у меня была в запасе новость, которой я надеялся ее порадовать.

— На днях видел в клубе вашего молодого человека,— сказал я как бы мимоходом.

— Правда?

Говорила она так же небрежно, как я, но я заметил, что она сразу насторожилась. Глаза стали внимательные и как будто испуганные.

— Он был в библиотеке, читал,— продолжал я.— Меня поразила его усидчивость. Он читал, когда я пришел туда в начале одиннадцатого, читал, когда я вернулся после завтрака, и все еще читал, когда я заглянул туда перед самым обедом. Очевидно, он часов десять подряд просидел в этом кресле.

— А что он читал?

— «Научные основы психологии» Уильяма Джеймса.

Она не смотрела на меня, так что трудно было судить, как мои слова были восприняты, но почему-то мне показалось, что они и озадачили ее, и успокоили. Тут хозяин дома потащил меня играть в бридж, а когда мы кончили играть, Изабелла с матерью уже уехали.

X

Через несколько дней я зашел к миссис Брэдли проститься с ней и с Эллиотом. Я застал их за чаем. Вскоре после меня явилась Изабелла. Мы побеседовали о предстоящем мне путешествии. Я поблагодарил их за то, как любезно они приняли меня в Чикаго, и, просидев сколько нужно, поднялся с места.

— Я дойду с вами до аптеки,— сказала Изабелла.— Я забыла купить там одну вещь.

Последнее, что я услышал от миссис Брэдли, было:

— Когда увидите дорогую королеву Маргариту, не забудьте передать от меня привет, хорошо?

Я уже отчаялся внушить ей, что не знаком с этой коронованной особой, и без запинки ответил, что передам непременно.

Выйдя на улицу, Изабелла лукаво поглядела на меня и спросила:

— Вы как, способны выпить содовой с мороженым?

— Попробую,— ответил я осторожно.

До самой аптеки Изабелла молчала, мне тоже было нечего сказать. Мы вошли и сели за столик, на стулья с гнутой проволочной спинкой и гнутыми проволочными ножками, очень неудобные. Я заказал две порции содовой с мороженым. У прилавка стояло несколько покупателей, еще две-три пары сидели за столиками, но они были заняты своими разговорами, так что мы оказались все равно что одни. Я закурил и стал ждать, пока Изабелла с довольным видом тянула напиток через длинную соломинку. Она, видимо, нервничала.

— Мне нужно было с вами поговорить,— начала она вдруг.

— Я так и понял,— улыбнулся я.

— Почему вы в тот вечер у Саттеруэйтов сказали мне это про Ларри?

— Думал, вам будет интересно. Я не был уверен, хорошо ли вы себе представляете, что Ларри понимает под словом «бездельничать».

— Дядя Эллиот ужасный сплетник. Когда он сказал, что идет к вам в клуб поболтать, я сразу поняла, что он вам все обо всем расскажет.

— Не забудьте, мы с ним давно знакомы. Его хлебом не корми, дай только посудачить о чужих делах.

— Это верно.— Она улыбнулась, но это был лишь проблеск, глаза ее оставались серьезными.— Что вы скажете о Ларри?

— Я видел его всего три раза. По-моему, очень славный мальчик.

— И это все?

В голосе ее прозвучало разочарование.

— Нет, почему же. Мне, знаете ли, трудно сказать, ведь я его почти не знаю. Но, конечно, в нем много привлекательного — какая-то скромность, мягкость, дружелюбие... И в нем чувствуется редкое для его возраста самообладание. Чем-то он отличается от всех молодых людей, которых я здесь встречал.

Пока я подыскивал слова, чтобы выразить впечатление, мне самому не совсем ясное, Изабелла не сводила с меня глаз. Когда я умолк, она чуть вздохнула, словно бы с облегчением, а потом подарила меня очаровательной шаловливой улыбкой.

— Дядя Эллиот говорит, что часто дивился вашей наблюдательности. Он говорит, что вы буквально все замечаете, но что главное ваше достоинство как писателя — здравомыслие.

— Я мог бы назвать более ценное качество,— отозвался я сухо.— Например, талант.

— Понимаете, мне не с кем это обсудить. Мама смотрит на все только со своей точки зрения. Она хочет, чтобы мое будущее было обеспечено.

— Что ж, это естественно.

— А для дяди Эллиота значение имеет только положение в обществе. А мои друзья, то есть мои сверстники, считают, что Ларри — жалкий неудачник. Это ужасно обидно.

— Еще бы.

— Они не то что плохо к нему относятся. К нему нельзя относиться плохо. Но они не принимают его всерьез. Они все время его поддразнивают, а ему хоть бы что, он только смеется, и это выводит их из себя. Как сейчас обстоит дело, вы знаете?

— Только со слов Эллиота.

— Можно, я вам расскажу, что на самом деле произошло, когда мы ездили в Марвин?

— Разумеется.

Этот эпизод я частью восстановил по воспоминаниям о том, что она мне тогда рассказала, частью домыслил сам. Но разговор у них с Ларри был долгий, и сказано было, несомненно, куда больше того, что будет воспроизведено ниже. Думаю, что они, как всегда бывает в таких случаях, не только наговорили много такого, что не относилось к делу, но и без конца повторяли одно и то же.

Проснувшись утром и убедившись, что погода прекрасная, Изабелла позвонила Ларри, сказала, что мать посылает ее в Марвин с поручением, и просила свозить ее туда в автомобиле. На всякий случай она добавила термос с мартини к тому термосу с кофе, который миссис Брэдли велела Юджину уложить в корзинку. Машина у Ларри была новенькая, и он очень ею гордился. Он любил ездить быстро, от бешеной скорости настроение у обоих поднялось. Когда они приехали, Изабелла перемерила занавески, подлежавшие замене, а Ларри записал нужные данные. Потом они устроились завтракать на веранде. Она была защищена от ветра, а солнце бабьего лета приятно пригревало. К дому вела грунтовая дорога, он выглядел отнюдь не нарядно, не то что старые деревянные дома в Новой Англии, и похвалиться мог разве что тем, что был поместительный и удобный; но с веранды открывался вид на длинный красный сарай с черной крышей, купу старых деревьев и необозримые бурые поля. Скучный вид, но в тот день солнце и яркие осенние краски придавали ему какую-то интимную прелесть. В этих огромных пространствах было что-то бодрящее. Зимой тут, наверно, было холодно, неприютно, уныло, знойным летом сухо, выжжено, нечем дышать, но в эту пору ландшафт веселил душу, самая безбрежность его манила в неведомые дали.

Они позавтракали с аппетитом, как свойственно молодости, им было хорошо вдвоем. Изабелла разлила кофе, Ларри закурил трубку.

— Ну, приступай, дорогая,— сказал он, лукаво улыбаясь глазами.

— К чему приступать?— спросила она, по мере сил разыгрывая удивление.

Он усмехнулся.

— Ты меня совсем уж за дурака принимаешь? Голову даю на отсечение, что ширина и высота ваших окон в гостиной твоей маме отлично известны. Не для этого ты просила меня сюда съездить.

Овладев собой, она улыбнулась ему ослепительной улыбкой.

— Может быть, я подумала, что хорошо бы нам с тобой провести денек наедине.

— Может быть, но едва ли. Скорее, я подозреваю, что дядя Эллиот тебе сказал, что я отклонил предложение Генри Мэтюрина.

Говорил он легко и весело, и она решила отвечать ему в тон.

— Грэй, должно быть, ужасно разочарован. Ему так хотелось, чтобы вы работали вместе. Когда-то ведь нужно начинать, а чем дольше откладывать, тем будет труднее.

Он попыхивал трубкой, ласково ей улыбаясь, и она не могла разобрать, шутит он или говорит серьезно.

— А мне, знаешь ли, сдается, что я вовсе не мечтаю всю жизнь торговать ценными бумагами.

— Ну хорошо, тогда поступи в обучение к юристу или на медицинский.

— Нет, это тоже не для меня.

— Так чего же тебе хочется?

— Бездельничать,— отвечал он спокойно.

— Не дури, Ларри. Это ведь очень-очень серьезно.

Голос ее дрогнул, глаза наполнились слезами.

— Не плачь, родная. Я не хочу тебя терзать.

Он пересел к ней ближе, обнял ее за плечи. В голосе его было столько ласки, что она не могла сдержать слезы. Но тут же вытерла глаза и заставила себя улыбнуться.

— Говоришь, что не хочешь меня терзать, а сам терзаешь. Пойми, ведь я тебя люблю.

— И я тебя люблю, Изабелла.

Она глубоко вздохнула. Потом сбросила с плеча его руку и отодвинулась.

— Давай говорить как взрослые люди. Мужчина должен работать, Ларри. Хотя бы из самоуважения. Мы — молодая страна, и долг мужчины — участвовать в ее созидательной работе. Генри Мэтюрин только на днях говорил, что мы вступаем в такую пору, рядом с которой все достижения прошлого — ничто. Он сказал, что возможности развития у нас беспредельные, и он убежден, что к тысяча девятьсот тридцатому году мы будем самой богатой и самой великой страной во всем мире. Ведь это ужасно интересно, правда?

— Ужасно.

— Перед молодыми открыты все дороги. Тебе бы надо гордиться, что ты можешь принять участие в работе, которая нас ждет. Это так увлекательно.

— Наверно, ты права,— отвечал он смеясь.— Армор и Свифт будут выпускать все больше мясных консервов все лучшего качества, а Маккормик — все больше жнеек, а Генри Форд — все больше автомобилей. И все будут богатеть и богатеть.

— А почему бы и нет?

— Вот именно, почему бы и нет. Но меня, понимаешь, деньги не интересуют.

Изабелла фыркнула.

— Дорогой мой, не говори глупостей. Без денег не проживешь.

— Немножко у меня есть. Это и позволяет мне делать, что я хочу.

— То есть бездельничать?

— Да,— улыбнулся он.

— Ох, Ларри, с тобой так трудно говорить,— вздохнула она.

— Мне очень жаль, но тут я бессилен.

— Неправда.

Он покачал головой. Помолчал, о чем-то задумавшись. Когда же наконец заговорил, то сказал нечто совсем уж несуразное.

— Мертвецы, когда умрут, выглядят до ужаса мертвыми.

— Что ты хочешь этим сказать?— спросила она растерянно.

— Да то, что сказал,— ответил он с виноватой улыбкой.—
Когда находишься в воздухе совсем один, есть время подумать. И всякие странные мысли лезут в голову.

— Какие мысли?

— Туманные,— улыбнулся он.— Бессвязные. Путаные.
Изабелла обдумала его слова.

— А тебе не кажется, что, если б ты стал работать, они бы
прояснились и ты бы разобрался в себе?

— Я думал об этом. Я уже прикидывал: может, пойти работать плотником или в гараж.

— О Господи, Ларри, да люди подумают, что ты помешался.

— А это имеет значение?

— Для меня — да.

Опять наступило молчание. На этот раз первой заговорила она.

— Ты так изменился после Франции.

— Неудивительно. Со мной там много чего случилось.

— Например?

— Ну, что всегда бывает на войне. Один авиатор, мой лучший друг, спас мне жизнь, а сам погиб. Это было нелегко пережить.

— Расскажи.

Он посмотрел на нее с тоской в глазах.

— Не хочется мне об этом говорить. Да, в общем, такое
каждый день случается.

Изабелла, отзывчивая душа, опять чуть не заплакала.

— Ты несчастлив, милый?

— Нет,— улыбнулся он.— Если несчастлив, так только оттого, что делаю тебе больно.— Он взял ее за руку, и в при-
косновении его крепкой, сильной руки было что-то до того
дружеское, до того бережное и нежное, что она прикусила
губу, чтобы не разрыдаться.— Скорее всего, я так и не успо-
коюсь, пока окончательно для себя все не решу,— сказал он
задумчиво.— Ужасно трудно выразить это словами. Только
начнешь — и сбиваешься. Говоришь себе: «Кто я такой, чтобы копаться в этих сложностях? Может, я просто возомнил
о себе? Не лучше ли идти проторенной дорожкой, а там будь
что будет?». А потом вспомнишь парня, который час назад
был полон жизни, а теперь лежит мертвый, и так все покажется жестоко и нелепо. Поневоле задаешься вопросом, что
такое вообще жизнь и есть ли в ней какой-то смысл или она
всего лишь трагическая ошибка незрячей судьбы.

Невозможно было остаться спокойной, когда Ларри говорил этим своим особенным голосом, говорил запинаясь, словно против воли, но с такой щемящей искренностью. Изабелла не сразу нашла в себе силы заговорить.

— А тебе не стало бы легче, если бы на время уехать?

Она задала этот вопрос с замиранием сердца. Он долго не отвечал.

— Вероятно, стало бы. Я очень стараюсь относиться безразлично к тому, что обо мне думают, но это нелегко. Когда тебя осуждают, сам начинаешь осуждать других и делаешься себе противен.

— Так почему ж ты не уезжаешь?

— Из-за тебя, конечно.

— Не будем прятаться друг от друга, милый. Сейчас в твоей жизни для меня нет места.

— Это что значит, что ты расхотела быть со мной помолвленной?

Она заставила себя улыбнуться дрожащими губами.

— Нет, глупенький, это значит, что я согласна ждать.

— Может быть, год; может быть, два?

— Ничего. Может быть, и меньше. Ты куда поедешь?

Он посмотрел на нее пристально, словно хотел заглянуть ей в самое сердце. Она опять улыбнулась, чтобы скрыть отчаяние.

— Для начала я бы поехал в Париж. Я там никого не знаю. Никто не станет соваться в мою жизнь. Я несколько раз туда ездил в отпуск. Не знаю почему, я вбил себе в голову, что там все мои недоумения прояснятся. Это удивительный город, он рождает ощущение, что там можно без помехи додумать свои мысли до конца. Мне кажется, там я смогу понять, как мне жить дальше.

— А если не сможешь, тогда что?

Он усмехнулся.

— Тогда я вспомню, что, как всякий американец, наделен здравым смыслом, плюну на все, вернусь в Чикаго и возьмусь за любую работу, какую смогу получить.

Эта сцена так повлияла на Изабеллу, что она и рассказывать об этом не могла без волнения, а закончив, устремила на меня жалобный взгляд.

— Как, по-вашему, я правильно поступила?

— По-моему, иначе вы поступить не могли, но вы к тому же выказали большую доброту, великодушие и понимание.

— Я его люблю и хочу, чтобы ему было хорошо. И знаете, в каком-то смысле я рада, что он уедет. Я хочу, чтобы он вырвался из этой враждебной атмосферы, и не только ради него хочу, но и ради себя. Я не могу осуждать людей, которые говорят, что из него ничего не выйдет. Я их за это ненавижу, а в глубине души боюсь, как бы они не оказались правы. Но насчет понимания это вы зря. Я абсолютно не понимаю, что ему нужно.

— Может быть, понимаете не столько разумом, сколько сердцем. А почему бы вам не выйти за него замуж теперь же и не уехать с ним в Париж?

В ее глазах мелькнула тень улыбки.

— Я бы с радостью. Но нет, не могу. И знаете, хоть и тяжко это сознавать, но я почти уверена, что без меня ему будет лучше. Если доктор Нелсон прав и у него это действительно затянувшиеся последствия военной травмы, тогда новая обстановка и новые интересы, безусловно, помогут ему вылечиться, а когда он снова придет в равновесие, то вернется в Чикаго и станет работать, как все. Я не хочу, чтобы мой муж сидел сложа руки.

Изабелла получила соответствующее воспитание и твердо усвоила правила, которые ей внушали с детства. О деньгах она не думала, потому что ей никогда не случалось в чем-либо себе отказывать, но инстинктом чувствовала, как много они значат. Деньги — это власть, влияние, общественный вес. И вполне естественно и очевидно, что обязанность мужчины — их наживать. В этом и должна состоять его работа.

— Меня не удивляет, что вы не понимаете Ларри,— сказал я,— потому что он, как мне кажется, сам себя не понимает. Если он избегает говорить о своей цели в жизни, так это, возможно, потому, что ясной цели у него и нет. Правда, я его почти не знаю, и это только догадки, но что, если он сам не знает, чего ищет, и даже не уверен, есть ли чего искать? Может быть, то, что случилось с ним на войне, начисто лишило его душевного покоя. Может, он стремится к какому-то идеалу, скрытому за туманом неизвестности,— как астроном ищет звезду, о существовании которой судит только по математическим вычислениям.

— Я чувствую, что что-то все время его угнетает.

— Может быть, собственная душа? Может быть, он сам себя немного боится. Может быть, не убежден в подлинности того, что смутно прозревает внутренним оком.

— Он иногда производит на меня такое странное впечатление — как лунатик, который вдруг проснулся в каком-то незнакомом месте и не может сообразить, куда он попал. До войны он был такой нормальный. В нем чувствовался такой неуемный вкус к жизни. Он был веселый, беззаботный, с ним было так легко, такой был смешной и милый. Что могло его до такой степени изменить?

— Трудно сказать. Иногда какая-нибудь мелочь способна оказать на нас действие, совершенно несообразное с ее фактическим значением. Все зависит от обстановки и от нашего настроения в ту минуту. Помню, я как-то в День Всех Святых, французы называют его Днем Поминовения Усопших, пошел к обедне в деревенскую церковь, которую немцы порядком повредили во время своего первого вторжения во Францию. Церковь была полна солдат и женщин в черном. На кладбище выстроились рядами низкие деревянные кресты, и, пока шла служба, торжественная и печальная, и женщины плакали, да и мужчины тоже, мне подумалось, что, может быть, тем, кто лежит под этими крестами, лучше, чем нам, живым. Я поделился этой мыслью с одним знакомым, и он спросил, что я имею в виду. Объяснить я не мог, и он, конечно же, счел меня идиотом. А еще помню, как-то после боя я видел трупы французских солдат, сложенные в большую кучу. Они напомнили мне марионеток, которых прогоревший актер-кукольник свалил как попало в пыльный угол, потому что они ему больше не нужны. И тогда я подумал то самое, что вам сказал Ларри: мертвецы выглядят до ужаса мертвыми.

Я не хочу внушить читателю, будто нарочно делаю тайну из того, что случилось с Ларри на войне и так сильно его потрясло, с тем чтобы в удобный момент эту тайну раскрыть. Вероятнее всего, он так никому и не рассказал об этом. Правда, много лет спустя он рассказал одной женщине, Сюзанне Рувье, которую мы оба знали, про того молодого пилота, который погиб, спасая ему жизнь. Она пересказала это мне, так что я знаю об этом только из вторых рук, и ее рассказ, как он мне запомнился, перевожу теперь с французского. По ее словам выходило, что во Франции Ларри крепко подружился с одним малым, служившим в той же эскадрилье. Имени его Сюзанна не знала, помнила только шутливую кличку, которой его называл Ларри. «Он был небольшого росточку, рыжий,— говорил Ларри.— Ирландец. Мы окрестили его Патси. Живчик был, каких мало. Энергия из него так и перла. Физиономия у него была забавная и ухмылка забавная, при одном взгляде на него смех разбирал. Дисциплины он не признавал, проказничал напропалую, начальники его чуть не каждый день распекали. Он не знал, что такое страх, и, побывав на волосок от смерти, только ухмылялся во весь рот, точно в ответ на хорошую шутку. Но авиатор он был Божьей милостью и в воздухе проявлял и выдержку, и осторожность. Он многому меня научил. Он был чуть постарше меня и оказывал мне покровительство. Очень это было смешно, потому что я был выше его ростом дюймов на шесть и, если б нам случилось сцепиться, в два счета его уложил бы. Один раз в Париже я так и сделал, потому что он был пьян и я боялся, что он влипнет в неприятную историю.

В эскадрилье я сначала не мог освоиться, боялся, что буду хуже всех, так он одними насмешками заставил меня поверить в свои силы. Войну он как-то не принимал всерьез, ненависти к немцам у него не было. Но подраться был не прочь и в воздушный бой вступал с превеликим удовольствием. Сбивая немецкий аэроплан, он при всем желании не мог в этом усмотреть ничего, кроме хорошей шутки. Он был нахальный, отчаянный, беспардонный, но было в нем что-то такое до того настоящее, что его нельзя было не любить. Отдавал последнее с такой же легкостью, как и брал. А если одолеет тебя тоска по родине или страх, как со мной бывало, сразу заметит, скорчит хитрую рожу и такое скажет, что живо приведет тебя в чувство».

Ларри затянулся трубкой, а Сюзанна молча ждала, что будет дальше.

«Мы с ним ловчили, чтобы одновременно получать увольнительные, и в Париже он совсем с цепи срывался. Мы здорово проводили там время. В начале марта, в восемнадцатом это было, нас как раз обещали отпустить на несколько дней, и мы заранее составили план кампании. Каких только развлечений себе не придумали! Накануне того дня нас послали облететь вражеские позиции и донести обо всем, что увидим. Вдруг откуда ни возьмись несколько германских аэропланов, и не успели мы оглянуться, как завязался бой. Один из них погнался за мной, но я стал стрелять первым. Хотел проверить, сбил я его или нет, и тут краем глаза увидел у себя на хвосте второго. Я спикировал, чтобы уйти от него, но он мгновенно меня настиг, и я уж думал, что мне крышка; но тут Патси коршуном налетел на него и всыпал ему как следует. Этого с них хватило, они от нас отстали, а мы повернули домой. Мою машину здорово покорежило, я еле дотянул. Патси сел первым. Когда я выбрался из кабины, его только что вынесли и положили на землю. Ждали санитарную машину. При виде меня он ухмыльнулся.

«Дал я тому мерзавцу, что висел у тебя на хвосте»,— сказал он.

«А что с тобой, Патси?»— спросил я.

«Да пустяки. Он меня малость подбил».

Он был бледен как смерть. И вдруг лицо его странно изменилось. Он почувствовал, что умирает, а до этого такая возможность даже не приходила ему в голову. Он рывком приподнялся — его не успели удержать. Засмеялся, сказал: «О черт, надо же»— и упал мертвый. Ему было двадцать два года. В Ирландии его ждала невеста».

Через день после моего разговора с Изабеллой я уехал в Сан-Франциско, откуда мне предстояло плыть на Дальний Восток.

Глава вторая

I

С Эллиотом я увиделся только в июне следующего года, когда он приехал в Лондон. Я спросил про Ларри, попал ли он в конце концов в Париж. Да, попал. Раздражение, с каким говорил о нем Эллиот, меня слегка позабавило.

— Я ведь втайне питал к этому мальчику симпатию. Я не осуждал его желание провести годик-другой в Париже и был готов служить ему ментором. Я сказал ему, чтобы, как приедет, немедленно меня известил, но о приезде его узнал только из письма Луизы. Я написал ему до востребования на агентство «Америкен экспресс», такой адрес дала мне Луиза, и пригласил его к себе на обед, чтобы кое с кем познакомить. Для начала я наметил нескольких дам из франко-американского круга — ну, например, Эмили Монтадур и Грэси де Шато-Гайар. Так знаете, что он мне ответил? Что приехать не может, потому что не привез с собой ни фрака, ни визитки.

Эллиот посмотрел на меня в упор, ожидая прочесть на моем лице изумление и ужас. Убедившись же, что я принял его сообщение спокойно, он презрительно вздернул брови.

— Он ответил мне на листке дешевой бумаги со штампом какого-то кафе в Латинском квартале. Я опять написал, просил дать мне знать, где он остановился. Я чувствовал себя обязанным как-то помочь ему ради Изабеллы и еще подумал, что он, может быть, стесняется. Понимаете, я просто не мог поверить, что молодой человек, если он не сумасшедший, мог приехать в Париж без вечерних костюмов, да, впрочем, и в Париже есть вполне приличные портные, и я пригласил его на завтрак, сказав, что народу будет совсем мало, а он, хотите верьте, хотите нет, не только оставил без внимания мою просьбу сообщить какой-нибудь адрес, кроме «Америкен экспресс»; но написал, что днем никогда не завтракает. После этого я поставил на нем крест.

— Интересно, как он проводит время.

— Не знаю, да, по правде сказать, и знать не хочу. Боюсь, что иметь с ним дело нежелательно, и со стороны Изабеллы было бы серьезной ошибкой выйти за него замуж. Ведь, если бы он вел нормальный образ жизни, я бы неизбежно встретил его в баре отеля «Ритц», или у Фуке, или еще где-нибудь.

Я и сам заглядывал иногда в эти фешенебельные рестораны, но заглядывал и в другие, и в начале осени того же года как раз провел несколько дней в Париже по пути в Марсель, откуда собирался отплыть в Сингапур на одном из пароходов компании «Мессажери». Как-то вечером я обедал со знакомыми на Монпарнасе, а после обеда мы зашли в кафе «Купол» выпить пива. Обводя взглядом террасу, я увидел Ларри, он сидел один за мраморным столиком и поглядывал на прохожих, наслаждавшихся вечерней прохладой после душного дня. Я извинился перед своими спутниками и подошел к нему. При виде меня лицо его оживилось, он приветливо мне улыбнулся и пригласил присесть, но я сказал, что не могу, так как я не один.

— Я просто хотел с вами поздороваться.

— Вы здесь надолго?

— Всего на несколько дней.

— Может быть, позавтракаем вместе завтра?

— А я думал, вы днем не завтракаете.

Он усмехнулся.

— Понятно, с Эллиотом вы уже виделись. Да, обычно не завтракаю, времени жалко, выпью стакан молока с бриошью, и все, но вас мне захотелось пригласить.

— Ну что ж.

Мы сговорились, что на следующий день встретимся тут же, выпьем по аперитиву, а потом позавтракаем где-нибудь поблизости. Я вернулся к своему столу. Мы еще посидели, поговорили, а когда я опять хотел найти глазами Ларри, оказалось, что он уже ушел.

II

Следующее утро прошло очень приятно. Я поехал в Люксембургский дворец и провел там час перед некоторыми из своих любимых картин. Потом погулял по саду, воскрешая воспоминания молодости. Здесь ничего не изменилось. Словно те же студенты ходили парами по дорожкам, горячо обсуждая писателей, волновавших их умы. Словно те же дети катали те же серсо под бдительным надзором тех же нянек. Словно те же старики и те же пожилые женщины в трауре сидели на скамейках и обменивались мнениями о ценах на мясо и кознях прислуги. Потом я пошел к театру «Одеон», поглядел, какие книжные новинки выставлены на галереях, и увидел молодых людей, которые так же, как я тридцать лет назад, под недовольными взглядами продавцов в синих блузах норовили прочесть возможно больше страниц из книг, недоступных для их тощего кошелька. Потом по милым моему сердцу невзрачным улицам я выбрался на бульвар Монпарнас и так дошел до «Купола». Ларри меня ждал. Мы выпили и отправились в ресторанчик, где можно было поесть на воздухе.

Ларри, пожалуй, немного осунулся с тех пор, как я видел его в Чикаго, так что его темные глаза в глубоких глазницах казались совсем черными, но держался он с тем же самообладанием, удивительным в столь молодом человеке, и улыбался так же неотразимо. Когда он заказывал завтрак, я заметил, что по-французски он говорит свободно и без акцента. Я похвалил его за это.

— Немножко я знал французский и раньше,— объяснил он.— У Изабеллы была гувернантка-француженка, и, когда они жили в Марвине, она заставляла нас весь день говорить по-французски.

Я спросил, нравится ли ему Париж.

— Очень нравится.

— Вы живете на Монпарнасе?

— Да,— ответил он после едва заметной паузы, которую я истолковал как нежелание высказаться точнее.

— Эллиота серьезно огорчило, что вы не дали ему никакого адреса, кроме «Америкен экспресс».

Он улыбнулся, но промолчал.

— Как вы проводите время?

— Бездельничаю.

— Читаете?

— Да, читаю.

— С Изабеллой переписываетесь?

— Изредка. Писать письма мы оба ленимся. Она вовсю веселится в Чикаго. Будущей осенью они с тетей Луизой приедут к Эллиоту погостить.

— Рад за вас.

— Изабелла, по-моему, никогда не была в Париже. Забавно будет все ей здесь показать.

Он расспросил меня о моем путешествии в Китай и слушал мои рассказы внимательно, но навести разговор на него самого мне не удалось. Он так упорно отмалчивался, что я поневоле заключил, что пригласил он меня с единственной целью побыть в моем обществе, это было и лестно, и непонятно. Не успели мы допить кофе, как он подозвал официанта, расплатился и встал.

— Ну, мне надо бежать.

Мы расстались. Ничего нового я о нем так и не узнал и больше его не видел.

III

Когда миссис Брэдли с Изабеллой уже весной, раньше, чем было намечено, приехали к Эллиоту в гости, меня в Париже не было; и снова я вынужден призвать на помощь воображение, рассказывая о том, что произошло за те несколько недель, что они там провели. Пароход доставил их в Шербур, и Эллиот, любезный, как всегда, встретил их на пристани. Они прошли таможенный досмотр. Поезд тронулся. Эллиот не без самодовольства сообщил, что нанял для них очень хорошую горничную, и, когда миссис Брэдли сказала, что это лишнее, что горничная им не нужна, он строго отчитал ее.

— Что это такое в самом деле, Луиза, не успела приехать, как уже споришь. Без горничной вам не обойтись, и Антуанетту я нанял, заботясь не только о вас, но и о себе. Для меня очень важно, как вы будете выглядеть.

Он окинул их дорожные костюмы неодобрительным взглядом.

— Вы, конечно, захотите накупить новых платьев. По зрелом размышлении я решил, что лучше всего вам подойдет Шанель.

— Раньше я всегда одевалась у Ворта,— сказала миссис Брэдли.

Он пропустил ее слова мимо ушей.

— Я сам переговорил с Шанель, и мы условились, что вы будете там завтра в три часа. Затем шляпы. Тут я рекомендую Ребу.

— Я не хочу много тратить, Эллиот.

— Знаю. Все расходы я беру на себя. Вы должны быть одеты так, чтобы я мог вами гордиться. И еще вот что, Луиза, я подготовил для вас несколько интересных вечеров, и я говорю моим друзьям, что Мирон был послом — он, конечно, и был бы послом, проживи он немного дольше, а звучит это эффектнее. Вероятно, речь об этом и не зайдет, но я решил тебя предупредить.

— Чудак ты, Эллиот.

— Вовсе нет. Я знаю жизнь. И знаю, что вдова посла в глазах людей значит больше, чем вдова советника посольства.

Когда показался Северный вокзал, Изабелла, стоявшая у окна, воскликнула:

— А вот и Ларри!

Едва поезд остановился, она соскочила на платформу и побежала ему навстречу. Он обнял ее.

— Откуда он узнал о вашем приезде?— ледяным тоном спросил Эллиот.

— Изабелла послала ему телеграмму с парохода.

Миссис Брэдли расцеловала его, а Эллиот волей-неволей протянул ему руку. Было десять часов вечера.

— Дядя Эллиот, можно Ларри прийти к нам завтра ко второму завтраку?— Она повисла у Ларри на руке, лицо ее светилось, глаза сияли.

— Я был бы очень рад, но он дал мне понять, что днем не завтракает.

— Ну, завтра позавтракает, правда, Ларри?

— Правда,— улыбнулся он.

— Тогда милости прошу к часу дня.

Он снова протянул руку, как бы прощаясь, но Ларри ответил ему откровенной усмешкой.

— Я помогу с багажом и приведу вам такси.

— Мой автомобиль ждет, а о багаже позаботится мой лакей,— произнес Эллиот с достоинством.

— Чудесно. Тогда можно ехать. Если для меня найдется место, я доеду с вами до вашего дома.

— Да, Ларри, обязательно,— сказала Изабелла.

Они пошли по перрону рядом, а Эллиот с сестрой чуть позади. Лицо Эллиота выражало холодное осуждение.

— Quelles manieres*,— пробормотал он, ибо в некоторых случаях считал уместным выражать свои чувства по-французски.

На следующее утро в одиннадцать часов он закончил свой туалет (рано вставать он не любил), после чего через своего лакея Жозефа и горничную Антуанетту послал сестре записку с просьбой прийти в библиотеку побеседовать без помех. Когда она пришла, он старательно прикрыл дверь, закурил папиросу в очень длинном агатовом мундштуке и сел.

— Насколько я понял, Ларри и Изабелла все еще считаются женихом и невестой?

— Как будто так.

— К сожалению, я могу тебе сообщить о нем мало хорошего.— И он рассказал сестре, как готовился ввести Ларри в общество, как собирался устроить его подобающим образом.— Я даже присмотрел одну холостяцкую квартирку, которая подошла бы ему как нельзя лучше. Ее снимает молодой маркиз де Ретель, но он хотел ее сдать от себя, потому что получил назначение в посольство в Мадриде.

Но Ларри отклонил его предложение, ясно дав понять, что в его помощи не нуждается.

— Какой смысл приезжать в Париж, если не хочешь взять от Парижа то, что он может дать,— это выше моего понимания. Мне неизвестно, где и как он проводит время. По-моему, он ни с кем не знаком. Вы хоть знаете, где он живет?

— Он дал только этот адрес — «Америкен экспресс».

— Как коммивояжер или школьный учитель на каникулах. Я не удивился бы, узнав, что он живет с какой-нибудь гризеткой в студии на Монмартре.

— Эллиот!!

* Какие манеры (фр.).

— ❖ 284 ❖ —

— А как иначе объяснить, что он скрывает свое местожительство и не желает общаться с людьми своего круга?

— Не похоже это на Ларри. А вчера разве тебе не показалось, что он чуть не больше прежнего влюблен в Изабеллу? Не мог бы он так притворяться.

Эллиот только пожал плечами, как бы говоря, что мужскому коварству нет предела.

— А как там Грэй Мэтюрин, еще не отступился?

— Он женился бы на Изабелле хоть завтра, если б она согласилась.

И тут миссис Брэдли рассказала, почему они приехали в Европу раньше, чем предполагали. Она стала плохо себя чувствовать, и врачи нашли у нее диабет. Форма нетяжелая, и при должной диете и умеренных дозах инсулина она вполне может прожить еще много лет, но сознание, что она больна неизлечимой болезнью, усилило ее тревогу за будущее дочери. Они все обговорили. Изабелла проявила благоразумие. Она согласилась, что, если Ларри и после двух лет в Париже откажется вернуться в Чикаго, тогда останется одно — порвать с ним. Но самой миссис Брэдли представлялось обидным дожидаться назначенного срока, а потом увозить его обратно на родину, точно преступника, скрывающегося от правосудия. И для Изабеллы это значило бы поставить себя в унизительное положение. Зато ничего не могло быть естественнее, чем провести лето в Европе, где Изабелла не бывала с детства. Они поживут в Париже, потом поедут на какой-нибудь курорт, где миссис Брэдли сможет полечиться водами, оттуда ненадолго в Австрийский Тироль и дальше, не спеша, по Италии. В планы миссис Брэдли входило пригласить в это путешествие Ларри, чтобы дать им с Изабеллой возможность проверить, не изменились ли их чувства под влиянием долгой разлуки. Тут уж окончательно выяснится, готов ли Ларри, порезвившись на воле, стать взрослым человеком, ответственным за свои поступки.

— Генри Мэтюрин был очень на него сердит, когда он отказался от предложенного места, но Грэй уломал его, и Ларри, если захочет, будет принят к нему в контору, как только вернется в Чикаго.

— Славный малый этот Грэй.

— Еще бы,— вздохнула миссис Брэдли.— С ним-то Изабелла была бы счастлива, это я знаю.

Затем Эллиот рассказал ей, какие развлечения он для них подготовил. Завтра он дает завтрак, в конце недели — званый обед. Еще он повезет их на раут к Шато-Гайарам и уже заручился для них приглашениями на бал у Ротшильдов.

— Ларри ты ведь тоже пригласишь?

— Он заявил мне, что у него нет вечерних костюмов,— фыркнул Эллиот.

— А ты все равно пригласи. Он как-никак милый, и нет никакого смысла его отстранять, только Изабеллу против себя восстановишь.

— Ну конечно, приглашу, если тебе так хочется.

К завтраку Ларри явился без опоздания, и Эллиот, как человек воспитанный, выказывал ему подчеркнутую сердечность. Это, впрочем, было нетрудно: Ларри был так весел, так оживлен, что только человек, куда более злонравный, чем Эллиот, мог не поддаться его очарованию. Разговор шел о Чикаго и о тамошних общих знакомых, так что Эллиоту, в сущности, оставалось только делать любезное лицо и притворяться, что его интересуют дела людей, не занимающих, по его мнению, никакого положения в обществе. Слушал он, положим, не без удовольствия; его даже умиляло, как они упоминали о том, что такие-то двое помолвлены, такие-то поженились, а такие-то развелись. Кто о них когда слышал? Ему-то, например, известно, что хорошенькая маркиза де Кленшан пыталась отравиться, потому что ее бросил любовник, принц де Коломбо, чтобы жениться на дочери какого-то южноамериканского миллионера. Вот об этом действительно стоило поговорить. Поглядывая на Ларри, он был вынужден признать, что в нем есть что-то привлекательное; эти глубоко посаженные, до странности черные глаза, высокие скулы, бледная кожа и подвижный рот напомнили Эллиоту один портрет кисти Боттичелли, и ему подумалось, что, если бы одеть Ларри в костюм той эпохи, он выглядел бы до крайности романтично. Он вспомнил, что подумывал свести его с какой-нибудь именитой француженкой, и лукаво улыбнулся при мысли, что на субботний обед приглашена Мари-Луиза де Флоримон, сочетающая безупречные семейные связи с заведомо безнравственным поведением. В сорок лет она выглядела на тридцать — она унаследовала утонченную красоту своей бабки, увековеченную на портрете Натье, который сейчас, не без помощи самого Эллиота, попал в одну из знаменитейших американский коллекций,— и как женщина была поистине ненасытна. Эллиот решил, что за обедом посадит ее рядом с Ларри. Она, конечно, не замедлит сделать так, чтобы ее желания стали ему понятны. Для Изабеллы у него уже припасен интересный молодой атташе британского посольства. Поскольку Изабелла очень хорошенькая, а он англичанин, и притом со средствами, то обстоятельство, что она небогата, роли не играет. Разомлев от превосходного монтраше, поданного к первому блюду, и от последовавшего за ним отличного бордо, Эллиот безмятежно созерцал широкие возможности, открывавшиеся его внутреннему взору. Если все пойдет так, как он рассчитывает, у бедной Луизы не будет больше причин тревожиться. Она всегда к нему придиралась; она, бедняжка, очень провинциальна, но он ее любит. Приятно, что, опираясь на свое знание жизни, он может избавить ее от серьезных забот.

Дабы не терять времени, Эллиот подгадал так, чтобы везти своих дам выбирать туалеты сразу после завтрака, а потому, едва все встали из-за стола, с присущим ему тактом намекнул Ларри, что пора и честь знать, однако тут же настойчиво и радушно пригласил его на оба задуманных им приема. Впрочем, он мог особенно не стараться: Ларри принял оба приглашения с полуслова.

Но планы Эллиота рухнули. Он вздохнул с облегчением, когда Ларри явился на обед в очень приличной визитке, ведь он побаивался, что увидит его в том же синем костюме, который был на нем за завтраком; а после обеда, уединившись с Мари-Луизой де Флоримон в углу гостиной, спросил, как ей понравился его молодой друг американец.

— У него красивые глаза и хорошие зубы.

— И только? Я посадил его рядом с вами, потому что решил, что он вполне в вашем вкусе.

Она глянула на него испытующе.

— Он мне сказал, что помолвлен с вашей хорошенькой племянницей.

— Voyons, ma chere*, то соображение, что мужчина принадлежит другой, никогда еще не мешало вам хотя бы попытаться его отнять.

— Так вы вот чего от меня хотите? Ну нет, мой бедный Эллиот, таскать для вас каштаны из огня я не намерена.

Эллиот усмехнулся.

— Это, видимо, надо понимать так, что вы испробовали на нем ваши методы и убедились, что ничего не выйдет?

— За что я вас люблю, Эллиот, так это за то, что моральные критерии у вас как у содержательницы борделя. Вы не хотите, чтобы он женился на вашей племяннице. Почему? Он хорошо

---

* Полноте, дорогая (*фр.*).

воспитан и очень обаятелен. Правда, наивен сверх меры. По-моему, он и не догадался, к чему я клоню.

— Вам бы следовало выразиться яснее.

— Я достаточно опытна, чтобы понять, когда я даром трачу время. Ему нужна только ваша маленькая Изабелла, а у нее, между нами говоря, передо мною преимущество в двадцать лет. И она очень мила.

— Платье ее вам понравилось? Это я выбирал.

— Платье красивое и ей к лицу. Но шика у нее, разумеется, нет.

Эллиот воспринял ее слова как упрек в свой адрес и решил, что этого он госпоже де Флоримон не спустит. Он любезно улыбнулся.

— Мой милый друг, такой шик, как у вас, приобретается только в зрелые годы.

Оружием госпоже де Флоримон служила не рапира, а скорее дубина. От ее ответа вся виргинская кровь Эллиота так и вскипела.

— Но это ничего, в вашей прекрасной стране гангстеров (votre beau pays d'apaches) едва ли заметят отсутствие свойства столь тонкого и неподражаемого.

Впрочем, злословила только госпожа де Флоримон, остальные же друзья Эллиота были в восторге и от Изабеллы, и от Ларри. Им нравилась ее прелестная свежесть, ее бьющее в глаза здоровье и жизнерадостность, нравилась его живописная внешность, хорошие манеры и тихий иронический юмор. К тому же оба отлично говорили по-французски, в то время как миссис Брэдли, прожив столько лет среди дипломатов, говорила правильно, но с неистребимым американским акцентом. Эллиот оставался щедрым и радушным хозяином. Изабелла, радуясь своим новым платьям и новым шляпам, жадно хватаясь за все увеселения, какие поставлял ей Эллиот, и счастливая близостью Ларри, чувствовала, что еще никогда так не наслаждалась жизнью.

IV

Эллиот держался того мнения, что утренний завтрак следует вкушать в одиночестве или, в случае крайней необходимости, с совсем уж посторонними людьми; поэтому миссис Брэдли волей-неволей, а Изабелла даже с удовольствием пили утренний кофе каждая у себя в спальне. Но иногда Изабелла просила Антуанетту отнести ее поднос в комнату матери, чтобы поболтать с ней за чашкой кофе с молоком. Жизнь ее была так заполнена, что только в это время суток они и могли побыть наедине. В одно такое утро, когда они прожили в Париже уже около месяца, миссис Брэдли сперва выслушала ее рассказ о том, как она и Ларри с компанией друзей полночи кочевали из одного ночного клуба в другой, а потом задала вопрос, который держала в мыслях с самого их приезда.

— Когда он вернется в Чикаго?

— Не знаю. Он об этом не говорил.

— А ты его не спрашивала?

— Нет.

— Боишься?

— Нет, что ты.

Миссис Брэдли в роскошном матине, которое Эллиот непременно захотел ей подарить, полировала ногти, полулежа на кушетке.

— О чем же вы с ним говорите все время, когда бываете одни?

— А мы не все время говорим. Нам просто хорошо вместе. Ты же знаешь, Ларри всегда был молчаливый. По-моему, когда мы разговариваем, говорю больше я.

— Что он тут поделывал один?

— Право, не знаю. Кажется, ничего особенного. Наверно, жил в свое удовольствие.

— А где он живет?

— И этого не знаю.

— Видно, он стал очень скрытный?

Изабелла закурила сигарету и, выпустив через нос струйку дыма, спокойно поглядела на мать.

— Что ты хочешь этим сказать, мама?

— Дядя Эллиот думает, что он снимает квартиру и живет там с какой-то женщиной.

Изабелла расхохоталась.

— Но ты же в это не веришь?

— Честно говоря, нет.— Миссис Брэдли критически оглядела свои ногти.— Ты сама с ним когда-нибудь говорила о Чикаго?

— Очень часто.

— И он ни разу не упомянул, что собирается домой?

— По-моему, нет.

— В октябре будет два года, как он уехал.

— Я знаю.

— Что ж, милая, дело твое, поступай как знаешь. Но чем дольше откладываешь, тем бывает труднее.— Она взглянула на дочь, но Изабелла отвела глаза. Миссис Брэдли ласково ей улыбнулась.— Беги принимать ванну, не то еще опоздаешь к завтраку.

— Мы завтракаем с Ларри. Поедем с ним куда-то в Латинский квартал.

— Ну, дай вам Бог.

Ларри зашел за ней через час. Они взяли такси до моста Сен-Мишель, а оттуда не спеша прошлись по бульвару до первого приглянувшегося им кафе. Они сели на террасе и заказали по порции дюбонне. Потом опять взяли такси и поехали в ресторан. Аппетит у Изабеллы был отменный, ей нравились все вкусные вещи, которые Ларри для нее заказывал. Ей нравилось смотреть на людей, сидевших к ним вплотную, потому что ресторан был переполнен, ее смешило явное наслаждение, с каким они поглощали пищу; но больше всего она наслаждалась тем, что сидит за крошечным столиком вдвоем с Ларри. Он с таким интересом слушал ее веселую болтовню. Чудесно было чувствовать себя с ним так свободно. Но где-то в ней гнездилось смутное беспокойство, потому что, хотя и он как будто чувствовал себя свободно, ей казалось, что причина этого не столько в ней, сколько в окружавшей его обстановке. То, что утром сказала ей мать, немного ее смутило, и она, не прекращая своей, казалось бы, такой безыскусной болтовни, зорко вглядывалась в его лицо. Он был не совсем такой же, как до отъезда из Чикаго, но в чем разница — она не могла бы сказать. На вид как будто бы совсем прежний — такой же веселый, открытый,— но выражение лица изменилось. Не то чтобы он стал серьезнее — в покое лицо его всегда было серьезным,— но в нем появилась какая-то новая спокойная уверенность, точно он решил что-то для себя, окончательно в чем-то утвердился.

После завтрака он предложил ей пройтись к Люксембургскому дворцу.

— Нет, картины смотреть мне не хочется.

— Ладно, тогда пойдем посидим в саду.

— Нет, тоже не хочу. Я хочу посмотреть, где ты живешь.

— А там и смотреть нечего. Я живу в паршивой комнатушке в гостинице.

— Дядя Эллиот уверяет, что ты снимаешь квартиру и живешь там с натурщицей.

Он засмеялся.

— Раз так — пошли, сама убедишься. Отсюда два шага, дойдем пешком.

Он повел ее узкими кривыми улочками, мрачноватыми даже под ярко-голубым небом, сиявшим между крышами высоких домов, и вскоре остановился перед небольшой гостиницей с вычурным фасадом.

— Вот и пришли.

Изабелла последовала за ним в тесный вестибюль, в одном углу которого стояла конторка, а за ней читал газету человек без пиджака, в полосатом, желтом с черным, жилете и грязном фартуке. Ларри попросил свой ключ, и человек протянул руку к висевшей позади него доске с гвоздями. Подавая ключ, он бросил на Изабеллу вопросительный взгляд, обернувшийся понимающей усмешкой. Он явно решил, что в номер к Ларри она направляется не за хорошим делом.

Они поднялись по лестнице, устланной потертой красной дорожкой, и Ларри отпер дверь. Изабелла очутилась в небольшой комнате с двумя окнами. Окна выходили на серый доходный дом через улицу, в нижнем этаже которого помещалась писчебумажная лавка. В комнате стояла узкая кровать и рядом с ней тумбочка, стоял массивный гардероб с зеркалом, мягкое, но с прямой спинкой кресло, а между окнами — стол и на нем пишущая машинка, какие-то бумаги и довольно много книг. Книги в бумажных обложках громоздились и на каминной полке.

— Садись в кресло. Оно не слишком уютное, но лучшего предложить не могу.— Он пододвинул себе стул и сел.

— И здесь ты живешь?— в изумлении спросила Изабелла. Он усмехнулся.

— Здесь и живу. С самого приезда.

— Но почему?

— Место удобное. И до Национальной библиотеки, и до Сорбонны рукой подать.— Он указал на дверь, которую она сперва не заметила.— Даже ванная имеется. Утром я ем здесь, а обедаю обычно в том ресторане, где мы с тобой завтракали.

— Убожество какое.

— Да нет, здесь хорошо. Большего мне не требуется.

— А какие люди здесь живут?

— Толком не знаю. В мансардах — студенты. Есть несколько старых холостяков, государственных служащих. Есть актриса на покое, когда-то играла в «Одеоне»; вторую комнату с ванной занимает содержанка, ее покровитель навещает ее раз в две недели, по четвергам. Есть, наверно, и проезжий народ. Очень тихая гостиница и очень респектабельная.

Изабелла немного растерялась и, зная, что Ларри это заметил, была готова обидеться.

— Это что за большущая книга у тебя на столе?— спросила она.

— Это? Это мой древнегреческий словарь.

— Что-о?

— Не бойся, он не кусается.

— Ты учишь древнегреческий?

— Да.

— Зачем?

— Просто захотелось.

Он улыбался ей глазами, и она улыбнулась в ответ.

— Может быть, ты мне все-таки расскажешь, чем ты занимался все время, пока жил в Париже?

— Я много читал. По восемь, по десять часов в сутки. Слушал лекции в Сорбонне. Прочел, кажется, все, что есть значительного во французской литературе, и на латыни, во всяком случае латинскую прозу читаю теперь почти так же свободно, как по-французски. С греческим, конечно, труднее. Но у меня прекрасный учитель. До вашего приезда я ходил к нему по вечерам три раза в неделю.

— А смысл в этом какой?

— Приобретение знаний,— улыбнулся он.

— Практически это как будто ничего не дает.

— Возможно. А с другой стороны, возможно, и дает. Но это страшно интересно. Ты даже представить себе не можешь, какое это наслаждение — читать «Одиссею» в подлиннике. Такое ощущение, что стоит только подняться на цыпочки, протянуть руку — и коснешься звезд.

Он встал со стула, точно поднятый охватившим его волнением, и зашагал взад-вперед по маленькой комнате.

— Последние месяца два я читаю Спинозу. Понимаю, конечно, с пятого на десятое, но чувствую себя победителем. Словно вышел из аэроплана на огромном горном плато.

Кругом ни души, воздух такой, что пьянит как вино, и самочувствие лучше некуда.

— Когда ты вернешься в Чикаго?

— В Чикаго? Не знаю. Я об этом не думал.

— Ты говорил, что если через два года не найдешь того, что тебе нужно, то поставишь на этом крест.

— Сейчас я не могу вернуться. Я на пороге. Передо мной раскрылись необъятные пространства духа и манят, и я так хочу их одолеть.

— И что ты рассчитываешь там найти?

— Ответы на мои вопросы.— Он поглядел на нее так лукаво, что, не знай она его наизусть, она подумала бы, что он шутит.— Я хочу уяснить себе, есть Бог или нет Бога. Хочу узнать, почему существует зло. Хочу узнать, есть ли у меня бессмертная душа или со смертью мне придет конец.

Изабелла чуть слышно ахнула. Ей стало не по себе, когда он заговорил о таких вещах, хорошо еще, что говорил он о них легко, самым обычным тоном и она успела преодолеть свое замешательство.

— Но, Ларри,— сказала она улыбаясь,— люди задают эти вопросы уже тысячи лет. Если бы на них существовали ответы, их уже наверняка нашли бы.

У Ларри вырвался смешок.

— Нечего смеяться, как будто я сболтнула какую-то чушь,— сказала она резко.

— Наоборот, по-моему, то, что ты сказала, очень умно. Но, с другой стороны, можно сказать и так, что раз люди задают эти вопросы тысячи лет, значит, они не могут их не задавать и будут задавать их и впредь. А вот что ответов никто не нашел — это неверно. Ответов больше, чем вопросов, и много разных людей нашли ответы, которые их вполне удовлетворили. Вот хотя бы старик Рейсброк.

— А он кто был?

— Так, один малый, с которым я не учился в школе,— беспечно сострил Ларри.

Изабелла не поняла, но переспрашивать не стала.

— Мне все это кажется детским лепетом. Такие вещи волнуют разве что второкурсников, а после колледжа люди о них забывают. Им надо зарабатывать на жизнь.

— Я их не осуждаю. Понимаешь, я в особом положении — у меня есть на что жить. Если б не это, мне бы тоже, как всем, пришлось бы зарабатывать деньги.

— Но неужели деньги сами по себе ничего для тебя не значат?

Он широко улыбнулся.

— Ни вот столечко.

— Сколько же времени у тебя на это уйдет?

— Право, не знаю. Пять лет. Десять лет.

— А потом? Что ты будешь делать со всей этой мудростью?

— Если я обрету мудрость, так авось у меня хватит ума понять, что с ней делать.

Изабелла отчаянно стиснула руки и подалась вперед.

— Ты не прав, Ларри. Ты же американец. Здесь тебе не место. Твое место в Америке.

— Я вернусь туда, когда буду готов.

— Но ты столько теряешь. Как ты можешь отсиживаться в этом болоте, когда мы переживаем самое увлекательное время во всей истории? Европа свое отжила. Сейчас мы — самая великая, самая могущественная нация в мире. Мы движемся вперед огромными скачками. У нас есть решительно все. Твой долг — вносить свой вклад в развитие родины. Ты забыл, ты не знаешь, как безумно интересно сейчас жить в Америке. А что, если ты просто трусишь, если тебя страшит работа, которая требуется сегодня от каждого американца?.. Да, я знаю, по-своему ты тоже работаешь, но, может быть, это всего-навсего бегство от ответственности? Может, это просто своего рода старательное безделье? Что бы сталось с Америкой, если бы все вздумали так отлынивать?

— Ты очень строга, родная,— улыбнулся он.— Могу ответить — не все смотрят на вещи так, как я. Большинство людей, вероятно, к счастью для них, не прочь идти нормальным путем; ты только забываешь, что мое желание учиться не менее сильно, чем... ну, скажем, чем желание Грэя нажить кучу денег. Неужели же я изменяю родине тем, что хочу посвятить несколько лет самообразованию? Может быть, я потом смогу передать людям что-нибудь ценное. Это, конечно, только мечта, но, если она и не сбудется, я окажусь не в худшем положении, чем человек, который избрал деловую карьеру и не преуспел.

— А я? Или я ничего для тебя не значу?

— Ты значишь для меня очень много. Я хочу, чтобы ты вышла за меня замуж.

— Когда? Через десять лет?

— Нет, теперь же. Как можно скорее.

«Острие бритвы»

— И на что мы будем жить? У мамы лишних денег нет. Да если бы и были, она бы не дала. Сочла бы, что это неправильно — помогать тебе вести бездельную жизнь.

— Я бы и не хотел ничего брать у твоей матери,— сказал Ларри.— У меня есть три тысячи годовых. В Париже это более чем достаточно. Могли бы снять квартирку, нанять une bonne a tout faire*. И как бы чудесно нам с тобой было!

— Но, Ларри, на три тысячи в год прожить нельзя!

— Очень даже можно. У многих и этого нет, а живут.

— Но я не хочу жить на три тысячи в год. И не вижу для этого оснований.

— Я сейчас живу на полторы.

— Да, но как?

Она окинула взглядом невзрачную комнату и гадливо передернулась.

— Я хочу сказать, что кое-что сумел отложить. В свадебное путешествие мы могли бы поехать на Капри, а осенью побывать в Греции. Туда меня ужасно тянет. Помнишь, как мы с тобой мечтали, что вместе объездим весь свет?

— Путешествовать я, конечно, хочу. Но не так. Я не хочу ехать на пароходе вторым классом, останавливаться в третье-разрядных гостиницах, без ванной, питаться в дешевых ресторанах.

— В прошлом году, в октябре, я вот так проехался по Италии. Замечательно было. На три тысячи годовых мы могли бы объездить весь свет.

— Но я хочу иметь детей, Ларри.

— Прекрасно. Их тоже заберем с собой.

— Глупыш ты,— рассмеялась она.— Да ты знаешь, сколько это стоит, завести ребенка? Вот Вайолет Томлинсон в прошлом году родила и постаралась обставить это как можно дешевле, и это ей стоило тысячу двести пятьдесят долларов. А няня, ты знаешь, во сколько обходится?— С каждым новым доводом, который приходил ей в голову, она все больше разгорячалась.— Ты такой непрактичный. Ты просто не понимаешь, чего требуешь от меня. Я молода. Я хочу наслаждаться жизнью. Хочу иметь все, что люди имеют. Хочу ездить на балы, на приемы, и верхом кататься, и в гольф играть, хочу хорошо одеваться. Ты понимаешь, что это значит для девушки — быть одетой хуже, чем ее подруги? Ты понимаешь, Ларри, что это значит — покупать у знакомых старые платья, которые им

---

* Прислуга (единственная) (фр.).

надоели, или говорить спасибо, когда кто-то из милости купит тебе новый туалет? Я не могла бы даже причесываться у приличного парикмахера. Я не хочу ездить в трамваях и в автобусах, мне нужен собственный автомобиль. И что бы я стала делать с утра до ночи, пока ты читаешь в своей библиотеке? Ходить по улицам и глазеть на витрины или сидеть в Люксембургском саду и присматривать за детьми? У нас и знакомых бы не было...

— Ох, Изабелла!— перебил он.

— Не было бы таких, к каким я привыкла. Да, конечно, друзья дяди Эллиота иногда приглашали бы нас в гости, чтобы сделать ему приятное, но мы не могли бы к ним ездить, потому что мне нечего было бы надеть, и не захотели бы, потому что не на что было бы пригласить их к себе. А знаться с какими-то серыми, немытыми личностями я не хочу, мне не о чем с ними говорить, а им со мной. Я хочу жить, Ларри.— Она вдруг заметила, какие у него глаза: ласковые, как всегда, когда они устремлены на нее, но чуть насмешливые.— Ты, наверно, считаешь, что я дура? Что все это пошло и гадко?

—Нет. По-моему, все, что ты говоришь, вполне естественно.

Он стоял спиной к камину. Она встала, подошла и остановилась перед ним.

—Ларри, если бы у тебя не было ни гроша за душой и ты бы получил место на три тысячи в год, я бы, не задумываясь, за тебя вышла. Я стала бы стряпать для тебя, стелить постели, носить что попало, обходиться без чего угодно, и все мне было бы в радость, потому что я знала бы, что это вопрос времени, что ты добьешься успеха. Но сейчас ты мне предлагаешь это убожество на всю жизнь, и никаких перспектив. Ты предлагаешь мне до смертного часа гнуть спину. И ради чего? Чтобы ты годами мог отыскивать ответы на вопросы, к тому же, как ты сам говоришь, неразрешимые. Это несправедливо. Мужчина обязан работать. Для этого он и создан. Этим он и способствует процветанию общества.

— Короче говоря, его долг — поселиться в Чикаго и поступить в контору к Генри Мэтюрину. Ты думаешь, я так уж сильно буду способствовать процветанию общества, если стану навязывать своим знакомым акции, в которых заинтересован Генри Мэтюрин?

— Без маклеров не обойтись. И это вполне приличный и почтенный способ зарабатывать деньги.

— Ты очень черными красками расписала жизнь в Париже на скромный доход. А ведь на самом деле все иначе. Одеваться со вкусом можно не только у Шанель. И не все интересные люди живут возле Триумфальной арки и авеню Фош. Вернее, там живет очень мало интересных людей, потому что интересные люди, как правило, небогаты. У меня здесь множество знакомых: художников, писателей, студентов — французов, англичан, американцев и прочих — и они, думаю, показались бы тебе занятнее, чем Эллиотовы линялые маркизы и длинноносые герцогини. У тебя живой ум, острое чувство юмора. Тебе бы понравилось, как они спорят и шутят за обедом, хотя пьют только дешевое вино и за столом не прислуживает дворецкий и два лакея.

— Не глупи, Ларри. Конечно, понравилось бы. Ты же знаешь, что я не сноб. Мне очень хочется встречаться с интересными людьми.

— Но обязательно в туалетах от Шанель. А ты думаешь, они бы не поняли, что для тебя это своего рода филантропия в интеллектуальном плане? Им это было бы в тягость, как и тебе, а тебе это дало бы одно — возможность рассказать Эмили де Монтадур и Грэси Шато-Гайар, что накануне ты очень весело провела вечер в Латинском квартале среди страховидных представителей богемы.

Изабелла чуть пожала плечами.

— Вероятно, ты прав. Это не те люди, среди каких я воспитана. У меня с ними нет ничего общего.

— И к чему же мы пришли?

— К тому же, с чего начали. Я живу в Чикаго, с тех пор как себя помню. Все мои друзья — там. И все мои интересы. Там я дома. Там мое место, и твое тоже. Мама больна, на улучшение надежды нет. Я не могла бы ее бросить, если б и захотела.

— Значит, так: если я откажусь теперь же вернуться в Чикаго, ты не выйдешь за меня замуж?

Изабелла минуту колебалась. Она любила Ларри. Она хотела стать его женой. Тянулась к нему всей своей женской сущностью. Знала, что и он ее желает. Она внушала себе, что, если поставить вопрос ребром, он не может не уступить. Было страшно, но она пошла на риск.

— Да, Ларри. Именно так.

Он чиркнул спичкой о камин — старомодной французской серной спичкой, от которых свербит в носу, и раскурил трубку. Потом, минуя Изабеллу, подошел к окну. Выглянул наружу.

И молчал, молчал. Она стояла на прежнем месте, глядя теперь в зеркало над камином, но не видя своего отражения. Сердце ее бешено колотилось, от страха сосало под ложечкой. Наконец он обернулся.

— Если б только ты захотела понять, насколько жизнь, которую я тебе предлагаю, содержательнее всего, что ты можешь вообразить. Если б только ты захотела понять, что такое духовная жизнь, как она обогащает человека. Она безгранична. Вот так же, как когда ты один летишь высоко-высоко над землей, и вокруг тебя — бесконечность. Голова кружится от этих безбрежных далей. Упоение такое, что не променял бы его на всю силу и славу земную. Я вот недавно читал Декарта. Такая легкость, изящество, ясность мысли. Э, да что говорить...

— Ларри, пойми!— взмолилась она.— Ведь я для этого не гожусь, мне это неинтересно. Сколько раз тебе повторять, что я самая обыкновенная, нормальная женщина, мне двадцать лет, через десять лет я буду старухой, а пока хочу жить в свое удовольствие. Ларри, я так тебя люблю! А ты играешь в игрушки. Ничего это тебе не даст. Умоляю, ради тебя самого, махни ты на это рукой. Будь мужчиной, Ларри, возьмись за дело, достойное мужчины. Ты даром тратишь самые лучшие годы, когда другие успевают столько сделать. Ларри, если ты меня любишь, ты не променяешь меня на пустые мечты. Ты пожил как хотел. А теперь поедем с нами домой.

— Не могу, дорогая. Для меня это равносильно смерти, предательству собственной души.

— Господи, Ларри, зачем ты так говоришь? Так говорят только ученые женщины, истерички. Что значат все эти слова? Да ничего, абсолютно ничего.

— Они в точности выражают мою мысль,— отвечал он, поблескивая глазами.

— И ты еще смеешься? А ведь нам сейчас не до смеха. Мы дошли до развилки, и по какой дороге пойдем дальше — от этого зависит вся наша жизнь.

— Я знаю. Поверь, я и не думаю шутить.

Она вздохнула.

— Раз ты не внемлешь голосу разума, говорить больше не о чем.

— Но разума-то я тут не вижу. По-моему, ты говорила сплошную чушь.

— Я?! — Не будь она так подавлена, она бы рассмеялась.— Дорогой мой, ты просто спятил.

Она медленно стянула с пальца обручальное колечко. Положила его на ладонь, полюбовалась. Граненый рубин в тонкой платиновой оправе — оно всегда ей нравилось.

— Если б ты меня любил, не сделал бы ты мне так больно.

— Я тебя люблю. К сожалению, не всегда удается поступить так, как считаешь правильным, не причинив боли другому.

Она протянула ему ладонь, на которой светился рубин, и через силу улыбнулась дрожащими губами.

— Вот, Ларри, возьми.

— Мне оно не нужно. Ты лучше сохрани его на память о нашей дружбе. Носить можно на мизинце. Друзьями-то мы останемся, правда?

— Я всегда буду тебе другом, Ларри.

— Так оставь его себе. Мне это будет приятно.

После минутного колебания она надела кольцо на правый мизинец.

— Велико.

— Можно отдать переделать. Поедем в «Ритц», выпьем.

— Ладно.

Ей все еще не верилось, что все произошло так просто. Она ни разу не заплакала. И ничего как будто не изменилось, только теперь она не выйдет за Ларри. Не укладывалось в голове, что все уже кончено, все позади. Было немножко обидно, что дело обошлось без душераздирающей сцены. Они все обсудили почти так же спокойно, как если бы речь шла о покупке дома. Ей словно чего-то недодали, и вместе с тем радовало сознание, что они вели себя как цивилизованные люди. Она много бы дала, чтобы в точности знать, что чувствует Ларри. Но это всегда бывало трудно. Его невозмутимое лицо, его темные глаза были маской, за которую даже она, знавшая его столько лет, не надеялась проникнуть. Она взяла с кровати свою шляпу и стала надевать ее, стоя перед зеркалом.

— Интересно,— сказала она, поправляя волосы,— тебе хотелось расторгнуть нашу помолвку?

— Нет.

— А я думала, ты почувствуешь облегчение.

Он не ответил. Она повернулась к нему с веселой улыбкой на губах.

— Ну вот, я готова.

Ларри запер за собой дверь. Человек за конторкой, принимая ключ, окинул их обоих взглядом сообщника. Изабелла не могла не понять, в чем он их подозревает.

— Сомневаюсь, чтобы он под присягой поручился за мою девственность,— сказала она.

Они поехали в «Ритц» на такси, выпили в баре. Болтали о том о сем, по видимости непринужденно, как двое старых друзей, которые видятся изо дня в день. В отличие от молчаливого Ларри Изабелла любила поговорить, недостатка в темах не испытывала, а теперь твердо решила не допустить и минуты молчания, которое было бы трудно нарушить. Пусть Ларри не думает, что она на него в обиде, она из одной гордости не выдаст, как ей больно и тяжело. Вскоре она попросила Ларри проводить ее домой. Выйдя из такси, она весело ему сказала:

— Ты, надеюсь, помнишь, что завтра у нас завтракаешь?

— А то как же.

Она подставила ему щеку для поцелуя и скрылась в подъезде.

V

Войдя в гостиную, где пили чай, Изабелла застала там несколько человек гостей. Заглянули две американки, живущие в Париже,— изысканно одетые, с жемчугом на шее, брильянтовыми браслетами на запястьях и дорогими перстнями на пальцах. Хотя волосы у одной из них отливали тёмной хной, а у другой — ненатуральным золотом, они были до странности одинаковые. Так же густо насурмлены ресницы, так же ярко накрашены губы, так же нарумянены щеки; те же худощавые фигуры — результат методичного умерщвления плоти, те же четкие, резкие черты, те же беспокойные, голодные глаза; и такое впечатление, что вся их жизнь сводится к неустанным стараниям удержать остатки былой красоты. Говорили они ни о чем, громким металлическим голосом, без единой паузы, словно опасаясь, что стоит им на минуту умолкнуть, как завод кончится и вся механическая конструкция, которую они собой представляют, развалится на куски. Наведался и один из секретарей американского посольства, лощеный, безмолвный, поскольку ему не давали вставить слово, и, видимо, искушенный в светских тонкостях; и еще — низкорослый и темноволосый румынский князек — сплошь поклоны и сладкие улыбки, с черными бегающими глазками и смуглым лицом, то и дело вскакивавший с места, чтобы поднести спичку, передать чашку с чаем или вазу с печеньем, и без зазрения совести расточавший самые неприкрытые, самые грубые комплименты. Этим он платил за все обеды, поглощенные за столом у объектов своего подхалимства, и авансом за все обеды, которые еще надеялся у них поглотить.

Миссис Брэдли, сидевшая за чайным столом и одетая в угоду Эллиоту более нарядно, чем считала подобающим для такого случая, исполняла обязанности хозяйки со свойственным ей учтивым, но несколько равнодушным спокойствием. Что она думала о гостях своего брата — о том можно только догадываться. Близко я ее не знал, а она не склонна была откровенничать с кем попало. Она была отнюдь не глупа, за годы, прожитые во всех столицах мира, перевидала великое множество самых разных людей и, вероятно, научилась достаточно четко оценивать их по меркам провинциального виргинского городка, где она родилась и выросла. Думается мне, что наблюдать их ужимки доставляло ей известное удовольствие и что их кривлянье она так же мало принимала всерьез, как горести и страдания действующих лиц в романе, про который с самого начала знала (а то бы не стала читать), что кончится он хорошо. Париж, Рим, Пекин повлияли на ее американскую натуру не больше, чем католичество Эллиота на ее стойкую и в общем очень удобную пресвитерианскую веру.

Изабелла, юная, пышущая здоровьем и красотой, словно внесла струю свежего воздуха в эту насквозь искусственную атмосферу. Она вплыла в комнату, как вечно юная богиня земли. Румынский князек кинулся пододвигать ей стул, выразительно при этом жестикулируя. Обе американки, визгливо щебеча любезности, оглядели ее с ног до головы, отметили, как она одета, и, возможно, сердце у них екнуло от встречи лицом к лицу с ее лучезарной молодостью. Американский дипломат мысленно усмехнулся, до того старыми и облезлыми они сразу показались по контрасту с ней. Но сама Изабелла нашла, что они великолепны. Она восхитилась их роскошными туалетами, их драгоценностями, успела позавидовать их неколебимому апломбу. Удастся ли ей когда-нибудь сравняться с ними в умении держаться? Маленький румын, конечно, уморителен, но очень милый, и даже если все эти очаровательные вещи говорит не от души, выслушивать их приятно. Разговор, прерванный ее приходом, возобновился, и все говорили так бойко, были, казалось, так глубоко убеждены в значительности того, что говорят, что впору было подумать, будто в их речах и правда есть смысл. А говорили они о вечерах, на которых побывали, и о вечерах, на которые собираются. Сплетничали о последнем светском скандале. Перемывали косточки знакомым. Перекидывались громкими именами. Знали, по-видимому, всех и каждого. Были посвящены во все секреты. Чуть ли не в одной фразе умудрялись коснуться последнего спектакля, последнего визита к портнихе, последнего художника-портретиста и последней любовницы нынешнего премьера. Они были осведомлены решительно обо всем. Изабелла слушала затаив дыхание. Ей все это казалось донельзя культурным. Вот это жизнь. Вот что значит находиться в гуще событий. Это — настоящее. И декорации самые подходящие. Просторная комната, на полу ковер из Савоннери, прелестные рисунки на обшитых деревом стенах, вышитые стулья, на которых они сидят, бесценная мебель маркетри — столики, секретеры, каждый просится в музей. За комнату эту, должно быть, уплачено целое состояние, но результат того стоил. Сегодня строгая красота обстановки особенно ее поразила, потому что так свеж был в памяти маленький гостиничный номер с железной кроватью и жестким, неудобным стулом, на котором сидел Ларри,— комната, в которой он не видел ничего предосудительного. Голая, унылая, отвратительная комната. Изабелла не могла вспомнить о ней без содрогания.

Гости уехали, и она осталась с матерью и Эллиотом.

— Очаровательные женщины,— сказал Эллиот, проводив двух несчастных раскрашенных кукол.— Я знал их, еще когда они только что поселились в Париже. Никак не ожидал, что они сделают такие успехи. Поразительно, как наши женщины умеют приспособиться. Теперь и не заподозришь, что они американки, да еще со Среднего Запада.

Миссис Брэдли молча подняла брови и бросила на него взгляд, которого он не мог не понять.

— О тебе этого не скажешь, Луиза,— продолжал он полуласково, полунасмешливо.— Хотя, видит Бог, все возможности у тебя были.

Миссис Брэдли поджала губы.

— Боюсь, Эллиот, я тебя не на шутку огорчаю, но, сказать по правде, я вполне довольна собой, как я есть.

— У каждого свой вкус,— сказал Эллиот.

— Мне, наверно, следует сообщить вам, что я уже не помолвлена с Ларри,— сказала Изабелла.

— Ах ты Господи!— воскликнул Эллиот.— Это расстраивает все мои планы на завтра. Где я успею найти другого мужчину?

— О, завтракать он придет.

— После того, как ты расторгла помолвку? Насколько я знаю, это не принято.

Изабелла прыснула. Она не сводила глаз с Эллиота, потому что чувствовала на себе пристальный взгляд матери и не хотела на него ответить.

— Мы не поссорились. Мы сегодня все обговорили и пришли к выводу, что то была ошибка. Он не хочет возвращаться в Америку, хочет остаться в Париже. Думает съездить в Грецию.

— Это еще зачем? В Афинах нет приличного общества. Да и греческое искусство я лично никогда не ставил особенно высоко. В позднем эллинизме есть что-то декадентское, это по-своему прелестно, но Фидий — нет, нет.

— Посмотри на меня, Изабелла,— сказала миссис Брэдли.

Изабелла повернулась к ней с легкой улыбкой на губах. Миссис Брэдли внимательно в нее вгляделась, но произнесла только «гм». Глаза безусловно не заплаканы, вид совершенно спокойный.

— Я считаю, что это к лучшему, Изабелла,— сказал Эллиот.— Я готов был с этим примириться, но никогда не сочувствовал вашему браку. Он тебе не пара, а уж его поведение в Париже ясно доказывает, что из него не выйдет ничего путного. С твоей внешностью, с твоими связями ты вполне можешь рассчитывать на что-нибудь получше. По-моему, ты поступила очень разумно.

Миссис Брэдли бросила на нее взгляд, исполненный тревоги.

— Ты не ради меня это сделала, Изабелла?

Изабелла решительно помотала головой.

— Нет, мамочка, я это сделала исключительно ради себя.

VI

Я между тем вернулся с Востока и на время поселился в Лондоне. Как-то утром, недели через две после описанных событий, мне позвонил Эллиот. Я удивился, услышав его голос,— обычно он приезжал в Англию только к самому концу сезона. Он сообщил мне, что миссис Брэдли с Изабеллой тоже здесь, и не зайду ли я к ним сегодня в шесть, мне будут рады.

Остановились они, разумеется, в отеле «Кларидж». Я в то время жил неподалеку и не спеша добрался до отеля пешком — по Парк-лейн и дальше, тихими, чинными улицами Мэйфэра. Эллиот занимал свой всегдашний номер «люкс». Стены в нем были обшиты панелями цвета сигарных ящиков, комнаты обставлены роскошно, но не кричаще. Эллиота я застал одного: мать с дочерью ездят по магазинам, вернутся с минуты на минуту. Он сразу рассказал мне, что Изабелла разорвала свою помолвку с Ларри.

Эллиот, исповедовавший несколько романтические и чисто традиционные взгляды на то, как людям следует себя вести в тех или иных обстоятельствах, был сбит с толку. Ларри, мало того что явился к завтраку на следующий день после разрыва, вообще держался так, словно положение не изменилось. Был по-прежнему любезен, внимателен и сдержанно весел. С Изабеллой обращался, как всегда, по-товарищески ласково. Не похоже было, что он издерган, расстроен или убит горем. Да и сама Изабелла не казалась удрученной. На вид она была все так же жизнерадостна, так же беззаботно смеялась и шутила, хотя только что круто и, конечно же, с болью душевной изменила свою жизнь. Эллиот ничего не понимал. Из их разговоров он заключил, что они не собираются отменять намеченные на ближайшее время развлечения. При первом же удобном случае он заговорил об этом с сестрой.

— Это неприлично,— заявил он.— Нельзя им всюду появляться вместе как жениху с невестой. Ларри, видно, совсем уж ничего не смыслит. А Изабеллу это ставит в невыгодное положение. Взять хотя бы Фодерингема, этого молодого человека из британского посольства. Он явно увлечен Изабеллой; у него есть средства, и связи отличные; знай он, что путь свободен, он бы, по всей вероятности, сделал предложение. Мой тебе совет, поговори на этот счет с Изабеллой.

— Дорогой мой, Изабелле двадцать лет, и она научилась очень ловко и без всякой грубости намекать мне, что я суюсь не в свое дело. Поверь, вести с ней такие разговоры нелегко.

— Значит, ты плохо ее воспитала, Луиза. А дело это, между прочим, как раз твое.

— Вот уж с чем она бы наверняка не согласилась.

— Не испытывай моего терпения, Луиза.

— Если б у тебя, мой милый, была взрослая дочь, ты бы знал, что справиться с брыкливым бычком куда легче. А уж понять, что у нее на уме... нет, спокойнее притворяться наивной старой дурой, какой она, скорее всего, меня и считает.

— Но ты хоть расспросила ее?

— Пробовала. А она только смеется и говорит, что рассказывать нечего.

— Она как, очень обескуражена?

— Говорю тебе, не знаю. Могу только сказать, что ест она за двоих и спит как младенец.

— Помяни мое слово, если ты не вмешаешься, они в один прекрасный день сбегут и поженятся и слова никому не скажут.

Миссис Брэдли позволила себе улыбнуться.

— Тебе, наверно, утешительно думать, что сейчас мы находимся в стране, где незаконные связи всячески поощряются, а брак обставлен уймой препятствий.

— Так и должно быть. Брак — дело серьезное. На нем зиждется благополучие семьи и прочность государства. Но престиж брака можно сохранить лишь в том случае, если внебрачные отношения не только поощрять, но и санкционировать. Проституция, милая Луиза...

— Хватит, Эллиот,— перебила она.— Меня не интересуют твои взгляды на социальную и моральную ценность блуда в каком бы то ни было виде.

И тогда он выдвинул план, который положил бы конец беспрестанному общению между Изабеллой и Ларри, столь оскорблявшему его чувство приличия. Парижский сезон подходит к концу, все стоящие люди готовятся отбыть на воды или в Довилль, прежде чем разъехаться на остаток лета по своим родовым замкам в Турени, Анжу или Бретани. Обычно Эллиот уезжал в Лондон в конце июня, но семейное чувство было в нем живо, а любовь к сестре и племяннице непритворна; в угоду им он уже совсем было решил пожертвовать собой и пожить еще в Париже даже тогда, когда Париж опустеет; теперь же ему представилась приятная возможность услужить другим, не отказываясь от собственных привычек. Вот он и предложил миссис Брэдли немедля им всем троим поехать в Лондон, где сезон еще в разгаре и где новые знакомства и новые интересы отвлекут мысли Изабеллы от тягот ее двусмысленного положения. В газетах писали, что в Лондоне сейчас находится лучший специалист по диабету, и миссис Брэдли захотела ему показаться; этим легко будет объяснить их поспешный отъезд, а также побороть возможное нежелание Изабеллы расстаться с Парижем. Миссис Брэдли этот план понравился. Она устала тревожиться об Изабелле, не понимая, правда ли та весела и беззаботна или же уязвлена, разгневана, грустна, но храбрится и скрывает свои чувства. Миссис Брэдли могла только согласиться с Эллиотом, что посмотреть новых людей и новые места будет Изабелле полезно.

Эллиот стал без промедления названивать по телефону и, когда Изабелла, после дня, проведенного с Ларри в Версале, вернулась домой, уже мог сообщить ей, что знаменитый врач согласился принять ее мать через три дня, что номер «люкс» в «Кларидже» заказан и послезавтра они выезжают. Миссис Брэдли внимательно наблюдала за дочерью, пока Эллиот не без самодовольства излагал ей эти новости, но та и бровью не повела.

— До чего же я рада, что ты пойдешь к этому доктору, мамочка!— вскричала она с обычной своей экспансивностью.— Ну конечно, такую возможность нельзя упускать. И Лондон посмотреть мне ужасно хочется. Мы там сколько пробудем?

— Возвращаться в Париж нет смысла,— сказал Эллиот.— Через неделю тут уже не будет ни души. Я хочу, чтобы вы прожили у меня в «Кларидже» до конца лондонского сезона. В июле всегда бывает несколько больших балов, ну и, кроме того, конечно, Уимблдон. А потом гудвудские скачки и регата в Каусе. Я не сомневаюсь, что Эллингемы рады будут пригласить нас на свою яхту, а Бантоки всегда ездят целой компанией в Гудвуд.

Изабелла выразила полный восторг, и миссис Брэдли успокоилась. О Ларри она, похоже, и не вспомнила.

Эллиот как раз успел рассказать мне все это, когда явились мать с дочерью. Я не видел их больше полутора лет. Миссис Брэдли немного похудела и обрюзгла, выглядела усталой и больной. Зато у Изабеллы вид был цветущий. Ее яркий румянец, пышные каштановые волосы, сияющие карие глаза, чистая кожа сливались в образ такой победной молодости, такой упоенности жизнью, что, глядя на нее, хотелось смеяться от радости. Сам не знаю почему, она вызвала в моем представлении грушу, золотистую и сочную, которая только-только созрела и буквально просит, чтобы ее съели. Она излучала тепло, казалось — стоит протянуть руку, оно и тебя обогреет. Она показалась мне выше ростом — то ли от высоких каблуков, то ли благодаря искусству портнихи, сумевшей скроить платье так, чтобы оно ее худило, и держалась она с естественной грацией девушки, с детства занимающейся спортом. Словом, это была чрезвычайно соблазнительная молодая особа. На месте ее матери я бы решил, что пора, очень даже пора выдать ее замуж.

Радуясь случаю хоть в малой мере отблагодарить за гостеприимство, которое миссис Брэдли оказала мне в Чикаго, я пригласил их всех в театр и еще — как-нибудь позавтракать в ресторане.

— Поторопитесь, милейший,— сказал мне Эллиот.— Я уже оповестил моих друзей, что мы здесь, и думаю, что очень скоро наши дни будут расписаны до конца сезона.

Я рассмеялся, поняв, что должны означать эти слова: что для таких, как я, у них скоро не будет времени. Эллиот смерил меня взглядом, в котором сквозила некоторая надменность.

— Но часов в шесть мы, разумеется, почти всегда дома, и будем рады вас видеть,— добавил он милостиво, но с явным намерением напомнить мне, что я — всего лишь писатель.

Однако бывает, что и святой не стерпит.

— Постарайтесь связаться с Сент-Олфердами,— сказал я.— Мне говорили, что они хотят продать своего Констебля — «Солсберийский собор».

— Я сейчас картин не покупаю.

— Да, я знаю, я думал, может, вы им поможете сбыть его с рук.

В глазах у Эллиота появился стальной блеск.

— Дорогой мой, англичане — великая нация, но писать маслом они никогда не умели и никогда не научатся. Английская школа меня не интересует.

VII

Весь следующий месяц я почти не видел Эллиота и его родственниц. Их он принимал по-царски. Он возил их на субботу и воскресенье в одну знаменитую родовую усадьбу в Сассексе, а потом в еще более знаменитую в Уилтшире. Водил их в королевскую ложу в Опере в качестве гостей некой принцессы, приходившейся родней Виндзорскому дому. Возил на завтраки и обеды к сильным мира сего. Достал для Изабеллы приглашения на несколько балов. Сам принимал в «Кларидже» целый ряд гостей, чьи имена на следующий день выглядели в газетах очень эффектно. Он давал ужины у Сайро и в ресторане «Посольский». Словом, он делал все, что считал уместным, и у Изабеллы, еще не очень искушенной в жизни высшего света, даже голова покруживалась от роскоши и великолепия, которыми он ее услаждал. Ничто не мешало Эллиоту воображать, что он взвалил на себя эти заботы из чисто альтруистического побуждения — отвлечь мысли племянницы от ее злосчастного романа; однако ему, как я подозреваю, и самому было лестно дать сестре возможность воочию убедиться, что он — свой человек в кругу прославленных и знатных. Принимать гостей он умел и от души наслаждался, проявляя свою виртуозность.

Меня он тоже раза два приглашал, и время от времени я в шесть часов заглядывал в «Кларидж». Изабеллу всегда окружали молодые великаны-гвардейцы в ослепительных мундирах или элегантные, но не столь ослепительные молодые люди из министерства иностранных дел. Как-то раз она, ускользнув от своих кавалеров, отвела меня в сторону.

— У меня к вам просьба,— сказала она.— Помните, как мы с вами пили в аптеке содовую с мороженым?

— Прекрасно помню.

— Вы тогда мне очень помогли. Пожалуйста, помогите мне еще раз.

— Постараюсь.

— Мне нужно с вами поговорить. Может, как-нибудь позавтракаем вместе?

— Скажите только когда.

— Где-нибудь, где не людно.

— Хотите, прокатимся в Хэмптон-Корт? Там и позавтракаем. Парк в это время года хорош, как никогда, и я вам покажу кровать королевы Елизаветы.

Она охотно согласилась и назначила день. Но когда этот день настал, погода, которая до тех пор нас баловала, вдруг резко переменилась. Небо затянуло тучами, моросил дождь. Я позвонил узнать, не предпочтет ли она позавтракать в городе.

— А то сегодня в парке не посидишь, и картины смотреть плохо, когда так темно.

— В парках я насиделась, а от старых мастеров у меня оскомина. Нет, поедем.

— Отлично.

Я заехал за ней, и мы отправились. В Хэмптон-Корте я знал одну небольшую гостиницу с хорошим рестораном и сразу дал шоферу адрес. По дороге Изабелла со свойственной ей живостью болтала о приемах, на которых побывала, и о людях, с которыми познакомилась. Она была в восторге от своего времяпрепровождения, но из ее замечаний о всяких новых знакомых я понял, что наблюдает она зорко и не обольщается пустыми словами. Из-за плохой погоды экскурсантов не было, и в ресторане мы сидели одни. Гостиница эта славилась простой английской кухней, мы ели вкуснейшую молодую баранину с зеленым горошком, а затем — яблочный пирог со сливками, да еще по кружке светлого пива — завтрак хоть куда. Поев, я предложил Изабелле перейти в пустую кофейню и посидеть в удобных креслах. Там было холодно, но уголь и растопка в камине были приготовлены, и я поднес к ним спичку. Огонь весело запылал, в комнате сразу стало уютнее.

— Вот так-то,— сказал я.— А теперь выкладывайте, о чем вы хотели со мной поговорить.

— О том же, что и в тот раз,— отвечала она со смешком.— О Ларри.

— Я так и думал.

— Вы знаете, что мы расстроили помолвку?

— Да, Эллиот мне говорил.

— У мамы как гора с плеч, и он не нарадуется.

Секунду она колебалась, а потом стала рассказывать про свой разговор с Ларри, тот самый, который я уже попытался правдиво пересказать читателям. Кое-кого может удивить, что Изабелла пожелала так много сообщить человеку, так мало ей знакомому. Я и видел-то ее всего раз десять, причем всегда на людях, если не считать того единственного разговора в аптеке. Но меня это не удивило. Прежде всего, писателю люди часто поверяют такое, чего не поверили бы никому другому (любой писатель может это подтвердить). Не знаю, чем это объяснить. Возможно, что, прочитав две-три его книги, они проникаются ощущением, что он — самый близкий им человек; либо, дав волю фантазии, они видят самих себя действующими лицами романа и готовы открыть ему душу, как то делают, по их мнению, вымышленные им персонажи. А еще, мне сдается, Изабелла чувствовала, что я симпатизирую и Ларри, и ей, что их молодость меня умиляет, а их горести вызывают мое сочувствие. Ждать сочувствия от Эллиота не приходилось: он не склонен был уделять внимание молодому человеку, грубо отмахнувшемуся от предоставленной ему совершенно исключительной возможности проникнуть в высшее общество. Мать тоже не могла ей помочь. У миссис Брэдли был здравый смысл и твердые правила.

Здравый смысл подсказывал ей, что, если хочешь добиться успеха в жизни, надо считаться с условностями, и человек, который с ними не считается, не хочет поступать, как все,— человек ненадежный. А твердые правила гласили, что долг мужчины — работать в такой области, где он, проявив энергию и инициативу, имеет шанс нажить достаточно денег, чтобы содержать жену и детей в соответствии с требованиями своего положения, дать сыновьям образование, которое позволит им, став взрослыми, честно зарабатывать на жизнь и после своей смерти оставить жену должным образом обеспеченной.

У Изабеллы была хорошая память, и все перипетии их долгого разговора прочно в ней запечатлелись. Я молча выслушал ее до конца. Один только раз она прервалась, чтобы спросить меня:

— Кто был Рейсдаль?

— Рейсдаль? Голландский художник, пейзажист. А что?

О нем, оказывается, упомянул Ларри. Он сказал, что Рейсдаль нашел ответы на свои вопросы, а когда она спросила, кто он был, отделался шуткой.

— Как по-вашему, что он имел в виду?

Меня осенила догадка.

— А может быть, он сказал Рейсброк?

— Может, и так. А Рейсброк кто был?

— Фламандец, мистик, жил в четырнадцатом веке.

— А-а,— протянула она разочарованно.

Ей это ничего не сказало. Для меня же кое-что прояснило. Послужило первым указанием на то, куда ведут Ларри его размышления; и, пока Изабелла продолжала свой рассказ, я, хотя и слушал ее по-прежнему внимательно, какой-то частицей мозга обдумывал возможности, скрывавшиеся за этим беглым упоминанием. Я не хотел придавать ему слишком большое значение — возможно, имя Учителя Экстаза понадобилось Ларри просто как аргумент в споре,— но, с другой стороны, может быть и так, что он вложил в свои слова смысл, ускользнувший от Изабеллы. Своим ответом, что Рейсброк был просто «малый, с которым он не учился в школе», он, видимо, хотел окончательно сбить ее со следа.

— И что вы обо всем этом думаете?— спросила она, закончив свою повесть.

Я ответил не сразу.

— Помните, он когда-то говорил, что намерен просто без-дельничать? Если то, что он вам рассказал, правда, выходит, что под бездельем он понимает довольно-таки тяжкий труд.

— Конечно, он говорил правду. Но неужели вы не пони-маете? Если бы он так же напряженно работал в какой-ни-будь практической области, он бы уже сейчас зарабатывал вполне приличные деньги.

— Некоторые люди странно устроены. Иные преступники трудятся до седьмого пота, подготавливая преступление, за ко-торое попадают в тюрьму, а едва выйдя на свободу, начинают все сызнова и опять попадают в тюрьму. Если бы они вложи-ли столько же стараний, столько же находчивости, выдумки, терпения в какое-нибудь честное дело, они бы жили безбед-но и занимали высокие должности. Но так уж они устроены. Им нравится совершать преступления.

— Бедный Ларри,— засмеялась она.— Вы уж не хотите ли сказать, что он учит древнегреческий, чтобы подстроить ог-рабление банка?

Я тоже рассмеялся.

— Нет, конечно. Я пытаюсь внушить вам другое: что есть люди, одержимые таким сильным желанием заниматься чем-то определенным, что ничего не могут с собой поделать. Они готовы пожертвовать чем угодно, лишь бы удовлетво-рить это желание.

— Даже людьми, которые их любят?

— О да.

— А это не самый обыкновенный эгоизм?

— Вот уж не знаю,— улыбнулся я.

— Какая может быть польза от того, что Ларри изучает мертвые языки?

— Некоторым людям свойственна бескорыстная жажда знаний. Ничего постыдного в этом нет.

— А какой толк в знаниях, если не собираешься их приме-нять?

— Он-то, может, и собирается. Может, само знание послу-жит для него достаточной наградой, как для художника до-статочная награда то, что он создал произведение искусства. А может, это только шаг на пути куда-то дальше.

— Если ему нужны были знания, почему он не пошел в университет, когда вернулся с войны? Ему это и доктор Нел-сон, и мама советовали.

— Я говорил с ним об этом в Чикаго. Диплом ему ни к чему. Мне кажется, у него уже тогда было довольно точное представление о том, что ему нужно, и он знал, что университет ему этого не даст. Ведь там, где дело касается знаний, есть не только волки, которые бегают стаей, есть и одинокие волки. И Ларри, мне кажется, из тех, кто способен идти только своим одиноким путем.

— Помню, я как-то спросила его, не хочет ли он стать писателем. Он рассмеялся и сказал, что писать ему не о чем.

— Никогда не слышал, чтобы от писательства отказывались по таким неубедительным причинам,— сказал я улыбаясь.

Изабелла раздраженно от меня отмахнулась. Даже самая невинная шутка казалась ей в ту минуту неуместной.

— Не понимаю, просто не понимаю, почему он стал такой. До войны он был как все. Вы, может, не поверите, но он очень сильный теннисист и недурно играет в гольф. Раньше он делал все, что и мы, остальные. Был самым обыкновенным мальчиком и, судя по всему, должен был стать самым обыкновенным мужчиной. Вы же как-никак писатель. Вы должны найти этому объяснение.

— Кто я такой, чтобы разобраться в бесконечных сложностях человеческой природы?

— Поэтому я и хотела с вами поговорить,— продолжала она, не слушая.

— Вам тяжело?

— Нет, это не то слово. Когда Ларри нет рядом, все как будто в порядке. Это когда мы вместе, я чувствую себя такой слабой. И до сих пор что-то не отпускает, тянет, не дает распрямиться, вот как бывает после верховой прогулки, когда перед тем давно не садилась на лошадь; это не боль, это вполне можно терпеть, но чувствуешь все время. Скоро, наверно, пройдет. Только очень уж обидно, что Ларри себя губит.

— Может, еще и не погубит. Он пустился в долгий, трудный путь, но в конце пути, возможно, и найдет то, что ищет.

— А что он ищет?

— Вы не догадались? А по-моему, из его слов это явствует. Он ищет Бога.

— Бог ты мой!— вскричала она удивленно и недоверчиво. Но мы тут же невольно рассмеялись — очень уж забавно получилось, что одно и то же слово мы употребили так по-разному. Изабелла, впрочем, сразу опять стала серьезной, мне даже показалось, что она немного испугана.

— С чего вы это взяли?

— Это всего лишь догадка. Но вы ведь просили меня как писателя сказать, что я обо всем этом думаю. К сожалению, вы не знаете, какое именно потрясение, пережитое на войне, так сильно повлияло на Ларри. Вероятно, это был какой-то внезапный удар, к которому он не был подготовлен. Вот мне и кажется, что это переживание, каково бы оно ни было, открыло ему глаза на быстротечность жизни и породило мучительное желание увериться в том, что есть все же воздаяние за все грехи и горести мира.

Я видел, что от такого поворота в нашем разговоре Изабелле стало не по себе. Она почувствовала, что теряет почву под ногами.

— Очень уж мрачно это звучит. Мир надо принимать таким, как он есть. Раз уж мы существуем, надо брать от жизни все, что можно.

— Должно быть, вы правы.

— Я вот знаю, что я самая обыкновенная, нормальная женщина. И хочу жить в свое удовольствие.

— Видимо, это случай полной несовместимости характеров. И хорошо, что вы в этом убедились еще до брака.

— Я хочу выйти замуж, и иметь детей, и жить...

— В той общественной сфере, в которой милостивому провидению угодно было вас поселить,— закончил я с улыбкой.

— А что в этом дурного? Сфера очень приятная, я ею вполне довольна.

— Вы с Ларри — как двое друзей, которые хотят вместе провести отпуск, только одного прельщает восхождение на ледяные пики Гренландии, а другого — рыбная ловля в атоллах у берегов Индии. Ясно, что им не сговориться.

— На ледяных пиках Гренландии я хоть могла бы добыть себе котиковое манто, а в атоллах у берегов Индии, по-моему, и рыбы-то нет.

— Это еще неизвестно.

— Почему вы так говорите?— спросила она, хмурясь.— Мне кажется, вы все время чего-то недоговариваете. Я понимаю, что главную роль здесь играю не я, а Ларри. Он идеалист, он мечтатель, и, даже если его высокая мечта не сбудется, честь ему и слава, что такая мечта у него была. А моя роль — практичной, расчетливой стяжательницы. Здравый смысл обычно не вызывает сочувствия, ведь так? Но вы забываете, что платить-то пришлось бы мне, Ларри витал бы в облаках, а мне осталось бы плестись за ним и сводить концы с концами. А я хочу жить.

— Я этого вовсе не забываю. Когда-то давно, еще в молодости, я знал одного человека, врача, и очень неплохого, но практиковать он не хотел. Он годами просиживал в библиотеке Британского музея и время от времени, с большими промежутками, производил на свет огромный труд, не то научный, не то философский, которого никто не читал и который он был вынужден издавать на свои средства. Таких никчемных фолиантов он написал четыре или пять. У него был сын, тот мечтал служить в армии, но на учение в Сандхерсте не было денег, он пошел рядовым. И был убит на войне. Была у него и дочь, очень хорошенькая, я слегка за ней ухаживал. Та пошла на сцену, но таланта у нее не оказалось, и она колесила по провинции в составе второразрядных трупп, на крошечных ролях и за грошовое жалованье. Мать ее из года в год гнула спину на тяжелой, нескончаемой домашней работе, здоровье ее сдало, и девушке пришлось вернуться домой и взвалить на себя ту же отупляющую работу, на которую у матери уже не было сил. Исковерканные, впустую прожитые жизни, и ради чего — неизвестно. Да, сойти с проторенного пути — та же лотерея. Много званых, но мало избранных.

— Мама и дядя Эллиот меня одобряют. А вы?

— Милый друг, какое это для вас имеет значение? Я же для вас посторонний человек.

— Вы для меня объективный наблюдатель,— пояснила она с милой улыбкой.— Мне ваше одобрение важно. Вы ведь тоже считаете, что я поступила правильно?

— Я считаю, что вы поступили правильно для себя,— ответил я, почти уверенный, что она не уловит маленькой разницы между своими словами и моими.

— Тогда почему меня совесть мучает?

— А она мучает?

Все еще улыбаясь, но теперь уже невесело, она кивнула головой.

— Я знаю, это единственный разумный выход. Каждый нормальный человек согласится, что иначе я поступить не могла. С какой практической точки зрения ни взглянуть — с точки зрения житейской мудрости, или приличий, или принятых понятий о том, что хорошо и что плохо,— я сделала то, что должна была сделать. И все-таки в глубине души меня что-то гложет, все кажется, что, будь я лучше, добрее, благороднее, я вышла бы за Ларри и разделила его жизнь. Если б только я достаточно его любила, мне все было бы нипочем.

— Можно сказать и наоборот: если бы он достаточно вас любил, он исполнил бы вашу волю.

— Я и так пробовала думать. Но это не помогает... Наверно, самопожертвование больше свойственно женщинам, чем мужчинам.— Она усмехнулась.— Ну, знаете, Руфь, и поля маовитские, и все такое.

— Так рискните.

До сих пор мы говорили в легком тоне, словно речь шла об общих знакомых, чьи дела мы не принимаем особенно близко к сердцу, и, даже передавая мне свой разговор с Ларри, Изабелла сдобрила свой рассказ живым, веселым юмором, словно не хотела, чтобы я отнесся к нему слишком серьезно. Но теперь она побледнела.

— Я боюсь.

Мы помолчали. По спине у меня пробежал холодок, как всегда бывает, когда я оказываюсь перед глубоким, подлинным человеческим чувством. Для меня в этом есть что-то грозное, пугающее.

— Вы очень его любите?— спросил я наконец.

— Не знаю. Он меня бесит. Выводит из себя. А тоскую я о нем ужасно.

И опять мы умолкли. Я не знал, что сказать. В маленькой кофейне было полутемно от густых кружевных занавесок на окнах. По стенам, оклеенным желтыми «мраморными» обоями, висели старые гравюры, изображавшие охоту и скачки. И вся комната с ее мебелью красного дерева, потертыми кожаными креслами и влажным, спертым воздухом напоминала кофейню из романа Диккенса. Я помешал в камине и подбавил угля. Внезапно Изабелла заговорила.

— Понимаете, я думала, если поставить вопрос ребром, он сдастся. Я ведь знала, что он слабый.

— Слабый?— вскричал я.— Из чего вы это заключили? Человек больше года поступал вопреки осуждению всех своих друзей и знакомых, потому что твердо решил не сворачивать с избранного пути...

— Я всегда могла подбить его на что угодно. Я из него веревки вила. И в компании нашей он никогда не верховодил. Куда мы, туда и он.

Я следил, как кольцо дыма от моей папиросы становилось все больше, а потом растаяло в воздухе.

— Мама и Эллиот были очень недовольны, что я после всюду с ним бывала, как будто ничего не случилось, но сама я как-то не принимала это всерьез. Все думала, что в конце концов он уступит. Я просто не могла поверить, что, когда мне удастся вбить в его глупую голову, что я не шучу, он и тогда будет упорствовать.— Она помедлила и одарила меня озорной, лукавой улыбкой.— Вы будете очень шокированы, если я расскажу вам одну вещь?

— Едва ли. Для этого много нужно.

— Когда мы решили уехать в Лондон, я позвонила Ларри и предложила ему провести мой последний вечер в Париже вместе. Дядя Эллиот, когда я им сказала, заявил, что это в высшей степени неприлично, а мама сказала, что, на ее взгляд, это лишнее. Когда мама говорит «это лишнее», надо понимать, что она решительно против. Дядя Эллиот спросил, что мы задумали, и я сказала, что мы решили где-нибудь пообедать, а потом поездить по ночным клубам. Он сказал маме, что она должна запретить эту эскападу. Мама спросила: «Если я тебе это запрещу, ты послушаешься?». А я ответила: «Нет, мамочка, ни в коем случае». Тогда она сказала: «Ну вот, я так и думала. А раз так, много ли проку будет от моего запрета?».

— Ваша мама — на редкость разумная женщина.

— Она все, решительно все замечает. Когда Ларри за мной заехал, я пошла к ней проститься. Я была немножко накрашена, вы ведь знаете, в Париже без этого нельзя, а то чувствуешь себя такой голой, и, когда она увидела, какое я надела платье, она так оглядела меня с головы до ног, что я даже поежилась,— не иначе как догадалась, что я задумала. Но она ничего не сказала. Только поцеловала меня и пожелала весело провести время.

— А что вы задумали?

Изабелла поглядела на меня с сомнением, словно еще не решила, до конца ли быть со мной откровенной.

— В зеркале я себе понравилась, и это был мой последний шанс. Ларри заранее заказал столик у Максима. Мы ели разные вкусные вещи, все мое самое любимое, и пили шампанское. Тараторили без умолку, во всяком случае я, и Ларри много смеялся. Я всегда могу его рассмешить, отчасти поэтому мне и было с ним так хорошо. Мы потанцевали, потом поехали в кафе «Мадрид». Там встретили знакомых и опять пили шампанское. Потом все вместе поехали в «Акацию». Ларри танцует очень хорошо, и мы с ним станцевались. Жара, музыка, вино — в голове туман, море по колено. Я танцевала с Ларри щекой к щеке и чувствовала, что он меня хочет. А уж я как его хотела... И тут я придумала. Подсознательно-то я, наверно, думала это все время. Я решила — пусть он проводит меня домой и войдет, а уж там — там неизбежное неизбежно случится.

— Право же, изящнее выразить вашу мысль было бы трудно.

— Моя комната была на отлете, далеко от маминой и дяди Эллиота, так что на этот счет я была спокойна. И я решила, что, когда мы вернемся в Америку, я напишу ему, что жду ребенка. Тогда он должен будет приехать и жениться на мне, а уж если он окажется дома, я сумею его там удержать, тем более что мама болеет. Я говорила себе: «Дура же я была, что раньше не додумалась. Ну конечно, теперь все будет в порядке». Когда музыка кончилась, мы еще постояли обнявшись, и я сказала, что уже поздно, а поезд наш отходит в полдень, так что пора ехать домой. Мы взяли такси. Я к нему прижалась, а он обнял меня и стал целовать. Он меня целовал, целовал... это было такое счастье. Я и не заметила, как мы доехали. Ларри расплатился.

— Пойду домой пешком.

Такси укатило, я обняла его за шею и сказала:

— Зайди, выпьем на прощание.

— Ну что ж, давай.

Он позвонил, дверь отворилась. Входя в вестибюль, он включил свет. Я посмотрела ему в глаза. Они были такие честные, доверчивые, такие невинные, так было ясно, что у него и в мыслях нет, что я готовлю ему западню, и я почувствовала, что не могу сделать ему такую гадость. Все равно что отнять у ребенка конфету. Знаете, что я сделала? Я сказала: «А в общем, лучше, пожалуй, не стоит. Маме сегодня нездоровилось, может, она уснула, так я боюсь, не разбудить бы ее. Спокойной ночи». Я дала ему еще раз меня поцеловать и вытолкала его за дверь. Тем дело и кончилось.

— И теперь вы об этом жалеете?

— И не жалею, и не рада. Я просто не могла иначе. Как будто это не я сделала. Как будто кто-то действовал за меня.— Она скорчила забавную гримаску.— Мое лучшее «я», так это, кажется, называется.

— Наверно, так.

— Тогда пусть мое лучшее «я» и расплачивается. Авось впредь будет осторожнее.

На этом, в сущности, наш разговор закончился. Возможно, Изабелле стало легче на душе от того, что она выложила кому-то все без утайки, но сделать для нее больше этого я не мог. Чувствуя, что не оправдал ожиданий, я все же попробовал хоть что-то сказать ей в утешение.

— Знаете,— сказал я,— когда бываешь влюблен и все получается тебе наперекор, страдаешь ужасно и кажется, что пережить это невозможно. Но море — великий целитель, скоро сами узнаете.

— Это как же понимать?— улыбнулась она.

— А вот как: любовь не выносит качки, от морских переездов она хиреет. Когда между вами и Ларри ляжет Атлантический океан, вы сами убедитесь, как мало осталось от той боли, что раньше казалась нестерпимой.

— Вы говорите по личному опыту?

— По опыту бурного прошлого. Когда меня одолевали муки неразделенной любви, я тут же брал билет на океанский лайнер.

Дождь, видимо, зарядил надолго; мы решили, что ничего страшного не будет, если Изабелла не увидит достопримечательностей Хэмптон-Корта, даже кровати королевы Елизаветы, и поехали обратно в Лондон. После этого я видел ее еще два или три раза, но не одну. А потом мне захотелось отдохнуть от Лондона, и я махнул в Тироль.

Глава третья

I

Прошло десять лет, в течение которых я не видел ни Изабеллу, ни Ларри. С Эллиотом я продолжал видаться и даже (по причинам, о которых будет сказано ниже) чаще прежнего, и от него иногда узнавал что-нибудь новое про Изабеллу. О Ларри же он ничего не мог мне сказать.

— Откуда мне знать, может быть, он все еще в Париже, но едва ли мы когда-нибудь встретимся. Мы вращаемся в разных кругах,— пояснил он снисходительно.— Очень прискорбно, что он так опустился. Ведь он из очень хорошей семьи. Если бы он мне доверился, я, несомненно, мог бы вывести его в люди. Нет, Изабелла вовремя с ним рассталась.

Я не был столь разборчив, как Эллиот, и в Париже у меня было несколько знакомых, общаться с которыми он счел бы ниже своего достоинства. Во время моих коротких, но довольно частых наездов я спрашивал кое-кого из них, не встречали ли они Ларри, не слышали ли о нем; иные его помнили, но близко с ним не был знаком никто, и никто не мог мне сообщить о нем каких-либо сведений. Я побывал в ресторане, где он обычно обедал, там сказали, что он не заходил уже давно, должно быть, уехал. И не попался он мне ни в одном кафе на бульваре Монпарнас, куда часто заглядывают обитатели этого района.

Когда Изабелла уехала, он собирался в Грецию, но потом передумал. А о том, что с ним было дальше, он сам поведал мне много лет спустя, я же расскажу об этом сейчас, потому что события удобнее располагать по возможности в хронологическом порядке. Все лето и почти всю осень он оставался в Париже.

— А потом,— сказал он,— я почувствовал, что хватит с меня книг, надо отдохнуть. Два года я сидел над книгами по восемь-десять часов в сутки. И я пошел работать в угольную шахту.

— Куда?— вскричал я, пораженный.

Он засмеялся.

— Я решил, что несколько месяцев физического труда — это как раз то, что мне нужно. Что это позволит мне разобраться в своих мыслях и перестать спорить с самим собой.

Я не ответил. Только ли это, думал я, было причиной для такого неожиданного шага или же этот шаг был связан с отказом Изабеллы выйти за него замуж? Ведь я понятия не имел, насколько глубоко он ее любит. Влюбленные находят тысячи способов убедить себя в том, что, раз им чего-то хочется, значит, это разумно. Отсюда, думается мне, и огромное число неудавшихся браков. Вот так же люди иногда поручают вести свои дела близкому другу, хоть и знают, что он мошенник: они отказываются верить, что мошенник — в первую очередь мошенник, а потом уже друг; они убеждены, что, хотя с другими он поступает бесчестно, их-то он не обманет. У Ларри хватило сил не пожертвовать ради Изабеллы той жизнью, которую он себе выбрал, но возможно, что потерять ее оказалось горше, чем он ожидал. Возможно, он, как и все мы грешные, мечтал, что и волки будут сыты, и овцы целы.

— И что же было дальше?— спросил я.

— Я упаковал мои книги и одежду и сдал на хранение в «Америкен экспресс». Потом уложил в чемодан сменный костюм и кое-какое белье и пустился в путь. У моего учителя греческого языка сестра была замужем за управляющим одной шахтой в Лансе, и он дал мне к нему письмо. Вы Ланс знаете?

— Нет.

— Это на севере Франции, недалеко от бельгийской границы. Там я переночевал в привокзальной гостинице, а на следующий день рабочим поездом добрался до места. Вы когда-нибудь бывали в шахтерском поселке?

— Только в Англии.

— А они, наверно, везде на одно лицо. Шахта, дом управляющего и ряд за рядом двухэтажные домики, все одинаковые, один как другой, хоть плачь. Еще — уродская церковь недавней постройки и несколько кабаков. Приехал я туда в холодный, ненастный день, уже начинался дождь. Нашел контору и предъявил управляющему мое письмо. Он был маленький, толстенький, с красными щечками и, как видно, любитель поесть. У них была нехватка рабочих рук, много шахтеров погибло на войне, они даже взяли на работу поляков, человек двести-триста. Он задал мне несколько вопросов, поморщился, когда узнал, что я американец, почему-то это показалось ему подозрительным, но его шурин дал обо мне хороший отзыв, и он меня зачислил. Хотел было дать мне работу на поверхности, но я сказал, что хочу в шахту. Он сказал, что с непривычки трудно будет, я сказал — ничего, и он поставил меня подручным забойщика. Вообще-то, это работа для мальчишек, но мальчишек тоже не хватало. Он был славный человечек, спросил, устроился ли я с жильем, а когда узнал, что нет, написал мне на бумажке адрес одной женщины, которая наверняка сдаст мне койку. Вдова шахтера, муж погиб, оба сына работают в шахте.

Я взял свой чемодан и отправился. Нашел адрес, дверь мне отворила высокая тощая женщина, полуседая, с большими темными глазами. В молодости, наверно, была красивая. Она и тогда еще была бы недурна, несмотря на жуткую худобу, жаль только, двух передних зубов не хватало. Она сказала, что целой комнаты у нее нет, но есть комната с двумя койками: одну снимает поляк, вторая свободна. Наверху в одной комнате живут ее сыновья, в другой — она сама. Нижняя комната, которую она мне показала, раньше, наверно, называлась гостиной; я бы предпочел иметь свой угол, но подумал, что привередничать не стоит, к тому же и дождь разошелся вовсю, я уже успел промокнуть. Не хотелось опять выходить на улицу, и я сказал, что это мне подходит, и остался у нее. Гостиной им теперь служила кухня, там даже стояло несколько ветхих кресел. Во дворе был сарай для угля, он же баня. Братья и поляк брали завтраки с собой на работу, а мне она предложила поесть вместе с нею в полдень. Потом я сидел в кухне и курил, а она делала свои домашние дела и рассказывала о себе и своей семье. После смены вернулся домой поляк, а вскоре за ним и братья. Поляк молча кивнул мне, когда хозяйка сказала, что я буду жить с ним в одной комнате, взял с плиты большущий чайник и пошел в сарай мыться. Оба парня были рослые, красивые, даже под слоем грязи, и отнеслись ко мне приветливо. Им казалось ужасно смешно, что я американец. Одному было девятнадцать лет, через несколько месяцев идти на военную службу, другому восемнадцать.

Дождавшись, когда поляк вернулся, парни тоже ушли смывать с себя грязь. Имя у поляка было трудное, и все звали его Кости. Был он верзила, дюйма на три выше меня, и сложения атлетического. Лицо у него было бледное, мясистое, нос картошкой и большой рот. Глаза голубые и как будто подведенные, потому что ему никак не удавалось отмыть брови и ресницы от угольной пыли. Эти черные ресницы придавали его голубым глазам какой-то нестерпимый блеск. Некрасивый он был и нескладный. Сыновья хозяйки переоделись и ушли, а поляк все сидел в кухне, курил и читал газету. Я достал из кармана книгу и тоже стал читать. Он глянул на меня раз, другой, потом отложил газету и спросил:

«Что читаете?».

Я молча протянул ему книгу. Это была «Принцесса Клевская», я купил ее на вокзале в Париже, благо формат был карманный. Он поглядел на книжку, потом с любопытством на меня и вернул ее. На губах у него мелькнула насмешливая улыбка. «Вас это забавляет?»—«По-моему, очень интересно, даже увлекательно».—«Я это читал в школе, в Варшаве. Решил, что скука смертная.— По-французски он говорил хорошо, почти без акцента.— Теперь-то я ничего не читаю, только газеты и детективные романы».

Мадам Дюклер, наша хозяйка, сидела у стола и штопала носки, в то же время приглядывая за супом, который варила на ужин. Она рассказала Кости, что меня к ней прислал управляющий, и передала ему то, что я счел нужным сообщить ей о себе. Он слушал, попыхивая трубкой и глядя на меня своими блестящими голубыми глазами. Взгляд был жесткий и проницательный. Он стал меня расспрашивать. Когда я сказал, что никогда не работал в шахте, насмешливая улыбка снова тронула его губы.—«Значит, вы не знаете, что вас ждет. Никто не пойдет работать в шахту, если есть выбор. Но это дело ваше. Не сомневаюсь, что у вас есть свои причины. В Париже вы где жили?»

Я сказал.

«Было время, я каждый год ездил в Париж. Только я держался ближе к Большим бульварам. У Ларю бывали? Это был мой любимый ресторан».

Я удивился. Ресторан, если помните, не из дешевых.

— Нет, куда там.

Он, конечно, заметил мое удивление — опять я увидел эту насмешливую улыбку,— но от объяснений воздержался. Мы еще потолковали о том о сем, потом вернулись братья, и мы поужинали. А после ужина Кости предложил мне пойти в бистро выпить пива. Там была всего одна комната, в одном конце стойка, а дальше мраморные столики и деревянные стулья. Еще там стояла пианола, кто-то сунул в щель монету, и она орала танцевальный мотив. Кроме нашего, было занято еще только три стола. Кости спросил, играю ли я в белоту. Меня этой игре обучили в Париже молодые люди, с которыми я вместе занимался, и Кости предложил мне сыграть на пиво. Я согласился, он потребовал карты. Я проиграл одну кружку, проиграл вторую. Тогда он предложил поиграть на деньги. Карта ему шла, а мне не везло. Ставки были ничтожные, но я проиграл несколько франков. От выигрыша и от пива он пришел в хорошее настроение и разговорился. И по манерам его, и по тому, как он говорил, я скоро понял, что человек он образованный. Когда речь опять зашла о Париже, он спросил, не знавал ли я такую-то и такую-то — американок, которых я встречал у Эллиота, когда тетя Луиза с Изабеллой у него гостили. Сам он, видимо, знал их лучше, чем я, и мне стало любопытно, как он дошел до своей теперешней жизни. Было еще не поздно, но вставать нам предстояло с рассветом.

«Давай по последней»,— предложил он.

Он потягивал пиво и смотрел на меня своими маленькими зоркими глазками, и тут я сообразил, кого он мне напоминает: сердитого кабана.

«Зачем тебе понадобилось работать в этой треклятой шахте?»— спросил он.

«Хочу обогатить свой опыт».

«Tu es fou, mon petit»[*].

«А вы зачем здесь работаете?»

Он неуклюже вздернул тяжелые плечи.

«Мой отец был царским генералом. Я учился в кадетском корпусе, а в войну служил офицером в кавалерии. Я ненавидел Пилсудского. Мы сговорились его убить, но кто-то нас выдал. Тех из нас, кого сумели схватить, он расстрелял. Мне в последнюю минуту удалось бежать через границу. Что мне оставалось? Либо Иностранный легион, либо угольная шахта. Я выбрал меньшее из зол».

Я уже говорил Кости, на какую работу меня определили, и тогда он промолчал, а теперь поставил локоть на стол и сказал: «Ну-ка, отогни мою руку».

Я знал этот старый способ мериться силами и приложил к его ладони свою. Он рассмеялся: «Через неделю ручка у тебя будет не такая нежная». Я стал давить что было силы, но у него ручища была как железная, и постепенно он отвел мою руку назад, до самого стола. И тут же снизошел до похвалы: «Силенка у тебя ничего. Другие и столько не выдерживают. Знаешь что, подручный у меня никуда не годится, плюгавый такой французишка, силы как у вши. Пойдем-ка завтра со мной, я скажу старшему, пусть лучше даст мне тебя».

«Я бы с удовольствием. А он согласится?»

«Подмазать надо. Лишние пятьдесят франков у тебя найдутся?»

Он протянул руку, я достал из бумажника кредитку. Мы пошли домой и легли спать. Длинный это получился день, я заснул как убитый.

— И что же, трудная оказалась работа?— спросил я Ларри.

— Сначала было зверски трудно,— признался он ухмыляясь.— Кости договорился со старшим, и меня дали ему в подручные. Он в то время работал в забое размером с ванную комнату в отеле, а попадать туда надо было через штрек, такой низкий, что приходилось ползти на четвереньках. Жарко там было как в пекле, мы работали в одних штанах. И очень было противно смотреть на Кости с его огромным белым торсом — этакий гигантский слизняк. Грохот отбойного молотка в этой тесной норе буквально оглушал. Моя работа состояла в том, чтобы подбирать куски угля, которые он вырубал, складывать их в корзину и протаскивать эту корзину через

---

[*] С ума сошел, малыш (фр.).

штрек в штольню, а там его грузили на вагонетки и везли к подъемникам. Я только одну эту угольную шахту и видел, так что не знаю, везде ли принят такой порядок. Мне он казался дилетантским, а работа адова. В середине рабочего дня мы делали перерыв, съедали свой завтрак и курили. Я еле мог дождаться конца смены, зато мыться потом было чистое наслаждение. Ноги, бывало, никак не отдерешь — черные, как чернила. На руках, конечно, появились волдыри, болели они дьявольски, но потом подсохли. Я привык к этой работе.

— И надолго вас хватило?

— В забое меня держали неполных два месяца. Вагонетки, на которых уголь подвозили к подъемнику, таскал тягач, откатчик на нем работал никудышный, и мотор то и дело глох. Однажды он никак не мог его запустить, совсем умучился. Ну а я в технике разбираюсь, я понял, в чем там дело, и через полчаса он у меня заработал. Старший рассказал про это управляющему, тот меня вызвал и спросил, знаю ли я толк в машинах. В результате мне дали место того откатчика. Работа, конечно, очень однообразная, зато легкая, и мотор перестал шалить, а значит — мною были довольны.

Кости рвал и метал, когда меня от него взяли. Он, мол, на меня не жаловался, он ко мне привык. Я его неплохо узнал за это время: как-никак целыми днями вместе работали, по вечерам вместе ходили в бистро и спали в одной комнате. Странный он был человек. Вас бы такой, вероятно, заинтересовал. С другими поляками он не знался, мы и в те кафе не ходили, в которых они бывали. Он все не мог забыть, что он дворянин и был кавалерийским офицером, а на них смотрел как на последнюю шваль. Их это, понятно, обижало, но поделать они ничего не могли: он был силен как бык и, если бы дошло до драки, даже если б они пустили в ход ножи, один уложил бы их два десятка. Я-то кое с кем из них все же познакомился, и они мне сказали, что кавалерийским офицером он действительно был и служил в отборных частях, а вот что он покинул Польшу по политическим причинам — это враки. Его вышибли из офицерского клуба в Варшаве и уволили из полка, потому что он плутовал в карты и его на этом поймали. И мне они советовали не играть с ним. Уверяли, что он потому их и сторонится, что они слишком много о нем знают и отказываются с ним играть.

А я и правда все время ему проигрывал — так, понемножку, по нескольку франков за вечер, но когда он выигрывал, то непременно платил за выпивку, так что, в сущности, получалось одно на одно. Я думал, что мне либо просто не везет, либо он лучше меня играет, но после этих разговоров стал держать ухо востро и уже не сомневался, что он передергивает, а вот как он это делает — хоть убей, не мог уловить. Ловок был до черта. Я уже понимал, что не может ему все время идти хорошая карта, следил за ним, как рысь. А он был хитер, как лисица, и наверняка догадался, что мне насчет него намекнули. Как-то вечером мы поиграли немного, а потом он поглядел на меня с этой своей насмешливой, скорее даже жестокой улыбкой — по-другому он улыбаться не умел — и говорит: «Хочешь, покажу тебе фокус?».

Взял колоду и велел назвать какую-нибудь карту. Потом стасовал, дал мне вытянуть одну карту, и оказалась та самая, которую я назвал. Показал и еще пару фокусов, потом спросил, играю ли я в покер. Я сказал, что играю. Он сдал. У меня оказались четыре туза и король. «И много бы ты поставил на такую сдачу?» Я сказал, что поставил бы все, что имел. «Ну и дурак бы был». Он открыл карты, которые сдал себе. Оказалось — флешь. Как он это проделал — не знаю. А он только смеется: «Не будь я честным человеком, я бы тебя давно по миру пустил».

«Вы и так на мне заработали».

Мы продолжали играть почти каждый вечер. Я пришел к выводу, что мошенничает он не столько ради денег, сколько ради забавы. Ему приятно было сознание, что он меня дурачит, а больше всего, кажется, радовало, что я его раскусил, а за техникой его уследить не могу.

Но это была только одна его сторона, а меня больше интересовала другая. И никак они между собой не вязались. Хоть он и хвастал, что ничего не читает, кроме газет и детективных романов, человек он был культурный. Отлично говорил — язвительно, едко, цинично, но так, что заслушаешься. Был набожным католиком, над кроватью у него висело распятие, и каждое воскресенье он ходил в церковь. А по субботам напивался. Наше бистро в субботу вечером было битком набито, воздух — хоть топор вешай. Туда приходили и степенные пожилые шахтеры с семьями, и молодые горластые парни, и многие мужчины, обливаясь потом, с громкими выкриками сражались в белоту, а их жены сидели немного позади и смотрели. Теснота и шум действовали на Кости своеобразно — он становился серьезным и начинал рассуждать —

о чем бы вы думали?— о мистицизме. Я в то время только и знал об этом что очерк Метерлинка о Рейсброке, попался мне как-то в Париже. А Кости толковал про Плотина, и про Дионисия Ареопагита, и про сапожника Якоба Бёме, и про мейстера Экхарта. Было что-то фантастическое в том, как этот косолапый проходимец, выброшенный из своего общественного круга, этот озлобленный ерник и бродяга, толкует о конечной реальности мира и о блаженстве слияния с Богом. Для меня все это было вновь, сбивало с толку, будоражило. Словно человек проснулся в затемненной комнате, и вдруг сквозь щель в занавесках пробился луч света, и он чувствует, что стоит их раздернуть — и перед глазами в сиянии зари откроется широкая равнина. Но если я пытался навести Кости на эту тему, когда он был трезвый, он смотрел на меня злющими глазами и рявкал: «Почем я знаю, что я городил, когда сам не знал, что говорю?».

Но я понимал, что он врет. Он прекрасно знал, о чем говорил. Он много чего знал. Конечно, он был пьян, но выражение его глаз, восторг, написанный на его уродской физиономии,— этого одним алкоголем не объяснишь. Было тут и что-то еще. Когда он в первый раз об этом заговорил, он сказал одну вещь, которую я никогда не забуду, так она меня ужаснула: он сказал, что мир — это не творение, потому что из ничего ничего не бывает; это еще куда ни шло, но дальше он добавил, что зло — столь же непосредственное проявление Божественного начала, как и добро. Странно было услышать такое в прокуренной шумной пивной под аккомпанемент танцевальных мотивчиков на пианоле.

II

Новую главку я начинаю с единственной целью дать читателю короткую передышку — разговор наш продолжался без перерыва. Пользуясь случаем, скажу, что говорил Ларри не спеша, местами делая паузы, чтобы подобрать нужное слово, и, хотя я, конечно, повторяю его рассказ не дословно, я постарался передать не только смысл его, но и манеру изложения. Его голос приятного музыкального тембра был богат интонациями; он не помогал себе жестами, только изредка умолкал, чтобы раскурить трубку, и, говоря, смотрел мне прямо в лицо ласковыми глазами, в которых то и дело загоралась усмешка.

— Пришла весна, в этой плоской, унылой части Франции она приходит поздно, дожди и холода еще держались, но выпадали и теплые, ясные дни, и тогда особенно не хотелось покидать белый свет и в расшатанной клети, набитой шахтерами в темных комбинезонах, опускаться на сотни футов вниз, в недра земли. Наступить-то весна наступила, но в этой серой, неприглядной местности выглядела робко, точно была не уверена, что ей рады. Так иногда увидишь цветок в горшке — лилию или нарцисс — в окне полусгнившего дома в трущобах, и непонятно, что он тут делает. Как-то в воскресенье утром мы еще валялись в постели — по воскресеньям мы всегда вставали поздно,— я читал, а Кости вдруг и скажи: «Ухожу я отсюда. Хочешь со мной?».

Я знал, что летом многие здешние поляки уезжают на родину убирать урожай, но для этого время еще не пришло, да и не рискнул бы Кости вернуться в Польшу.

«А вы куда собираетесь?»— спросил я.

«Бродяжить. Через Бельгию и Германию на Рейн. Можно наняться поработать на какой-нибудь ферме, на лето и хватит».

Я не стал долго раздумывать и сказал, что мне это по душе.

На следующий день мы взяли расчет. Я уговорил одного парня обменять мне рюкзак на мой чемодан. Лишнюю одежку отдал младшему сыну мадам Дюклер, мой размер ему годился. Кости оставил у них мешок; что нужно с собой, тоже уложил в рюкзак; и во вторник, как только хозяйка напоила нас кофе, мы отправились в путь.

Мы не торопились, зная, что на работу нас могут взять не раньше чем подойдет сенокос, и с прохладцей продвигались по Франции и Бельгии, через Намюр и Льеж, а в Германию вошли у Аахена. В день проходили миль десять-двенадцать, не больше. Приглянется какая-нибудь деревня — делаем остановку. Всегда находился трактир, где переночевать, поесть и выпить пива. С погодой нам в общем везло. И замечательно было проводить все дни на воздухе после стольких месяцев в шахте. Я раньше, кажется, и не понимал, какая это радость для глаз — зеленый луг или дерево, когда листья на нем еще не распустились, но ветви словно окутаны легкой зеленой дымкой. Кости стал учить меня немецкому, сам он говорил на нем не хуже, чем по-французски. Он называл мне все, что встречалось нам на пути — корова, лошадь, человек, потом заставлял повторять за ним простые немецкие фразы. Так мы коротали время, а когда вступили в Германию, я уже мог хотя бы попросить, что мне нужно.

Кельн оказался в стороне от нашего маршрута, но Кости непременно пожелал туда завернуть, как он сказал — ради Одиннадцати Тысяч Дев[*], а когда мы туда пришли, он загулял. Я не видел его три дня, потом он явился в комнату, которую мы заняли в каком-то рабочем бараке, черный как туча. Под глазом фонарь, губа рассечена, смотреть страшно — это он где-то ввязался в драку. Целые сутки проспал, а потом мы двинулись вверх по долине Рейна на Дармштадт, он сказал, что там земли плодородные и скорее всего можно получить работу.

Чудесно там было. Погода держалась, мы прошли много городов и деревень. В которых было что поглядеть, останавливались и глядели. Ночевали где придется, раза два даже на сеновале. Ели в придорожных харчевнях и, когда добрались до виноградников, перешли с пива на вино. В харчевнях заводили дружбу с тамошними жителями. Кости напускал на себя грубовато-простецкую манеру, весьма располагающую, играл с ними в скат, это такая немецкая карточная игра, и обчищал их так добродушно, с такими солеными шуточками, что они отдавали ему свои пфенниги чуть ли не с радостью. А я практиковался на них в немецком. В Кельне я купил маленький англо-немецкий разговорник, и дело у меня шло на лад. А по вечерам, влив в себя литра два белого вина, Кости странным, замогильным голосом разглагольствовал о полете от Единого к Единому, о Темной Ночи Души и о конечном экстазе, в котором творение сливается воедино с предметом своего восхищения. Но если я пытался вытянуть из него еще что-нибудь рано утром, когда мы опять шагали среди смеющейся природы и роса еще сверкала на траве, он приходил в такую ярость, что готов был меня поколотить.

«Да ну тебя, идиот несчастный,— огрызался он.— На что тебе понадобился этот вздор? Учи-ка лучше немецкий».

Не очень-то поспоришь с человеком, если у него кулак как паровой молот и он не задумается пустить его в ход. Я видел

---

[*] Согласно средневековой легенде, возле теперешнего Кельна погибли в первые века нашей эры 11000 девушек-христианок, сопровождавших британскую принцессу Урсулу во Францию и в пути убитых гуннами. Туристам в Кельне до сих пор показывают хранящиеся в стене церкви св. Урсулы черепа и кости, якобы найденные в земле на месте их захоронения.

его приступы бешенства. Я знал, что он способен избить меня до бесчувствия и бросить в канаве, да еще обшарить мои карманы, это тоже с него бы сталось. Он по-прежнему был для меня загадкой. Когда язык у него развязывался от спиртного и он заводил разговор о Неизреченном, он сбрасывал с себя привычное сквернословие, как тот грязный комбинезон, что носил в шахте, и выражался вполне литературно, даже красноречиво. И был, мне кажется, вполне искренен. Сам не знаю, как я к этому пришел, но однажды мне взбрело в голову, что тяжелая, изнурительная работа в шахте была ему нужна ради умерщвления плоти. Может, он ненавидит свое огромное нескладное тело и нарочно его мучает, а его шулерство, и цинизм, и жестокость — это бунт его воли против... как бы это сказать, против какого-то сокровенного инстинкта святости, против жажды Бога, которая и ужасает его, и владеет им неотступно.

А время-то шло, весна миновала, листва на деревьях стала густая и темная, в виноградниках наливались гроздья. Грунтовые проселочные дороги, по которым мы ходили, стали пыльными. До Дармштадта оставалось совсем немного, и Кости сказал, что пора нам подыскивать работу. Деньги у нас почти все вышли. У меня в бумажнике было несколько аккредитивов, но я решил, что без крайней нужды не буду их разменивать. И вот мы, как увидим ферму побогаче, стали заходить и спрашивать, не требуются ли работники. Вид наш, надо полагать, не внушал доверия. Мы были грязные, потные, все в пыли. Кости — тот выглядел прямо как разбойник с большой дороги, да и я, наверно, немногим лучше. Раз за разом мы уходили ни с чем. Один фермер сказал, что Кости он согласен взять, а я ему не нужен, но Кости заявил, что мы товарищи и без меня он не пойдет. Я пробовал его уговорить, но он ни в какую. Это меня удивило. Я знал, что чем-то пришелся ему по вкусу, вот только чем — не мог уразуметь, казалось бы, ему нужны были дружки совсем иного сорта. Но чтобы он настолько ко мне привязался, что из-за меня откажется от работы,— этого я не думал. Я даже почувствовал себя виноватым перед ним, потому что он-то мне, в сущности, не нравился, даже был мне противен, но, когда я промямлил что-то вроде благодарности, он разом меня оборвал.

В конце концов удача нам улыбнулась. Мы только что прошли одну деревню и, поднявшись в гору, набрели на ферму, она стояла на отшибе и вид имела вполне приличный. Постучались, дверь отворила женщина. Мы, как всегда, предложили свои услуги. Сказали, что платы нам не надо, будем работать за харчи и ночлег, и она, как ни странно, не захлопнула перед нами дверь, а велела подождать. Она кликнула кого-то, и из дома вышел мужчина. Он нас как следует разглядел, спросил, откуда мы, потребовал документы. Увидев, что я американец, еще раз оглядел меня с головы до ног. Что-то ему не понравилось, но он все же пригласил нас зайти, выпить по стакану вина. Он провел нас в кухню, и мы уселись. Женщина принесла жбан и стаканы. Хозяин нам рассказал, что его батрака боднул бык, парень в больнице и всю страду не сможет работать. А с работниками нынче туго, столько мужчин убито на войне, другие уходят на фабрики, вон их сколько понастроили на Рейне. Это нам было известно, мы, собственно, на это и рассчитывали. Ну, короче говоря, он нас нанял. В доме места было сколько угодно, но наше соседство его, видно, не прельщало; как бы то ни было, он предупредил, что на сеновале есть две койки и спать мы будем там.

Работа оказалась не тяжелая. Ухаживать за коровами, за свиньями, привести в порядок инвентарь. Оставалось и свободное время. Я любил поваляться в душистой траве, а вечерами уходил бродить и мечтать. Хорошая была жизнь.

Семья состояла из старика Беккера, его жены, овдовевшей снохи и ее детей. Сам Беккер был грузный седой мужчина лет около пятидесяти; он проделал войну, был ранен в ногу и еще хромал. Рана сильно болела, и он глушил боль вином. Спать ложился обычно пьяный. С Кости они спелись, после ужина вместе уходили в трактир, резались в скат и пили. Фрау Беккер раньше была батрачкой. Ее взяли из приюта, а после смерти своей первой жены Беккер на ней женился. Она была на много лет моложе его, по-своему недурна — цветущая блондинка, краснощекая, с голодным чувственным взглядом. Кости смекнул, что тут есть чем поживиться. Я сказал ему, чтоб не валял дурака: работа у нас хорошая, глупо будет ее потерять. Он меня высмеял, сказал, что Беккера ей мало и она сама виснет. Я знал, что взывать к его порядочности бесполезно, но советовал ему быть осторожным: Беккер-то, может быть, и не заподозрит ничего дурного, а вот его сноха — та все примечает.

Сноху звали Элли, она была крепкая, ядреная, еще молодая — тридцати не было, черноволосая, с бледным квадратным лицом и угрюмым выражением черных глаз. Она еще носила траур по мужу — он был убит под Верденом. Очень была набожная, по воскресеньям два раза ходила в деревню — утром к ранней обедне, под вечер ко всенощной. У нее было трое детей, младший родился уже после смерти отца, и за столом она если и открывала рот, так только чтобы на них прикрикнуть. Понемногу работала на ферме, но почти все свое время посвящала детям, а вечерами сидела одна в гостиной, с открытой дверью, чтобы услышать, если кто из них заплачет, и читала романы. Друг друга эти женщины терпеть не могли. Элли презирала фрау Беккер за то, что она приютская и раньше жила в услужении, и не могла ей простить, что она — хозяйка дома и вправе командовать.

Сама Элли была дочерью богатого фермера, за ней дали хорошее приданое. Училась она не в деревенской школе, а в Цвингенберге, ближайшем городке, где была женская гимназия, и образование получила вполне приличное. А бедная фрау Беккер с четырнадцати лет батрачила и только и умела, что кое-как читать и писать. Это тоже служило причиной раздоров. Элли не упускала случая похвалиться своими познаниями, а фрау Беккер, багровая от гнева, возражала, что жене фермера образование ни к чему.

Тогда Элли бросала взгляд на личный знак своего мужа, который носила на руке на стальной цепочке, и с выражением горечи на угрюмом лице говорила: «Не жене. Всего лишь вдове. Всего лишь вдове героя, отдавшего жизнь за отечество».

Бедняга Беккер только и делал, что их разнимал...

— А к вам они как относились?— перебил я Ларри.

— А-а, они решили, что я дезертировал из американской армии и не могу вернуться в Америку, а то меня посадят в тюрьму. Этим они объясняли, почему я не хожу в трактир с Беккером и Кости. Думали, что я не хочу привлекать к себе внимание и подвергаться расспросам деревенского полицейского. Когда Элли узнала, что я стараюсь научиться немецкому, она достала свои старые учебники и сказала, что будет со мной заниматься. И вот после ужина мы с ней стали уходить в гостиную, оставив фрау Беккер на кухне, и я читал ей вслух, а она поправляла мое произношение и разъясняла непонятные слова. Я подозревал, что делает она это не столько из желания мне помочь, сколько чтобы покичиться перед фрау Беккер.

Кости тем временем обхаживал фрау Беккер, но все без толку. Она была веселая, общительная, не прочь пошутить с ним и посмеяться, а любезничать с женщинами он умел. Она, верно, догадалась, куда он гнет, и это ей, может быть, даже льстило, но, когда он попробовал ее ущипнуть, приказала рукам воли не давать и закатила ему оплеуху, надо полагать — довольно увесистую.— Ларри чуть помедлил и застенчиво улыбнулся.— Я никогда не воображал, что женщины за мной гоняются, но у меня появилось ощущение, что фрау Беккер... ну, в общем, что я ей нравлюсь. Мне это было неприятно. Она ведь была намного старше меня, да и старик Беккер, что ни говори, обошелся с нами по-божески. За столом, когда она раскладывала еду, я невольно замечал, что мне достаются самые большие порции, и она как будто искала случая остаться со мной наедине. И улыбалась мне, что называется, вызывающе. Спрашивала, есть ли у меня девушка, а то, мол, такому молодому мужчине, наверно, скучно в их глуши. Ну и все в этом роде. У меня было всего три рубашки, уже порядком сношенные. Она как-то сказала, что стыдно ходить в таких лохмотьях и пусть я их принесу, она зачинит. Это слышала Элли и, когда мы в следующий раз остались вдвоем, предложила починить все, что у меня есть рваного. Я сказал, что Бог с ним, не надо. Но дня через два обнаружил, что носки мои заштопаны, а рубашки залатаны и лежат где лежали — на лавочке на сеновале, куда мы складывали свои вещи. Которая из них это сделала — я не знал. Я, конечно, не принимал фрау Беккер всерьез, она была добрая душа, я думал, может, в ней говорят материнские чувства, но однажды Кости мне сказал: «Слушай, ей не я нужен, а ты. Мое дело табак».

«Чепуха,— сказал я.— Она мне в матери годится».—«Ну и что? Валяй, малыш, я тебе мешать не буду. Хоть она и не молоденькая, но женщина хоть куда».—«Да ладно, хватит болтать».—«А чего ты тянешь? Надеюсь, не из-за меня? Я философ, я понимаю, что на ней свет клином не сошелся. Я ее не виню. Ты молодой. Я тоже был молод. Jeunesse ne dure qu'un moment»[*].

Меня не очень-то радовало, что Кости так уверен в том, во что сам я не хотел верить. Я растерялся, потом стал припоминать кое-какие мелочи, на которые в свое время не обратил внимания, кое-какие слова Элли, которые пропустил мимо ушей. Теперь я их понял и убедился, что ей тоже все ясно. Она неожиданно появлялась в кухне, когда мы с фрау Беккер бывали там одни. Выходило, что она за нами шпионит, это мне не понравилось. Я знал, что она ненавидит фрау Беккер и не чает, как ей насолить. Конечно, ни на чем таком поймать она нас не могла, но женщина она была недобрая

[*] Молодость длится всего мгновение (фр.).

и мало ли что способна была выдумать и наговорить старику Беккеру. Мне оставалось только притворяться дураком, точно я и не понимал, что хозяйка имеет на меня виды. На ферме мне было хорошо, и работа нравилась, и я не хотел оттуда уходить, пока мы не уберем урожай.

Я невольно улыбнулся — очень уж ясно я себе представил, как выглядел тогда Ларри — в залатанной рубахе и коротких штанах, лицо и шея дочерна загорели под жарким солнцем рейнских берегов, легкое худощавое тело и черные глаза в глубоких глазницах. Нетрудно было поверить, что при виде его белокурая фрау Беккер, полногрудая и дебелая, вся трепыхалась от страсти.

— И что же было дальше?— спросил я.

— Ну, лето подошло к концу. Работали мы как черти. Скосили и заскирдовали сено. Тут поспела вишня. Мы с Кости залезали на лестницы и обирали ее, а обе женщины складывали в огромные корзины, а Беккер возил их в Цвингенберг и продавал. Потом жали рожь. Ну и за скотиной, конечно, по-прежнему ухаживали. Вставали до зари, работали дотемна. Я успокоился, решил, что фрау Беккер поставила на мне крест. По мере возможности я теперь держал ее на расстоянии. И читать по-немецки по вечерам стало трудно, у меня уже за ужином глаза слипались, и я почти сразу уходил на сеновал и валился на койку. Беккер и Кости продолжали ходить по вечерам в трактир. Но когда Кости возвращался, я уже крепко спал. На сеновале было жарко, и спал я голый.

Как-то ночью меня разбудили. Спросонок я сперва не мог понять, что случилось. Почувствовал на губах горячую ладонь и вдруг понял — кто-то лежит со мной рядом. Я оттолкнул эту ладонь, и тогда чьи-то губы впились в мои, две руки меня обхватили, и я почувствовал, что ко мне прижимаются тяжелые груди фрау Беккер.

«Sei still,— шепнула она.— Тише».

Она прильнула ко мне, целовала жаркими, полными губами, руки ее шарили по моему телу, ноги цеплялись за мои.

Ларри умолк. Я не сдержал смешка.

— И что вы сделали?

— А что мне было делать? Рядом на койке спал Кости, я слышал его тяжелое дыхание. Роль Иосифа Прекрасного всегда казалась мне немного комичной. Мне было двадцать три года. Я не мог устроить сцену и вытолкать ее вон. Не хотелось ее обижать. Я сделал то, чего от меня ждали.

Потом она осторожно встала и неслышно спустилась вниз. У меня отлегло от сердца, а перетрусил я здорово. Я еще подумал — как она решилась? Вполне возможно, что Беккер вернулся пьяный и заснул как чурбан, но они спали в одной постели, он мог проснуться и обнаружить, что ее нет. А тут еще Элли. Та всегда уверяла, что плохо спит. Если она не спала, так, наверно, слышала, как фрау Беккер спустилась со второго этажа и вышла из дома. И тут меня как ударило. Когда фрау Беккер была со мной в постели, я чувствовал прикосновение чего-то металлического, но не придал этому значения, не тот был момент, я даже потом не спросил себя, что бы это могло быть. А тут меня осенило. Я сидел боком на койке, с тревогой гадая, что теперь может воспоследовать, но от этой мысли вскочил как ужаленный. Металлическое — это был мужнин личный знак, который Элли носила на руке, и приходила ко мне не фрау Беккер, а Элли.

Я покатился со смеху.

— Вам смешно,— сказал Ларри,— а мне тогда было не до смеха.

— Но теперь-то, задним числом, неужели вы не усматриваете в этом хотя бы легкой примеси комического?

Он слабо, словно против воли, улыбнулся.

— Пожалуй. Но я оказался в нелепейшем положении. Я не представлял себе, что будет дальше. Элли мне не нравилась, я считал ее очень неприятной женщиной.

— Но как вы могли их спутать?

— Темнота была — хоть глаз выколи. Она ничего не говорила, только шепотом велела мне молчать. Обе они были крупные, полные. Я думал, что фрау Беккер ко мне неравнодушна, а насчет Элли у меня этого и в мыслях не было. Та все вспоминала своего мужа. Я закурил и стал обдумывать свое положение, и чем дольше я его обдумывал, тем меньше оно мне нравилось. И я решил, что для меня самое милое дело — смыться.

Сколько раз я злился на Кости за то, что его так трудно будить. Когда мы работали в шахте, я, бывало, умучаюсь, пока его подниму, чтобы не опоздал к смене. Но теперь я только радовался, что он спит так крепко. Я засветил фонарь, оделся, в одну минуту покидал свои вещи в рюкзак, благо их было немного, и продел руки в лямки. По чердаку я прошел в одних носках, а башмаки надел, только когда спустился с лестницы. Ночь была темная, безлунная, но дорогу я знал и свернул к деревне. Шел быстро, чтобы миновать ее, пока там все спят. До

Цвингенберга было всего двенадцать миль, я дошагал туда, когда городок еще только просыпался. Никогда не забуду эту прогулку. Кругом ни звука, только мои шаги по дороге, да изредка где-нибудь на ферме прокричит петух. Потом серый полумрак, еще не светло, но и не совсем темно, и первые проблески зари, и солнце всходит под пение птиц, и сочная зелень лугов и рощ, и пшеница серебристо-золотая в прохладном свете раннего дня. В Цвингенберге я выпил чашку кофе с булочкой, потом зашел на почту и послал телеграмму в «Америкен экспресс», чтобы мои книги и одежду переслали мне в Бонн.

— Почему в Бонн?— перебил я.

— А он мне понравился, когда мы останавливались там поблизости по дороге из Кельна. Понравилось, как свет ложится на крыши и на Рейн, и узкие улицы, и виллы с садами, и проспекты, обсаженные каштанами, и университетские здания в стиле рококо. Я еще в тот раз подумал, что хорошо бы там когда-нибудь пожить. Но я решил, что в таком непрезентабельном виде являться туда не стоит. Я ведь выглядел настоящим бродягой, и как на меня посмотрят, если я приду в пансион и спрошу комнату. Я уехал поездом во Франкфурт, там купил чемодан и кое-что из одежды. В Бонне я прожил с перерывами год.

— И что же, извлекли вы для себя что-нибудь из своей жизни на шахте и на ферме?

— Да,— сказал Ларри улыбаясь и кивнул головой.

Но уточнять он не стал, а я уже достаточно его знал и убедился, что, если ему хочется о чем-то рассказать, он расскажет, а если не хочется — преспокойно отделается шуткой, и тогда настаивать бесполезно. Напомню читателю — все вышеизложенное я услышал от него через десять лет после того, как это случилось. До этой новой встречи я понятия не имел, где он и чем занят. Я даже не знал, жив он или умер. Если бы не общение с Эллиотом, который держал меня в курсе главных событий в жизни Изабеллы и тем самым напоминал о Ларри, я, несомненно, успел бы забыть о его существовании.

III

Изабелла вышла замуж за Грэя Мэтюрина в начале июня, через год после того, как расстроилась ее помолвка с Ларри. Как ни жаль было Эллиоту покидать Париж в разгар сезона, когда его ждали приглашения на столько светских сборищ, семейные чувства не позволили ему пренебречь тем, что он почитал своим долгом. Братья Изабеллы были связаны службой в далеких краях, а значит, ему надлежало совершить утомительное путешествие в Чикаго и быть у племянницы посаженым отцом. Памятуя о том, что французские аристократы шли на гильотину в своих самых пышных нарядах, он не поленился съездить в Лондон, чтобы обзавестись новой визиткой, двубортным жилетом серо-голубого оттенка, а также цилиндром. Вернувшись в Париж, он пригласил меня в гости и показался мне в полном параде. Его очень тревожило, что серая жемчужина, которую он обычно носил в галстуке, совсем теряется на фоне серого же галстука, выбранного им для этого торжественного случая. Я напомнил ему, что у него есть другая булавка — изумруд с брильянтом.

— Будь я просто гостем — куда ни шло,— возразил он,— но для той роли, которая мне предназначена, жемчужина просто необходима.

Предстоящий брак соответствовал всем его понятиям о приличиях, он был очень доволен и говорил о нем тем елейным тоном, каким вдовствующая герцогиня могла бы изъясняться по поводу союза между отпрыском рода Ларошфуко и дочерью маркиза Монморанси. В качестве осязаемого знака своего одобрения он вез с собой свадебный подарок — прекрасный портрет одной из французских принцесс королевской крови кисти Натье.

Генри Мэтюрин, как выяснилось, купил для молодых дом на Астор-стрит, в двух шагах от миссис Брэдли и недалеко от его собственного роскошного особняка на Набережной. По счастливой случайности, к которой, прости Господи, сам Эллиот, возможно, приложил руку, в Чикаго как раз ко времени этой покупки оказался Грегори Брабазон, и внутренняя отделка дома была поручена ему. Когда Эллиот вернулся в Европу — прямо в Лондон, махнув рукой на остаток парижского сезона,— он привез с собой снимки новых интерьеров. Грегори Брабазон не пожалел трудов. В гостиной и столовой царил стиль Георга II, очень получилось величественно. Для библиотеки, долженствовавшей служить Грэю также кабинетом, он вдохновился некой комнатой во дворце Амалиенбург в Мюнхене, и, если не считать того, что в ней не осталось места для книг, получилось прелестно. Спальню для молодой американской четы он устроил такую, что Людовик XV, зайдя навестить мадам де Помпадур, почувствовал бы себя здесь как дома, разве что удивился бы, зачем нужна вторая кровать; зато ванная комната Изабеллы его бы ошеломила: стены, потолок, ванна — все здесь было стеклянное, а по стенам серебряные рыбки резвились среди позолоченных водорослей.

— Дом, конечно, тесноват,— сказал Эллиот,— но на отделку, если верить Генри, ухлопано сто тысяч долларов. Для иных это целое состояние.

Бракосочетание совершалось со всей помпой, какую могла себе позволить епископальная церковь.

— Не то, разумеется, что венчание в Нотр-Дам,— пояснил он снисходительно,— но для протестантской церемонии совсем не плохо.

Пресса была на высоте — Эллиот небрежно перекинул мне через стол пачку газетных вырезок. Показал он мне и снимки: Изабелла, крепенькая, но очаровательная в подвенечном уборе, и Грэй, грузноватый, но очень эффектный, немного стесняющийся своего парадного костюма. Был там и групповой снимок — новобрачные с подружками невесты, и еще одна группа, где фигурировала миссис Брэдли, разодетая в пух и прах, и Эллиот, с неподражаемой грацией придерживающий на коленях свой новый цилиндр. Я спросил, как здоровье миссис Брэдли.

— Она сильно убавила в весе, и цвет лица ее мне не нравится, но чувствует себя неплохо. Конечно, ей все это далось нелегко, но теперь зато сможет отдохнуть.

Через год Изабелла родила дочку и назвала ее, по последней моде, Джоун; а еще через два года произвела на свет вторую девочку и, той, опять же следуя моде, дала имя Присцилла.

Один из компаньонов Генри Мэтюрина умер, два других, не без нажима с его стороны, вскоре вышли из дела, так что он остался единственным главою фирмы, которой и всегда-то управлял самовластно. Тогда он осуществил свою давнишнюю мечту — взял в компаньоны Грэя. Дела фирмы шли блестяще.

— Они с каждым днем богатеют, милейший,— сказал мне Эллиот,— Грэй в двадцать пять лет зарабатывает пятьдесят тысяч в год, а это еще только начало. Ресурсы Америки неисчерпаемы. То, что мы сейчас наблюдаем, не бум, а естественное развитие великой страны.

Грудь его так и распирало от наплыва несвойственных ему патриотических чувств.

— Генри Мэтюрин не вечен, у него высокое кровяное давление. Грэй к сорока годам будет стоить миллионов тридцать. Это грандиозно, милейший, грандиозно.

Годы шли, Эллиот регулярно переписывался с сестрой и время от времени сообщал мне, о чем она пишет. Грэй и Изабелла очень счастливы, малютки — прелесть. Образ жизни они ведут, на взгляд Эллиота, именно такой, как нужно; гостей принимают по-царски, и друзья так же по-царски принимают их; он даже с удовольствием поведал мне, что за три месяца Изабелла и Грэй ни разу не пообедали вдвоем. Этот вихрь веселья прервала смерть миссис Мэтюрин — той бесцветной, но родовитой особы, на которой Генри Мэтюрин женился, когда еще только завоевывал себе место в Чикаго, куда его отец пришел неотесанным деревенским парнем искать счастья. Из уважения к ее памяти сын и невестка целый год не приглашали к обеду больше шести гостей зараз.

— Я всегда считал, что восемь — идеальное количество,— сказал мне Эллиот, придерживаясь своего правила во всем находить хорошую сторону.— Не слишком много для общего разговора и достаточно, чтобы создать впечатление званого вечера.

Грэй ничего не жалел для жены. На рождение первого ребенка он подарил ей кольцо с огромным брильянтом, на рождение второго — соболье манто. Дела не позволяли ему надолго отлучаться из Чикаго, но, когда у него выдавались свободные дни, они всей семьей проводили их в Марвине, в огромном доме Генри Мэтюрина. Генри обожал сына, ни в чем ему не отказывал и однажды подарил к Рождеству усадьбу в Южной Каролине, чтобы было куда съездить на две недели пострелять уток.

— Наших королей коммерции вполне можно приравнять к тем меценатам времен итальянского Возрождения, которые наживали свои богатства торговлей. Например, Медичи. Два французских короля не погнушались взять в жены девиц из этого прославленного рода, и, помяните мое слово, недалек тот час, когда европейские монархи будут домогаться руки той или иной принцессы долларов. Как это сказал Шелли? «Снова славные дни наступают. Возвращается век золотой».

Генри Мэтюрин много лет указывал миссис Брэдли и Эллиоту, как лучше распоряжаться деньгами, и они имели все основания верить в его прозорливость. Он не поощрял спекуляций и помещал их деньги в самые солидные ценные бумаги;

однако с ростом курса акций их сравнительно скромные состояния тоже росли, что и поражало их, и радовало. Эллиот как-то сказал мне, что, не ударив для этого палец о палец, он оказался в 1926 году почти вдвое богаче, чем был в 1918-м. Ему минуло шестьдесят пять лет, он поседел, на лице пролегли морщины, под глазами появились мешки, но держался он молодцом. Он всегда был воздержан в своих привычках, всегда следил за своей внешностью и не намерен был смиряться перед жестокостью времени, пока мог одеваться у лучшего лондонского портного, пока его подстригал и брил всегда один и тот же проверенный парикмахер и каждое утро к нему являлся массажист, пекущийся о сохранности его стройной фигуры. Он давно забыл, что некогда унизился до такого недостойного занятия, как купля-продажа, и, хотя не говорил этого прямо, ибо у него хватало ума воздерживаться от лжи, в которой его могли уличить, не прочь был туманно намекнуть, что провел молодые годы на дипломатической службе. Должен сказать, что, доведись мне когда-нибудь писать портрет посла великой державы, я не задумываясь стал бы писать его с Эллиота.

Но время не стоит на месте. Знатные дамы, с чьей помощью Эллиот начинал свою карьеру, либо умерли, либо совсем одряхлели. Многие английские аристократки, овдовев, вынуждены были передать родовые поместья невесткам и перебраться на виллу в Челтнеме либо в скромный особняк близ Риджент-парк. Стаффорд-Хаус обращен в музей, Керзон-Хаус сдан в аренду какому-то учреждению. Девоншир-Хаус продается. Яхта, на которую Эллиота годами приглашали во время регаты, перешла в другие руки. Новые герои светских подмостков не нуждались в постаревшем Эллиоте. Он казался им скучным и нелепым. Они еще принимали его приглашения на изысканные завтраки в отеле «Кларидж», но от него не укрывалось, что приезжают они не столько к нему, сколько чтобы повидать друг друга. Его письменный стол уже не был завален пригласительными карточками — только выбирай, и часто, слишком часто, втайне моля Бога, чтобы никто не узнал о таком его унижении, он теперь обедал один в своем номере «люкс». Знатные англичанки, перед которыми двери в высшее общество оказываются закрыты в результате какой-нибудь скандальной истории, начинают интересоваться искусством и окружают себя художниками, писателями, музыкантами. Эллиоту гордость не позволяла так себя унижать.

— Налог на наследство и спекулянты, нажившиеся на войне, подорвали основы английского общества,— говорил он мне.— Люди готовы знаться с кем попало. В Лондоне есть еще хорошие портные, сапожники и шляпники, но в остальном Лондона больше нет. Известно ли вам, мой милый, что у Сент-Эртов за столом прислуживают не лакеи, а горничные?

Сообщил он мне это, когда мы пешком возвращались с одного званого завтрака, во время которого произошел очень неловкий инцидент. Наш высокородный хозяин обладал прекрасной коллекцией картин, и один из гостей, молодой американец по имени Пол Бартон, выразил желание их посмотреть.

— У вас, кажется, есть Тициан?

— Был когда-то. Теперь он в Америке. Какой-то иудей предложил нам за него кучу денег, а у нас в то время с деньгами было туго, вот мой родитель его и продал.

Я заметил, что Эллиот, весь ощетинившись, бросил на веселого маркиза испепеляющий взгляд, и догадался, что картину купил он. И так посмели обозвать его, уроженца Виргинии, потомка одного из героев, подписавших Декларацию независимости! Никогда еще он не подвергался такому оскорблению. Мало того, Пола Бартона он люто ненавидел. Этот молодой человек появился в Лондоне вскоре после войны. Двадцать три года, блондин, очень красивый, обаятельный, прекрасный танцор и к тому же богатый. Он явился к Эллиоту с рекомендательным письмом, и тот, по доброте сердечной, представил его кое-кому из своих друзей да еще преподал ему несколько ценных советов относительно того, как ему себя вести. Опираясь на собственный опыт, он объяснил, сколь полезно чужаку, жаждущему войти в хорошее общество, оказывать мелкие услуги старым дамам и терпеливо выслушивать рассуждения именитых господ, даже самые скучные.

Но мир, в который вступал Пол Бартон, был уже не тот, в который Эллиот Темплтон на целое поколение раньше проник ценой таких упорных усилий. Это был мир, одержимый одним желанием — развлекаться. Пол Бартон благодаря своему живому, общительному нраву и приятной наружности в несколько недель добился того, на что Эллиоту потребовалось много лет неустанных стараний. Вскоре помощь Эллиота стала ему не нужна, и он не пытался это скрывать. При встречах он бывал с ним любезен, но в манере его сквозила обидная фамильярность. Эллиот приглашал людей в гости не потому, что любил их, а потому, что они умели оживить застольную беседу, и, поскольку Пол Бартон пользовался успехом, продолжал время от времени приглашать его на свои завтраки; но обычно молодой человек оказывался занят, а два раза подвел Эллиота, лишь в самую последнюю минуту предупредив, что не будет. В прошлом Эллиот и сам частенько так поступал и знал, чем это объяснить: не иначе как он только что получил более соблазнительное приглашение.

— Вы можете мне не верить,— бушевал он в тот злосчастный день,— но даю вам слово, он теперь обращается со мной свысока. Со мной! «Тициан, Тициан!»— передразнил он.— Да покажи ему Тициана, он и не поймет, что это такое.

Никогда еще я не видел Эллиота таким разъяренным, и я угадал причину его гнева: он вообразил, что Пол Бартон спросил про Тициана нарочно, пронюхав каким-то образом, что картина была куплена Эллиотом, и теперь превратит ответ благородного лорда в пошлый, порочащий его анекдот.

— Ничтожество он, жалкий сноб, а что может быть на свете отвратительнее снобизма. Только благодаря мне его вообще принимают в порядочных домах. Чем его отец занимается, вы знаете? Торгует канцелярской мебелью. Канцелярской мебелью.— Он вложил в эти слова убийственный сарказм.— Говоришь людям, что в Америке он нуль и происхождения самого низкого, а им хоть бы что, даже не удивляются. Нет, милейший, на английском обществе пора поставить крест.

И во Франции, на взгляд Эллиота, дело обстояло не лучше. Там знатные дамы его молодости — те, что еще не умерли,— посвящали свои дни бриджу (Эллиот эту игру терпеть не мог), церкви и заботам о внуках. В чинных особняках аристократии обитали фабриканты, аргентинцы, чилийцы, разведенные или разъехавшиеся с мужьями американки, и все они устраивали богатые приемы, но на этих приемах Эллиот, к великому своему смущению, встречал политических деятелей, говоривших по-французски с вульгарным акцентом, журналистов, не умевших держать себя за столом, и даже актеров. Отпрыски титулованных семейств не гнушались жениться на дочерях лавочников. Париж, правда, веселился, но какое убогое это было веселье! Молодежь в безрассудной погоне за удовольствиями не находила ничего более интересного, чем шататься по тесным, душным ночным клубам, пить шампанское за сто франков бутылка и танцевать до пяти часов утра бок о бок с городскими подонками. От дыма, шума и духоты у Эллиота сразу разбаливалась голова. Да, это был не тот Париж, где он тридцать лет назад обрел духовную родину. Не тот Париж, куда души праведных американцев переселяются после смерти.

IV

Но у Эллиота был тонкий нюх. Внутренний голос подсказывал ему, что скоро, скоро прибежищем знати и высшего общества снова станет Ривьера. Он хорошо знал этот кусок побережья, так как не раз проводил по нескольку дней в Монте-Карло, в отеле «Париж», по дороге из Рима, куда его время от времени призывали обязанности папского камергера, или в Каннах, на вилле у кого-нибудь из своих друзей. Но то бывало зимой, теперь же до него доходили слухи, что становится модным проводить на Ривьере и лето. Большие отели не закрывались круглый год, их постояльцы упоминались в светской хронике парижских газет, и Эллиот с одобрением читал там знакомые имена.

— «От суетного света я бегу»,— процитировал он однажды.— Я достиг того возраста, когда человеку пристало насладиться красотами природы.

Слова эти могут показаться загадочными. Но нет. Эллиот всегда воспринимал природу как помеху в жизни хорошего общества и просто отказывался понимать, как люди могут куда-то ехать, чтобы увидеть озеро или гору, когда у них перед глазами есть комод эпохи регентства или картина Ватто. Но теперь у него неожиданно оказалась в руках изрядная сумма денег. Дело в том, что Генри Мэтюрин, подстрекаемый сыном и не в силах больше смотреть со стороны, как его знакомые биржевики за одни сутки наживают состояния, перестал наконец противиться силе событий и, отбросив свою всегдашнюю осторожность, включился в общий ажиотаж. Он написал Эллиоту, что к рискованным спекуляциям относится, как и раньше, отрицательно, но сейчас это не риск, это подтверждение его веры в неисчерпаемые возможности родной страны. Его оптимизм зиждется на здравом смысле. Ничто не может приостановить бурное развитие Америки. Закончил он письмо сообщением, что недавно купил известное количество солидных акций для нашей милой Луизы Брэдли и рад известить Эллиота, что они принесли ей двадцать тысяч долларов. Если Эллиот не прочь кое-что заработать и даст ему свободу действий, он об этом не пожалеет. Эллиот, питавший пристрастие к избитым цитатам, ответил, что способен устоять против чего угодно, кроме искушения, и с этого дня, получая вместе с утренним завтраком газету, стал первым делом просматривать не светскую хронику, а биржевые сводки. Операции, которые Генри Мэтюрин провел для него, оказались такими удачными, что у Эллиота очистилась кругленькая сумма в пятьдесят тысяч долларов, доставшаяся ему как бы в подарок.

Он решил истратить эту сумму и купить дом на Ривьере. Бежать от суетного света он собирался в Антиб, расположенный как раз между Каннами и Монте-Карло и связанный удобным сообщением с обоими этими пунктами; но всемогущее ли провидение или собственный безошибочный инстинкт заставил его остановить свой выбор именно на том городке, которому предстояло в скором времени стать средоточием фешенебельной жизни,— это навек останется тайной. Жить на вилле казалось ему по-мещански вульгарным, претило его взыскательному вкусу, поэтому он купил в старом городе два дома, соединил их в один и завел там центральное отопление, ванные и прочие санитарные удобства, на которые, следуя примеру американцев, стали со скрипом раскошеливаться и по сю сторону океана. В ту пору многие увлекались мореным деревом, и Эллиот обставил свой дом старинной прованской мебелью, безусловно мореной, но обитой, в угоду современным веяниям, новомодными тканями. Он еще не готов был признать Пикассо и Брака («Это ужас, мой милый, просто ужас!»), с которыми так носились иные ослепленные энтузиасты, но почувствовал, что может наконец-то открыто оказать покровительство импрессионистам, и развесил по стенам несколько превосходных полотен. Мне запомнился его Моне — прогулка в лодке, его Писарро — кусок набережной и мост через Сену, таитянский пейзаж Гогена и прелестный Ренуар — девушка в профиль, с желтыми волосами, спадающими на спину. Во всей обстановке дома было что-то свежее, веселое, нестандартное и простое — та самая простота, которая, как известно, стоит недешево.

И тут началась самая блестящая полоса в жизни Эллиота. Он привез из Парижа своего первоклассного повара, и кухня его скоро прославилась на всю Ривьеру. Дворецкого и лакея одел в белые костюмы с золотыми погонами. Приемы устраивал со всей роскошью, какую только допускал хороший вкус. Берега

«Острие бритвы»

Средиземного моря кишмя кишели членами королевских фамилий со всех концов Европы: одних привлек туда климат, другие были в изгнании, третьи считали для себя удобнее жить за границей из-за грехов молодости или предосудительного брака. Здесь были Романовы из России, Габсбурги из Австрии, Бурбоны из Испании, обеих Сицилий и Пармы; были принцы Виндзорского дома и принцы дома Браганса; были королевские высочества из Швеции и из Греции. Эллиот приглашал их в гости. Были там также принцы и принцессы некоролевской крови, всего лишь герцоги и герцогини, князья и княгини из Австрии, Италии, Испании, России и Бельгии. Эллиот приглашал их в гости. Зимой на Ривьеру приезжали король Швеции и король Дании, заглядывал ненадолго Альфонсо Испанский. Их Эллиот тоже приглашал в гости. Я не уставал восхищаться тем, как он, склоняясь в почтительных поклонах перед этими высокими особами, умудрялся сохранять независимую позу гражданина свободной страны, где все, как сказано, рождаются равными.

В то время я, проведя несколько лет в путешествиях, купил дом на Кап Ферра, так что с Эллиотом мы виделись часто. Я настолько вырос в его глазах, что иногда он приглашал меня на свои самые парадные вечера.

— Приезжайте, мой милый, сделайте мне одолжение,— говорил он в таких случаях.— Я, конечно, не хуже вашего знаю, что члены царствующих фамилий — скучнейший народ. Но другие люди любят с ними встречаться, и как-никак наш долг оказывать внимание этим несчастным. Впрочем, видит Бог, они этого не заслуживают. Благодарности от них не дождешься, они вас используют, а когда вы им больше не нужны, выбрасывают как обтрепавшуюся рубашку; принимают от вас бесчисленные услуги, но сами и не подумают чем-то вам услужить.

Эллиот позаботился о том, чтобы установить хорошие отношения с местными властями, и за столом у него можно было встретить и префекта округа, и епископа епархии в сопровождении его старшего викария. Епископ, прежде чем принять духовный сан, был кавалерийским офицером, на войне командовал полком. Это был румяный, коренастый мужчина, охотно прибегавший к грубоватому казарменному жаргону, и его бледнолицый, аскетического вида викарий вечно сидел как на иголках, ожидая, что он вот-вот сболтнет что-нибудь непристойное. Когда тот рассказывал свои любимые анекдоты, он слушал с виноватой улыбкой на губах. Но епархией своей епископ управлял весьма толково, и проповеди его были столь же красноречивы и возвышенны, сколь забавны были застольные шутки. Он одобрял Эллиота за благочестивую щедрость, которую тот проявлял к церкви, ценил его любезность и умение вкусно накормить, так что они стали добрыми друзьями. Таким образом, Эллиот мог льстить себя мыслью, что он не без приятности обеспечивает себе блаженство за гробом, и, если дозволено мне так выразиться, нашел вполне приемлемый компромисс между Богом и мамоной.

Эллиоту очень хотелось показать свой новый дом сестре; он всегда чувствовал, что она одобряет его не безоговорочно, так пусть убедится своими глазами, какой изящный образ жизни он теперь ведет и какими обзавелся друзьями. Это положит конец ее неуверенности. Она будет вынуждена признать, что он преуспел. Он написал ей, приглашая приехать вместе с Изабеллой и Грэем и остановиться — не у него, поскольку в доме нет места, но в качестве его гостей в ближайшем отеле. Миссис Брэдли ответила, что для нее время дальних путешествий миновало, со здоровьем у нее неважно и лучше ей сидеть дома; к тому же и Грэй крепко привязан к Чикаго: в делах небывалое оживление, он наживает много денег, и ему нельзя отлучаться. Эллиот любил сестру, это письмо его встревожило. Он написал Изабелле. Та ответила по телеграфу, что хотя мать ее далеко не здорова, один день в неделю даже проводит в постели, но непосредственной опасности нет, при надлежащем уходе она может прожить еще долго; а вот Грэю необходимо отдохнуть, ничто не мешает ему взять отпуск, ведь за делами может пока присмотреть его отец; так что этим летом — нет, но будущим они обязательно приедут.

А 23 октября 1929 года началась паника на нью-йоркской бирже.

V

Я в то время был в Лондоне и хорошо помню, что мы в Англии далеко не сразу поняли, до чего положение серьезно и какими оно чревато последствиями. Сам я, естественно, был огорчен, потеряв порядочную сумму, но потерял я в основном на акциях и, когда пыль осела, убедился, что мой наличный капитал почти весь уцелел. Я знал, что Эллиот в последние годы пустился в спекуляции, и подозревал, что его как следует стукнуло, но увиделись мы только на Рождество, когда оба вернулись на Ривьеру. Тогда он сообщил мне, что Генри Мэтюрин умер, а Грэй разорен.

Я плохо разбираюсь в финансовых вопросах и вполне допускаю, что в моем изложении его рассказ покажется невразумительным. Насколько я мог понять, в крушении фирмы оказалось повинно и своеволие Генри Мэтюрина, и опрометчивость Грэя. Генри Мэтюрин сперва не поверил, что биржевой крах не шутка; он убедил себя, что это происки нью-йоркских биржевиков, задумавших околпачить провинциальных собратьев, и, стиснув зубы, стал пригоршнями швырять деньги, чтобы поддержать курс акций. Он осыпал проклятиями чикагских маклеров, которые дали этим нью-йоркским мерзавцам себя запугать. Он всегда кичился тем, что ни один из его мелких клиентов, будь то вдова, живущая на крошечное наследство, или офицер в отставке, не потерял ни цента, следуя его советам, и теперь, вместо того чтобы предоставить им нести убытки, восполнял эти убытки из собственного кармана. Он говорил, что готов обанкротиться, что новое состояние он всегда сумеет нажить, но, если маленькие люди, доверившиеся ему, потеряют все, что имели, он будет навеки опозорен. Он мнил себя великодушным, а был всего-навсего тщеславен. Его огромное состояние растаяло, и однажды ночью с ним случился сердечный приступ. Ему шел седьмой десяток, всю жизнь он и работал, и развлекался, не жалея сил, переедал и пил без меры; промучившись несколько часов, он умер от закупорки сердечной артерии.

Грэю пришлось справляться с положением одному. Он перед тем много спекулировал на стороне, без ведома отца, и свои личные дела запутал окончательно. Пробовал выпутаться, но безуспешно. Банки отказали ему в ссудах, более опытные биржевики твердили, что единственный выход для него — объявить себя неплатежеспособным. Дальнейшее мне неясно. Он не смог покрыть свои обязательства и был, сколько я понимаю, объявлен банкротом: свой дом он успел заложить и рад был передать его кредиторам по закладной; отцовские дома, и чикагский, и второй, в Марвине, были проданы за бесценок; Изабелла продала свои драгоценности; осталась у них только усадьба в Южной Каролине, в свое время приобретенная на имя Изабеллы,— на нее не нашлось покупателей. Грэй пошел ко дну.

— А вы-то как, Эллиот?— спросил я.

— О, я не жалуюсь,— отвечал он небрежно.— Для стриженой овцы Бог умеряет ветер.

Я не стал его расспрашивать — его финансовые дела меня не касались,— но пребывал в уверенности, что он, как и все мы, в той или иной мере пострадал.

На Ривьере кризис поначалу отразился слабо. Правда, я узнал, что кое-кто понес большие потери, многие виллы остались на зиму закрыты, для нескольких других искали покупателя. В отелях множество номеров пустовало, казино в Монте-Карло сетовало, что сезон выдался не из лучших. Но по-настоящему гром грянул лишь два года спустя. Тут один агент по продаже недвижимости рассказал мне, что на отрезке берега от Тулона до итальянской границы продается 48 000 земельных участков, больших и малых. Акции казино резко упали. Крупные отели снизили цены в тщетной надежде привлечь публику. Из иностранцев остались только потомственные бедняки, которым дальше беднеть было некуда, а они денег не тратили, им просто нечего было тратить. Владельцы магазинов рвали на себе волосы. Однако Эллиот не сократил свой штат прислуги и, в отличие от многих, не уменьшил ей жалованья; как и раньше, для титулованных гостей у него находились отборные яства и вина. Он купил себе роскошный новый автомобиль — выписал его из Америки, заплатив большую пошлину. Он щедро жертвовал на организованное епископом бесплатное питание для семей безработных. Словом, он жил так, будто кризиса и не было, будто половина населения земного шара не ощущала его последствий.

Причину этого я узнал случайно. Эллиот в эту пору перестал приезжать в Англию, только раз в год наведывался на две недели обновить гардероб, но в свою парижскую квартиру по-прежнему переселялся на три осенних месяца, а также на май и июнь, поскольку на это время его друзья покидали Ривьеру; сам он больше всего любил Ривьеру летом — отчасти из-за купанья, но главным образом, думается, потому, что жаркая погода оправдывала некоторую вольность в одежде, которой он обычно не позволял себе из чувства приличия. А тут он щеголял в ярчайших брюках — красных, зеленых, синих, желтых, подбирая к ним пуловеры контрастирующих тонов — палевые, сиреневые, терракотовые или в пестрый рисунок; а комплименты, на которые напрашивались эти наряды, принимал со стыдливой грацией актрисы, когда ее уверяют, что новую роль она сыграла божественно.

Весной, возвращаясь в Кап Ферра, я провел день в Париже и пригласил Эллиота позавтракать. Мы встретились в баре отеля «Ритц», уже не переполненном, как бывало, веселящимися студентами из Америки, а всеми покинутом, как драматург после премьеры провалившейся пьесы. Мы выпили по коктейлю — Эллиот наконец примирился с этим заокеанским обычаем — и заказали завтрак. А позавтракав, он предложил мне пройтись по антикварным лавкам, и я, хотя сам не имел свободных денег, с радостью вызвался его сопровождать. Мы перешли Вандомскую площадь, и тут он, извинившись, попросил меня заглянуть с ним на минутку к Шерве — он там заказал кое-что из белья и хочет узнать, готов ли заказ. Речь шла о нижних сорочках и кальсонах, на которых должны были вышить его монограмму. Сорочки еще не поступили из мастерской, кальсоны же приказчик мог показать хоть сейчас.

— Покажите,— сказал Эллиот и, когда приказчик вышел, добавил:— Мне их здесь шьют по моей особой выкройке.

Их принесли, они были шелковые, но в остальном показались мне точно такими же, как те, что я часто покупал у Мейси, но вдруг мне бросилось в глаза, что над переплетенными буквами Э. и Т. вышита изящная корона. Я не сказал ни слова.

— Очень мило, очень мило,— сказал Эллиот.— Ну что ж, когда сорочки будут готовы, пришлете все вместе.

Мы вышли из магазина, и Эллиот сказал мне с улыбкой:

— Корону заметили? Сказать по правде, я и забыл о ней, когда звал вас зайти со мной к Шерве. Я, кажется, еще не говорил вам, что его святейшество милостиво соизволил восстановить ради меня наш старый семейный титул.

— Чего?!— переспросил я, от удивления забыв о вежливости.

Эллиот неодобрительно вздернул брови.

— Вы разве не знали? Ведь я по женской линии происхожу от графа Лаурия, который прибыл в Англию в свите Филиппа Второго и женился на фрейлине королевы Марии.

— Нашей старой приятельницы Марии Кровавой?

— Да, так, помнится, ее прозвали еретики,— сухо ответил Эллиот.— Я, кажется, не рассказывал вам, что сентябрь тысяча девятьсот двадцать девятого года провел в Риме. Ехал туда с неохотой, ведь в это время из Рима все разъезжаются, но, на мое счастье, чувство долга перевесило во мне жажду мирских развлечений. Друзья в Ватикане предупредили меня, что биржевой крах — дело ближайшего будущего, и советовали продать все мои американские бумаги. У католической церкви за плечами мудрость двадцати веков, так что я ни минуты не колебался. Я телеграфировал Генри Мэтюрину, чтобы он продал все и купил золото, и Луизе телеграфировал, чтобы тоже так распорядилась. Генри в ответной телеграмме спросил, в своем ли я уме, и отказался действовать до подтверждения моих инструкций. Я тут же категорически предложил ему выполнить их и сообщить об исполнении. Бедная Луиза моего совета не послушалась и поплатилась за это.

— Значит, когда катастрофа разразилась, вы себе и в ус не дули?

— Не знаю, зачем вам понадобилось употребить это вульгарное выражение, но смысл происшедшего оно передает довольно точно. Я ничего не потерял; мало того, сорвал, как вы бы, вероятно, выразились, изрядный куш. Через некоторое время мне удалось купить такие же акции снова, за малую долю их прежней стоимости, и, поскольку я всем этим был обязан прямому вмешательству провидения, иначе не скажешь, я решил, что простая справедливость требует, чтобы я со своей стороны оказал провидению услугу.

— Да? И что же вы предприняли?

— Вам, конечно, известно, что дуче осушает и заселяет большие земельные площади в Понтийских болотах, а мне дали понять, что его святейшество сильно озабочен отсутствием Божьих храмов для людей, обживающих эти земли. Короче говоря, я построил небольшую церковь в романском стиле, точную копию одной церкви, которую видел в Провансе, скажу не хвастаясь — настоящую игрушечку. Освящена она во имя святого Мартина, потому что мне посчастливилось разыскать старинный витраж с изображением святого Мартина, разрезающего свой плащ, чтобы отдать половину нагому нищему, и, поскольку символ оказался так уместен, я купил этот витраж и поместил над алтарем.

Я не стал перебивать Эллиота вопросом, какую связь он усматривает между знаменитым поступком святого и барышом, который он, Эллиот, получил, вовремя спустив свои акции, а теперь отдал Всевышнему как комиссию посреднику.

Но я — человек прозаический, и символика часто от меня ускользает. А Эллиот продолжал:

— Когда я удостоился чести показать фотографии святому отцу, он соблаговолил сказать мне, что в них с первого взгляда можно распознать безупречный вкус, и добавил несколько слов о том, как отрадно ему в наш развращенный век встретить человека, в котором благочестие сочеталось бы с редкой художественной одаренностью. То было памятное переживание, мой милый, памятное переживание. Но каково же было мое удивление, когда вскоре после этого мне стало известно, что он удостоил меня титула. Как американский гражданин, я из скромности им не пользуюсь, кроме как в Ватикане, разумеется. Моему Жозефу я запретил величать меня monsieur le comte[*], и вы, надеюсь, сохраните мою тайну. Но я бы не хотел, чтобы его святейшество подумал, будто я не ценю оказанной мне почести, и исключительно из уважения к нему заказываю метки с короной на моем личном белье. Могу добавить, что я испытываю скромную гордость, скрывая свой титул под строгим костюмом джентльмена-американца.

Мы расстались. Эллиот сказал, что переберется на Ривьеру в конце июня. Но случилось иначе. Он уже подготовил переезд своей челяди, сам намереваясь не спеша следовать из Парижа в автомобиле, с тем расчетом чтобы к его приезду жизнь в доме была налажена, как вдруг пришла телеграмма от Изабеллы, извещавшая, что здоровье ее матери резко ухудшилось. Эллиот, движимый любовью к сестре и сознанием родственного долга, сел в Шербуре на первый же пароход и из Нью-Йорка примчался в Чикаго. Он сообщил мне письмом, что миссис Брэдли очень плоха, исхудала до неузнаваемости. Протянуть она может еще несколько недель, а возможно, и месяцев, но так или иначе он считает своей печальной обязанностью остаться с ней до конца. Он писал, что переносить чикагскую жару не так уж трудно, гораздо мучительнее отсутствие подходящего общества, но, впрочем, сейчас у него ни к чему не лежит душа. Соотечественники разочаровали его тем, как поддались воздействию кризиса,— он ожидал, что в несчастье они проявят больше самообладания. Зная, что на свете нет ничего легче, чем стойко сносить чужие невзгоды, я подумал, что Эллиоту, который сейчас богаче, чем когда-либо, такая строгость не к лицу. В конце письма он просил меня кое-что передать кое-кому из его

[*] Господин граф (*фр.*).

друзей и главное — непременно объяснить всем, кого встречу, почему его дом остался на лето закрытым.

Спустя примерно месяц я получил от него еще одно письмо, на этот раз с известием, что миссис Брэдли скончалась. Письмо дышало искренним чувством. Я бы не подумал, что он способен изъясняться с таким достоинством, так прочувствованно и просто, если бы уже давно не убедился, что, несмотря на свой снобизм и нелепое жеманство, человек он добрый, благожелательный и порядочный. Он писал, что финансовые дела миссис Брэдли немного запутаны. Ее старший сын, дипломат, замещал сейчас в Токио посла и не смог оставить свой пост. Второй сын, Темплтон, в пору моего первого знакомства с семейством Брэдли служивший на Филиппинах, был затем отозван в Вашингтон и занимал ответственную должность в государственном департаменте. Когда состояние матери было признано безнадежным, он приезжал с женой в Чикаго, но сразу после похорон возвратился в столицу. А раз так, Эллиот не считал себя вправе уехать из Америки до того, как все будет улажено. Миссис Брэдли завещала свое состояние поровну троим детям, но в связи с биржевым крахом 29-го года понесла большие убытки. К счастью, нашелся покупатель на ферму в Марвине, которую Эллиот в письме назвал «поместьем нашей бедной Луизы».

«Расставаться с родовым гнездом всегда грустно,— писал он,— но за последние годы столько моих друзей в Англии были к этому вынуждены, что, я надеюсь, Изабелла и мои племянники смирятся с неизбежным столь же покорно и мужественно. Noblesse oblige»*.

Продажа чикагского дома миссис Брэдли тоже совершилась беспрепятственно. Городские власти уже давно намечали снести ряд особняков, один из которых принадлежал ей, и построить на их месте громадный квартирный дом; привести этот план в исполнение мешала только упорная решимость миссис Брэдли умереть там, где жила. Стоило ей испустить дух, как явились подрядчики с предложением, которое наследники и поспешили принять. Но и при этом доход у Изабеллы остался ничтожный.

Грэй после краха пробовал получить работу, хотя бы место клерка у одного из маклеров, сумевших удержаться на поверхности, но в делах наступил застой, работники не требовались. Он просил старых знакомых пристроить его на любую,

---

* Положение обязывает (фр.).

пусть самую скромную и низкооплачиваемую должность, но безуспешно. Отчаянные попытки предотвратить катастрофу, неотпускающая тревога, унижение — все это привело к нервному срыву, у него начались головные боли, такие сильные, что порой он на сутки выбывал из строя, а потом еще долго чувствовал себя как выжатый лимон. Изабелле подумалось, что лучше всего им сейчас уехать с детьми в усадьбу в Южной Каролине и пожить там, пока Грэй не поправится. Тамошняя земля, когда-то приносившая сто тысяч долларов в год как рисовая плантация, уже давно захирела, превратившись в болота и заросли, способные привлечь только утиной охотой, и покупать ее никто не желал. Там они и жили с тех пор, как Грэй разорился, и туда собирались вернуться и ждать, когда положение улучшится и Грэй сможет найти работу.

«Этого я не мог допустить,— писал Эллиот.— Дорогой мой, они там живут как свиньи. Изабелла без горничной, у детей нет гувернантки, только две чернокожие няньки, и больше никакой прислуги. Я предложил им мою парижскую квартиру — пусть поживут там, пока ситуация в этой фантастической стране не изменится. Прислугой я их обеспечу — кстати сказать, моя младшая кухарка отлично готовит, я ее оставлю в Париже, а себе с легкостью найду кого-нибудь на ее место. Счета буду оплачивать сам, чтобы свой небольшой доход Изабелла могла тратить на туалеты и на мелкие семейные удовольствия. Это, разумеется, означает, что я буду проводить гораздо больше времени на Ривьере, так что и с Вами, милейший, рассчитываю видеться чаще прежнего. При том, во что превратились Лондон и Париж, я на Ривьере и чувствую себя уютнее. Только здесь я еще могу общаться с людьми, с которыми нахожу общий язык. Я, вероятно, буду изредка наезжать в Париж, но эти дни вполне могу перебиться и в «Ритце». Рад сообщить, что наконец уговорил Изабеллу и Грэя принять мое предложение, и, как только здесь все будет закончено, мы приедем все вместе. Продажа мебели и картин (весьма, кстати сказать, посредственных и едва ли даже это подлинники) состоится через две недели, а пока что я перевез Изабеллу с семейством к себе в отель «Дрейк»— им, наверно, тяжело было бы оставаться в старом доме до последней минуты. В Париже посмотрю, как они водворятся, и приеду на Ривьеру. Не забудьте поклониться от меня Вашему коронованному соседу».

Кто усомнится в том, что Эллиот, этот архисноб, был в то же время добрейшим и великодушнейшим из смертных?

Глава четвертая

I

Итак, Эллиот, водворив Мэтюринов в своей просторной квартире на Левом берегу, в конце года возвратился на Ривьеру. Свой дом он спланировал в расчете на собственные требования, в нем не было места для семьи из четырех человек, так что он, если б и захотел, не мог бы поселить их у себя. Не думаю, чтобы это его огорчало. Он отлично понимал, что как одинокий холостяк ценится выше, чем если бы всюду появлялся в сопровождении племянницы и племянника, и что устраивать изысканные вечера для избранных (которые он всякий раз тщательно обдумывал заранее) ему было бы несравненно труднее, если бы нужно было принимать в расчет двух постоянных обитателей дома.

«Нет, для них будет куда лучше обосноваться в Париже и привыкать к цивилизованной жизни. Да и девочкам пора учиться, мне уже рекомендовали одну школу, привилегированную и близко от моего дома».

Таким образом, с Изабеллой я увиделся только весной, когда приехал на несколько недель в Париж в связи с одной своей работой и снял номер в гостинице в двух шагах от Вандомской площади. Гостиницу эту я ценил не только за удобное местоположение, но и за ее особенную атмосферу. Это было обширное старое здание с внутренним двором, уже лет двести назад служившее харчевней. Ванные там были отнюдь не роскошные и уборные оставляли желать лучшего, спальни с железными, покрашенными в белый цвет кроватями, старомодными белыми покрывалами и огромными зеркальными шкафами выглядели небогато; но гостиные были обставлены прекрасной старинной мебелью. В моей гостиной диван и кресла, наследие мишурного царствования Наполеона III, хоть и не очень удобные, обладали некой цветистой прелестью. В этой комнате я окунался в эпоху прославленных французских писателей. Глядя на ампирные часы под стеклянным колпаком, я представлял себе, как прелестная женщина в локонах и оборках следит за минутной стрелкой, поджидая Растиньяка, дворянина-авантюриста, чей жизненный путь от его скромного начала до конечного триумфа Бальзак живописал из романа в роман. Легко было вообразить, что доктор Бьяншон, ставший для своего создателя столь реальной фигурой, что, умирая, Бальзак сказал: «Только Бьяншон мог бы мне помочь»,— что именно здесь этот врач щупал пульс и осматривал язык знатной старухи, которая приехала из провинции повидаться со стряпчим по поводу своей тяжбы и, прихворнув, велела привести ей лекаря. А за этим секретером изнывающая от любви красавица в кринолине, возможно, писала страстное письмо неверному любовнику или желчный старик в зеленом сюртуке и воротнике, подпирающем уши, строчил гневный разнос транжире-сыну.

На следующий день по приезде я позвонил Изабелле и спросил, угостит ли она меня чаем, если я зайду к ней в пять часов. Когда степенный дворецкий провел меня в гостиную, она сидела на диване с французской книгой, но тут же встала и с теплой очаровательной улыбкой обеими руками пожала мне руки. До этого я разговаривал с ней всего раз десять и только два раза наедине, но она сразу дала мне понять, что мы не случайные знакомые, а старые друзья. Минувшие десять лет уничтожили пропасть, отделяющую юную девушку от средних лет мужчины, и разницы в возрасте я уже почти не ощущал. Она приняла меня как сверстника, и, хотя я усмотрел в этом тонкую лесть светской женщины, через пять минут мы уже болтали легко и непринужденно, словно товарищи, чье общение и не прерывалось. Она научилась в совершенстве владеть собой, держаться свободно и уверенно.

Но больше всего меня поразила перемена в ее внешности. Я помнил ее миловидной цветущей девочкой, рискующей с годами превратиться в толстушку; то ли она почуяла опасность и приняла героические меры, чтобы сбавить свой вес, то ли это было нечастое, но счастливое последствие родов, только стройна она стала на диво. Тогдашняя мода еще подчеркивала ее стройность. Она была в черном, и я с первого взгляда решил, что ее шелковое платье, не слишком простое и не слишком нарядное, сшито в одном из лучших парижских ателье; и носила она его с небрежной грацией женщины, для которой дорогие туалеты — нечто само собой разумеющееся. Десять лет назад, даже пользуясь советами Эллиота, она одевалась как-то слишком броско и в своих парижских нарядах словно чувствовала себя немного скованно. Теперь Мари-Луиза де Флоримон уже не могла бы сказать, что ей недостает шика. Она была сплошной шик, вся до кончиков ярко-розовых ногтей. Черты лица стали тоньше, и я только теперь оценил редкостную красоту ее прямого носа. Ни на лбу, ни под карими глазами не было ни морщинки — кожа ее, хоть и утратила свежий румянец юности, осталась чистой и гладкой; несомненно, тут сыграли свою роль массаж, лосьоны и кремы, но они же придали ее лицу какую-то нежную прозрачность, до странности привлекательную. Худые щеки были чуть нарумянены, губы едва заметно подкрашены, пышные каштановые волосы по моде подстрижены и завиты. Я заметил, что на пальцах у нее нет ни одного кольца, и вспомнил, ведь Эллиот писал мне, что она продала все свои драгоценности. Но и руки у нее были красивые, хоть и не особенно маленькие. В тот год женщины днем носили короткие платья, и я видел ее ноги в телесного цвета чулках, длинные и стройные. Ноги нередко подводят даже самых хорошеньких женщин. Ноги Изабеллы, в юности ее самое уязвимое место, теперь были безупречно хороши. Словом, из девочки, пышущей здоровьем, живой и яркой, она превратилась в прекрасную женщину. Что красотой своей она в какой-то мере обязана искусству, выдержке и умерщвлению плоти, дела не меняло — очень уж удачен был результат. Возможно, что грация движений и благородство осанки дались ей ценою сознательных усилий, но казались они совершенно естественными. Мне подумалось, что эти четыре месяца в Париже добавили последние штрихи к произведению искусства, создававшемуся годами. Даже Эллиот, при всей своей требовательности, не нашел бы к чему придраться. Я, не столь строгий критик, был искренне восхищен.

Она сказала, что Грэй уехал в Мортфонтен играть в гольф, но скоро вернется.

— И девочек моих вы должны посмотреть. Они сейчас на прогулке в саду Тюильри, я их жду с минуты на минуту. Они прелесть.

Мы поболтали о том о сем. В Париже ей нравится, жить в квартире Эллиота очень удобно. Перед отъездом он познакомил их с теми из своих друзей, которые, по его мнению, могли прийтись им по вкусу, и сейчас у них уже составился очень приятный кружок. Он убедительно просил ее и Грэя почаще приглашать гостей.

— Просто умора, живем как богатые люди, а ведь на самом деле мы нищие.

— Будто уж так плохо?

— У Грэя нет ни гроша, а у меня в точности такой же доход, какой был у Ларри, когда он хотел на мне жениться, а я отказалась, потому что воображала, что на такие деньги не проживешь, а теперь у меня к тому же двое детей. Забавно, правда?

— Это хорошо, что вы способны оценить комизм положения.

— Что вы знаете о Ларри?

— Я? Ничего. В последний раз я его видел еще до того, как вы тогда приезжали в Париж. Я был немного знаком кое с кем из его знакомых и пробовал выяснить, что с ним сталось. Но с тех пор уже сколько лет прошло. И никто о нем ничего не знал. Он как в воду канул.

— Мы знакомы с управляющим того банка в Чикаго, где у Ларри есть счет, он нам рассказывал, что время от времени получает требования из каких-то немыслимых мест. Китай, Бирма, Индия. Видно, он ведет кочевой образ жизни.

На языке у меня вертелся вопрос, и я не постеснялся задать его. В конце концов, если хочешь что-то узнать, самое простое — спросить.

— Вы не жалеете, что не вышли за него замуж?

Она светло улыбнулась.

— Я очень счастлива с Грэем. Он удивительный муж. До краха мы жили чудесно. Нам нравятся одни и те же люди, одни и те же развлечения. Он милый. И приятно, когда тебя обожают. Он до сих пор влюблен в меня, как в первые дни после свадьбы. Считает, что лучше меня нет женщины на всем свете. Вы не представляете себе, какой он добрый, заботливый. А щедр был просто до глупости, ему, понимаете, казалось, что для меня все недостаточно хорошо. Поверите ли, я за все эти годы не слышала от него ни одного резкого или обидного слова. Да, что и говорить, мне повезло.

Я подумал, уж не кажется ли ей, что она ответила на мой вопрос. Но заговорил о другом.

— Расскажите мне про ваших дочек.

В передней раздался звонок.

— Да вот и они. Сами увидите.

Девочки вошли в сопровождении бонны, и мне представили сперва старшую, Джоун, затем Присциллу. Они по очереди протянули мне ручку и сделали книксен. Одной было восемь лет, другой шесть. Обе были длинненькие: ведь Изабелла была высокого роста, а Грэй, сколько я помнил,— настоящий великан; но миловидны они были лишь постольку, поскольку все дети миловидны. Вид у них был хрупкий. От отца они унаследовали черные волосы, от матери — карие глаза. Присутствие незнакомого человека их не смутило — они наперебой болтали о том, что делали на прогулке, и выразительно поглядывали на миниатюрные пирожные, поданные к чаю, к которому мы еще не притронулись. Получив разрешение взять по одному, они потоптались на месте, не зная, какое выбрать. Они не скрывали своей нежности к матери и втроем образовали прелестную семейную группу. Когда пирожные были выбраны и съедены. Изабелла велела детям уходить, и они повиновались беспрекословно. У меня осталось впечатление, что она воспитывает их в строгости.

Когда они ушли, я сказал Изабелле все, что принято говорить матерям о их детях, и она выслушала мои комплименты сдержанно, но с явным удовольствием. Я спросил, как Грэй чувствует себя в Париже.

— Да неплохо. Дядя Эллиот оставил нам автомобиль, так что он может хоть каждый день ездить играть в гольф, и еще он записался в клуб путешественников и там играет в бридж. То, что дядя Эллиот предложил нам помощь и эту квартиру, нас, конечно, просто спасло. У Грэя нервы совсем сдали, и до сих пор еще бывают страшные головные боли. Даже если бы подвернулось место, он не мог бы никуда поступить, и это, понятно, его угнетает. Он хочет работать, чувствует, что работать необходимо, а он никому не нужен и переживает это как унижение. Понимаете, он считает, что, кто не работает, тот не мужчина, а раз он не может работать, так и жить не стоит. Это чувство собственной ненужности для него невыносимо. Он и сюда не хотел ехать, пока я его не убедила, что отдых и перемена обстановки вернут его в нормальное состояние. Но пока он опять не впряжется в работу, он не успокоится, уж это я знаю.

— Трудно вам, наверно, пришлось эти два с половиной года.

— Я вам скажу. Сначала, когда нас стукнуло, я не могла в это поверить. В голове не укладывалось, что мы разорены. Что другие могут разориться, я понимала, но мы — нет, это невозможно. Мне все казалось, что в последнюю минуту что-то случится и мы будем спасены. А потом, когда гром все-таки грянул, мне показалось, что жизнь кончена, впереди один сплошной мрак. Две недели я была безутешна. Это был такой ужас — со всем расстаться, знать, что тебе больше никогда не будет хорошо, что у тебя отнято все самое интересное. А через две недели я сказала: «Нет, к черту, не буду больше ни о чем жалеть»— и, честное слово, больше ни о чем не жалела. Пожила в свое удовольствие, и хватит. Что прошло, то прошло.

— Но, надо полагать, бедность легче сносить в роскошной квартире в фешенебельном районе, с помощью вышколенного дворецкого и превосходной кухарки, которым не надо платить, да еще если прикрыть наготу платьем от Шанель?

— Не угадали, от Ланвена,— засмеялась она.— Вы, я вижу, не изменились за десять лет. Как вы есть грубый циник, вы мне не поверите, но я, скорее всего, приняла предложение дяди Эллиота только ради Грэя и детей. На мои две тысячи восемьсот годовых мы бы отлично просуществовали в Южной Каролине — сеяли бы рис, рожь, кукурузу, разводили свиней. Ведь я как-никак родилась и выросла на ферме в Иллинойсе.

— Допустим.— Я улыбнулся, так как мне было известно, что родилась она в одной из самых дорогих больниц Нью-Йорка.

Тут наш разговор был прерван приходом Грэя. Я видел его два-три раза двенадцать лет назад, но помнил снимок в день свадьбы, который показывал мне Эллиот (снимок этот в красивой рамке стоял потом у него на рояле, так же как и портреты короля Швеции, королевы Испании и герцога де Гиза с их собственноручными надписями), и вид его меня поразил. Волосы у него отступили со лба, на макушке обозначилась лысина, лицо было красное, одутловатое и — двойной подбородок. За годы легкой жизни и щедрых возлияний он сильно прибавил в весе, и, если бы не высокий рост, его можно было бы назвать тучным. Но что меня потрясло, так это выражение его глаз. Мне запомнилось, как доверчиво и открыто эти ирландские глаза глядели на мир, когда вся жизнь была у него впереди и не сулила ничего, кроме счастья. Теперь в них застыла горестная растерянность, и, даже не зная его истории, можно было догадаться, что какой-то страшный удар разрушил его веру в себя и в заведенный порядок вещей. В нем чувствовалась какая-то робость, словно он в чем-то провинился, хоть и неумышленно, и теперь ему стыдно. Нервы у него явно были не в порядке. Со мной он поздоровался очень сердечно, даже изобразил радость, словно при встрече со старым другом, но его шумное радушие я воспринял всего лишь как привычку, едва ли отражающую подлинное чувство.

Подали напитки, он смешал нам коктейли. В гольф он поиграл отлично, был доволен своими успехами. Он пустился в пространное повествование о том, какие трудности преодолел у одной из лунок, и Изабелла делала вид, что слушает с живейшим интересом. Я еще немного посидел, потом пригласил их в ресторан и в театр и откланялся.

II

После этого я стал навещать Изабеллу три-четыре раза в неделю, под вечер, закончив дневную порцию работы. В это время она обычно бывала одна и не прочь поболтать. Люди, с которыми ее познакомил Эллиот, были, за малым исключением, намного старше ее. Мои же знакомые были по большей части заняты до самого вечера, и мне приятнее было беседовать с Изабеллой, чем тащиться в клуб и играть в бридж с нудными французами, не склонными особенно радоваться вторжению чужеземца. Она упорно обращалась со мной как с ровесником, это было прелестно, и говорилось нам легко, мы смеялись, шутили, поддевали друг друга, болтали то о себе, то об общих знакомых, то о картинах и книгах, так что время летело незаметно. Один из моих недостатков состоит в том, что я не способен привыкнуть к некрасивой внешности; обладай мой друг хоть ангельским характером, я и через много лет не примирюсь с тем, что у него плохие зубы или нос немного набок. С другой стороны, я не устаю восхищаться человеческой красотой, и после двадцати лет близкого знакомства меня, как и в первый день, пленяет хорошо вылепленный лоб или тонко очерченные скулы. Вот так и с Изабеллой: входя в ее гостиную, я всякий раз заново ощущал легкий радостный трепет при виде ее прекрасного удлиненного лица, молочной белизны ее кожи и теплого блеска светло-карих глаз.

А потом произошло нечто неожиданное.

III

Во всех больших городах имеются самостоятельные общины, не поддерживающие связи друг с другом,— маленькие мирки внутри большого мира, которые живут каждый своей жизнью, члены которых общаются только между собой, словно обитают на островах, разделенных несудоходными проливами. Опыт убедил меня, что в первую очередь это относится к Парижу. Здесь высшее общество редко когда принимает в свою среду посторонних, политические деятели вращаются в своем собственном продажном кругу, буржуазия, крупная и мелкая, держится особняком, писатели водят дружбу с писателями (читая дневники Андре Жида, поражаешься, как мало у него было близких людей, не принадлежащих к его профессии), художники знаются с художниками, а музыканты — с музыкантами. То же происходит и в Лондоне, но там границы проведены не так четко и есть дома, где за обеденным столом можно одновременно увидеть герцогиню, актрису, художника, члена парламента, адвоката, портниху и писателя.

Обстоятельства моей жизни сложились так, что в разные годы я хотя бы на короткое время входил едва ли не во все миры Парижа, даже (через Эллиота) в замкнутый мир бульвара Сен-Жермен; но всего милее моему сердцу — милее, чем скромный кружок, тяготеющий к тому, что теперь именуется авеню Фош, милее, чем космополитическая компания, ужинающая у Ларю и в кафе «Париж», милее, чем шумное, развязное веселье Монмартра,— тот квартал, главной артерией которого служит бульвар Монпарнас. В молодости я прожил год в крошечной квартирке неподалеку от бронзового Бельфортского льва, на пятом этаже, откуда открывался широкий вид на кладбище. Для меня Монпарнас и теперь еще овеян атмосферой тихого провинциального городка, отмечавшей его в ту пору. На узкой, неказистой улице Одессы у меня и сейчас сжимается сердце при воспоминании о захудалом ресторанчике, где мы когда-то собирались к обеду — художники, иллюстраторы, скульпторы и я, единственный писатель, если не считать изредка появлявшегося там Арнольда Беннета,— а потом засиживались допоздна, увлеченные жаркими, яростными, нелепыми спорами о литературе и живописи. Мне и сейчас доставляет радость прохаживаться по бульвару, глядя на молодых людей, таких же молодых, каким я был тогда, и выдумывать про них разные истории. Когда выдается свободное время, я беру такси и еду посидеть в старом кафе «Купол». Теперь там встретишь не только богему; туда зачастили мелкие торговцы с ближайших улиц, приезжают и туристы с другого берега Сены в надежде увидеть канувший в прошлое мир. Конечно, там по-прежнему полно студентов, художников и писателей, только теперь это по большей части иностранцы, и за столиками слышишь русскую, испанскую, немецкую и английскую речь. Но говорят там, думается, примерно то же, что и сорок лет назад, только темой им служит не Моне, а Пикассо, не Гийом Аполлинер, а Андре Бретон. Для меня они как родные дети.

Недели через две после приезда в Париж я приехал однажды в «Купол», и, так как на террасе почти не было мест, мне пришлось занять столик у самого края тротуара. День был ясный, теплый. Листья на платанах только-только распустились, и в воздухе было разлито чисто парижское ощущение безделья и легкой душевной приподнятости. Настроение у меня было умиротворенное, но не сонное, а скорее радостное. Вдруг какой-то человек, шедший мимо, остановился возле меня и с улыбкой, обнажившей очень белые зубы, сказал: «Здравствуйте!». Я поглядел на него, не понимая. Он был высокий и худой, без шляпы, с копной темных, давно не стриженных волос. Верхнюю губу и подбородок скрывали густые темные усы и борода. Лоб и шея дочерна загорели. На нем была обтрепанная рубашка без галстука, поношенный коричневый пиджак и старые серые спортивные брюки. Какой-то оборванец, в первый раз вижу. Я решил, что это один из тех бездельников, каких много идет ко дну в Париже, и ожидал услышать жалостливую повесть о злосчастной судьбе — способ выклянчить несколько франков на обед и ночлег. Он стоял передо мной, руки в карманах, поблескивая белыми зубами, с веселой искоркой в темных глазах.

— Не помните меня?— сказал он.

— Я вас никогда в жизни не видел.

Я был готов дать ему двадцать франков, но не намерен был дать себя одурачить выдумкой, будто мы с ним знакомы.

— Ларри,— сказал он.

— Боже мой! Садитесь.— Он весело хмыкнул, шагнул вперед и сел на свободный стул за моим столиком.— Выпить хотите?— Я сделал знак официанту.— Как я мог вас узнать, когда вы так обросли?

Официант подошел, и он заказал оранжад. Теперь, вглядевшись, я вспомнил его необычные глаза — черная радужка сливалась в одно со зрачком, что придавало его взгляду и пристальность, и непроницаемость.

— И давно вы в Париже?

— Месяц.

— Надолго?

— Как поживется.

Я задавал ему вопросы, а сам спешил кое-что сообразить. Я заметил, что брюки его снизу висят махрами, а пиджак продран на локтях. Одно слово — нищий, сколько таких слонялось на пристанях в портовых городах Востока. В те дни мысли невольно обращались к кризису, и я успел подумать, что он остался без гроша в результате биржевого краха 29-го года. Мысль была не из приятных, и, поскольку я не люблю обиняков, я прямо спросил его:

— Вы что, на мели?

— Нет, у меня все в порядке. Почему вы так решили?

— Да потому, что вид у вас голодный, а одежда просится на помойку.

— Неужели уже до того дошло? Я как-то об этом не думал. Вернее, я собирался кое-что себе купить, да все руки не доходят.

Я подумал, что в нем говорит либо стеснительность, либо гордость и нечего мне дальше слушать этот вздор.

— Не валяйте дурака, Ларри. Я не миллионер, но и не беден. Если у вас нет денег, возьмите у меня взаймы несколько тысяч франков. Меня это не разорит.

Он рассмеялся мне в лицо:

— Спасибо, конечно, но деньги у меня есть. Больше, чем я в состоянии истратить.

— Несмотря на кризис?

— О, это меня не коснулось. Мои деньги все в государственных бумагах. Может быть, они тоже упали в цене, я не знаю, никогда не интересовался, но одно мне известно: дядя Сэм — честный старик, платит по купонам, как и раньше. А я за последние годы тратил так мало, что у меня там должно было порядочно накопиться.

— Вы сейчас-то откуда явились?

— Из Индии.

— Ах да, я слышал, что вы там были. Мне Изабелла говорила. Она, оказывается, знакома с управляющим вашим чикагским банком.

— Изабелла? А вы когда ее видели?

— Вчера.

— Значит, она в Париже?

— Вот именно. Живет в квартире Эллиота Темплтона.

— Как здорово, ужасно хочется ее повидать.

Пока мы говорили, я внимательно наблюдал за ним, но в глазах его прочел только вполне естественное удивление и радость, никаких более сложных чувств.

— Грэй тоже здесь. Вы ведь знаете, что они поженились?

— Да, мне тогда написал дядя Боб... доктор Нелсон, мой опекун, но он уже несколько лет как умер.

Поскольку доктор Нелсон был, видимо, единственным звеном, связывающим его с Чикаго, я подумал, что он, вероятно, не в курсе дальнейших событий. Я рассказал ему о рождении дочек Изабеллы, о смерти Генри Мэтюрина и миссис Брэдли, о банкротстве Грэя и великодушии Эллиота.

— А Эллиот тоже здесь?

— Нет.

Впервые за сорок лет Эллиот проводил весну не в Париже. Ему было семьдесят лет, хотя выглядел он моложе, и, как естественно для этого возраста, по временам он чувствовал себя усталым и больным. Он постепенно отказался от всякой гимнастики, кроме ходьбы. Он стал мнителен, и два раза в неделю его навещал врач, делавший ему то в одну, то в другую ягодицу укол модного в то время лекарства. За едой, будь то дома или в гостях, он доставал из кармана крошечную золотую коробочку, извлекал из нее таблетку и проглатывал с видом погруженного в себя человека, совершающего религиозный обряд. Врач посоветовал ему пройти курс лечения в Монтекатино, курорте на севере Италии, а оттуда он собирался в Венецию, присмотреть купель, подходящую по стилю к его романской церкви. Парижем он поступился без труда — столица год от года доставляла ему все меньше удовольствия. Стариков он не любил и обижался, когда его приглашали на вечера, где собирались только люди его возраста, молодые же были ему скучны. Зато большое место среди его интересов занимало теперь украшение построенной им церкви, тут он мог предаваться своей неистребимой страсти — покупать произведения искусства — в твердой уверенности, что делает это во славу Божию. В Риме он отыскал старинный алтарь из бледно-желтого камня, а во Флоренции уже полгода как торговал триптих сиенской школы, который задумал над ним водрузить.

Ларри спросил меня, нравится ли Грэю в Париже.

— Боюсь, он здесь чувствует себя не в своей тарелке.

Я попробовал объяснить ему, какое впечатление у меня сложилось о Грэе. Он слушал, не сводя с меня задумчивых, немигающих глаз, и почему-то у меня возникло ощущение, что слушает он не ушами, а каким-то внутренним, более чувствительным органом слуха. Это было странно и жутковато.

— Впрочем, увидите сами,— закончил я.

— Да, ужасно хочется их повидать. Адрес, наверно, есть в телефонной книге.

— Только советую вам предварительно постричься и сбрить бороду, а то вы их напугаете до полусмерти, и у детей, чего доброго, родимчик сделается.

Он засмеялся.

— Да, я сам это подумал. Какой смысл выставлять себя напоказ.

— И заодно могли бы приодеться.

— Пообносился я здорово, это верно. Когда я решил уехать из Индии, оказалось, что у меня только и есть одежки, что на мне.

Он оглядел мой костюм и спросил, у какого портного я шью. Портного я назвал, но добавил, что он в Лондоне, так что едва ли может быть ему полезен. Мы оставили эту тему и вернулись к Изабелле и Грэю.

— Я их часто вижу,— сказал я.— Они живут душа в душу. С Грэем я ни разу не говорил с глазу на глаз, да и вряд ли он стал бы говорить со мной об Изабелле, но я знаю, он по-настоящему ее любит. Лицо у него скорее угрюмое и глаза измученные, но, когда он смотрит на Изабеллу, в них столько доброты, мягкости, даже трогательно. Видимо, все это трудное время она была для него крепкой опорой, и он ни на минуту не забывает, скольким ей обязан. А Изабелла сильно изменилась.— Я не сказал ему, какой она стала красавицей. Я не был уверен, сумеет ли он оценить, как хорошенькая, бойкая девушка сама себя превратила в эту изящную, утонченную, восхитительную женщину. Некоторых мужчин коробит от того, что женская красота призывает себе на помощь искусство.— Она жалеет Грэя. Всеми силами старается вернуть ему веру в себя.

Время клонилось к вечеру, и я предложил Ларри пройтись по бульвару и пообедать.

— Нет, пожалуй, не стоит, спасибо,— отвечал он.— Мне пора.

Он встал, дружески кивнул мне и шагнул на мостовую.

IV

На следующий день я виделся с Изабеллой и Грэем и рассказал им, что встретил Ларри.

Они удивились так же, как я накануне.

— До чего же хочется его увидеть,— сказала Изабелла.— Давайте позвоним ему прямо сейчас?

Тут я вспомнил, что не спросил Ларри, где он остановился. Изабелла отчитала меня по первое число.

— Я не уверен, что он сказал бы мне, если б я и спросил,— отбивался я смеясь.— Наверно, тут мое подсознание вмешалось. Вы же помните, он никогда не любил рассказывать, где живет. Это была одна из его причуд. Он может в любую минуту здесь появиться.

— Да, с него станется,— сказал Грэй.— Его в прежние времена никогда не оказывалось там, где ожидал его встретить. Сегодня он тут, а завтра неведомо где. Бывало, увидишь его в комнате, думаешь, сейчас подойду поздороваюсь, а оглянулся — его и след простыл.

— Правда-правда,— сказала Изабелла.— Я всегда на него за это злилась. Что ж, придется, видно, ждать, пока он сам надумает пожаловать.

Он не явился ни в тот день, ни на следующий, ни еще через день. Изабелла в сердцах решила, что я вообще все это выдумал. Я оправдывался, приводил причины, почему он исчез. Но звучали они неубедительно. Про себя же я подозревал, что ему просто расхотелось встречаться с Изабеллой и Грэем и он подался куда-нибудь вон из Парижа. Мне представлялось, что он не способен где-либо осесть надолго и готов в любую минуту, повинуясь капризу или по причинам, казавшимся ему уважительными, сняться с места.

Наконец он явился. В тот день шел дождь и Грэй не поехал в Мортфонтен. Мы с Изабеллой пили чай, Грэй потягивал виски с минеральной водой, как вдруг дворецкий отворил дверь, и в комнату не спеша вошел Ларри. Изабелла, вскрикнув, вскочила с места, бросилась ему на шею и поцеловала в обе щеки. Грэй, чья толстая красная физиономия покраснела еще больше, горячо сжал ему руку.

— Рад тебя видеть, старина,— сказал он сдавленным от волнения голосом.

Изабелла прикусила губу, и я видел, что она с трудом сдерживает слезы.

— Выпьем, друг,— еле выговорил Грэй.

Я был тронут их искренней радостью при виде скитальца. Сознание, что он так много для них значит, не могло не быть ему приятно. Он широко улыбался. Однако мне было ясно, что он вполне владеет собой. Он заметил посуду на столе.

— Я бы выпил чашку чаю,— сказал он.

— Брось, какой там чай!— воскликнул Грэй.— Разопьем бутылку шампанского.

— Я предпочитаю чай,— улыбнулся Ларри.

Его хладнокровие, возможно умышленное, возымело свое действие. Они успокоились, хоть и продолжали смотреть на него влюбленными глазами. Я не хочу сказать, что на их вполне естественные излияния он отвечал холодно или свысока; напротив, он был донельзя сердечен и обаятелен; но в его манере я улавливал что-то, что не мог назвать иначе как отчужденностью, и причина ее была мне непонятна.

— Почему ты сразу к нам не пришел, ужасный ты человек?!— с притворным негодованием накинулась на него Изабелла.— Я пять дней не отходила от окна, все высматривала тебя, а от каждого звонка у меня сердце екало и во рту пересыхало.

Ларри лукаво усмехнулся.

— Мистер М. сказал мне, что в таком непотребном виде ваш слуга и на порог меня не пустит. Я слетал в Лондон обновить гардероб.

— Уж это вы зря,— улыбнулся я.— Могли бы купить готовый костюм в «Прентан» или «Ля бель жардиньер».

— А я решил — если принимать цивилизованный вид, так по всем правилам. Я десять лет не покупал себе европейской одежды. Я отправился к вашему портному и сказал ему, что мне нужен костюм через три дня. Он сказал, что сошьет за две недели, ну, и мы сошлись на четырех днях. Я вернулся из Лондона час назад.

На нем был синий костюм, отлично сшитый по его сухощавой фигуре, белая рубашка с мягким воротничком, синий шелковый галстук и коричневые ботинки. Волосы коротко подстрижены, лицо гладко выбрито. Вид не только аккуратный, но элегантный. Он буквально преобразился. Он был очень худ; скулы выдавались резче, виски запали глубже, глаза стали больше, чем мне помнилось по прежним временам; но выглядел он отлично, и, мало того, его дочерна загорелое, без единой морщины лицо выглядело поразительно молодо.

Он был на год моложе Грэя, обоим недавно перевалило за тридцать, но Грэю можно было дать сорок лет, а Ларри — двадцать. У Грэя, большого, погрузневшего, все движения были медлительные и тяжеловесные, у Ларри — свободные, легкие. Держался он по-мальчишески весело и открыто, но я все время ощущал в нем какой-то невозмутимый покой, не свойственный тому юноше, которого я знал когда-то. И все время, что длился разговор, непринужденный, как всегда между старыми друзьями, которым есть что вспомнить, и то Грэй, то Изабелла подкидывали какие-нибудь мелкие чикагские новости, и все дружно смеялись и судачили о том о сем, легко переходя с одного на другое, я не мог отделаться от ощущения, что Ларри, хоть смеялся он от души и оживленную болтовню Изабеллы слушал с явным удовольствием, воспринимал все это как бы издали. Не то чтобы он играл роль — искренность его не вызывала сомнений. Но что-то в нем, не знаю, как это назвать — настороженность, чувствительность, сила?— отгораживало его от других.

Были вызваны девочки и сделали Ларри вежливый книксен. Он по очереди протянул им руку, глядя на них с подкупающей нежностью, и они, серьезно уставившись на него, подали ему ручку. Изабелла радостно сообщила, что они молодцы и учатся неплохо, дала им по тартинке и отослала в детскую.

— Когда уляжетесь, я приду и десять минут вам почитаю. Сейчас ей не хотелось отрываться, уж очень она наслаждалась обществом Ларри. Девочки подошли проститься с отцом. И какою же любовью осветилось его грубое красное лицо, когда он прижал их к себе и расцеловал. Было ясно как день, что он гордится ими, души в них не чает, и, когда они ушли, он повернулся к Ларри и сказал с чудесной застенчивой улыбкой:

— Хорошие малышки, верно?

Изабелла ласково глянула на него.

— Грэю дай только волю, он избаловал бы их до смерти. Он бы дал мне умереть с голоду, лишь бы их кормить икрой и паштетом.

Он улыбнулся ей и сказал:

— Неправда, и ты сама это знаешь. Я тебя люблю больше жизни.

В глазах Изабеллы мелькнула ответная улыбка. Да, она это знала, и ее это радовало. Счастливая пара.

Она стала уговаривать нас остаться у них обедать. Я было отказался, думая, что им приятнее будет побыть втроем, но она и слушать не захотела.

— Я велю Мари положить в суп еще одну морковку, и как раз выйдет четыре порции. На второе курица, вам и Грэю дадим ноги, а мы с Ларри будем есть крылышки, а пюре пусть сделает побольше, чтобы на всех хватило.

Грэй тоже как будто упрашивал всерьез, и я дал уговорить себя поступить так, как мне хотелось.

В ожидании обеда Изабелла подробно рассказала Ларри то, что я уже сообщил ему вкратце. Хоть она и старалась поведать эту печальную повесть как можно веселее, на лице Грэя изобразилась угрюмая тоска. Изабелла поспешила его подбодрить.

— Теперь-то это все позади. Мы еще легко отделались. Как только положение улучшится, Грэй получит великолепную должность и наживет миллионы.

Подали коктейли, и после двух бокалов бедняга воспрянул духом. Ларри, хоть и взял бокал, почти не притронулся к нему, и когда Грэй, не заметив этого, предложил ему повторить, отказался. Мы вымыли руки и сели обедать. Грэй велел подать шампанского, но, когда дворецкий стал наливать Ларри, тот сделал знак, что пить не будет.

— Ну что ты, хоть немножко!— воскликнула Изабелла.— Это из запасов дяди Эллиота, самое лучшее, только для особенно дорогих гостей.

— Честно говоря, я предпочитаю воду. Когда проживешь так долго на Востоке, нет ничего вкуснее воды, которую можно пить без опаски.

— Но случай-то исключительный.

— Ладно, один бокал выпью.

Обед был превосходный, но Изабелла, как и я, заметила, что Ларри ест очень мало. Вероятно, она спохватилась, что до сих пор без умолку говорила сама, а Ларри оставалось только слушать, и теперь стала расспрашивать его о том, как он провел те десять лет, что они не виделись. Он отвечал охотно и не таясь, но так неопределенно, что, в сущности, сказал нам очень мало.

— Ну, понимаете, бродил по белу свету. Год провел в Германии, пожил в Италии, в Испании. И по Востоку пошатался.

— А сейчас ты откуда?

— Из Индии.

— И сколько ты там пробыл?

— Пять лет.

— Интересно было?— спросил Грэй.— На тигров охотился?

— Нет,— улыбнулся Ларри.

— Что же ты делал в Индии целых пять лет?— спросила Изабелла.

— Небо коптил,— ответил он с незлобивой иронией.

— А факирский фокус с веревкой видел?— спросил Грэй.

— Нет, не видел.

— Что же ты видел?

— Много чего.

Тогда и я задал ему вопрос.

— Верно ли, что йоги вырабатывают в себе способности, которые нам кажутся сверхъестественными?

— Право, не знаю. Могу только сказать, что в Индии это представление очень распространено. Но самые умные не придают таким способностям никакого значения, считают, что они только задерживают духовный рост. Помню, один из них рассказал мне про некоего йога, как он подошел к реке и у него не было денег заплатить перевозчику, а тот отказался перевезти его даром, и тогда он взял и перешел на другой берег прямо по воде. Тот йог, что мне это рассказывал, презрительно пожал плечами и добавил: «Цена такого рода чудесам — тот самый грош, который был нужен, чтобы переправиться на лодке».

— Но вы-то как думаете, тот йог в самом деле шел по воде?

— Мой собеседник во всяком случае в этом не сомневался.

Слушать Ларри доставляло большое удовольствие, потому что у него был на редкость приятный голос, не слишком низкий, но звучный, гибкий, богатый интонациями. После обеда мы снова перешли в гостиную пить кофе. Я никогда не бывал в Индии и жаждал узнать о ней побольше.

— Вы там общались с какими-нибудь писателями или мыслителями?— спросил я.

— А вы, я вижу, проводите между ними различие,— поддразнила меня Изабелла.

— Это как раз и входило в мои планы,— ответил Ларри.

— И как вы с ними разговаривали? По-английски?

— Самые интересные из них если и говорили по-английски, то очень неважно, а уж понимали совсем плохо. Я выучил хиндустани. А когда подался на юг, стал немного объясняться и на тамильском.

— Сколько же языков вы теперь знаете, Ларри?

— Ой, не считал. Штук шесть, наверно.

— Я хочу узнать что-нибудь еще про йогов,— сказала Изабелла.— Ты с кем-нибудь из них был близко знаком?

— Если можно говорить о близком знакомстве с людьми, которые почти все свое время проводят в Бесконечности,— улыбнулся он.— У одного я прожил в ашраме два года.

— Два года? А что такое ашрама?

— Ну, это вроде как обитель отшельника. Там есть святые люди, которые живут в полном одиночестве в каком-нибудь храме в лесу или на склонах Гималаев. Есть и такие, которых окружают ученики. Какой-нибудь добрый человек, алчущий праведности, строит хижину, большую или маленькую, для йога, который поразил его своим благочестием, а ученики селятся поблизости, спят на галерейке, или в кухне, если таковая имеется, или просто под деревьями. У меня была крошечная хибарка, в ней еле помещалась походная койка, стол, стул и полка для книг.

— Где это было?— спросил я.

— В Траванкуре, это чудесный край зеленых гор, и долин, и медленных рек. В горах водятся тигры, леопарды, слоны и бизоны, но ашрама стояла на берегу речной заводи среди кокосовых и арековых пальм. До ближайшего города было мили четыре, но люди приходили оттуда, да и из других мест намного дальше, или приезжали на повозках, запряженных волами, чтобы послушать моего йога, если он был в настроении говорить, а не то просто посидеть у его ног и вместе с другими ощутить покой и счастье, которые исходили от него, как аромат от туберозы.

Грэй заерзал на стуле. Видимо, ему стало не по себе от этих разговоров.

— Выпьем?— предложил он мне.

— Нет, спасибо.

— А я выпью. Ты как, Изабелла?

Он грузно поднялся с кресла и подошел к столику, на котором стояли виски, минеральная вода и стаканы.

— А еще белые люди там были?

— Нет, только я.

— Как ты мог это выдержать два года?— вскричала Изабелла.

— Они промелькнули мгновенно. У меня в жизни бывали дни, которые тянулись куда дольше.

— Но чем ты заполнял свое время?

— Читал. Ходил на далекие прогулки. Плавал в лодке по заводи. Размышлял. Это, знаете ли, тяжелый труд. После двух-трех часов выматываешься так, будто пятьсот миль вел машину, только и мечтаешь, как бы отдохнуть.

Изабелла чуть сдвинула брови. Она была озадачена, пожалуй, даже немного испугана. Должно быть, она начинала догадываться, что тот Ларри, которого она знала в прошлом — такой доверчивый, веселый, своенравный, но пленительный,— и тот, что вошел в комнату несколько часов назад,— два разных человека, хотя внешне он почти не изменился и казался таким же простым и приветливым. Когда-то она уже потеряла его и, увидев его снова, приняв его за прежнего Ларри, решила, что, как бы ни сложились обстоятельства, он все еще ей подвластен; теперь же, когда она словно поймала солнечный луч, а он ускользал у нее между пальцев, она слегка встревожилась. Я много смотрел на нее в тот вечер, это всегда бывало приятно, и я видел, сколько нежности было в ее глазах, когда они обращались на аккуратно подстриженный затылок Ларри и его небольшие, плотно прижатые к черепу уши, и как выражение их менялось, когда она отмечала его запавшие виски и худобу щек. Она скользила взглядом по его длинным рукам, очень худым, но крепким и сильным, поглядывала на его подвижные губы, изящно очерченные, полные, хоть и не чувственные, на его чистый лоб и точеный нос. Свое новое платье он носил не как Эллиот, на манер джентльмена из модного журнала, а свободно, непринужденно, точно год не надевал ничего другого. Казалось, он будил в Изабелле материнский инстинкт, которого я никогда не замечал в ее отношении к собственным детям. Она была женщина с опытом, он все еще выглядел юным, и мне чудилась в ней гордость матери — смотрите-ка, мой сын стал совсем взрослый и разговаривает так складно, и умные люди его слушают, как будто он и вправду много понимает. Смысл того, что он говорил, по-моему, не доходил до ее сознания.

Сам же я тем временем не отставал от Ларри.

— Какой он был из себя, ваш йог?

— Вы имеете в виду внешность? Ну, роста среднего, не тощий и не толстый, кожа светло-коричневая, бритый, волосы короткие, седые. Ходил в одних трусах, но выглядел франтом, не хуже молодых людей с рекламы «Братьев Брукс».

— И что в нем особенно вас привлекло?

Ларри ответил не сразу. С минуту его глубоко посаженные глаза словно пытались проникнуть мне в самую душу.

— Святость.

Его ответ немного смутил меня. В этой комнате с красивой мебелью и прелестными рисунками по стенам неожиданное слово брызнуло как струйка воды, просочившейся сквозь потолок из переполненной ванны.

— Все мы читали о святых,— продолжал Ларри.— Святой Франциск, святой Хуан де ла Крус, но то было много веков назад. Мне и в голову не приходило, что в наше время можно встретить святого во плоти. Но с той минуты, как я его увидел, я уже не сомневался, что он святой. Это было удивительное переживание.

— И что оно вам дало?

— Душевный покой,— ответил он с полуулыбкой, почти небрежно и тут же рывком встал с места.

— Мне пора.

— Подожди уходить! — взмолилась Изабелла.— Ведь еще рано.

— Спокойной ночи,— сказал он, все еще улыбаясь и как бы не заметив ее слов. Потом поцеловал ее в щеку.— На днях увидимся.

— Ты где живешь? Я тебе позвоню.

— Не стоит. Здесь, в Париже, это дело сложное, сама знаешь. К тому же наш телефон все время портится.

В душе я посмеялся тому, как ловко он сумел утаить свой адрес. Почему-то он всегда норовил скрыть, где живет. Я пригласил их всех пообедать в Булонском лесу послезавтра вечером. В такую чудесную весеннюю погоду хорошо будет посидеть на воздухе, под деревьями, Грэй может отвезти нас туда в своей машине. Я ушел вместе с Ларри и охотно прогулялся бы с ним, но, как только мы очутились на улице, он пожал мне руку и быстро зашагал прочь. Я подозвал такси.

V

Мы сговорились встретиться у Мэтюринов и выпить по коктейлю, прежде чем пуститься в путь. Я приехал раньше Ларри. Пригласив их в очень шикарный ресторан, я ожидал увидеть Изабеллу в полном параде: там все женщины будут разодеты в пух и прах, неужели же она даст им себя затмить? Но на ней было простенькое шерстяное платье.

— У Грэя опять мигрень,— сказала она.— Мучается ужасно. Я не могу его оставить. Кухарку я на вечер отпустила — уйдет, как только накормит детей ужином, придется самой что-то для него сготовить и заставить его съесть. Вы с Ларри поезжайте без нас.

— Грэй в постели?

— Нет, он с этими болями никогда не ложится. Нужно бы, конечно, но он не хочет. Он в библиотеке.

То была небольшая, обшитая деревом комната, коричневая с золотом, которую Эллиот целиком вывез из какого-то старинного замка. От любопытных книги были защищены золочеными решетками и заперты на ключ. Это, пожалуй, было и к лучшему: большую часть их составляли эротические, украшенные гравюрами произведения восемнадцатого века. Впрочем, в новых сафьяновых переплетах они выглядели очень мило. Мы вошли. Грэй сидел мешком в большом кожаном кресле, на полу возле него валялись иллюстрированные журналы. Глаза у него были закрыты, лицо, обычно красное, посерело. Он попытался встать, но я остановил его.

— Аспирин вы ему давали?— спросил я Изабеллу.

— Не помогает. У меня есть один американский рецепт, но от него тоже никакого толку.

— Не беспокойся, родная,— сказал Грэй.— До завтра пройдет.— Он попробовал улыбнуться.— Простите, что так подвел,— обратился он ко мне.— Поезжайте-ка вы все обедать.

— И не подумаю,— сказала Изабелла.— Представляешь, как мне будет весело, когда ты тут терпишь все муки ада?

— Бедная девочка, она, кажется, меня любит,— сказал Грэй и опять закрыл глаза.

Вдруг лицо его исказилось. Режущая боль, пронизавшая ему голову, была почти зримой. Дверь тихо отворилась, и вошел Ларри. Изабелла объяснила ему, в чем дело.

— Ой, как нехорошо,— сказал он, бросив на Грэя сострадательный взгляд.— Неужели ничего нельзя сделать?

— Ничего,— сказал Грэй, не открывая глаз.— Я об одном прошу, оставьте меня в покое и поезжайте веселиться.

Я и сам подумал, что это было бы единственным разумным решением, но принять его Изабелле не позволит совесть.

— Можно, я попробую тебе помочь?— спросил Ларри.

— Никто мне не может помочь,— ответил Грэй устало.— Когда-нибудь она меня доконает, иногда думаешь — уж поскорей бы.

— Я неправильно сказал, что хочу тебе помочь; может, мне удастся помочь тебе помочь самому себе.

Грэй медленно открыл глаза.

— А как ты можешь это сделать?

Ларри достал из кармана какую-то серебряную монету и вложил ее Грэю в руку.

— Зажми ее в кулак и держи руку ладонью книзу. Не противься мне. Не напрягайся, только держи монету в кулаке. Еще до того, как я сосчитаю до двадцати, пальцы у тебя разожмутся и монета выпадет.

Грэй повиновался. Ларри сел у письменного стола и начал считать. Изабелла и я стояли не шевелясь. Раз, два, три, четыре... Пока он считал до пятнадцати, рука Грэя оставалась неподвижной, а потом чуть дрогнула, и я не то чтобы увидел, но каким-то образом уловил, что пальцы расслабляются. Вот большой палец отделился от кулака. Теперь было ясно видно, что и другие пальцы пришли в движение. Когда Ларри досчитал до девятнадцати, монета упала на пол и покатилась мне под ноги. Я поднял ее и рассмотрел. Она была тяжелая, неправильной формы, и с одной стороны был выбит рельефный портрет молодого мужчины, в котором я узнал Александра Македонского. Грэй растерянно уставился на свою руку.

— Я не ронял монету,— сказал он.— Она сама упала.

Его правая рука лежала на подлокотнике кожаного кресла.

— Тебе удобно сидеть?— спросил Ларри.

— Если вообще может быть удобно, когда голова раскалывается.

— Ладно, ты расслабься. Ничего не делай. Не думай. Не сопротивляйся. Когда я досчитаю до двадцати, твоя правая рука оторвется от кресла и окажется у тебя над головой. Раз, два, три, четыре...

Он считал медленно, своим чудесным звучным голосом, и, когда досчитал до девяти, кисть Грэя чуть приподнялась, оторвавшись от кожаной поверхности, и, повиснув в каком-нибудь дюйме от нее, на секунду задержалась.

— Одиннадцать, двенадцать, тринадцать...

Рука дернулась и теперь уже вся, от плеча, пошла вверх. Она уже не касалась кресла. Изабелла, немного испуганная, вцепилась мне в руку. Картина и вправду была захватывающая. Мне не приходилось видеть, как люди ходят во сне, но я представляю себе, что они двигаются так же странно, как двигалась рука Грэя. Воля тут словно не участвовала. Мне подумалось, что сознательным усилием руку и невозможно было бы поднять так медленно и равномерно. Ее словно поднимала какая-то подсознательная сила, независимая от разума. Так — медленно, туда-сюда — ходит поршень в цилиндре.

— Пятнадцать, шестнадцать, семнадцать...

Слова падали медленно-медленно, точно капли из неисправного крана. Рука поднималась все выше, выше, и вот она уже у Грэя над головой, а вот, со счетом двадцать, тяжело падает обратно на подлокотник.

— Я не поднимал руку,— сказал Грэй.— Я ничего не мог с ней поделать. Она сама.

Ларри чуть заметно улыбнулся.

— Это неважно. Я просто хотел, чтобы ты в меня поверил. Где эта монета?

Я протянул ее.

— Держи.— Грэй взял ее в руку. Ларри глянул на свои часы.— Сейчас тринадцать минут девятого. Через шестьдесят секунд веки у тебя так отяжелеют, что ты закроешь глаза. И уснешь. Ты проспишь шесть минут. В восемь двадцать ты проснешься здоровый.

Мы с Изабеллой молчали, не спуская глаз с Ларри. Он больше ничего не сказал. Он устремил пристальный взгляд на Грэя, но смотрел словно не на него, а сквозь него, куда-то дальше. В охватившем нас молчании было что-то таинственное, так молчат цветы в саду, когда сгущаются сумерки. Вдруг пальцы Изабеллы крепче впились в мою руку. Я взглянул на Грэя. Глаза у него были закрыты, дыхание легкое и ровное: он спал. Так мы простояли, казалось, целую вечность. Мне очень хотелось курить, но я не решался чиркнуть спичкой. Ларри застыл в неподвижности. Глаза его смотрели в какую-то неведомую даль. Не будь они открыты, можно б было подумать, что он в трансе. И вдруг он весь обмяк, глаза приняли свое обычное выражение, и он посмотрел на часы. В то же мгновение Грэй открыл глаза...

— Тьфу,— сказал он,— я, кажется, задремал.— И разом встряхнулся. Я заметил, что он уже не так бледен.— Голова-то прошла!

— Вот и хорошо,— сказал Ларри.— Выкури папиросу, и поедем все вместе обедать.

— Но это просто чудо. Я совсем здоров. Как ты это сделал?

— Это не я. Ты сам это сделал.

Изабелла убежала переодеваться, а тем временем мы с Грэем выпили по коктейлю. Хотя Ларри был явно против, Грэй упорно толковал о случившемся. Он был в полном недоумении.

— Вот уж не ожидал, что у тебя что-нибудь выйдет. Согласился, потому что лень было спорить, так паршиво себя чувствовал.

И он стал подробно описывать, как начинаются его мигрени, как они его мучают и какой он бывает разбитый, когда боль отпускает. Ему все не верилось, что сейчас он в норме, точно ничего и не было. Вернулась Изабелла. На ней было платье, которого я еще не видел, длинное, до полу, белый футляр из материи, которая, кажется, называется марокен, с воланом из черного тюля. Да, с такой дамой каждому было бы лестно появиться на людях.

В «Шато де Мадрид» царило веселье, и мы все были в ударе. Ларри без конца смешил нас всякой забавной чепухой — я не знал за ним такого таланта. Мне подумалось, что он задался целью отвлечь наши мысли от его поразительного дара, проявлению которого мы так неожиданно стали свидетелями. Но Изабеллу трудно было сбить с толку. Какое-то время она готова была подпевать ему, однако не забывала, что желает удовлетворить свое любопытство. После обеда, когда подали кофе и ликеры и она, очевидно, решила, что под влиянием вкусной еды, одного-единственного стакана вина и дружеской беседы тормоза у Ларри ослабли, она устремила на него ясный взгляд.

— А теперь расскажи нам, как ты вылечил Грэя.

— Ты же сама видела,— улыбнулся он.

— Ты этому выучился в Индии?

— Да.

— Он ужасно мучается. Может, ты и вообще мог бы избавить его от этих мигреней?

— Не знаю. Возможно.

— Это было бы для него так важно. Ведь он не может и надеяться получить приличное место, пока рискует в любой день на двое суток выбыть из строя. А без работы он все равно что не живет.

— Я, знаешь ли, не чудотворец.

— Но это было настоящее чудо. Я своими глазами видела.

— Нет. Я просто внушил Грэю идею, а остальное он сделал сам.— Он повернулся к Грэю:— Ты завтра что делаешь?

— Играю в гольф.

— Я к тебе загляну в шесть часов, побеседуем.— И снова Изабелле, с обворожительной улыбкой: — Мы с тобой не танцевали десять лет. Может быть, я разучился, хочешь, проверим?

VI

После этого мы видели Ларри часто. Всю следующую неделю он приходил каждый день и на полчаса уединялся с Грэем в библиотеке. Он, по собственному выражению, пытался убедить его отделаться от этих противных мигреней, и Грэй проникся к нему чисто детским доверием. Из того немногого, что сказал Грэй, я понял, что Ларри, кроме того, пытается вернуть ему подорванную веру в себя. Дней через десять у Грэя опять разболелась голова, а Ларри ждали только вечером. На этот раз мигрень была сравнительно легкая, но Грэй так верил в могущество Ларри, что твердил: надо его найти, он в несколько минут с ней справится. Изабелла позвонила мне по телефону, но я тоже не знал, где он живет. Когда Ларри наконец явился и избавил Грэя от боли, тот попросил его оставить свой адрес, чтобы в случае необходимости можно было сразу его призвать. Ларри улыбнулся.

— Звони в «Америкен экспресс» и проси передать. Я буду им звонить каждое утро.

Позже Изабелла спросила меня, почему Ларри скрывает свой адрес. Ведь он и раньше делал из этого тайну, и тогда оказалось, что он просто живет в третьеразрядной гостинице в Латинском квартале.

— Понятия не имею,— отвечал я.— Могу только предложить весьма произвольную догадку, скорее всего неверную. Возможно, он инстинктивно относит некую духовную обособленность и к своему жилищу.

— О Господи, это еще что за головоломка?— вскричала она сердито.

— Вы не задумывались над тем, что, когда он с нами и как будто держится так просто, открыто, дружески, в нем чувствуется какая-то отчужденность, словно он отдает не всего себя, а где-то в тайнике души что-то придерживает... какое-то напряжение, или тайну, или замысел, или знание... не знаю, что именно... и это позволяет ему оставаться от всех в стороне?..

— Я знаю его с детства,— раздраженно перебила она.

— Иногда он напоминает мне большого актера, виртуозно играющего в ерундовой пьесе. Как Элеонора Дузе в «Хозяйке гостиницы».

Изабелла на минуту задумалась.

— Я, кажется, понимаю, о чем вы говорите. С ним бывает так весело, и он вроде бы такой же, как мы, как все люди, а потом вдруг такое ощущение, точно он ускользнул, как колечко дыма, когда хочешь его поймать. Что же это в нем есть, отчего он такой чудной, как вы думаете?

— Может быть, что-то до того элементарное, что этого и не замечаешь.

— Например?

— Ну, например, доброта.

Изабелла нахмурилась.

— Пожалуйста, не говорите таких вещей. У меня от них начинает болеть под ложечкой.

— А может, в глубине сердца?

Она посмотрела на меня долгим взглядом, словно хотела прочесть мои мысли. Потом взяла со столика папиросу, закурила и откинулась в кресле, глядя, как дым колечками поднимается в воздух.

— Хотите, чтобы я ушел?

— Нет.

Я помолчал, глядя на нее и, как всегда, любуясь ее точеным носиком и прелестной линией подбородка.

— Вы сильно влюблены в Ларри?

— Ну вас к дьяволу, я всю жизнь только его и любила.

— Зачем же вы вышли замуж за Грэя?

— Надо было за кого-то выходить. Грэй меня обожал, и маме хотелось, чтобы мы поженились. Все мне твердили, какое счастье, что я разделалась с Ларри. А к Грэю я очень хорошо относилась и сейчас отношусь. Вы не знаете, какой он милый. Нет человека добрее его, заботливее. Многим кажется, что у него ужасный характер, но со мною он всегда был сущий ангел. Когда у него были деньги, он только и хотел, чтобы я у него что-нибудь попросила, такую радость ему доставляло мне угождать. Как-то я сболтнула, что хорошо бы иметь свою яхту и поплыть вокруг света, так, если бы не крах, он бы и яхту купил.

— Бывают же такие люди,— ввернул я вполголоса.

— Мы жили чудесно. Я всегда буду ему за это благодарна. Он дал мне много счастья.

Я взглянул на нее, но промолчал.

— По-настоящему я его, наверно, не любила, но можно прекрасно прожить и без любви. В глубине души я тосковала по Ларри, но, когда его не было рядом, это меня особенно не тревожило. Помните, вы мне когда-то сказали, что, когда вас разделяют три тысячи миль океана, сносить муки любви не так трудно? Тогда это показалось мне циничным, но вы, разумеется, правы.

— Если вам больно видеться с Ларри, не разумнее ли перестать с ним видеться?

— Но боль-то эта — блаженство. И потом, вы же знаете, какой он. В любой день может исчезнуть, как тень, когда солнце спрячется, и жди, когда еще его опять увидишь.

— Вы не подумываете развестись с Грэем?

— У меня нет причин с ним разводиться.

— Это не мешает вашим соотечественницам разводиться с мужьями, когда им вздумается.

Она рассмеялась.

— Почему же они так поступают?

— А вы не знаете? Потому что американка желает обрести в своем муже идеал, который англичанка мечтает обрести разве что в своем дворецком.

Изабелла вскинула голову так надменно, что вполне могла растянуть мышцу на шее.

— Оттого, что Грэй не умеет себя выразить, вам кажется, что в нем нет ничего хорошего.

— Вот это уж неверно,— перебил я.— Мне кажется, в нем есть что-то очень ценное. Он умеет любить. Стоит только увидеть его лицо, когда он смотрит на вас, сразу понимаешь, как беззаветно он вам предан. И детей своих он любит куда больше, чем вы.

— Вы еще, чего доброго, скажете, что я плохая мать.

— Напротив, вы, по-моему, превосходная мать. Вы хотите, чтобы они были здоровы и веселы. Вы следите за тем, как они питаются и каждый ли день у них работает кишечник. Вы учите их правилам поведения, читаете им вслух и заставляете молиться на сон грядущий. Если они заболеют, вы сейчас же вызовете врача и будете прилежно их выхаживать. Но вы не боготворите их так, как он.

— А это и не нужно. Я человек— и с ними обращаюсь как с людьми. Мать только вредит своим детям, если ничем, кроме них, не интересуется.

— По-моему, вы совершенно правы.

— И они, между прочим, меня обожают.

— Это я заметил. Вы для них самая красивая, самая прелестная и удивительная. Но с вами им не так просто, не так уютно, как с Грэем. Вас они обожают, это верно, но его они любят.

— Его нельзя не любить.

Мне понравилось, как она это сказала. Она никогда не обижалась на правду, это было одно из ее самых привлекательных свойств.

— После краха Грэй совсем погибал. Он неделями работал в конторе до полуночи, а я сидела дома и терзалась от страха, боялась, что он пустит себе пулю в лоб, до того он чувствовал себя опозоренным. Понимаете, и он, и его отец так гордились своей фирмой, и своей честностью, и здравостью суждений. Для него горше всего было не то, что мы сами разорились, а что разорены люди, которые ему доверились,— вот чего он не мог пережить. Ему все казалось, что он чего-то не предусмотрел. Я никак не могла внушить ему, что он не виноват.

Изабелла достала из сумочки помаду и подмазала губы.

— Но я не об этом хотела вам рассказать. Единственное, что у нас осталось,— это усадьба, а Грэя необходимо было куда-то увезти, ну вот, мы и подкинули девочек маме, а сами укатили. Он всегда любил туда ездить, но мы еще ни разу не жили там одни — возили с собой целую компанию и веселились напропалую. А тут ему и на охоту ходить не хотелось, хоть стреляет он хорошо. Он брал лодку и часами плавал один по болотам, наблюдая птиц. Плавал по всем протокам, где с обеих сторон камыши, а над головой небо. Там бывают дни, когда протоки синие, как Средиземное море. Дома он не распространялся о своих впечатлениях. Скажет, что было чудесно, и все. Но я-то понимала. Я знала, что этот простор, и красота, и тишина глубоко его волнуют. Там бывает такой час перед закатом, когда освещение просто сказочное. Он, бывало, стоит и смотрит как завороженный. И верхом он подолгу ездил по глухим, таинственным лесам, они там, как в пьесах Метерлинка — серые, безмолвные, даже жутко. А весной бывает короткая пора — каких-нибудь две недели,— когда цветет кизил, и распускаются листья на кустарнике, и вся эта свежая зелень на фоне серого испанского мха как радостный гимн, а на земле ковер из огромных белых лилий и дикой азалии. Грэй не умел выразить, что это для него значит, но значило это очень много. Он упивался этой красотой. Я, конечно, описываю все это нескладно, но вы не поверите, какое это было волнующее зрелище — такой большой, взрослый мужчина, и весь во власти чистого, высокого чувства. Если есть на небе Бог, Грэй в такие минуты бывал к нему близок.

Изабелла и сама немного расчувствовалась и крошечным платочком смахнула две слезинки, блеснувшие в уголках ее глаз.

— Может быть, вы фантазируете?— улыбнулся я.— Приписываете Грэю мысли и чувства, которыми сами его наделили?

— Как я могла бы их выдумать, если бы не видела? Меня-то вы знаете. Я-то счастлива только тогда, когда у меня под ногами асфальтовый тротуар, а по всей улице — зеркальные витрины, и в них шляпы, меховые манто, браслеты с брильянтами и несессеры с золотыми застежками.

Я посмеялся, и с минуту мы молчали. Потом она вернулась к прежней теме.

— Я ни за что не разведусь с Грэем. Слишком много мы пережили вместе. И он без меня как без рук. Это даже лестно и накладывает известную ответственность. А кроме того...

— Продолжайте.

Она искоса взглянула на меня, в глазах блеснул озорной огонек. Словно она не была уверена, как я отнесусь к тому, что она надумала мне сказать.

— Он изумительный любовник. Мы женаты десять лет, а он такой же страстный, как был вначале. Это не вы в какой-то пьесе сказали, что ни один мужчина не желает одну и ту же женщину дольше пяти лет?.. Так вот, вы не знали, о чем говорите. Грэй меня желает так же, как в первую ночь. В этом смысле он дал мне много радости. Я ведь очень чувственная женщина, хотя по виду этого не скажешь.

— Ошибаетесь. Как раз скажешь.

— И что же, это можно поставить мне в упрек?

— Напротив.— Я испытующе взглянул на нее.— Так вы не жалеете, что десять лет назад не вышли за Ларри?

— Нет. Это было бы безумием. Но, конечно, если б я знала то, что знаю теперь, я бы уехала куда-нибудь и прожила с ним три месяца, а потом раз и навсегда вычеркнула его из своей жизни.

— Думаю, для вас лучше, что вы не пошли на такой эксперимент: вы рисковали убедиться, что связаны с ним такими узами, которых вам не разорвать.

— Не думаю. То было всего лишь физическое влечение. Вы ведь знаете, часто лучший способ превозмочь желание состоит в том, чтобы его удовлетворить.

— А известно ли вам, что вы заядлая собственница? Вы мне сказали, что у Грэя поэтическая натура и что он — пылкий любовник; охотно верю, что и то и другое вам дорого; но вы мне не сказали, что вам дороже, чем то и другое, вместе взятое, а это — ощущение, что вы крепко держите его в ваших прелестных, хоть и не таких уж маленьких ручках. Ларри всегда ускользал от вас. Вы помните эту оду Китса? «Любовник смелый, никогда тебе ее не целовать, хоть цель близка».

— Напрасно вам кажется, что вы знаете все на свете,— сказала она чуть язвительно.— Удержать мужчину женщина может только одним способом. И запомните: важен не первый раз, когда она ложится с ним в постель, а второй. Если она после этого его удержит, значит, удержит навсегда.

— Что и говорить, вы набрались любопытных сведений.

— А я много где бываю, смотрю, слушаю и мотаю на ус.

— Если не секрет, откуда у вас эта последняя информация? В ее улыбке была бездна лукавства.

— От одной женщины, с которой я подружилась на выставке мод. Продавщица сказала мне, что это самая шикарная кокотка в Париже, и я решила с ней познакомиться. Адриенна де Труа. Слышали про такую?

— Никогда.

— Какой пробел в вашем образовании! Ей сорок пять лет, она даже не красива, но осанка благороднее, чем у всех Эллиотовых герцогинь. Я к ней подсела и разыграла наивную молодую американочку. Сказала, что должна с ней поговорить, потому что в жизни не видела никого более восхитительного, что она совершенна, как греческая камея.

— Ну и нахальство!

— Сперва она держалась холодно, этак «не тронь меня», но я продолжала щебетать, и она оттаяла. Мы хорошо поболтали. Когда показ окончился, я пригласила ее как-нибудь позавтракать в «Ритце». Сказала, что всегда восхищалась ее неподражаемым шиком.

— Разве вы ее и раньше видели?

— Никогда. От моего приглашения она отказалась — не хочет, мол, меня компрометировать, в Париже столько злых языков,— но ей было приятно, что я ее пригласила, и, когда она увидела, что у меня губы дрожат от огорчения, сама пригласила меня позавтракать у нее дома. А когда увидела, что я буквально сражена ее любезностью, даже потрепала меня по руке.

— И вы пошли?

— А как же. У нее премиленький домик на авеню Фош, а прислуживал нам дворецкий, вылитый Джордж Вашингтон. Я просидела у нее до четырех часов. Мы, так сказать, распустили волосы, сняли корсеты и всласть потрепались о всяких женских делах. В тот день я столько узнала нового, что хоть книгу пиши.

— Вот бы и написали. Как раз подходящий материал для дамского журнала «Домашний очаг».

— Да ну вас,— рассмеялась она.

Я заговорил не сразу, мне хотелось что-то додумать.

— Вот не знаю, был Ларри когда-нибудь в вас влюблен или нет.

Она выпрямилась в кресле. Куда девалась светская любезность. Глаза ее метали молнии.

— То есть как? Конечно, он был в меня влюблен. Вы что же думаете, девушка не знает, когда мужчина в нее влюблен?

— Ну да, в каком-то смысле, вероятно, был. Он ни с одной девушкой не был так близко знаком. Вы вместе росли. Он не представлял себе, что может быть иначе. Жениться на вас казалось ему так естественно. И ничего особенно нового это бы в ваши отношения не внесло, только жили бы под одной крышей и спали вместе.

Изабелла, немного смягчившись, ждала продолжения, и я, зная, как любят женщины слушать рассуждения о любви, продолжал:

— Моралисты пытаются нас убедить, что половой инстинкт имеет мало общего с любовью. Они склонны зачислить его в эпифеномены.

— О Господи, это еще что за зверь?

— Видите ли, некоторые психологи считают, что сознание сопровождает работу мозга и определяется ею, но само на нее не влияет. Представьте себе отражение дерева в воде: без дерева оно не могло бы существовать, но никакого воздействия на дерево не оказывает. На мой взгляд, утверждение, что может быть любовь без страсти,— абсурд; когда люди уверяют, что любовь может длиться, даже если страсть умерла, они имеют в виду другое: привязанность, дружбу, общность интересов и вкусов, привычку. Главное — привычку. Половые сношения могут продолжаться по привычке, вот так же у людей пробуждается голод к тому часу, когда они привыкли есть. Влечение без любви, разумеется, возможно. Влечение — это не страсть. Это — естественное проявление полового инстинкта, и значит оно не больше, чем любая другая функция животного организма. Поэтому-то и неразумны женщины, воображающие, что все пропало, когда их мужья изредка позволяют себе согрешить на стороне, если время и место тому способствуют.

— Это относится только к мужчинам?

Я улыбнулся.

— Если вы настаиваете, я готов допустить здесь полное равноправие. Единственная разница в том, что мужчин такие мимолетные связи не задевают сколько-нибудь глубоко, а женщин задевают.

— Смотря какая женщина.

Но я упорно гнул свою линию.

— Если любовь не страсть, значит, это не любовь, а что-то другое; а страсти, чтобы не угаснуть, нужно не удовлетворение, а преграды. Как вы думаете, почему Китс призывал влюбленного на своей греческой урне не горевать? «Навеки ты влюблен, навек она прекрасна». Почему? Да потому, что она недостижима, и, сколько бы он за ней ни гнался, она всегда будет от него ускользать. Ведь оба они вмурованы в мрамор урны, боюсь — не лучшего образца своей эпохи. Ваша любовь к Ларри и его любовь к вам были просты и естественны, как любовь Паоло и Франчески или Ромео и Джульетты. К счастью для вас, она не кончилась трагедией. Вы вышли замуж за богача, а Ларри пустился бродить по свету в поисках смысла жизни. Страсть здесь была ни при чем.

— А вы откуда знаете?

— Страсть не торгуется. Паскаль сказал, что у сердца свои доводы, неподвластные рассудку. Если я правильно его понял, смысл этих слов в том, что, когда сердцем завладевает страсть, оно находит свои доводы, не только убедительные, но безусловно доказывающие, что для любви не жаль ничего. Оно убеждает вас, что честью пожертвовать нетрудно, что и стыд — недорогая цена. Страсть пагубна. Она погубила Антония и Клеопатру, Тристана и Изольду, Парнелла и Китти О'Ши. А если она не губит, то умирает сама. И тогда приходит горестное сознание, что лучшие годы растрачены впустую, что ты навлек на себя позор, терпел лютые муки ревности, сносил самые горькие унижения, излил всю свою нежность, все богатства твоей души на потаскушку, безмозглую дуру, тень, в которой ты воплотил свою мечту и которой вся-то цена — полушка.

Еще не закончив эту тираду, я заметил, что Изабелла меня не слушает, потому что занята другими мыслями. Но ее следующий вопрос меня удивил.

— Вы как думаете, Ларри девственник?

— Дорогая моя, ему тридцать два года.

— А я в этом уверена.

— Но на каком основании?

— Такие вещи женщина угадывает безошибочно.

— Я знавал одного молодого человека, который несколько лет имел бешеный успех, потому что уверял одну красавицу за другой, что никогда не знал женщины. По его словам, это оказывало магическое действие.

— Можете говорить что хотите, я верю в свою интуицию.

Время шло к вечеру. Изабелла и Грэй были приглашены в гости, и ей пора было одеваться. А у меня вечер оказался свободный, и я с удовольствием прошелся по весеннему бульвару Распай. В женскую интуицию я никогда особенно не верил — очень уж часто она подсказывает то, во что им хочется верить,— и теперь, вспомнив конец нашего длинного разговора с Изабеллой, я невольно рассмеялся. А заодно мне вспомнилась Сюзанна Рувье, и я сообразил, что не видел ее уже несколько дней. Если она не занята, то, вероятно, согласится пообедать со мной и сходить в кино. Я остановил проползавшее мимо такси и дал шоферу ее адрес.

VII

Сюзанна Рувье была мною упомянута в начале этой книги. Я знал ее лет десять-двенадцать, и в то время, о котором сейчас идет речь, ей, вероятно, было под сорок. Красотой она не блистала, скорее наоборот. Высокого для француженки роста, с коротким туловищем, но длинноногая и длиннорукая, она держалась не очень ловко, словно не знала, куда девать свои длинные руки и ноги. Цвет волос она меняла как ей вздумается, но чаще всего он бывал каштановый с рыжеватым отливом. У нее было небольшое квадратное личико с резко выдающимися нарумяненными скулами и большой рот с густо накрашенными губами. Казалось бы — ничего привлекательного, но вот поди ж ты, а еще у нее была хорошая кожа, крепкие белые зубы и большие ярко-синие глаза. Глаза свои она ценила по достоинству и, чтобы еще усилить их прелесть, красила ресницы и веки. Взгляд у нее был зоркий, трезвый, дружелюбный, и неподдельное добродушие сочеталось в ней с изрядной долей бесстыдства. А бесстыдство при ее образе жизни было ей необходимо. Ее мать, вдова мелкого государственного чиновника, после смерти мужа вернулась в свою родную деревню в Анжу и жила на пенсию, а Сюзанну, когда той исполнилось пятнадцать лет, отдала в обучение портнихе в ближайшем городке, откуда она могла приезжать домой на воскресенье. И тут, во время двухнедельного отпуска, когда ей было семнадцать лет, ее соблазнил один художник, приехавший в их деревню на лето писать пейзажи. Она к тому времени уже знала, что без денег ее шансы на замужество равны нулю, и, когда в конце лета художник предложил увезти ее в Париж, согласилась не задумываясь. Он поселил ее у себя в студии на Монмартре, и там она провела с ним очень приятный год.

А когда год кончился, он сказал ей, что не продал ни одного холста и больше не может позволить себе такую роскошь, как любовница. Он спросил, не хочет ли она уехать на родину, а когда она ответила, что не хочет, сказал, что ее с радостью взял бы к себе другой художник, живущий в том же доме. Человек, которого он ей назвал, уже несколько раз пытался с нею заигрывать, и она его неизменно одергивала, но так добродушно и весело, что он не обижался. Он не был ей противен, так что переезд совершился вполне мирно. Было даже удобно, что не надо тратиться на такси, чтобы перевезти ее чемодан. Ее второй любовник, намного старше первого, но еще представительный и бодрый, писал ее во всевозможных позах, одетой и обнаженной, и она прожила с ним два счастливых года. Она гордилась тем, что первого настоящего успеха он добился с ее помощью, и позже показывала мне вырезанную из журнала репродукцию с картины, после которой о нем заговорили. Картину купили для одного из американских собраний.

Сюзанна была изображена в натуральную величину, обнаженная и примерно в той же позе, как «Олимпия» Манэ. Художник сразу усмотрел в ее фигуре нечто современное и занятное; из худощавой он сделал ее болезненно худой, еще удлинил ее длинные ноги и руки, подчеркнул выдающиеся скулы, а синим глазам придал неестественную величину. Судить о цвете по репродукции было, разумеется, невозможно, но изящество рисунка я не мог не признать. Благодаря этой картине он приобрел известность, что и позволило ему жениться на восхищавшейся им богатой вдове, и Сюзанна, искренне убежденная в том, что всякий мужчина должен думать о своем будущем, приняла конец их сердечных отношений без слова жалобы.

Но она уже знала себе цену. Ей нравилось быть близко к искусству, нравилось позировать, а после рабочего дня она с удовольствием сидела в кафе с художниками, их женами и любовницами и слушала, как они спорят о живописи, поносят торговцев и рассказывают неприличные анекдоты. И теперь, поняв, что дело идет к концу, она заранее подготовила почву. Выбор ее пал на молодого человека, не имеющего постоянной подруги и, как ей показалось, талантливого. Она улучила минуту, когда он сидел в кафе один, обрисовала ему ситуацию и без дальних слов подала ему мысль, что хорошо бы им жить вместе.

— Мне двадцать лет, я хорошая хозяйка. Я и на хозяйстве сэкономлю, и натурщице не придется платить. Ты только посмотри на свою рубашку, просто срам на что она похожа, и в студии у тебя от пыли не продохнешь. За тобой нужен женский глаз.

Он знал, что она славный малый. Ее предложение показалось ему забавным, и, поняв, что он готов согласиться, она добавила:

— В конце концов, попробовать-то можно. Если дело не пойдет, останемся с чем были.

Как художник нового толка, он писал с нее портреты сплошь из квадратов и кубов. Писал ее с одним глазом и без рта. Писал в виде геометрического чертежа в черных, коричневых и серых тонах. Писал в виде решетки из линий, сквозь которую смутно угадывалось человеческое лицо. Она прожила с ним полтора года и ушла от него по собственной воле.

— Почему?— спросил я ее.— Разве он вам не нравился?

— Да нет, он был славный мальчик. Но мне показалось, что он не движется вперед. Он стал повторяться.

Преемника она ему нашла без труда. Она осталась верна художникам.

— Я всегда была при живописи,— заявила она.— Один раз полгода жила со скульптором, но это совсем не то, сама даже не знаю почему.

Она с удовольствием вспоминала, что со всеми своими любовниками расставалась по-хорошему. Она была не только отличной натурщицей, но и отличной хозяйкой. Она наводила идеальный порядок во всех студиях, на какое-то время служивших ей жилищем, для нее это был вопрос чести. Она прекрасно стряпала и умела приготовить вкусное блюдо буквально за гроши. Она штопала своим сожителям носки и пришивала пуговицы к рубашкам.

«Хоть ты и художник, а неряхой ходить негоже».

Только раз у нее вышла осечка — с молодым англичанином, самым богатым из всех ее знакомых, у него даже был автомобиль.

— Но длилось это недолго,— рассказывала она.— Он часто напивался и тогда бывал несносный. Это бы еще ладно, будь он хороший художник, но, дорогой мой, писал он безобразно. Я предупредила, что уйду от него, а он расплакался. Сказал, что любит меня. «Мой бедный друг,— сказала я ему,— любишь ты меня или нет, не имеет ровно никакого значения. Важно, что у тебя нет таланта. Уезжай-ка ты к себе в Англию и займись оптовой торговлей. На большее ты не способен».

— И что он на это сказал?— поинтересовался я.

— Вломился в амбицию и велел мне убираться вон. Но совет я ему дала правильный. Надеюсь, он меня послушался. Человек он был неплохой, но художник никудышный.

Здравый смысл и покладистый характер сильно облегчают жизненный путь женщине легкого поведения, но профессии Сюзанны, как и всякой иной профессии, присущи и взлеты, и спады. Вот, например, тот швед. Она допустила оплошность — она в него влюбилась.

— Это был юный бог,— рассказывала она.— Ростом с Эйфелеву башню, с широченными плечами, могучей грудью, а талия такая тонкая, чуть не пальцами можно обхватить, живот плоский, совсем плоский, как ладонь, и мускулы, как у боксера. У него были золотые волнистые волосы и кожа цвета меда. И писал он недурно — мазок смелый, размашистый, и очень богатая палитра.

Она захотела иметь от него ребенка. Он был против, но она сказала, что всю ответственность берет на себя. «А когда ребеночек родился, сам не мог налюбоваться. Такая прелестная была крошка — волосики светлые, глаза голубые, вся в папу».

Сюзанна прожила с ним три года.

— Он был глуповат, с ним бывало скучно, но очень был милый и уж до того красив, за это что угодно можно простить.

А потом он получил из Швеции телеграмму — отец при смерти, выезжай немедленно. Он обещал вернуться, но у нее сердце чуяло, что нет, не вернется. Он оставил ей все деньги, какие при нем были. Месяц от него не было известий, потом пришло письмо: он писал, что отец умер, дела его оказались порядком расстроены, и он считает своим долгом остаться с матерью и пойти по стопам отца — торговать лесом. Не в ее характере было предаваться отчаянию. Решив, что ребенок свяжет ей руки, она без промедления увезла дочку и десять тысяч франков к матери и препоручила то и другое ее заботам.

— У меня сердце разрывалось от горя. Я обожала девочку, но, что поделаешь, приходится быть практичной.

— И что же было дальше?

— Да ничего, обошлось. Нашла себе друга.

Но потом она заболела брюшным тифом. Она всегда говорила о нем «мой брюшной тиф», как миллионер говорит «мой дом в Палм-Бич» или «мои охотничьи угодья». Она чуть не умерла, три месяца пролежала в больнице. Выписалась — кожа да кости, слабая, как мышь, а уж нервная — только и могла, что плакать с утра до ночи. И никому она в то время не была нужна, позировать у нее не хватало сил, а денег осталось всего ничего.

— О-ля-ля,— сокрушенно вспоминала она,— тяжелые настали времена, что и говорить. Хорошо — хоть друзья были. Но вы знаете, что такое художники, они и сами-то еле сводят концы с концами. Красавицей я никогда не была, что-то, конечно, во мне было, но это раньше, а тут и годы начали сказываться. И вот однажды, совершенно случайно, я встретила своего кубиста. Мы сколько лет не видались, он за это время успел жениться и развестись, покончил с кубизмом и заделался сюрреалистом. Он сказал, что я могу ему быть полезна и вообще одному жить плохо, предложил мне кров и еду, и, будьте уверены, я не заставила себя просить.

Сюзанна жила с ним, пока не встретила своего фабриканта. Фабриканта привел в студию один их приятель в надежде, что тот пожелает купить какую-нибудь картину бывшего кубиста, и Сюзанна, загоревшись этой мыслью, постаралась принять его как можно любезнее. В тот день он ничего не купил, но попросил разрешения еще раз зайти посмотреть картины. Зашел он через две недели, и на этот раз у нее создалось впечатление, что его интересуют не столько картины, сколько она сама. На прощание, так ничего и не купив, он с излишней сердечностью пожал ей руку. На другой день тот приятель, что его привел, подстерег Сюзанну, когда она шла на рынок за провизией, и сообщил ей, что фабрикант ею пленился и просил узнать, не пообедает ли она с ним в следующий раз, когда он будет в Париже,— он хочет ей кое-что предложить.

— Что он во мне нашел, вы не знаете?

— Он увлекается современным искусством. Он видел ваши портреты. Вы его заинтриговали. Он провинциал и делец. Для него вы олицетворяете Париж — искусство, романтику, все, чего ему не хватает в Лилле.

— А он богатый?— осведомилась она с присущей ей деловитостью.

— И даже очень.

— Ладно, пообедаю с ним. Послушаю, что он скажет, от этого вреда не будет.

Он повез ее к Максиму, это ей польстило; одета она была очень строго и, глядя на окружающих женщин, чувствовала, что вполне может сойти за респектабельную замужнюю даму. Он заказал бутылку шампанского, чем убедил ее, что понимает светское обхождение. Когда подали кофе, он изложил ей свой план, на ее взгляд очень похвальный. Он рассказал ей, что раз в две недели приезжает в Париж на заседание правления и по вечерам ему скучно обедать одному или, если захочется женского общества, ходить в публичный дом. Он женат, у него двое детей, и для человека с его положением это как-то неудобно. Их общий знакомый все ему про нее рассказал, он знает, что она женщина тактичная. Он уже не молод и не хочет связываться с какой-нибудь легкомысленной девчонкой. Он понемножку коллекционирует картины современной школы, и ее причастность к искусству для него не безразлична. Затем он перешел к делу. Он готов снять и обставить для нее квартиру и обеспечить ее ежемесячным доходом в две тысячи франков. Взамен за это он хотел бы раз в две недели одну ночь наслаждаться ее обществом. Сюзанна еще никогда не имела в своем распоряжении столько денег и быстро прикинула, что на такую сумму сможет не только жить и одеваться согласно требованиям своего нового положения, но и содержать дочку и кое-что отложить на черный день. Однако она ответила не сразу. Она ведь всегда состояла «при живописи», как она выражалась, и была твердо убеждена, что, становясь любовницей дельца, она себя роняет.

— C'est a prendre ou a laisser,— сказал он.— Ваше дело — принять или отказаться.

Он не вызывал у нее отвращения, а ленточка ордена Почетного легиона доказывала, что он человек заслуженный. Она улыбнулась.

— Je prends,— ответила она.— Принимаю.

VIII

До этого Сюзанна всегда жила на Монмартре, но теперь, решив, что с прошлым нужно порвать, выбрала себе квартиру на Монпарнасе, у самого бульвара. Квартира эта, состоявшая из двух комнат, крошечной кухоньки и ванной, помещалась на шестом этаже, но в доме был лифт. А ванная и лифт — пусть даже он вмещал всего двух человек и двигался со скоростью улитки, а спускаться надо было пешком — свидетельствовали, на ее взгляд, не только о роскоши, но и о хорошем тоне.

В первые месяцы их союза мсье Ашиль Гавен, так его звали, наезжая раз в две недели в Париж, останавливался в отеле и, проведя с Сюзанной столько часов, сколько требовалось для утоления его любовных томлений, возвращался к себе в номер и спал там в одиночестве, пока не наступало время вставать, чтобы поспеть на поезд, увозивший его к повседневным трудам и тихим радостям семейной жизни; но затем Сюзанна высказалась в том смысле, что он зря тратит деньги и что для него было бы экономнее, да и удобнее, оставаться у нее до утра. Он не мог не согласиться с ее доводами. Заботливость Сюзанны его тронула — ведь и в самом деле, ничего приятного не было в том, чтобы в холодную зимнюю ночь выходить на улицу и искать такси,— и он мысленно похвалил ее за нежелание вводить его в лишние расходы. Женщина, которая ведет счет не только своим деньгам, но и деньгам своего любовника,— хорошая женщина.

Мсье Ашиль имел все основания считать, что рассудил здраво. Обедали они обычно в каком-нибудь из дорогих монпарнасских ресторанов, но время от времени Сюзанна угощала его обедом дома, и ее стряпня неизменно приходилась ему по вкусу. В теплые вечера он обедал без пиджака в сладостном убеждении, что распутничает и приобщается к богеме. Он уже давно полюбил покупать картины, но Сюзанна настояла на том, что сама будет санкционировать каждую его покупку, и он скоро привык полагаться на ее суждение. С комиссионерами она не связывалась, а водила его прямо в студии художников, и, таким образом, картины обходились ему вдвое дешевле. Он знал, что она откладывает деньги, и, когда она ему сказала, что каждый год прикупает немножко земли в своей родной деревне, преисполнился гордости. Всем истинным французам, считал он, свойственно желание владеть землей, и оттого, что и ей оно оказалось не чуждо, он стал еще больше уважать ее.

Сюзанна со своей стороны тоже была довольна. Она и не изменяла ему, и не была верна; иными словами, она воздерживалась от долговременных связей с другими мужчинами, но, если кто приглянется, не отказывала себе в удовольствии. Однако никому не разрешалось оставаться у нее до утра. Это, по ее мнению, было бы черной неблагодарностью по отношению к богатому и почтенному человеку, которому она была обязана своим положением обеспеченной порядочной женщины.

Я познакомился с Сюзанной, когда она жила с одним художником, моим знакомым, и не раз сидел у него в студии, пока она позировала; и позже я изредка с нею встречался, но подружились мы, только когда она переехала на Монпарнас. А тогда выяснилось, что мсье Ашиль — так она всегда его называла и за глаза, и в глаза — читал в переводе кое-какие мои книги, и однажды вечером он пригласил меня отобедать с ними в ресторане. Мсье Ашиль оказался человечком небольшого роста, на голову ниже Сюзанны, с темной седеющей шевелюрой и аккуратными седыми усиками. Был он полноват и успел отрастить брюшко, но это только придавало ему солидности. Подобно многим низеньким толстякам он на ходу высоко поднимал голову, и было очевидно, что он вполне собою доволен. Он угостил меня прекрасным обедом. Был отменно любезен. Сказал мне, как он рад, что я старый друг Сюзанны,— сразу видно, что я человек comme il faut, и он надеется, что мы будем видеться и впредь. Его самого, увы, дела держат в Лилле, бедная девочка слишком много бывает одна, ему будет приятна мысль, что она общается с образованным

«Острие бритвы»

человеком. Сам он промышленник, но всегда восхищался людьми искусства.

— Ah, mon cher monsieur, искусство и литература всегда составляли славу Франции. Так же, конечно, как и ее военная доблесть. И я, владелец фабрики шерстяных изделий, говорю без обиняков, что ставлю писателя и художника на одну доску с полководцем и государственным мужем.

Трудно вообразить чувства более благородные.

Сюзанна наотрез отказалась заводить прислугу — частью из соображений экономии, частью же потому, что по известным причинам не желала, чтобы кто-то совал нос в ее дела. Свою квартирку, обставленную в современном духе, она держала в чистоте и порядке, сама шила себе белье. Но все равно, поскольку она больше не позировала, у нее оставалось много свободного времени, и она, как женщина работящая, тяготилась этим. В какую-то минуту ее осенила мысль, почему бы ей, общавшейся со столькими художниками, и самой не попробовать свои силы в живописи? Не долго думая, она накупила холстов, кистей и красок и взялась за дело. Случалось, что, сговорившись вместе пообедать, я заходил за ней раньше условленного времени и заставал ее в длинной блузе, погруженной в работу. Как зародыш в чреве матери повторяет все стадии развития своего вида, так Сюзанна повторяла одно за другим пристрастия своих любовников. Она писала пейзажи, как ее пейзажист, абстрактные полотна, как ее кубист, и с помощью цветных открыток парусные лодки на причале, как ее швед. Рисунком она не владела, но цвет, несомненно, чувствовала, и, хоть картины у нее получались неважные, писать их доставляло ей огромное удовольствие.

Мсье Ашиль поощрял ее занятия живописью. Близость с художницей льстила его самолюбию. По его настоянию она послала один холст на осенний салон, и оба очень гордились тем, что картина была принята и выставлена. Он преподал ей хороший совет.

— Не старайся писать как мужчина, моя дорогая,— сказал он,— пиши как женщина. Не стремись к силе, довольствуйся обаянием. И будь честной. В деловой жизни мошенничество иногда сходит с рук, но в искусстве честность не только лучшая, но единственно возможная политика.

В то время, о котором я пишу, их связь длилась уже пять лет, к обоюдному удовлетворению.

— Он, конечно, меня не волнует,— говорила Сюзанна,— но он неглуп, он человек с весом. Я достигла того возраста, когда приходится думать о своем положении.

Она умела сочувствовать, умела понимать, и мсье Ашиль высоко ценил ее мнение. Она была вся внимание, когда он обсуждал с ней свои дела, финансовые и семейные. Она соболезновала ему, когда его дочь провалилась на экзамене, и радовалась вместе с ним, когда его сын обручился с богатой девушкой. Сам он женился на единственной дочери человека, подвизавшегося в той же отрасли промышленности, и слияние двух конкурирующих фирм оказалось прибыльным для обеих сторон. Его, естественно, радовало, что у его сына хватило ума понять простую истину: лучшая основа для счастливого брака — это общность деловых интересов. Он поделился с Сюзанной своей заветной мечтой выдать дочь замуж за аристократа.

— А почему бы и нет, с ее-то приданым?— сказала Сюзанна.

Свою дочь она, благодаря мсье Ашилю, смогла отдать в монастырскую школу, а после школы он обещал за свой счет послать девушку на курсы машинописи и стенографии, чтобы ей было чем заработать себе на жизнь.

— Она, когда вырастет, будет красавицей,— сказала мне Сюзанна.— Но образование и умение стучать на машинке ей не помешают. Сейчас она еще мала, трудно сказать, но у нее может не оказаться темперамента.

Со свойственной ей деликатностью она предоставила мне самому понять, что крылось за этими словами. Я понял ее как нельзя лучше.

IX

Дней через десять после того, как я столь неожиданно встретил Ларри, мы с Сюзанной как-то вечером, пообедав в ресторане и сходив в кино, сидели в кафе «Селект» на бульваре Монпарнас и тянули пиво, как вдруг он сам появился в дверях. Сюзанна ахнула и, к моему удивлению, громко его окликнула. Он подошел к нашему столику, расцеловался с ней и пожал мне руку. На ее лице было написано крайнее изумление.

— Можно к вам подсесть?— спросил он.— Я сегодня не обедал, вот решил закусить.

— До чего же я рада тебя видеть, mon petit!— воскликнула она.— Откуда ты взялся? Почему столько времени не подавал признаков жизни? Господи, какой ты худой! Я уж думала — может, ты умер.

— Как видишь, нет,— отвечал он с веселым блеском в глазах.— Ну, как Одетта?

Одеттой звали дочку Сюзанны.

— Растет, совсем большая стала. И хорошенькая. Она тебя помнит.

— Вы и не говорили мне, что знаете Ларри,— сказал я.

— А зачем? Я же не знала, что вы его знаете. Мы с ним старые друзья.

Ларри заказал яичницу с ветчиной. Сюзанна стала рассказывать ему о дочери, потом о себе. Он слушал ее, не прерывая, улыбаясь своей чудесной улыбкой. Она рассказала ему, что угомонилась и занимается живописью, и тут призвала меня в свидетели.

— Правда ведь, я делаю успехи? На гениальность я не претендую, но таланта у меня не меньше, чем у многих моих знакомых художников.

— И продаешь картины?— спросил Ларри.

— Мне это не нужно,— отвечала она беспечно.— У меня есть постоянный доход.

— Счастливица.

— Скажи лучше — умница. Обязательно приходи посмотреть мои картины.

Она написала ему свой адрес на клочке бумаги и взяла с него обещание прийти. Веселая, возбужденная, она болтала без умолку. И вдруг Ларри попросил счет.

— Ты что, уходишь?— вскричала она.

— Ухожу,— улыбнулся он.

Он расплатился, помахал нам рукой и ушел. Я невольно рассмеялся. Меня всегда забавляла эта его манера — сейчас он здесь, с тобой, а через минуту, без всяких объяснений, уже исчез, точно растворился в воздухе.

— Почему он так быстро ушел?— обиженно спросила Сюзанна.

— Может быть, его ждет какая-нибудь девушка,— поддразнил я ее.

— А что, очень просто.— Она открыла сумочку и напудрилась.— Жаль мне ту женщину, которая в него влюбится. О-ля-ля.

— Почему вы так говорите?

Минуту она смотрела на меня с таким серьезным выражением, какое я редко у нее видел.

— Я сама когда-то чуть в него не влюбилась. Это все равно, что влюбиться в отражение в воде, или в солнечный луч, или в облако. Еще бы немножко... До сих пор как вспомню, так вся дрожу, вот какая мне грозила опасность.

К черту деликатность. Не полюбопытствовать, в чем тут дело, было бы выше человеческих сил. К счастью, ни в скрытности, ни в молчаливости Сюзанну не обвинишь.

— Как вы вообще с ним познакомились?— спросил я.

— О, это было давно. Шесть-семь лет назад, не помню точно, Одетте было лет пять. Он был знаком с Марселем, с которым я тогда жила, приходил иногда в студию и сидел, пока я позировала. Изредка приглашал нас обедать. И никогда-то, бывало, не знаешь, когда он появится. То пропадет на месяц, а то приходит три дня подряд. Марсель все звал его заходить почаще, уверял, что при нем лучше пишется. А потом меня свалил мой брюшной тиф. Очень мне туго пришлось после больницы.— Она пожала плечами.— Да это я вам уже рассказывала. Так вот однажды, когда я обошла несколько студий в поисках работы и никому не понадобилась и с утра ничего не ела, только выпила стакан молока с рогаликом, и за комнату платить было нечем, я случайно встретила его на бульваре Клиши. Он остановился, спросил, как дела, и я ему рассказала про свой брюшной тиф, а он и говорит: «Выглядишь ты неважно, подкормиться надо». И было что-то такое в его голосе и в глазах, что я не выдержала — разрыдалась.

Случилось это рядом с «Ля мер Марьетт», он взял меня за локоть, провел к столику и усадил. Я была так голодна, что, кажется, съела бы старый башмак; а когда принесли омлет, чувствую — кусок в горло не лезет. Он заставил меня немножко поесть и выпить стакан вина. Мне стало лучше, потом я и спаржи поела. Я ему все про себя рассказала. Позировать нет сил, на вид страшилище, кожа да кости, ни один мужчина на меня не польстится. Я спросила его, не даст ли он мне взаймы денег, уехать к себе в деревню. Там я хоть буду вместе с дочкой. Он спросил, хочется ли мне туда ехать, я говорю, что, конечно, нет. Маме я не нужна, она и сама-то еле-еле перебивается на свою пенсию, при том как все вздорожало, а те деньги, что я присылала для Одетты, давно кончились. Но если я к ней явлюсь, она скорей всего меня не выгонит, увидит, что я совсем больная. Он долго на меня смотрел, я уж думала — сейчас скажет, что выручить меня деньгами не может, а он сказал:

«Хочешь, отвезу тебя в одно местечко в деревне, и тебя и малышку? Мне и самому не мешает отдохнуть».

Я не поверила своим ушам. Сколько времени его знала, и никогда он ко мне не подъезжал.

«Ты кому это говоришь?— говорю и даже засмеялась.— Мой бедный друг, я сейчас мужчинам без надобности». А он улыбнулся. Вы замечали, какая у него удивительная улыбка? Сладкая, как мед.

«Не говори глупостей, у меня этого и в мыслях нет».

Я так плакала, что слова сказать не могла. Он дал мне денег съездить за дочкой, а потом мы втроем уехали в деревню. И в какое же место замечательное он нас привез!

Сюзанна описала мне это место. В трех милях от городка, забыл какого; они на машине приехали прямо в гостиницу. Гостиница была старенькая, стояла на реке, и лужайка тянулась от дома до самого берега. На лужайке росли платаны, они там в тени и завтракали, и обедали. Летом туда приезжает много художников писать этюды, но это позже, а тогда они были единственными постояльцами. Кормили их на убой. По воскресеньям туда съезжались люди из разных мест позавтракать на воздухе, а в будни редко кто нарушал их уединение. Отдых, сытная еда и вино сделали свое дело — Сюзанна стала поправляться и не могла нарадоваться, что дочка при ней.

— А с Одеттой уж так был мил, она его обожала. Мне приходилось ее удерживать, чтобы не лезла к нему все время, но ему она как будто и не мешала. Я смеялась, на них глядя,— точно двое ребят.

— Чем же вы заполняли время?— спросил я.

— О, всегда находилось что поделать. Брали лодку, ездили ловить рыбу, а то попросим у хозяина его «ситроен» и катим в город. Ларри там нравилось. Старые дома, площадь. Тишина такая, только и слышишь, что свои шаги по булыжнику. Там была ратуша времен Людовика Четырнадцатого и старинная церковь, а на краю города — замок с парком Ленотра. Когда сидишь в кафе на площади, кажется, что шагнула на триста лет назад, а «ситроен» у обочины как будто явился из другого мира.

После одной из таких вылазок Ларри и рассказал ей ту историю про молодого авиатора, которую я привел в начале этой книги.

— Интересно, почему он рассказал это вам,— заметил я.

— Понятия не имею. У них там во время войны был госпиталь, а на кладбище ряды и ряды маленьких крестов. Мы там побывали. Пробыли недолго — мне жутко стало, сколько их там, и все молодые. На обратном пути Ларри почти все время молчал. У него и всегда-то был плохой аппетит, а тут за обедом почти ничего не съел. Я так хорошо все это помню — вечер был чудесный, на небе звезды, мы сидели на берегу, и тополя выделялись на фоне черноты, а он курил свою трубку. И вдруг ни с того ни с сего рассказал мне про своего друга, как тот умер, а его спас.— Сюзанна глотнула пива.— Странный он человек. Я его никогда не пойму. Он читал мне вслух. Иногда днем, когда я шила что-нибудь малышке, а то по вечерам, когда уложу ее спать.

— Что же он вам читал?

— Да разное. Письма мадам де Севинье, кое-что из Сен-Симона. Вы это можете вообразить? Я-то раньше никогда ничего не читала, только газеты да изредка какой-нибудь роман, если услышу, как его обсуждают в студии и не хочу прослыть дурой. Я понятия не имела, что читать так интересно. Эти старые писатели не так глупы, как может показаться.

— Кому это может показаться?— усмехнулся я.

— А потом он и меня заставил читать. Мы вместе читали «Федру» и «Беренику». Он читал мужские роли, а я женские. Вы себе представить не можете, как это было здорово,— добавила она простодушно.— Он на меня так странно поглядывал, когда я плакала в трогательных местах. Плакала-то я, конечно, потому, что очень была слабая. Вы знаете, эти книжки я до сих пор храню. Даже сейчас, как начну читать некоторые из писем мадам де Севинье, которые он мне читал, так и слышу его голос и вижу, как река течет медленно-медленно, и тополя на том берегу. Иногда так сердце сожмется, что не могу дальше читать... Теперь-то я знаю, это были самые счастливые недели в моей жизни. Этот человек — сущий ангел.

Сюзанна расчувствовалась и тут же испугалась (напрасно), как бы я не стал над ней смеяться. Она пожала плечами и улыбнулась.

— Вы знаете, я уже давно решила, что, как достигну того возраста, когда ни один мужчина не захочет больше со мной спать, так вернусь в лоно церкви и покаюсь в грехах. Но в тех грехах, что я совершила с Ларри, ничто не заставит меня покаяться. Никогда, никогда!

— Но послушать вас, так вам и каяться не в чем.

— А я вам еще не все рассказала. Понимаете, организм у меня крепкий, а тут я все время была на воздухе, ела досыта, хорошо спала и забот не знала, так что недели через три уже была совершенно здорова. И выглядела хорошо — румянец вернулся, волосы опять стали блестеть. Я чувствовала себя на двадцать лет. Ларри каждое утро купался в реке, а я на него смотрела. У него прекрасное тело, не такое атлетическое, как было у моего шведа, но сильное и стройности необыкновенной.

Пока я была такая слабая, он проявлял ангельское терпение, но когда я поправилась, то подумала — к чему его дольше манежить? Раза два намекнула, что я, мол, к его услугам, да он как будто не понял. Конечно, вы, англосаксы, особенные люди — грубые и в то же время сентиментальные, любовники из вас никуда, уж это точно. Ну, я и подумала: «Может, он это из деликатности. Он столько для меня сделал и девочку позволил с собой взять; может, он теперь не решается просить того, на что имеет полное право». И как-то вечером, когда мы прощались на ночь, я ему и говорю: «Хочешь, я к тебе сегодня приду?».

Я рассмеялся.

— Тут уж вы обошлись без намеков.

— К себе-то я не могла его позвать, там Одетта спала,— ответила она наивно.— Он поглядел на меня своими этими добрыми глазами, а потом улыбнулся и говорит: «Ты сама-то хочешь прийти?».

«А ты как думаешь, брезгаю?»

«Ну так приходи».

Я зашла к себе, разделась и прокралась по коридору в его комнату. Он лежал в постели, читал и курил. Когда я вошла, отложил трубку и книгу и подвинулся, чтобы дать мне место.

Сюзанна умолкла, и мне не хотелось торопить ее вопросами. Но скоро она заговорила снова.

— Странный он был любовник. Очень ласковый, даже нежный, настоящий мужчина, но не страстный, если вы можете это понять, и без тени порочности. Точно школьник. Это было немножко смешно и немножко трогательно. Уходила я с таким чувством, словно не он должен быть мне благодарен, а я ему. А закрывая дверь, я увидела, что он уже взял свою книгу и опять читает.

Я рассмеялся.

— Очень рада, что сумела вас развеселить,— сказала она мрачно. Но она не была лишена чувства юмора и сама поперхнулась смешком.— Я очень скоро убедилась, что если буду ждать приглашений, то прожду до скончания века, и потом уже, когда захочется, просто шла к нему и ложилась в постель. Он всегда принимал меня по-хорошему. В общем, он был наделен нормальными человеческими инстинктами, но напоминал человека, который так занят, что забывает поесть, но, если поставить перед ним вкусную еду, съест с аппетитом. Я всегда знаю, когда мужчина в меня влюблен, и дура бы я была, если б воображала, что Ларри меня любит, но думала — он ко мне привык. В жизни приходится быть практичной, и я уже прикидывала, как было бы хорошо, если бы в Париже он взял меня к себе жить. Наверно, он и девочку мне оставит, а этого мне ужасно хотелось. Чутье мне подсказывало, что влюбиться в него было бы неразумно, вы ведь знаете, какие мы, женщины, несчастные, так часто бывает, что стоит полюбить — и сама уже не вызываешь любви, и я решила быть настороже.

Сюзанна затянулась сигаретой и выпустила дым через ноздри. Было уже поздно, почти все столики опустели, но у стойки еще кое-кто толкался.

— Однажды утром, когда я сидела на берегу с шитьем, а Одетта играла в кубики, которые он ей купил, он вышел из дому и подошел к нам.

«Хочу с тобой проститься»,— сказал он.

«А ты что, уезжаешь?»

«Да».

«Как, совсем?»

«Ты теперь совершенно здорова. Вот тебе деньги — дожить лето и на первое время, когда вернешься в Париж».

Я так расстроилась, что и не знала, что сказать. Он стоял передо мной и улыбался невинно, как он умеет.

«Я тебе чем-нибудь не угодила?»

«Что ты, и не думай этого. Просто мне надо работать. Мы с тобой чудесно здесь пожили. Одетта, беги сюда, простись с дядей».

Она была маленькая, ничего не понимала. Он подхватил ее на руки и расцеловал. Потом и меня поцеловал и пошел назад в гостиницу; а через минуту слышу — машина отъехала. Я поглядела на деньги, которые держала в руке,— двенадцать тысяч франков. Все случилось так быстро, что я ничего не успела ему сказать.

«Zut alors»*,— подумала я. Счастье еще, что я не разрешила себе в него влюбиться. Но понять я, хоть убей, ничего не могла.

Мне опять стало смешно.

— Знаете ли,— сказал я,— одно время меня считали неплохим юмористом, а все потому, что я говорил людям правду. Это казалось им так удивительно, что они думали — я шучу.

— Не вижу, при чем это.

— А при том, что Ларри, по-моему, единственный абсолютно бескорыстный человек, какого я знаю. Поэтому его поступки кажутся странными. Мы не привыкли к людям, которые что-то делают просто из любви к Богу, в которого не верят.

Сюзанна в изумлении уставилась на меня.

— Мой бедный друг, не иначе как вы выпили лишнего.

Глава пятая

I

Я не спешил заканчивать работу и уезжать из Парижа. Очень уж хорош он был весной, когда на Елисейских полях цвели каштаны и такой веселый свет озарял улицы. В воздухе была разлита радость, легкая, быстротечная радость, от которой походка становилась пружинистей, а мысли бежали быстрее. Я отлично себя чувствовал в обществе моих разнообразных друзей и, отдаваясь приятным воспоминаниям о прошлом, хотя бы мысленно воскрешал в себе горячность молодости. Не мог же я допустить, чтобы работа помешала этому наслаждению минутой, какого мне, возможно, уже никогда не испытать в такой полной мере.

С Грэем, Изабеллой и Ларри мы совершали экскурсии в разные интересные места, расположенные неподалеку. Побывали

* Ну и плевать (фр.).

в Шантильи и Версале, в Сен-Жермене и Фонтенбло. Непременной частью всякой поездки был вкусный и обильный завтрак. Грэй съедал очень много, как того требовало его огромное тело, и, случалось, выпивал лишнего. Может быть, ему помогло лечение Ларри, а может быть, просто время брало свое, но он безусловно шел на поправку. Мучительные головные боли прекратились, и в глазах уже не было той грустной растерянности, что так не понравилась мне, когда я в первый раз увидел его в Париже. Говорил он мало, разве что начнет длинно и скучно о чем-нибудь рассказывать, но, когда мы с Изабеллой болтали всякий вздор, часто разражался громким одобрительным хохотом. Казалось, он всем доволен. Человек он был неинтересный, но до того незлобивый и нетребовательный, что невольно вызывал симпатию. Провести вдвоем с таким человеком вечер едва ли заманчиво, но перспектива прожить с ним бок о бок полгода не пугает.

Радовала глаз его любовь к Изабелле. Он поклонялся ее красоте, считал ее самой блестящей, самой восхитительной женщиной в мире; и трогательна была его преданность, прямо-таки собачья преданность Ларри. А Ларри тоже, видимо, был вполне доволен жизнью. У меня создалось впечатление, что эту весну он воспринимает как передышку в своих напряженных, неведомых нам исканиях и спокойно дает себе отдохнуть. Он тоже был не особенно говорлив, но это не имело значения, самое его присутствие стоило любого разговора. Он держался так просто, так приветливо и весело, что большего от него и не требовалось, и я уже тогда понимал, что именно благодаря ему нам всем так хорошо вместе. Он не острил, не старался блеснуть, но без него нам было бы скучно.

На обратном пути из одной нашей поездки я стал свидетелем сцены, глубоко меня поразившей. Мы побывали в Шартре и возвращались в Париж. Грэй вел машину, Ларри сидел рядом с ним, а Изабелла и я — сзади. Все мы устали от долгого дня. Ларри вытянул руку вдоль спинки переднего сиденья. От этого движения рукав его рубашки задрался, обнажив узкое запястье и часть загорелой руки, поросшей тонкими светлыми волосками, которые золотило вечернее солнце. Меня поразило молчание и неподвижность Изабеллы, и я взглянул на нее. Она сидела окаменев, словно загипнотизированная, и часто дышала. Глаза ее были прикованы к этому жилистому запястью с золотыми волосками и длинным, тонким, но крепким пальцам. Я никогда не видел, чтобы на человеческом лице была написана такая неприкрытая голодная страсть. Это была маска похоти. Я бы ни за что не поверил, что прелестные черты Изабеллы способны выражать столь откровенную чувственность. Красота ее исчезла, лицо было уродливое и страшное. Оно наводило на мысль о животном, о суке в охоте, и мне стало нехорошо. Она не замечала меня, не замечала ничего, кроме этой руки, так непринужденно лежавшей на спинке сиденья и будившей в ней бешеное желание. Потом словно судорога прошла по ее лицу, она передернулась и отодвинулась в угол машины.

— Дайте мне сигарету,— сказала она, и я с трудом узнал ее голос, такой он был грубый и хриплый.

Я дал ей закурить. Она с жадностью затянулась, а потом всю дорогу молчала.

Доехав до дому, Грэй попросил Ларри отвезти меня в гостиницу, а потом поставить машину в гараж. Ларри пересел на его место, я сел рядом. Пересекая тротуар, Изабелла взяла Грэя под руку, прижалась к нему и одарила его взглядом, которого я не видел, но о значении которого мог догадаться. Мне подумалось, что в эту ночь ложе с ним разделит очень страстная женщина, но он никогда не узнает, какими угрызениями совести вызваны ее пылкие ласки.

Июнь подходил к концу, мне пора было домой, на Ривьеру. Знакомые Эллиота, собиравшиеся на лето в Америку, сдали Мэтюринам свою виллу в Динаре, и они должны были уехать туда с детьми, как только кончатся занятия в школе. Ларри оставался в Париже, но он уже присмотрел себе подержанный «ситроен» и обещал в августе приехать к ним на несколько дней погостить. В последний мой вечер в Париже я пригласил их всех пообедать. И в этот-то вечер мы встретили Софи Макдоналд.

II

Изабелла возымела желание поездить по злачным местам и, поскольку я был с ними немного знаком, выбрала меня в гиды. Меня эта идея не вдохновила, потому что в Париже завсегдатаи таких мест не скрывают своей враждебности к туристам из другого мира. Но Изабелла не слушала возражений. Я предупредил ее, что это будет очень скучно, и просил одеться попроще. После обеда мы на часок заехали в «Фоли-Бержер», а потом пустились в путь. Сначала я повез их в один погребок около Нотр-Дам, где собираются бандиты со своими партнершами; я был знаком с хозяином, и он освободил нам места за длинным столом, за которым уже сидели какие-то темные личности, но я заказал вина на всю компанию, и мы дружно выпили. Было жарко, дымно и грязно. Потом я повез их в «Сфинкс», где женщины, голые под кричаще нарядными вечерними платьями, не прикрывающими грудь, сидят в ряд друг против друга на двух скамьях, а когда заиграет оркестр, вяло танцуют парами, рыская глазами по лицам мужчин, сидящих за мраморными столиками вдоль стен. Мы заказали теплого шампанского. Некоторые из женщин, проплывая мимо нас, едва заметно подмигивали Изабелле, и мне было любопытно, понимает ли она эти знаки.

Потом мы поехали на улицу Лапп. Это узкая темная улица, где вас сразу охватывает атмосфера дешевого разврата. Мы вошли в первое попавшееся кафе. Обычный молодой человек с бледным испитым лицом колотил по клавишам, второй, старый и усталый, наяривал на скрипке, а третий извлекал нестройные звуки из саксофона. Зал был битком набит, ни одного свободного столика, но хозяин, сразу распознав в нас посетителей с деньгами, без дальних слов согнал с места какую-то парочку, пристроил их за другой столик, уже занятый, и усадил нас. Те двое, которых ради нас потеснили, обиделись и стали отпускать по нашему адресу отнюдь не лестные замечания. Танцы были в разгаре, танцевали матросы в беретах с красными помпонами, мужчины в кепи, с повязанными на шее платками, женщины зрелого возраста и совсем молоденькие, с наштукатуренными лицами, простоволосые, в коротких юбках и ярких блузках. Мужчины кружили в танце пухлых мальчиков с подведенными глазами, тощие, остролицые женщины — толстушек с крашеными волосами, были и смешанные пары. В горле першило от запаха дыма, спиртного и потных тел. Музыка звучала и звучала, и неаппетитная эта толпа, эти застывшие, блестящие от пота лица двигались по комнате с какой-то старательной торжественностью, отвратительной и страшной. Мужчины почти все были тщедушные, худосочные, лишь кое-где мелькали зверского вида верзилы. Я пригляделся к музыкантам. Играли они так, словно были не люди, а заводные механизмы, и я подумал, неужели было время, когда они, только вступая в жизнь, мечтали стать великими исполнителями, на чьи концерты публика будет съезжаться со всех концов света? Ведь, чтобы стать даже скверным скрипачом, нужно брать уроки, постоянно упражняться; значит, и этот бедняга много потрудился, а ради чего? Чтобы целыми ночами играть фокстроты в этой вонючей дыре? Музыка смолкла, пианист вытер лоб грязным носовым платком. Танцоры рассыпались, растеклись, расползлись по своим столикам. И вдруг мы услышали американский голос:

— Господи, это надо же!

На другом конце зала поднялась с места женщина. Ее кавалер пытался ее удержать, но она оттолкнула его и нетвердой походкой двинулась через комнату. Она была очень пьяна. Подойдя к нашему столику, она остановилась, слегка покачиваясь, с бессмысленной улыбкой на лице. Как будто смешнее нас она в жизни ничего не видела. Я оглянулся на своих спутников. Изабелла смотрела на нее, не понимая. Грэй угрюмо насупился, а Ларри словно глазам своим не верил.

— Привет,— сказала она.

— Софи,— сказала Изабелла.

— А ты думала кто?— фыркнула она и схватила за рукав пробегавшего мимо официанта.— Венсан, принеси мне стул.

— Сама принесешь,— огрызнулся он, вырываясь.

— Salaund!— крикнула она и плюнула в него.

— T'en fais pas, Sophie! — сказал крупный мужчина с густой сальной шевелюрой, сидевший за соседним столиком.— Вот тебе стул.

— Это надо же, какая встреча,— сказала она, продолжая раскачиваться.— Привет, Грэй. Привет, Ларри.— Она опустилась на стул, который пододвинул ей наш сосед.— Выпьем по этому случаю.

— Patron!— заорала она.

Хозяин уже некоторое время на нас поглядывал и подошел сразу.

— Это твои знакомые, Софи?

— Ta gueule?— Она рассмеялась пьяным смехом.— Друзья детства. Я их угощаю шампанским. И не вздумай поить нас какой-нибудь лошадиной мочой. Давай чего получше, чтобы не вырвало.

— Ты пьяна, моя бедная Софи.

— Поди ты к черту.

Он удалился, радуясь случаю продать бутылку шампанского, до сих пор мы предусмотрительно пили только бренди с содовой. А Софи тупо уставилась на меня.

— Это кто же еще с тобой, Изабелла?

Изабелла назвала меня.

— А-а, помню, вы когда-то приезжали в Чикаго. Тонный дядечка, да?

— Есть грех,— улыбнулся я.

Я ее совершенно не помнил, да оно и не удивительно — в Чикаго я был больше десяти лет назад и столько перевидал людей и тогда, и позже.

Она была высокого роста, а стоя казалась еще выше, потому что была очень худа. На ней была ядовито-зеленая шелковая блузка, мятая и вся в пятнах, и короткая черная юбка. Волосы, коротко подстриженные и завитые, но растрепанные, отливали хной. Она была безобразно накрашена: щеки нарумянены до самых глаз, веки густо-синие; брови и ресницы слиплись от краски, губы алели помадой. А руки с ярко-розовыми ногтями были грязные. Ни одна женщина вокруг не выглядела так непристойно, и я заподозрил, что она не только пьет, но и употребляет наркотики. И все же ей нельзя было отказать в какой-то порочной привлекательности, она то и дело вызывающе вскидывала голову, и грим еще подчеркивал необычный, светло-зеленый цвет ее глаз. Даже отупев от вина, она сохраняла какую-то бесстыдную отвагу, что, вероятно, будило в мужчинах самые низменные инстинкты. Она всех нас оптом наградила издевательской улыбкой.

— Что-то я не замечаю, чтобы вы особенно радовались нашей встрече.

— Я слышала, что ты в Париже,— отозвалась Изабелла с натянутой улыбкой.

— Что ж не позвонила? Мой номер есть в справочнике.

— Мы только недавно приехали.

Грэй поспешил на выручку.

— Ну как, Софи? Хорошо проводишь здесь время?

— Чудесно. А ты, говорят, прогорел?

Он залился багровым румянцем.

— Да.

— Не повезло, значит. В Чикаго сейчас, наверно, жуткая жизнь. Хорошо, я вовремя оттуда убралась. Да что же этот сукин сын не несет выпивку?

— Вон он идет,— сказал я, заметив официанта, пробиравшегося к нам с подносом.

Услышав мой голос, она обратилась ко мне.

— Любящие мужнины родичи, так их растак, вытурили меня из Чикаго. Я, видите ли, мараю их доброе имя.— Она залилась беззвучным смехом.— Теперь я эмигрант на пособии.

Шампанское подали и разлили. Она трясущейся рукой поднесла бокал к губам.

— К черту тонную публику.— Она осушила бокал и взглянула на Ларри.— А ты нынче что-то неразговорчив.

Он все время спокойно ее рассматривал. Не отрывал от нее глаз с той минуты, как она появилась. Теперь он ласково улыбнулся.

— Я вообще не болтливого нрава.

Снова заиграла музыка, и к нашему столику подошел мужчина — среднего роста, хорошо сложенный, с блестящей шапкой спутанных черных волос, крючковатым носом и толстыми чувственными губами — этакий грешный Савонарола. Как и большинство мужчин в кафе, он был без воротничка, в узком пиджаке, стянутом в талии.

— Пошли, Софи. Потанцуем.

— Отстань. Я занята. Не видишь, что ли, я здесь с друзьями.

— J'm en fous de tes amis. Плевать я хотел на твоих друзей. Пошли танцевать.

Он потянул ее за локоть, но она вырвала руку.

— Fous-moi la paix, espece de con!— выкрикнула она в исступлении.

— Merde.

— Mange.

Грэй не понимал, что они говорят, но Изабелла, хорошо разбиравшаяся в непечатном лексиконе, что вообще свойственно добродетельным женщинам, поняла все прекрасно, и на лице ее застыла гадливая гримаса. Мужчина занес руку с раскрытой ладонью, мозолистой ладонью рабочего, и уже готов был залепить Софи пощечину, но тут Грэй приподнялся на стуле.

— Allez vous ong!*— крикнул он со своим ужасающим акцентом. Тот замер и яростно воззрился на Грэя.

— Берегись, Коко,— горько усмехнулась Софи.— Он из тебя котлету сделает.

* Уходите! (*искаж.фр.*).

Мужчина одним взглядом оценил рост и вес Грэя и его огромную силу. Он хмуро пожал плечами, грязно выругался и пошел прочь. Софи захихикала. Остальные молчали. Я подлил ей шампанского.

— Живешь в Париже, Ларри?— спросила она, отставив пустой бокал.

— Пока что да.

Разговаривать с пьяными всегда трудно, особенно трезвым. Мы поболтали еще минут десять, неловко и невесело. Потом Софи отодвинулась от стола вместе со стулом.

— Пойду к своему дружку, не то он опять в бутылку полезет. Ужасный грубиян, но мужик что надо.— Она кое-как встала на ноги.— Пока, друзья. Заходите еще. Я тут каждый вечер бываю.

Она протолкалась между танцующими и скрылась из глаз. Я чуть не рассмеялся, увидев, какое ледяное презрение выражают классические черты Изабеллы. Никто не проронил ни слова. И вдруг Изабеллу прорвало:

— Гнусное место. Пошли отсюда.

Я заплатил за наши напитки и за шампанское, которое заказала Софи, и мы двинулись к выходу. Публика танцевала, никто нас не задирал. Шел третий час, на мой взгляд — самое время ложиться спать, но Грэй заявил, что он голоден, и я предложил поехать на Монмартр к «Графу», где открыто всю ночь. Ехали мы в молчании. Я сидел рядом с Грэем и показывал дорогу. Ночной ресторан сиял огнями. Кое-кто еще сидел на террасе. Мы вошли внутрь и заказали яичницу и пива. Изабелла успела прийти в себя, во всяком случае казалась спокойной. Она чуть насмешливо поздравила меня с тем, как хорошо я знаю парижское дно.

— Сами напросились,— сказал я.

— Мне страшно понравилось. Я замечательно провела вечер.

— Черт,— сказал Грэй.— Мерзость. Да еще Софи.

Изабелла равнодушно пожала плечами.

— Вы совсем ее не помните?— обратилась она ко мне.— Она сидела рядом с вами, когда вы в первый раз у нас обедали. Тогда волосы у нее не были такого ужасающего цвета. От природы она светлая шатенка.

Я стал припоминать тот вечер, и передо мной возникла совсем молоденькая девушка, у нее были зеленовато-голубые глаза, и она очень мило вскидывала головку. Некрасивая, но свеженькая и непосредственная, меня тогда позабавила в ней смесь застенчивости и лукавства.

— Ну конечно, вспомнил. Мне еще понравилось ее имя. У меня одну тетушку звали Софи.

— Она вышла замуж за Боба Макдоналда.

— Славный был малый,— сказал Грэй.

— Он был поразительно красив. Никогда не понимала, что он в ней нашел. Она вышла замуж сразу после меня. Ее родители были в разводе, мать уехала в Китай со вторым мужем, он работал в «Стандард ойл». А она жила в Марвине с родственниками отца. Мы тогда много видались, но после замужества она как-то от нас отдалилась. Боб Макдоналд был юристом, зарабатывал мало, они снимали дешевую квартирку на Северной стороне. Но дело не в этом. Они просто не хотели ни с кем видеться. Обожали друг друга. Даже когда уже были женаты два или три года и ребенок у них родился, ходили в кино и сидели там обнявшись, как влюбленные. В Чикаго про них анекдоты ходили.

Ларри слушал ее молча, лицо его было непроницаемо.

— А потом?— спросил я.

— Как-то вечером они возвращались в Чикаго в своем маленьком открытом автомобиле, и ребенок был с ними. Им всюду приходилось брать его с собой, прислуги-то не было, Софи все делала по дому сама, да и вообще они в нем души не чаяли. И какая-то пьяная компания в огромной машине врезалась в них на скорости восемьдесят миль в час. Боб и ребенок были убиты на месте, а Софи отделалась сотрясением мозга и двумя сломанными ребрами. Смерть Боба и ребенка от нее скрывали, сколько можно было, но в конце концов пришлось сказать. Говорят, это было ужасно. Она чуть не лишилась рассудка. Кричала не переставая. За ней следили день и ночь, один раз ей чуть не удалось выброситься из окна. Мы, конечно, делали все, что могли, но она нас возненавидела. После больницы ее поместили в санаторий на несколько месяцев.

— Бедняжка.

— Когда ее выписали, она запила и, пьяная, путалась с кем попало. Родители Боба совсем с ней измучились. Они очень милые люди, очень тихие, ее поведение их ужасало. Сперва мы все старались ей помочь, но это было безнадежно. Пригласишь ее на обед, а она является пьяная, того и гляди свалится без чувств. Потом она связалась с неприличной компанией, и нам пришлось от нее отступиться. Один раз ее арестовали за то, что нетрезвая вела машину. С ней был какой-то итальянец, которого она подцепила в кабаке, а его, оказывается, искала полиция.

— На какие же средства она жила?— спросил я.

— Получила страховку за Боба, и владельцы той машины, что в них врезалась, были застрахованы, от них ей тоже перепало. Но этого хватило ненадолго. Она швырялась деньгами, как пьяный матрос, и через два года оказалась без гроша. Взять ее домой в Марвин бабушка отказалась. Тогда родители Боба сказали, что положат ей содержание с условием, что она уедет за границу.

— История повторяется с вариантами,— заметил я.— Было время, когда неудавшихся членов семьи отправляли с моей родины в Америку, а теперь их, видимо, отправляют с вашей родины в Европу.

— Все-таки мне ее жалко,— сказал Грэй.

— В самом деле?— сухо отозвалась Изабелла.— Мне — ни капельки. Конечно, это был страшный удар, я от всей души ей сочувствовала. Мы ведь знали друг друга с детства. Но нормальные люди справляются с такими вещами. Раз она пустилась во все тяжкие, значит, у нее в натуре было что-то порочное. Она всегда была неуравновешенная: даже ее любовь к Бобу была какой-то чрезмерной. Если б у нее был твердый характер, она бы так или иначе устроила свою жизнь.

— Если бы да кабы... Не слишком ли вы строги, Изабелла?— проговорил я негромко.

— Вовсе нет. Я смотрю на вещи здраво и не вижу причин проливать слезы над Софи. Видит Бог, я для Грэя и девочек на все готова, и, если бы они погибли в автомобильной катастрофе, я бы волосы на себе рвала от горя, но рано или поздно я бы взяла себя в руки. Разве ты не одобрил бы меня, Грэй? Или ты бы предпочел, чтобы я каждый вечер напивалась и спала с любым парижским апашем?

И тут Грэй произнес самую остроумную тираду, какую я когда-либо от него слышал.

— Разумеется, я бы предпочел, чтобы ты бросилась на мой погребальный костер в новом платье от Молинэ, но, поскольку сейчас это уже не принято, самое лучшее для тебя было бы, вероятно, пристраститься к бриджу. И, пожалуйста, помни, что нужно ходить только с козыря, если тебе не обеспечены три с половиной или четыре верные взятки.

Некстати было бы напоминать Изабелле, что ее любовь к мужу и детям, пусть вполне искреннюю, едва ли можно назвать страстной. Может быть, она прочла мою мысль в то мгновение, как я это подумал, потому что она тут же обратилась ко мне, словно вызывая на спор:

— Ну а вы что скажете?

— Я, как Грэй, мне жаль девочку.

— Какая она девочка, ей тридцать лет.

— Должно быть, для нее со смертью мужа и ребенка наступил конец света. Должно быть, ей было все равно, что с ней станется, и она бросилась вниз головой в позорный, унизительный разврат, чтобы расквитаться с жизнью, которая обошлась с ней так жестоко. До этого она жила в раю, а когда рай кончился, не могла примириться с обыкновенной землей, населенной обыкновенными людьми, и с отчаяния ринулась прямиком в пекло. Я представляю себе, что, когда у нее отняли нектар богов, она решила взамен глушить себя джином.

— Такие вещи пишут в романах. Вздор это, вы сами знаете, что вздор. Софи валяется в грязи, потому что это ей нравится. Не она первая потеряла мужа и ребенка. Не от этого она пошла по рукам. Зло из добра не родится. Оно всегда в ней сидело. До этой катастрофы она держалась в рамках, а тут показала себя во всей красе. И нечего ее жалеть. Она всегда была такая.

За все это время Ларри не проронил ни слова. Он казался невесел, и мне подумалось, что он нас почти не слушает. И вот он заговорил, но странным, тусклым голосом, точно не с нами, а с самим собой, и глаза его словно смотрели в туманную даль прошлого.

— Я ее помню, когда ей было четырнадцать лет, с длинными волосами, зачесанными со лба и перевязанными сзади черным бантом, с серьезным веснушчатым личиком. Она была скромная, благородная, мечтательная девочка. Читала все, что могла достать, и мы с ней говорили о книгах.

— Когда это?— спросила Изабелла, чуть нахмурившись.

— А когда ты со своей мамой ездила по гостям. Она ведь тогда жила у деда, я к ним приходил, и мы сидели под большим вязом возле их дома и читали друг другу вслух. Она увлекалась поэзией и сама писала стихи.

— В этом возрасте все пишут стихи. Очень плохие.

— Что и говорить, давно это было, да и я, вероятно, не мог судить о них правильно.

— Тебе тогда самому-то было лет шестнадцать, не больше.

— Конечно, все это было не свое, она явно подражала Роберту Фросту. Но, по-моему, для ее возраста стихи были замечательные. У нее был тонкий слух и хорошее чувство ритма. Она улавливала звуки и краски деревни, первое мягкое дуновение весны и запах растрескавшейся земли после дождя.

— А я не знала, что она пишет стихи,— сказала Изабелла.

— Она это скрывала, боялась, что все вы будете над ней смеяться. Она была очень застенчивая.

— Это-то у нее прошло.

— Когда я вернулся с войны, она была почти взрослая. Успела много прочесть о положении рабочего класса и сама кое-что повидала в Чикаго. Начиталась Карла Сэндберга и как одержимая писала свободным стихом о страданиях бедняков и эксплуатации народных масс. Наверное, это было банально, но зато искренне, продиктовано состраданием и мечтой о лучшем будущем. В то время она собиралась посвятить себя общественной деятельности, отказаться от личной жизни, очень это было трогательно. Мне кажется, она на многое была способна. Была не глупа, не слезлива. В ней угадывалась на редкость чистая, возвышенная душа. В тот год мы с ней много общались.

Я заметил, что Изабелла слушает его с нарастающим раздражением. Ларри был далек от мысли, что он вонзил ей нож в сердце и каждым новым словом поворачивает его в ране. Но когда она заговорила, на губах ее играла улыбка.

— Интересно, почему она именно тебе открыла свою тайну?

Ларри поднял на нее доверчивый взгляд.

— Не знаю. Она из всех вас была самая бедная, а я был сбоку припека. Я ведь и жил там только потому, что у дяди Боба была практика в Марвине. Может быть, ей казалось, что это нас как-то сближает.

Родных у Ларри не было. У большинства из нас есть хотя бы двоюродные братья или сестры, пусть мы с ними почти не знакомы, но они дают нам почувствовать себя членами человеческой семьи. Отец Ларри был единственным сыном, мать — единственной дочерью; один из его дедов, квакер, еще молодым человеком погиб в море, у другого не было ни братьев, ни сестер. Ларри был в полном смысле слова один на свете.

— А тебе не приходило в голову, что Софи в тебя влюблена?

— Нет.

— Ну и напрасно.

— Когда Ларри вернулся с войны раненым героем, половина всех девушек в Чикаго по нем вздыхала,— грубовато-добродушно вставил Грэй.

— Тут дело было серьезнее. Она на тебя только что не молилась. И ты хочешь меня убедить, что не знал этого?

— Тогда не знал и сейчас не верю.

— Наверно, думал, что она для этого слишком возвышенная?

— Я все вспоминаю худенькую девочку с бантом в волосах и серьезным личиком и как она читала оду Китса и голос у нее дрожал от слез, потому что стихи были такие красивые. Где-то она теперь?

Изабелла чуть заметно вздрогнула и бросила на него пытливый, вопрошающий взгляд.

— Да вы знаете, который час? Я прямо валюсь от усталости. Поехали домой.

III

На следующий вечер я отбыл Голубым экспрессом на Ривьеру, а дня через три наведался в Антиб к Эллиоту рассказать ему парижские новости. Выглядел он плохо. Курс лечения в Монтекатино не оправдал его ожиданий, и последующие разъезды вконец его измотали. Купель он в Венеции нашел, потом махнул во Флоренцию покупать триптих, к которому уже давно приценивался. Чтобы лично присмотреть за тем, как будут размещать эти предметы, он поехал в Понтийские болота и поселился в паршивенькой гостинице, где неимоверно страдал от жары. Его драгоценные покупки задержались в дороге, но он твердо решил не бросать начатое дело и дождался их. Когда все было наконец приведено в порядок, он остался очень доволен эффектом и сделал несколько снимков, которые и показал мне. Церковь, хоть и небольшая, производила величественное впечатление, а интерьер ее лишний раз подтверждал прекрасный вкус Эллиота.

— В Риме я видел саркофаг времен раннего христианства, прекрасной работы, долго думал, не купить ли его, но в конце концов отказался от этой мысли.

— Чего ради вам понадобился саркофаг времен раннего христианства?

— Чтобы лечь в него, милейший. Он был очень красивый и хорошо гармонировал бы с купелью, если бы установить его с другой стороны от входа. Но эти ранние христиане были какие-то недомерки, я бы в нем не поместился. Мне не улыбалось лежать до Страшного суда, подогнув колени к подбородку, как неродившийся младенец. Очень неудобная поза.

Я рассмеялся, но Эллиот продолжал совершенно серьезно:

— Я придумал кое-что получше. Я уже договорился, правда не без труда, но этого следовало ожидать, что меня похоронят под полом, у подножия алтарных ступеней, так что нищие крестьяне Понтийских болот, подходя к святому причастию, будут топать над моим прахом своими грубыми башмаками. Прелестная идея, вы не находите? Просто гладкая каменная плита, и на ней мое имя и даты рождения и смерти. Si monumentum quaeris, circumsprice. Ну, вы знаете, «если ищешь его памятник, оглянись вокруг».

— Да, Эллиот, я знаю латынь настолько, чтобы понять заезженную цитату,— съязвил я.

— Простите меня, милейший. Я так привык к вопиющему невежеству высшего общества, я просто забыл, что говорю с писателем.

Стрела попала в цель.

— Но я вот что еще хотел вам сказать,— добавил он.— В завещании у меня все написано, но вас я прошу проследить, чтобы моя воля была исполнена. Я не хочу быть погребенным на Ривьере среди всяких отставных полковников и французских буржуа.

— Разумеется, Эллиот, я выполню вашу просьбу, но мне кажется, эти разговоры можно отложить еще на много лет.

— Я, знаете ли, не молодею и, сказать вам по чести, чувствую, что пожил достаточно. Как это у Ландора... «Я руки грел...»

Память на стихи у меня плохая, но это коротенькое стихотворение я помнил:

Презрев людей, врагов я не имел,

Любил природу, в песнях славил Бога.

Я у камина жизни руки грел,

Огонь погас — и мне пора в дорогу.

— Вот именно,— сказал он.

Я невольно подумал, что применить эти строки к себе Эллиот мог лишь с большой натяжкой. Однако он тут же сказал:

— Здесь выражено в точности то, что я чувствую. Я мог бы только добавить, что всегда вращался в лучшем европейском обществе.

— Это нелегко было бы втиснуть в катрен.

— Высшее общество умерло. Одно время я надеялся, что Америка займет место Европы и создаст свою аристократию, к которой простонародье проникнется должным уважением, но с кризисом все эти надежды пошли прахом. Моя бедная родина становится безнадежно плебейской страной. Поверите ли, милейший, когда я последний раз был в Америке, один шофер такси назвал меня «братец».

Но, хотя Ривьера, еще не оправившаяся от катастрофы 29-го года, была не та, что прежде, Эллиот продолжал принимать гостей и ездить в гости. Раньше он всегда сторонился евреев, делая исключение только для Ротшильдов, но теперь самые пышные приемы устраивали именно представители избранного племени, а от приглашения на пышный прием Эллиот был не в силах отказаться. Он бродил среди нарядной толпы, милостиво пожимая руки и целуя ручки, но с видом растерянной отрешенности, как монарх в изгнании, несколько смущенный тем, какие люди его окружают. А между тем монархи в изгнании отлично проводили время, и пределом их честолюбивых замыслов было знакомство с какой-нибудь звездой экрана. Это современное отношение к актерам как к людям, с которыми встречаешься в свете, Эллиот тоже не одобрял; но одна ушедшая на покой актриса построила себе в ближайшем с ним соседстве роскошное жилище и держала открытый дом. Под ее кровом неделями жили министры, герцоги, титулованные дамы. Эллиот стал у нее частым гостем.

— Разумеется, это очень пестрое общество,— говорил он.— Но можно общаться и не со всеми, а по своему выбору. К тому же она моя соотечественница, и надо ее выручать. Я не сомневаюсь, что ее постоянным гостям приятно встречаться с человеком, с которым можно говорить на одном языке.

Порой ему так явно нездоровилось, что однажды я выразил сомнение, полезно ли ему так переутомляться.

— Дорогой мой,— возразил он,— в моем возрасте я не могу отдыхать. Я не зря пятьдесят лет вращался в самых высоких кругах и давно убедился, что человека, который не появляется всюду, очень скоро забывают.

Понимал ли он, какое трагическое признание заключено в этих словах? У меня уже не хватало духу смеяться над Эллиотом; теперь он вызывал у меня не смех, а жалость. Он жил исключительно ради общества, званые вечера были его стихией, не получить приглашения было смертельной обидой, побыть одному было унижением, и он, теперь уже старик, пребывал в постоянном страхе.

Так прошло лето. Эллиот только и делал, что сновал взад-вперед по Ривьере: завтракал в Каннах, обедал в Монте-Карло, в промежутках умудрялся поспеть на званый чай или вечеринку с коктейлями и, несмотря на усталость, тщился быть неизменно любезным, разговорчивым, приятным. Он был в курсе всех сплетен, очередной скандал становился известен ему во всех подробностях первому, если не считать лиц, непосредственно в нем замешанных. На человека, который сказал бы ему, что его существование бессмысленно и пусто, он бы воззрился в самом искреннем изумлении. Он был бы не на шутку огорчен таким проявлением плебейства.

IV

Наступила осень, и Эллиот решил съездить в Париж — посмотреть, как там Изабелла, Грэй и дети, и вообще показаться в столице. Оттуда он собирался ненадолго в Лондон, побывать у портного, а заодно навестить кое-кого из старых друзей. Я, со своей стороны, думал проехать прямо в Лондон, но он предложил довезти меня до Парижа в своем автомобиле. Поездка эта приятная, и я согласился, а согласившись, решил и сам провести в Париже несколько дней. Ехали мы не торопясь, останавливались в тех местах, где хорошо кормят. У Эллиота было что-то неладно с почками, и пил он только «Виши», но всякий раз сам выбирал для меня вино и, будучи человеком добрым, неспособным злиться на своего ближнего за то, что тот испытывает удовольствие, которого сам он лишен, искренне радовался, когда я хвалил его выбор. Мало того, он готов был взять на себя все мои дорожные расходы, но тут уж я воспротивился. Он немного надоел мне своими рассказами о великих мира сего, с которыми ему довелось знаться, но в общем поездкой я осталась доволен.

Прелестны были ландшафты на нашем пути, уже тронутые красками ранней осени. Позавтракав в Фонтенбло, мы добрались до Парижа часам к четырем. Эллиот завез меня в мою скромную старомодную гостиницу, а сам свернул за угол, в «Ритц».

Изабелла была предупреждена о нашем приезде, так что я не удивился, что меня ждет записка от нее, а вот содержание записки меня удивило.

«Приходите, как только приедете. Случилось что-то ужасное. Дядю Эллиота не приводите. Ради Бога, приходите как можно скорее».

Я любопытен не меньше всякого другого, но для начала нужно было умыться и сменить рубашку, а потом уж я сел в такси и поехал на улицу Сен-Гийом. Меня провели в гостиную. Изабелла вскочила с места.

— Куда вы запропастились? Я вас уже сколько времени жду.

Было пять часов, и я еще не успел ответить, как явился дворецкий с чаем. Изабелла, стиснув руки, нетерпеливо на него поглядывала. Я был в полном недоумении.

— Я только что приехал. Мы засиделись за завтраком в Фонтенбло.

— Господи, как он копается, с ума можно сойти,— сказала Изабелла.

Дворецкий поставил на столик поднос с чайником, сахарницей и чашками и с убийственной неторопливостью расположил вокруг него тарелки с бутербродами, тартинками и печеньем. Наконец он ушел, притворив за собою дверь.

— Ларри женится на Софи Макдоналд.

— Это кто?

— Что за дурацкий вопрос!— вскричала она, гневно сверкая глазами.— Та пьяная девка, которую мы встретили в том гнусном кафе, куда вы нас затащили. И как вас угораздило повезти нас в такое место? Грэй был возмущен.

— А-а, вы говорите о вашей чикагской приятельнице,— сказал я, пропустив мимо ушей ее незаслуженный упрек.— Как вы про это узнали?

— Как я могла про это узнать? Сам вчера явился сюда и сказал. Я с тех пор места себе не нахожу.

— Может, вы сядете, нальете мне чаю и расскажете все по порядку?

— Пожалуйста, все перед вами.

Она села к столу и с раздражением смотрела, как я наливаю себе чай. Я удобно устроился на диванчике у камина.

— Последнее время мы не так часто его видели, то есть после того, как вернулись из Динара; он приезжал туда на несколько дней, но остановиться у нас не захотел, жил в отеле. Приходил на пляж, играл там с детьми. Дети его обожают. Мы играли в гольф в Сен-Бриаке. Грэй как-то его спросил, видел ли он еще Софи. Он ответил — да, видел ее несколько раз. Я спросила зачем. Он говорит — по старой дружбе. Тогда я сказала: «Я бы на твоем месте не стала тратить на нее время».

А он улыбнулся, вы знаете, как он улыбается, как будто ему кажется, что вы сказали что-то смешное, хотя это вовсе не смешно, и говорит: «Но ты не на моем месте, а на своем».

Я только пожала плечами и заговорила о чем-то другом. И не думала больше об этом. Представляете себе мой ужас, когда он пришел ко мне и сказал, что они решили пожениться.

«Нет,— сказала я.— Нет, Ларри».

«Да,— сказал он, и так спокойно, точно его спросили, поедет ли он на пикник.— И прошу тебя, Изабелла, будь с ней очень ласкова».

«Ну, знаешь, это уж слишком!— сказала я.— Ты рехнулся. Она же скверная, скверная, скверная».

— А почему вы так думаете?— перебил я.

— Пьет без просыпа, путается со всякими подонками.

— Это еще не значит, что она скверная. Сколько угодно весьма почтенных граждан и напиваются регулярно, и развратничают. Это дурные привычки, все равно как кусать ногти, но, на мой взгляд, не хуже. Скверным я называю человека, который лжет, мошенничает, в ком нет доброты.

— Если вы примете ее сторону, я вас убью.

— Как они опять свиделись с Ларри?

— Он нашел ее адрес в телефонном справочнике. Зашел к ней. Она была больна, и немудрено, при таком-то образе жизни. Он привел к ней врача, приспособил кого-то ходить за ней. С этого и пошло. Он говорит, что она бросила пить. Болван несчастный, воображает, что она излечилась.

— А вы забыли, как Ларри помог Грэю? Его-то он излечил, правда?

— Это совсем другое дело. Грэй сам хотел вылечиться. А она не хочет.

— Кто вам сказал?

— Просто я знаю женщин. Когда женщина вот так пустится во все тяжкие — кончено. Обратно дороги для таких нет. Вы что думаете, она останется с Ларри? Как бы не так, рано или поздно вырвется на волю. Это у нее в крови. Ей нужен грубый мужлан. Ее только это и волнует, только за таким она и пойдет. Ларри с нею жизни рад не будет.

— Все это очень вероятно, но я не вижу, что тут можно поделать. Ларри идет на это с открытыми глазами.

— Я ничего не могу поделать, а вот вы можете.

— Я?

— Вы ему нравитесь, он прислушивается к вашим словам. Вы единственный человек, который имеет на него влияние. Вы знаете жизнь. Пойдите к нему и скажите, что нельзя ему совершить такую глупость. Скажите ему, что он себя губит.

— А он мне скажет, что это не мое дело, и будет совершенно прав.

— Но вы ему симпатизируете, по крайней мере интересуетесь им, не можете вы допустить, чтобы он исковеркал свою жизнь.

— Его самый старый и самый близкий друг — это Грэй. Думаю, что и он тут бессилен, но уж если кому говорить с Ларри, так это ему.

— Да ну, Грэй,— отмахнулась она.

— А знаете, это может оказаться не так уж плохо. Я знал несколько случаев — один в Испании, два на Востоке,— когда мужчины женились на проститутках. Из них получились отличные жены; они были благодарны своим мужьям за то, что те дали им прочное положение, и, уж конечно, они знали, чем угодить мужчине.

— Слушать вас тошно. Неужели вы думаете, я для того пожертвовала собой, чтобы Ларри угодил в сети закоренелой нимфоманки?

— Как это вы пожертвовали собой?

— Я отказалась от Ларри исключительно потому, что не хотела ему мешать.

— Бросьте, Изабелла. Вы отказались от Ларри ради крупных брильянтов и собольего манто.

Не успел я это сказать, как в голову мне полетела тарелка с бутербродами. Тарелку я каким-то чудом поймал, но бутерброды разлетелись по полу. Я встал и отнес тарелку обратно на стол.

— Ваш дядя Эллиот не поблагодарил бы вас, если б вы разбили его тарелку из сервиза, который делали по особому заказу для третьего герцога Дорсетского, им цены нет.

— Подберите бутерброды,— цыкнула она.

— Сами подберите,— сказал я, снова усаживаясь на диван.

Она встала и, задыхаясь от бешенства, собрала с пола ломтики хлеба, намазанные маслом.

— А еще называете себя английским джентльменом,— бросила она злобно.

— Вот уж в чем неповинен. Никогда себя так не называл.

— Убирайтесь отсюда ко всем чертям. Видеть вас не могу.

— Это жаль. А мне видеть вас всегда доставляет удовольствие. Вам когда-нибудь говорили, что нос у вас в точности как у Психеи из музея в Неаполе? А ведь это одно из лучших воплощений девственной красоты. У вас чудесные ноги, длинные и стройные, я не перестаю на них дивиться, потому что, когда вы были девочкой, они были толстые и нескладные. Даже не представляю себе, как вы этого достигли.

— Железная воля и милость Божия,— буркнула она.

— Но, конечно, самое обворожительное в вас — это руки. Они такие тонкие и такие изящные.

— А мне казалось, вы считаете их слишком большими.

— По вашему росту и сложению — вовсе нет. Меня всегда поражает, с какой грацией вы ими пользуетесь. Не знаю, врожденное это или приобретенное, но каждый ваш жест исполнен красоты. Иногда ваши руки напоминают цветы, иногда это летящие птицы. Они способны выразить больше, чем любые ваши слова. Они — как руки на портретах Эль Греко. Да что там, когда я смотрю на них, я готов поверить в маловероятную теорию Эллиота, будто среди ваших предков был испанский гранд.

Она подняла на меня сердитый взгляд.

— Это еще что за новости? Первый раз слышу.

Я рассказал ей про графа Лаурия и придворную даму королевы Марии, от чьих потомков по женской линии Эллиот ведет теперь свой род. Пока я говорил, Изабелла не без самодовольства рассматривала свои длинные пальцы с блестящими розовыми ногтями.

— Все от кого-нибудь да произошли,— сказала она. Потом, скривив губы в улыбке, глянула на меня лукаво, но уже без всякой злобы и добавила:— Гнусная вы личность.

Вот как легко образумить женщину, если говорить ей правду.

— Бывают минуты, когда вы мне даже не противны,—
сказала Изабелла.

Она пересела ко мне на диван, продела руку под мой локоть и потянулась поцеловать меня. Я отодвинулся.

— Не желаю, чтобы щеку мне мазали губной помадой,—
сказал я.— Хотите меня поцеловать — целуйте в губы. Ми-
лосердное провидение для этого их и предназначило.

Она усмехнулась, повернула мою голову к себе и запечат-
лела на моих губах тонкий слой помады. Ощущение было
из самых приятных.

— А теперь вы мне, может быть, скажете, что вам от меня
нужно.

— Совет.

— Совет я вам дам охотно, хотя уверен, что вы его не по-
слушаетесь. Единственное, что вы можете сделать,— это
смириться с неизбежным.

Она снова вскипела, отскочила от меня и плюхнулась
в кресло с другой стороны от камина.

— Не буду я сидеть сложа руки и смотреть, как Ларри себя губит. Я на что угодно пойду, а не дам ему жениться
на этой твари.

— Ничего у вас не выйдет. Поймите, он во власти одного
из самых сильных чувств, какие могут владеть человеческим
сердцем.

— Вы хотите сказать, что, по-вашему, он в нее влюблен?

— Это бы еще что.

— Так что же?

— Вы когда-нибудь читали Евангелие?

— Вероятно, читала.

— Помните, как Иисус поведен был в пустыню и постил-
ся там сорок дней и сорок ночей? Потом, когда он взалкал,
к нему приступил дьявол и сказал: «Если ты сын Божий,
то вели этому камню сделаться хлебом». Но Иисус не под-
дался искушению. Тогда дьявол поставил его на крыле храма
и сказал: «Если ты сын Божий, бросься отсюда вниз». Ибо ан-
гелам было заповедано о нем. Но Иисус опять устоял. Тогда
дьявол возвел его на высокую гору, и показал ему все царст-
ва мира, и сказал, что даст их ему, если он, падши, ему покло-
нится, но Иисус сказал: «Отыди, сатана». На этом кончает
свой рассказ добрый простодушный Матфей. Но это не конец.
Дьявол был хитер. Он еще раз подступился к Иисусу и сказал:
«Если ты примешь позор и поругание, удары, терновый венец

и смерть на кресте, ты спасешь род человеческий, ибо нет любви выше, чем у того человека, который жизнь свою отдал за друзей своих». Иисус пал. Дьявол хохотал до колик, ибо он знал, сколько зла сотворят люди во имя своего Спасителя.

Изабелла негодующе воззрилась на меня.

— Откуда вы это взяли?

— Ниоткуда. Только что придумал.

— По-моему, это глупо и кощунственно.

— Я только хотел вам объяснить, что самопожертвование — страсть настолько всепоглощающая, что по сравнению с ней даже голод и вожделение — безделка. Она мчит своего раба к погибели в час наивысшего утверждения его личности. Предмет страсти не имеет значения: может быть, за него стоит погибать, а может быть, нет. Эта страсть пьянит сильнее любого вина, потрясает сильнее любой любви, затягивает сильнее любого порока. Жертвуя собой, человек становится выше Бога, ибо как может Бог, бесконечный и всемогущий, пожертвовать собой? В лучшем случае Он может принести в жертву своего единственного сына.

— О Господи, скука какая,— сказала Изабелла.

Я оставил ее слова без внимания.

— Неужели вы думаете, что Ларри прислушается к голосу осторожности и здравого смысла, когда он одержим такой страстью? Вы не знаете, чего он искал все эти годы. Я тоже не знаю, я только догадываюсь. Все эти годы труда, весь этот накопленный им разнообразный опыт не перетянет чашу весов теперь, когда на другую легло его желание, нет — настоятельная, жгучая потребность спасти душу падшей женщины, которую он знал невинным ребенком. Я думаю, что вы правы, я думаю, что затея его безнадежна; при его исключительно чувствительной натуре ему уготованы все муки ада; дело его жизни, в чем бы оно ни состояло, останется незавершенным. Подлый Парис убил Ахиллеса, послав стрелу ему в пятку. Ларри лишен той беспощадности, без которой даже святой не может заработать свой нимб.

— Я его люблю,— сказала Изабелла.— Видит Бог, я ничего от него не требую. Ничего не жду. Более бескорыстной любви просто не бывает. Он будет так несчастлив.

Она заплакала, и я, думая, что это ей на пользу, не стал ее утешать. Я стал лениво развлекаться той мыслью, что так неожиданно пришла мне в голову. Стал ее развивать. Как не предположить, что дьявол, окинув взором кровопролитные войны, вызванные христианством, гонения и муки, которым христиане подвергали христиан, злобу, лицемерие, нетерпимость, остался доволен итогом. И, вспоминая, что это он взвалил на человечество тяжкое бремя сознания своей греховности, которое замутнило красоту звездной ночи и набросило грозную тень на мимолетные утехи мира, созданного для радости, он наверняка посмеивается, тихонько приговаривая: «Да, со мной шутки плохи».

Изабелла достала из сумки платок и зеркальце и осторожно приложила платок к уголкам глаз.

— Дождешься от вас сочувствия, как же,— проворчала она.

Я не ответил. Она попудрилась и подмазала губы.

— Вы сказали, что догадываетесь, чего он искал все эти годы. Чего же?

— Имейте в виду, это только догадка, очень возможно, что я ошибаюсь. Мне кажется, что он искал такой философии или, может быть, религии, которая удовлетворяла бы и его ум, и сердце.

Изабелла задумалась. Вздохнула.

— До чего же странно, что такое могло прийти в голову юному провинциалу из Марвина, штат Иллинойс!

— Не более странно, чем то, что Лютер Бербанк, родившийся на ферме в Массачусетсе, вывел сливы без косточек или что Генри Форд, родившийся на ферме в Мичигане, изобрел «модель Т».

— Но это практичные вещи. Это вполне в американской традиции.

Я засмеялся.

— Может ли что быть практичнее, чем научиться жить наилучшим для себя образом?

Изабелла устало опустила руки.

— Что я, по-вашему, должна сделать?

— Вы ведь не хотите окончательно потерять Ларри?

Она покачала головой.

— Вы знаете, до чего он принципиален. Если вы откажетесь иметь дело с его женой, он откажется иметь дело с вами. Если в вас есть хоть капля разума, вы подружитесь с Софи. Вы забудете прошлое и будете с ней очень-очень ласковы — вы это умеете, когда захотите. Она выходит замуж, вероятно, ей нужно купить кое-что из одежды. Почему бы вам не предложить поездить с ней по магазинам? Я думаю, она за это ухватится.

Изабелла слушала меня, прищурив глаза. Казалось, она вникает в каждое мое слово. Когда я кончил, она словно что-то взвесила про себя, но угадать ее мысли я не мог. А потом она меня удивила.

— Послушайте, пригласите ее на завтрак. Мне это не совсем удобно после того, что я вчера наговорила Ларри.

— А если я соглашусь, вы обещаете хорошо себя вести?

— Как ангел,— отвечала она с самой обворожительной своей улыбкой.

— Тогда не будем откладывать.

В комнате был телефон. Я быстро узнал номер Софи и после обычных проволочек, к которым люди, пользующиеся французским телефоном, привыкают относиться терпеливо, услышал в трубке ее голос. Я назвал себя.

— Я только что приехал в Париж,— сказал я,— и узнал, что вы с Ларри решили пожениться. Хочу вас поздравить. От души желаю счастья.— Я чуть не вскрикнул, потому что Изабелла, стоявшая рядом, пребольно ущипнула меня за палец.— Я здесь очень ненадолго и хотел пригласить вас и Ларри на послезавтра позавтракать в «Ритц». Будут Грэй с Изабеллой и Эллиот Темплтон.— Я спрошу Ларри, он здесь.— И после паузы:— Да, спасибо, с удовольствием.

Я уточнил час, добавил, чего требовала вежливость, и положил трубку. На лице Изабеллы мелькнуло выражение, немного меня насторожившее.

— О чем вы думаете?— спросил я.— Что-то мне ваше лицо не нравится.

— Жаль, а я думала, как раз мое лицо вам по вкусу.

— Уж вы не замышляете ли какую-нибудь каверзу?

Она очень широко раскрыла глаза.

— Честное слово, нет. Просто мне ужасно интересно посмотреть, как выглядит Софи после того, как Ларри наставил ее на путь истинный. Авось она хоть не явится в «Ритц» со слоем штукатурки на лице.

V

Мой маленький прием сошел недурно. Первыми приехали Грэй с Изабеллой, через пять минут после них — Ларри и Софи Макдоналд. Женщины тепло расцеловались. Грэй поздравил Софи с помолвкой. Я поймал оценивающий взгляд, которым Изабелла окинула Софи с головы до ног. Сам я ужаснулся ее виду. В тот раз в кабаке на улице Лапп, безобразно накрашенная, рыжая и в ярко-зеленой кофте, она выглядела непристойно и была очень пьяна, и все-таки в ней было что-то вызывающее, какая-то низкосортная привлекательность; теперь же она казалась слинявшей и гораздо старше Изабеллы, хотя была года на два моложе. Она все так же вскидывала голову, но теперь, не знаю почему, это производило жалкое впечатление. Она перестала красить волосы, и выглядело это неряшливо, как всегда бывает, когда крашеные волосы начинают отрастать. Лицо у нее без косметики (если не считать алого мазка на губах) было нечистое и болезненно бледное. Я помнил, какими ярко-зелеными казались тогда ее глаза, теперь они как-то выцвели и поблекли. На ней было красное платье, по всему видно — с иголочки новое; туфли, шляпа и сумочка — в тон платью. Я плохо разбираюсь в женских туалетах, но мне показалось, что одета она безвкусно и слишком нарядно для такого случая. На груди у нее сверкала стекляшками искусственного золота брошь, каких много продается на улице Риволи. Рядом с Изабеллой, в черных шелках, с ниткой японского жемчуга на шее, все это выглядело аляповато и дешево.

Я заказал коктейли, но Ларри и Софи предупредили, что пить не будут. Тут появился и Эллиот. Однако его продвижение по огромному вестибюлю совершалось медленно: он то и дело встречал знакомых, одному пожимал руку, другой целовал ручку. Держался он так, словно «Ритц» — его собственный дом и он заверяет гостей, что счастлив, что они смогли принять его приглашение. О Софи ему рассказали только то, что ее муж и ребенок погибли в автомобильной катастрофе и теперь она выходит замуж за Ларри. Добравшись наконец до нас, он поздравил обоих в изысканно учтивых выражениях, на которые был мастер. Мы прошли в ресторан, и, поскольку нас было четверо мужчин и две женщины, я посадил Изабеллу и Софи друг против друга так, чтобы Софи оказалась между мной и Грэем; стол был круглый, небольшой, удобный для общего разговора. Завтрак я заказал заранее, и тут же к нам подошел официант с карточкой вин.

— В винах вы ничего не понимаете, милейший,— сказал мне Эллиот.— Альбер, дайте карту сюда.— Он внимательно просмотрел ее.— Сам я пью только «Виши», но не могу допустить, чтобы мои друзья пили не самые лучшие вина.

С Альбером, официантом по винам, они были старые друзья и после оживленного обсуждения совместно решили, какими винами мне следует угостить моих гостей. Затем Эллиот обратился к Софи:

— Куда вы думаете поехать в свадебное путешествие?

Он бросил взгляд на ее платье, и по тому, как чуть заметно дрогнули его брови, я понял, что мнение у него сложилось неблагоприятное.

— Мы поедем в Грецию.

— Я туда уже десять лет собираюсь,— сказал Ларри,— да все как-то не получалось.

— В это время года там, наверно, изумительно!— воскликнула Изабелла с наигранным восторгом.

Как и она, я сразу вспомнил, что именно в Грецию звал ее Ларри, когда хотел, чтобы она стала его женой. Провести медовый месяц в Греции было у него, по-видимому, навязчивой идеей.

Разговор не очень-то клеился, и мне пришлось бы нелегко, если б не Изабелла. Она вела себя безупречно. Всякий раз, как нам грозила опасность умолкнуть и я мучительно придумывал, о чем бы еще заговорить, она заполняла паузу легкой светской болтовней, и я мысленно благодарил ее. Софи, та вообще только отвечала, когда к ней обращались, да и то как будто с усилием. Куда девалась ее оживленность. Что-то в ней словно умерло, и я подумал, по силам ли ей напряжение, которого требует от нее Ларри. Если я не ошибся и она действительно не только пила, но и употребляла наркотики, то теперь, когда она сразу лишилась того и другого, нервы у нее, должно быть, в плачевном состоянии. Время от времени они переглядывались. В его взгляде я читал нежность и желание подбодрить, в ее глазах — трогательную мольбу. Возможно, что Грэю его доброе сердце подсказало то же, что мне — привычка наблюдать, но только он стал рассказывать ей, как Ларри излечил его от головных болей, сделавших его инвалидом, и как он уверовал в Ларри, и скольким ему обязан.

— Теперь-то я совершенно здоров,— продолжал он.— Как только найду что-нибудь подходящее, приступаю опять к работе. У меня уже несколько зацепок есть, в одном месте вот-вот должно решиться. Ух, и хорошо будет вернуться домой.

Намерения у Грэя были самые добрые, но, пожалуй, ему не хватило такта — ведь тем же методом внушения (так я его для себя определил), который оправдал себя в случае с Грэем, Ларри, вероятно, пользовался, чтобы излечить Софи от тяжелого алкоголизма.

— А мигрени у вас совсем прекратились?— спросил Эллиот.

— Уже три месяца не было, а чуть мне покажется, что начинается, хватаюсь за свой талисман.— Он вытащил из кармана старинную монету, которую дал ему Ларри.— Я с ним не расстаюсь. Я бы его и за миллион долларов не продал.

Завтрак кончился, нам подали кофе. Тот же официант подошел спросить, потребуется ли ликер. Все отказались, только Грэй пожелал выпить рюмку коньяку. Когда бутылка появилась, Эллиот ее проверил.

— Да, это я могу рекомендовать. Это вам не повредит.

— Может быть, и мсье выпьет рюмочку?— спросил официант.

— Увы, запрещено.

Эллиот рассказал ему, что у него плохо с почками, врач категорически потребовал, чтобы он отказался от спиртного.

— Капля зубровки мсье не повредила бы. Для почек, я слышал, она даже полезна. Мы только что получили партию из Польши.

— В самом деле? Она сейчас редко попадается. Ну-ка, покажите мне бутылку.

Пока официант, дородный, представительный мужчина с серебряной цепью на шее, ходил за бутылкой, Эллиот объяснил нам, что это польская разновидность водки, но гораздо более высокого качества.

— Мы, бывало, пили ее у Радзивиллов, когда я гостил у них во время охотничьего сезона. Видели бы вы, как эти польские князья с ней расправлялись — стаканами пили, и ни в одном глазу, даю слово. Голубая кровь, конечно, аристократы до кончиков ногтей. Софи, вам нужно ее попробовать, и тебе тоже, Изабелла. Когда еще представится такой случай.

Бутылка появилась. Ларри, Софи и я не поддались искушению, но Изабелла выразила желание попробовать. Я удивился — обычно она пила очень умеренно, а тут уже выпила два коктейля и два-три стакана вина. Официант налил ей в рюмку бледно-зеленой жидкости. Она понюхала.

— Ой, как пахнет чудесно!

— А что я говорил!— воскликнул Эллиот.— Там в нее добавляют какие-то травы, они и дают этот тонкий букет. Пожалуй, выпью капельку, составлю тебе компанию. Один раз не страшно.

— Вкус божественный,— сказала Изабелла.— В жизни не пила такой прелести.

Эллиот поднес рюмку к губам.

— Так и вспоминается прежнее время. Вы, молодежь, никогда не гостили у Радзивиллов, вы не знаете, как люди жили. Совсем особенный стиль. Феодальный. Ничего не стоило вообразить, что вернулся в средневековье. На станции вас встречала карета шестеркой, с форейтором. За обедом за каждым стулом стоял ливрейный лакей.

Он еще долго расписывал роскошь и великолепие замка, блестящие вечера, которые там задавали, и у меня закралось подозрение, разумеется недостойное, что все это — результат сговора между Эллиотом и официантом, позволившего ему поразглагольствовать об этой княжеской фамилии и о сборище польских аристократов, с которыми он когда-то был на короткой ноге. Он говорил как заведенный — и вдруг предложил:

— Еще рюмочку, Изабелла?

— Ох нет, боюсь. Но вкусно до невероятия. Я так рада, что узнала про эту зубровку. Грэй, давай купим такой.

— Я распоряжусь, чтобы вам прислали несколько бутылок.

— Дядя Эллиот, неужели правда?— в упоении вскричала Изабелла.— Вы так нас балуете, Грэй, ты попробуй обязательно. Она пахнет свежим сеном, весенними цветами, тмином и лавандой, и вкус такой мягкий, нежащий, точно слушаешь музыку в лунную ночь.

Такие излияния были не в характере Изабеллы, она, очевидно, чуть-чуть опьянела. Мы стали прощаться. Я пожал руку Софи.

— Когда же свадьба?— спросил я ее.

— Через полторы недели. Надеюсь, мы вас увидим?

— К сожалению, меня уже не будет в Париже. Я завтра уезжаю в Лондон.

Пока я прощался с остальными, Изабелла отвела Софи в сторонку и о чем-то с ней пошепталась, а потом обратилась к Грэю:

— Да, знаешь, Грэй, я еще не домой. У Молинэ показыва- ют моды, мы с Софи туда заедем. Ей не мешает посмотреть последние модели.

— Я бы с удовольствием,— сказала Софи.

Мы расстались. Вечером я угостил обедом Сюзанну Рувье, а наутро отбыл в Англию.

VI

Через две недели, как и было намечено, Эллиот приехал в отель «Кларидж», и вскоре после этого я к нему заглянул. Он уже заказал несколько костюмов и с излишними, на мой взгляд, подробностями стал мне объяснять, какие выбрал фасоны и ткани и почему. Когда я наконец смог вставить слово, я спросил его, как прошла свадьба.

— Никак не прошла,— ответил он мрачно.

— То есть?..

— За три дня до назначенного срока Софи исчезла. Лар- ри всюду ее искал.

— Но это просто невероятно! Они что, поссорились?

— Ничего подобного. Все уже было готово. Я обещал быть посаженым отцом. Сразу после венчания они должны были уехать Восточным экспрессом. Если хотите знать мое мнение, Ларри счастливо отделался.

Я понял, что Изабелла рассказала ему всё про Софи.

— Что же все-таки произошло?— спросил я.

— Ну так вот, вы помните тот день, когда мы были вашими гостями в «Ритце». Оттуда Изабелла повезла ее к Молинэ. Вы помните, как Софи была одета? Ужас какой-то, а не платье. Вы плечи заметили? Это верный признак того, хорошо ли сшито платье — как оно сидит в плечах. Конечно, цены у Мо- линэ были для нее, бедняжки, недоступны, и Изабелла, вы же знаете, какая она щедрая, да к тому же они знали друг друга с детства, сказала, что подарит ей платье, чтобы она хоть вен- чаться могла в чем-то приличном. Она, конечно, возрадова- лась. Ну, короче говоря, в один прекрасный день Изабелла просила ее заехать к ней в три часа, чтобы им вместе отпра- виться на последнюю примерку. Софи явилась вовремя, но, как на грех, Изабелле пришлось вести одну из девочек к дан- тисту, так что домой она вернулась только в пятом часу, а Со- фи к тому времени уже ушла. Изабелла подумала, что Софи надоело ждать и она поехала к Молинэ одна, она бросилась туда, но Софи туда не приезжала. Тогда она вернулась домой. В тот день они с Ларри должны были у нее обедать. Ларри пришел вовремя, и она первым делом спросила его, где Софи.

Он очень удивился, позвонил ей домой, но никто не ответил. Он сказал, что съездит за ней. Изабелла и Грэй долго ждали их с обедом, но ни он, ни она не явились, и они пообедали вдвоем. Вы, конечно, знаете, какую жизнь вела Софи до того, как вы встретили ее на улице Лапп, очень, кстати сказать, неудачная это была затея с вашей стороны повезти их туда. Так вот, Ларри всю ночь рыскал по разным притонам, где она тогда бывала, но нигде ее не нашел. Время от времени он заглядывал к ней на дом, но консьержка говорила — нет, не была. Он три дня ее разыскивал. Как в воду канула. А на четвертый день опять пошел к ней на дом, и консьержка сказала, что она приезжала, уложила чемодан и уехала в такси.

— Как Ларри, совсем был сражен?

— Я его не видел. Изабелла говорит, что в общем да.

— И она так и не написала, не дала о себе знать?

— Нет.

Я задумался.

— Как вы это объясняете?— спросил я.

— Дорогой мой, точно так же, как и вы. Не выдержала, опять сорвалась с цепи.

Это-то было ясно, и все-таки как-то загадочно. Почему она выбрала для бегства именно этот день?

— Как смотрит на все это Изабелла?

— Конечно, ей жаль, но она умница; по ее словам, она всегда считала, что для Ларри жениться на такой женщине было бы страшным несчастьем.

— А Ларри?

— Она к нему очень добра. Говорит, что с ним трудно, потому что он не желает обсуждать эту тему. Ничего, он это переживет; Изабелла говорит, что он никогда не был влюблен в Софи. Он только потому хотел на ней жениться, что видел в этом какое-то рыцарство.

Я представил себе, как мужественно Изабелла переносит поворот событий, безусловно доставивший ей величайшее удовлетворение. Я не сомневался, что при следующей нашей встрече она мне скажет, что с самого начала знала, чем это кончится.

Но следующая наша встреча состоялась без малого через год. К тому времени я мог бы ей рассказать о Софи такое, что заставило бы ее задуматься, но обстоятельства сложились так, что у меня не было охоты рассказывать. В Лондоне я пробыл почти до Рождества, а потом меня потянуло домой, и по пути на Ривьеру я не стал останавливаться в Париже. Я засел за новую книгу и несколько месяцев прожил в полном уединении. Изредка я видался с Эллиотом. Здоровье его явно ухудшалось, и меня огорчало, что он упорствует и не хочет отказаться от светской жизни. А он обижался на меня, потому что я не ездил за тридцать миль на его приемы. Я хотел сидеть дома и работать, а он уверял, что я загордился.

— Сезон выдался просто блестящий,— говорил он мне.— Запереться в четырех стенах и пропускать все самое интересное — да это просто преступление. И почему вы решили поселиться в наименее фешенебельной части Ривьеры — этого я никогда не пойму, проживи я хоть до ста лет.

Бедный, глупый Эллиот, было ясно как день, что до такого возраста ему нипочем не дожить.

К июню я вчерне закончил роман и разрешил себе отпуск. Упаковав небольшой чемодан, я сел на яхту, с которой мы летом купались в бухте Де Фосс, и поплыл вдоль берега в сторону Марселя. Бриз дул слабый, с перерывами, и мы почти все время шли под мотором. Одну ночь простояли в Каннах, другую в Сент-Максиме, третью в Санари и так добрались до Тулона. К этому порту я всегда питал особую симпатию. Корабли французского военного флота придают ему вид и романтический, и веселый, по его старым улицам я готов бродить без конца. Я могу часами слоняться по набережной, глядя, как матросы, отпущенные на берег, разгуливают парами или со своими девушками, как фланируют штатские, точно у них только и дела, что греться на солнышке. Благодаря множеству кораблей и мелких суденышек, развозящих народ во все концы громадной гавани, Тулон кажется конечным пунктом, где сходятся дороги со всего света; и, сидя в кафе, ослепленный сверканием моря и неба, уносишься на крыльях воображения в самые дальние уголки земли. Пристаешь на баркасе к коралловой отмели с бахромой из кокосовых пальм где-то в Тихом океане; сходишь по трапу на пристань в Рангуне, где тебя ждет рикша; смотришь с верхней палубы вниз на крикливую, жестикулирующую толпу негров, пока твой пароход швартуется у мола в Порт-о-Пренсе.

Мы прибыли в Тулон незадолго до полудня, и часа в три дня я сошел на берег и не спеша зашагал по набережной, разглядывая товары в витринах, людей, попадающихся навстречу, и людей, сидящих под навесами кафе и кабачков. Вдруг я увидел Софи, и в тот же миг она увидела меня. Она улыбнулась и поздоровалась. Я остановился и пожал ей руку. Она сидела одна за столиком, а перед ней стоял пустой стакан.

— Присаживайтесь, выпьем,— сказала она.

— Я угощаю,— ответил я, опускаясь на стул.

На ней была полосатая, синяя с белым, фуфайка французских матросов, ярко-красные брючки и босоножки, из которых выглядывали накрашенные ногти больших пальцев. Волосы на непокрытой голове, коротко остриженные и завитые, были цвета золота, такого бледного, что казались скорее серебряными. Намазана она была так же густо, как в тот вечер, когда мы увидели ее на улице Лапп. Судя по блюдечкам на столе, она успела пропустить не один стаканчик, но была трезва. И как будто рада меня видеть.

— Как они там все в Париже?— спросила она.

— Да, кажется, ничего. Я их не видел с того дня, когда мы вместе завтракали в «Ритце».

Она выпустила через нос целое облако дыма и рассмеялась.

— Я так и не вышла за Ларри.

— Я знаю. А почему?

— Милый мой, когда дошло до дела, я решила — нет, спасибо, не стану я разыгрывать Магдалину с таким Иисусом Христом.

— Почему вы передумали в последнюю минуту?

Она поглядела на меня с насмешкой. Задорно вскинутая голова, плоская грудь и узкие бедра, да еще этот костюм — ни дать ни взять порочный мальчишка; но надо признать, что сейчас она была куда привлекательнее, чем в том унылом красном платье с провинциальной претензией на шик, в котором я видел ее в последний раз. Лицо и шея у нее сильно загорели, и, хотя на коричневой коже румяна и наведенные черные брови выглядели особенно нагло, весь ее облик, хоть и крайне вульгарный, не лишен был известной соблазнительности.

— Рассказать?

Я кивнул. Гарсон принес мне пива, ей — бренди с зельтерской. Она закурила от окурка предыдущей сигареты.

— Я три месяца капли в рот не брала. И не курила.— Она заметила мой удивленный взгляд и рассмеялась.— Я не про сигареты. Про опиум. Чувствовала себя ужасно. Когда оставалась одна, кричала на крик. И все повторяю, бывало: «Не выдержу я этого, не выдержу». Когда Ларри был со мной, было еще терпимо, но без него это был сущий ад.

Я смотрел на нее, а когда она упомянула про опиум, вгляделся внимательнее и заметил суженные зрачки — признак того, что теперь-то она опиум курит. Глаза ее светились зеленым блеском.

— Изабелла заказала мне подвенечное платье. Интересно, что-то с ним сталось. Очаровательное было платье. Мы сговорились, что я за ней зайду и мы поедем к Молинэ. Что говорить, в тряпках она толк знает. Ну, пришла я к ней, а ее слуга говорит, что она повела Джоун к зубному врачу и просила передать, что скоро вернется. Я прошла в гостиную. Там еще не было убрано после кофе, и я спросила этого лакея, нельзя ли выпить чашечку. Я одним только кофе тогда и спасалась. Он сказал, что сейчас принесет, и унес пустые чашки и кофейник. А на подносе осталась бутылка. Я посмотрела на нее, оказалось — то самое польское зелье, о котором вы все толковали в «Ритце».

— Зубровка. Да, помню, Эллиот обещал прислать ее Изабелле.

— Вы все тогда ахали, какой у нее аромат, и мне стало любопытно. Я вытащила пробку и понюхала. И верно, запах первый сорт. Я закурила. Тут вернулся лакей с кофе. Кофе тоже был хорош. Столько болтают про французский кофе, ну и пусть себе пьют на здоровье, мне подавай американский. Единственное, без чего я здесь скучаю. Но у Изабеллы кофе был недурен, я выпила чашку и сразу взбодрилась. Ну, сижу и смотрю на бутылку. Искушение было страшное, но я решила — к черту, не буду о ней думать, и опять закурила. Я думала, Изабелла вот-вот вернется, но она все не шла; я стала нервничать — терпеть не могу ждать, а в комнате и почитать было нечего. Я ходила из угла в угол, рассматривала картины, а проклятая бутылка так и стоит перед глазами. Тогда я подумала — налью в рюмку и погляжу. У нее цвет был такой красивый.

— Бледно-зеленый.

— Вот-вот. Забавно, у нее цвет точно такой, как запах. Такой цвет иногда бывает в сердцевинке белой розы. Мне захотелось проверить: а вкус у нее тоже такой? Одна капля ведь не повредит, я хотела только пригубить, и вдруг услышала какой-то шум, подумала, что это Изабелла, и опрокинула всю рюмку, со страха, что она меня застукает. Но это оказалась не она. Ох, и как же мне хорошо стало! Ни разу так не было с тех пор, как я зареклась пить. Почувствовала, что я живая. Если б Изабелла тогда пришла, я сейчас, наверно, была бы замужем за Ларри. Интересно, что бы из этого получилось.

— А она не пришла?

— Нет. Я на нее страшно разозлилась. Заставляет меня ждать, да за кого она меня принимает? Смотрю — рюмка опять полная: наверно, я сама и налила, но, честное слово, не заметила когда. Не выливать же ее было обратно, ну, я ее и проглотила. Что и говорить, вкус замечательный. Я точно воскресла. Хотелось смеяться. Я три месяца так себя не чувствовала. Помните, тот старичок рассказывал, что видел, как в Польше ее стаканами хлещут и не пьянеют? Ну, я и подумала, неужели же я хуже какого-то польского сукина сына, и если уж платиться, так было бы за что, выплеснула остатки кофе в камин, а чашку налила до краев. Еще говорят о каком-то нектаре — подумаешь, невидаль. Дальше я не очень помню, что было, но, когда я спохватилась, в бутылке оставалось на самом донышке. Тут я подумала, что надо смываться, пока Изабеллы нет. Она чуть меня не поймала. Только я вышла на площадку, слышу внизу голос Джоун. Я взлетела вверх по лестнице, переждала, пока они вошли в квартиру, а тогда опрометью скатилась вниз — и в такси. Велела шоферу гнать во всю мочь, а когда он спросил куда, расхохоталась ему в физиономию. Настроение у меня было — море по колено.

— И вы вернулись к себе домой?— спросил я, хотя знал ответ заранее.

— Вы что ж, думаете, я совсем уж спятила? Я же знала, что Ларри будет меня искать. Я ни в одно из своих любимых местечек не решилась толкнуться, поехала к Хакиму. Там-то, думаю, Ларри меня не найдет. И покурить хотелось.

— А что такое Хаким?

— Хаким — он алжирец и всегда может достать опиум, если есть чем заплатить. Он вам что угодно добудет — мальчика, мужчину, женщину, негра. У него всегда полдюжины алжирцев к услугам. Я провела там три дня. Не знаю уж, скольких мужчин перепробовала.— Она захихикала.— Всех цветов, размеров и видов. Наверстала, можно сказать, потерянное время. Но, понимаете, мне было страшно. В Париже я не чувствовала себя в безопасности, боялась, как бы Ларри меня не нашел, да и деньги у меня почти все вышли, ведь этим подонкам надо платить, чтобы с тобой легли. Ну, я оттуда выбралась, заехала к себе на квартиру, сунула консьержке сто франков и велела, если меня будут спрашивать, говорить, что уехала. Уложила вещи и в тот же вечер укатила поездом в Тулон. Только здесь и вздохнула свободно.

— И с тех пор все время здесь?

— Ага, и здесь останусь. Опиума — завались, его матросы привозят с Востока, и он здесь хороший, не то дерьмо, что продают в Париже. У меня комната в гостинице. «Флот и торговля», знаете? Там, если вечером зайти, все коридоры им пропахли.— Она сладострастно потянула носом.— Приторный такой запах, едкий, сразу понятно, что во всех номерах курят, и так делается уютно. И води к себе кого хочешь. В пять часов утра стучат в дверь, чтобы морячки, кому нужно на корабль, не опоздали, так что и эта забота с тебя снята.— И вдруг, без перехода:— Я видела вашу книгу в магазине здесь, на набережной. Знай я, что вас увижу, я бы ее купила и дала вам надписать.

Я и сам, проходя мимо книжного магазина, приметил в витрине среди других новинок недавно вышедший перевод одного из моих романов.

— Едва ли это было бы вам интересно,— сказал я.

— Почему это вы так решили? Я ведь умею читать.

— И писать, кажется, тоже?

Она глянула на меня и рассмеялась.

— Да, девчонкой писала стихи. Дрянь, наверно, была ужасная, но мне казалось очень красиво. Вам небось Ларри рассказал.— Она примолкла.— Жизнь-то, как ни посмотри, паршивая штука, но, уж если есть в ней капля радости, последним идиотом надо быть, чтобы ею не пользоваться.— Она вызывающе вскинула голову.— Так надпишете книгу, если я куплю?

— Я завтра уезжаю. Если вам в самом деле хочется, я занесу вам экземпляр в гостиницу.

— Чего же лучше.

В это время к причалу подошел военный катер, и с него хлынула на берег толпа матросов. Софи окинула их взглядом.

— А вон и мой дружок.— Она помахала кому-то.— Можете поставить ему стаканчик, а потом катитесь. Он у меня корсиканец, ревнив до черта.

Молодой человек двинулся в нашу сторону, остановился было, увидев меня, но в ответ на приглашающий жест подошел к нашему столику. Он был высокий, смуглый, гладко выбритый, с великолепными темными глазами, орлиным носом и иссиня-черными волнистыми волосами. На вид лет двадцати, не больше. Софи представила меня как американца, друга ее детства.

— Глуп как пробка, но красив,— сказала она мне.

— Вас, я вижу, привлекает бандитский тип.

— Это вы правильно подметили.

— Смотрите, как бы вам в один прекрасный день не перерезали горло.

— Очень может быть.— Она ухмыльнулась.— Что ж, туда и дорога.

— А нельзя ли по-французски?— резко сказал матрос.

Софи обратила на него взгляд, в котором сквозила насмешка. По-французски она говорила свободно и бойко, с сильным американским акцентом, придававшим непристойностям, которыми она уснащала свою речь, неотразимо комичное звучание.

— Я ему сказала, что ты очень красивый, а сказала по-английски, щадя твою скромность.— Она повернулась ко мне:— И он очень сильный. Мускулы как у боксера. Пощупайте.

Ее лесть мгновенно растопила угрюмость матроса, и он со снисходительной улыбкой напружил руку, так что бицепсы вздулись огромными желваками.

— Пощупайте,— сказал он.— Валяйте, щупайте.

Я послушался и выразил восхищение, которого от меня ожидали. Мы еще поболтали немного, потом я расплатился и встал.

— Мне пора.

— Приятная была встреча. Не забудьте про книжку.

— Не забуду.

Я пожал им обоим руки и пошел прочь. По дороге купил свой роман и надписал на нем имя Софи и свое. Потом, поскольку ничего лучшего не пришло мне в голову, приписал первую строку прелестного стихотворения Ронсара, вошедшего во все антологии:

«Mignonne, allons voir si la rose...»*

Я занес книгу в гостиницу. Она стояла на набережной, и я не раз там останавливался. Когда на заре вас будит рожок, сзывающий матросов обратно на корабли, солнце поднимается из мглы над водной гладью гавани и суда, окутанные

---

* Взгляни, любимая, на розу... *(фр.)*

перламутровой дымкой, кажутся призраками. На следующий день мы отплыли в Касси, где я закупил вина, потом в Марсель, где нужно было забрать давно заказанный новый парус. Неделю спустя я был дома.

VII

Меня ждала записка от Жозефа, лакея Эллиота, с известием, что Эллиот заболел и хотел бы меня повидать, так что на другой день я поехал в Антиб. Прежде чем провести меня наверх в спальню, Жозеф рассказал мне, что у Эллиота был приступ уремии и врач считает его состояние тяжелым. На этот раз приступ прошел, и ему лучше, но почки у него серьезно поражены, и полное выздоровление невозможно. Жозеф состоял при Эллиоте сорок лет и был ему верным слугой, но, хотя говорил он печально, в его манере явно чувствовалось удовольствие, что свойственно многим слугам, когда в доме стрясется беда.

— Ce pauvre monsieur*,— вздохнул он.— Конечно, у него были странности, но человек он был хороший. Рано ли, поздно ли все умрем.

Послушать его, так Эллиот был уже при последнем издыхании.

— Я уверен, что он обеспечил ваше будущее, Жозеф,— сказал я сердито.

— Будем надеяться,— отозвался он скорбно.

Эллиот, к моему удивлению, выглядел молодцом. Он был бледен, очень постарел, но держался бодро. Побритый, аккуратно причесанный, он лежал в голубой шелковой пижаме, на кармашке которой была вышита его монограмма с графской короной. Та же монограмма, только крупнее, украшала уголок отвернутой на одеяло простыни.

Я справился о его самочувствии.

— Все прекрасно,— ответил он весело.— Временное недомогание, и больше ничего. Через несколько дней буду на ногах. В субботу у меня завтракает великий князь Димитрий, и я сказал моему доктору, чтобы к этому дню вылечил меня непременно.

Я провел у него полчаса и, уходя, просил Жозефа дать мне знать, если ему станет хуже. А через неделю, приехав

---

* Бедный хозяин (*фр.*).

на завтрак к одним из своих соседей, ахнул от изумления, застав его там среди других гостей. В полном параде он выглядел как живой труп.

— Не следовало бы вам выезжать, Эллиот,— сказал я.

— Глупости, милейший. Фрида пригласила принцессу Матильду, не мог же я ее подвести. Я ведь общался с итальянской королевской семьей много лет, с тех самых пор, как покойная Луиза была посланницей в Риме.

Я не знал, восхищаться ли его неукротимым духом или грустить о том, что в свои годы, настигнутый смертельной болезнью, он все еще одержим страстью к высшему свету. Никто бы и не подумал, что он болен. Как умирающий актер, загримировавшись и выйдя на сцену, забывает на время про свои схватки и боли, так Эллиот играл свою роль царедворца с привычной уверенностью. Он был бесконечно учтив, оказывал кому следует внимание, граничащее с лестью, злословил, по своему обыкновению, лукаво и беззлобно. Никогда еще, кажется, его светские таланты не проявлялись с таким блеском. Когда ее королевское высочество отбыла (а надо было видеть, как грациозно Эллиот ей поклонился, сочетая в этом поклоне почтение к ее высокому рангу и стариковское любование красивой женщиной), я не удивился, услышав, как хозяйка дома сказала ему, что он, как всегда, был душой общества.

Через несколько дней он опять слег, и врач запретил ему выходить из комнаты. Эллиот негодовал.

— Надо же было этому случиться именно теперь! Такого блестящего сезона давно не было.

И он долго перечислял мне важных персон, проводивших то лето на Ривьере.

Я навещал его раза два в неделю. Иногда он был в постели, иногда лежал в шезлонге, облаченный в роскошный халат. Этих халатов у него, как видно, был неистощимый запас — я ни разу не видел его в одном и том же. Однажды, уже в начале августа, он показался мне необычно молчаливым. Жозеф, открывая мне дверь, сказал, что ему как будто получше, и его вялость меня удивила. Я попробовал развлечь его какими-то местными сплетнями, но он не проявил к ним интереса. Брови его были озабоченно сдвинуты, выражение лица хмурое.

— Вы будете на рауте у Эдны Новемали?— спросил он неожиданно.

— Нет, конечно.

— Она вас пригласила?

— Она всю Ривьеру пригласила.

Принцесса Новемали была сказочно богатая американка, вышедшая замуж за итальянского принца, притом не рядового князя, каких в Италии пруд пруди, а главу знатного рода, потомка кондотьера, в шестнадцатом веке отхватившего себе целое княжество. Она была вдова, лет шестидесяти, и, когда фашистское правительство замахнулось на слишком большую, по ее мнению, долю ее американских доходов, уехала из Италии и построила себе возле Канн на прекрасном участке земли флорентийскую виллу. Мрамор для облицовки стен в огромных гостиных она вывезла из Италии, художников для росписи потолков тоже выписала из-за границы. Ее картины и статуи все были высшего качества, обстановка так безупречна, что это вынужден был признать даже Эллиот, не любитель итальянской мебели. Сад был очарователен, а бассейн для плавания, должно быть, обошелся в целое состояние. Дом ее вечно был полон гостей, за стол редко когда садилось меньше двадцати человек. Теперь она задумала устроить маскарад в ночь августовского полнолуния, и, хотя до него оставалось еще три недели, на Ривьере только и было разговоров что об этом празднестве. Будет фейерверк, из Парижа приедет негритянский оркестр. Монархи в изгнании с завистливым восхищением сообщали друг другу, что она истратит на этот вечер больше денег, чем они могут позволить себе прожить за год.

Они говорили: «Это по-царски».

Они говорили: «Это безумие».

Они говорили: «Это безвкусица».

— Какой у вас будет костюм?— спросил меня Эллиот.

— Я же сказал вам, Эллиот, я не поеду. Не собираюсь я в мои годы нацеплять на себя маскарадный костюм.

— Она меня не пригласила,— произнес он хрипло, обратив на меня мученический взгляд.

— Пригласит,— сказал я равнодушно.— Наверно, еще не все приглашения разосланы.

— Нет, не пригласит.— Голос его сорвался.— Это умышленное оскорбление.

— Да полно вам, Эллиот. Я уверен, тут просто какой-то недосмотр.

— По недосмотру можно не позвать кого угодно, но не меня.

— Да вы и все равно не поехали бы к ней, ведь вы нездоровы.

— Обязательно поехал бы. Лучший вечер сезона! Ради такого я бы и со смертного одра поднялся. И костюм у меня есть — моего предка графа Лаурия.

Я не нашелся, что на это ответить.

— Перед вашим приходом у меня побывал Пол Бартон,— неожиданно сказал Эллиот.

Я не вправе рассчитывать, что читателю запомнился этот персонаж,— мне самому пришлось вернуться вспять, чтобы посмотреть, под каким именем я его вывел. Пол Бартон был тот молодой американец, которого Эллиот ввел в лондонское общество и который вызвал его ненависть тем, что раззнакомился с ним, когда перестал в нем нуждаться. Последнее время о нем много говорили — сперва потому, что он принял английское подданство, потом потому, что женился на дочери некоего газетного магната, получившего звание пэра. Можно было не сомневаться, что с такими связями в сочетании с собственной пробивной силой он далеко пойдет. Эллиот был вне себя.

— Всякий раз, как я просыпаюсь среди ночи и слышу, как мышь скребется за обшивкой стены, я говорю себе: «Это Пол Бартон лезет в гору». Помяните мое слово, милейший, он еще пролезет в палату лордов. Хорошо, что я до этого не доживу.

— Что ему было нужно?— спросил я, так как знал не хуже Эллиота, что этот молодой человек зря утруждать себя не станет.

— Я вам скажу, что ему было нужно!— прорычал Эллиот.— Он хотел, чтобы я дал ему надеть мой костюм графа Лаурия.

— Ну и нахальство!

— Вы понимаете, что это значит? Это значит, что он знал, что Эдна не пригласила меня и не собирается приглашать. Это она его надоумила. Старая стерва! Что бы она без меня делала? Я устраивал для нее вечера, я познакомил ее со всеми, кого она знает. Спит со своим шофером, это-то вам, конечно, известно. Гадость какая! А он тут сидел и рассказывал мне, что в саду готовится иллюминация и фейерверк будет. Я люблю фейерверки. И еще сообщил мне, что Эдну осаждают просьбами о приглашениях, но она всем отказывает, потому что хочет, видите ли, чтобы сборище было самое избранное. А обо мне как будто и речи не могло быть.

— И что же, дадите вы ему надеть ваш костюм?

— Еще чего! И не подумаю. Я в этом костюме в гроб лягу.— Эллиот сел в постели и стал раскачиваться и причитать как женщина.— Это так жестоко. Я их ненавижу. Всех ненавижу. Когда я мог их принимать, они со мной носились, а теперь я старый, больной, никому не нужен. С тех пор как я слег, о моем здоровье и десять человек не справилось, и за всю эту неделю — один-единственный несчастный букет. Я ничего для них не жалел. Они ели мои обеды, пили мое вино. Я исполнял их поручения. Устраивал для них приемы. Наизнанку выворачивался, лишь бы им услужить. И что за это имею? Ничего, ничего, ничего. Им и дела нет, жив я или умер. О, как это жестоко!— Он заплакал. Крупные тяжелые слезы скатывались по морщинистым щекам.— И зачем, зачем только я уехал из Америки!

Страшное это было зрелище: старик, одной ногой в могиле, плачет как ребенок, потому что его не пригласили на праздник,— неприличное зрелище и в то же время нестерпимо жалкое.

— Не горюйте, Эллиот,— сказал я,— может, еще в тот день будет дождь. Это ей все карты спутает.

Он ухватился за мои слова, как вошедший в поговорку утопающий за соломинку. Стал хихикать сквозь слезы.

— Об этом я не подумал. Буду теперь молиться, чтобы пошел дождь. Вы правы, это ей все карты спутает.

Мне удалось отвести его суетные мысли в другое русло, и, когда я уходил, он был если не весел, то спокоен. Но я-то не мог на этом успокоиться и, вернувшись домой, позвонил Эдне Новемали, сказал, что буду сегодня в Каннах, и попросил разрешения заехать к ней позавтракать. Она велела мне передать, что будет рада меня видеть, но больше никого к завтраку не ждет. Тем не менее я застал у нее человек десять гостей. Она была неплохая женщина, щедрая и гостеприимная, единственным серьезным ее недостатком был злой язык. Даже о близких друзьях она говорила Бог знает что, но делала это по глупости, не зная, как иначе обратить на себя внимание. Словечки ее передавались из уст в уста, в результате чего жертвы ее злословия переставали с ней знаться; но в доме у нее бывало весело и сытно, и, как правило, они почитали за лучшее не помнить зла. Мне не хотелось прямо обращаться к ней с просьбой пригласить Эллиота, это было бы слишком для него унизительно, и я выжидал, как повернется дело. За завтраком только и разговоров было что о предстоящих торжествах.

«Острие бритвы»

— Вот Эллиоту и представится случай пощеголять в своем испанском костюме,— ввернул я как мог небрежно.

— А я его не приглашала,— сказала она.

Я изобразил удивление:

— Почему?

— А чего ради? Он уже, можно сказать, вышел в тираж. Скучный человек и к тому же ужасный сноб и сплетник.

Я подумал, что это уж слишком, что она безнадежно глупа, ведь все эти обвинения можно было с тем же успехом отнести к ней самой.

— А кроме того,— добавила она,— я хочу, чтобы его костюм надел Пол Бартон. Это будет просто божественно.

Больше я ничего не сказал, но решил любыми средствами раздобыть для бедного Эллиота желанное приглашение. После завтрака Эдна увела своих гостей в сад, и я не замедлил этим воспользоваться. Когда-то я гостил в этом доме несколько дней и помнил расположение комнат. Я не сомневался, что пригласительных карточек осталось еще сколько угодно и что они находятся в комнате секретаря. Туда я и направился с намерением стянуть карточку и сунуть в карман, а потом вписать в нее имя Эллиота и опустить в ящик. Поехать он все равно не поедет, где уж там, ему бы только получить приглашение. Я открыл дверь и замер на пороге — секретарша Эдны сидела на своем месте, а я-то думал, что она еще в столовой. Это была немолодая шотландка по имени мисс Кейт, рыжеватая, веснушчатая, в пенсне и по виду — убежденная девственница. Я собрался с духом.

— Принцесса повела всю компанию смотреть сад, а я подумал — загляну к вам выкурить папироску.

— Милости просим.

Мисс Кейт говорила с шотландским акцентом и, когда давала волю суховатому юмору, который приберегала для избранных, подчеркивала этот акцент, так что шутки ее звучали ужасно забавно; но стоило вам рассмеяться, как она бросала на вас удивленный и обиженный взгляд, словно с вашей стороны было очень неумно усмотреть в ее словах что-то смешное.

— С этим праздником у вас, наверно, работы невпроворот, мисс Кейт,— сказал я.

— Да уж хватает, совсем с ног сбилась.

Зная, что ей можно довериться, я перешел прямо к делу.

— Почему старуха не пригласила мистера Темплтона, мисс Кейт?

Мисс Кейт разрешила своим строгим чертам на миг смягчиться улыбкой.

— Вы же ее знаете. У нее зуб на него. Она сама вычеркнула его имя из списка.

— А он ведь при смерти. Ему уже не подняться. И он глубоко уязвлен таким пренебрежением.

— Если ему хотелось сохранить с принцессой добрые отношения, не стоило болтать направо и налево, что она спит со своим шофером. У него жена и трое детей.

— А это правда?

Мисс Кейт глянула на меня поверх пенсне.

— Я работаю секретарем двадцать один год, сэр, и взяла за правило полагать, что все мои работодатели чисты, как первый снег. Правда, когда одна из моих знатных леди оказалась на третьем месяце, притом что милорд уже шесть месяцев как охотился на львов в Африке, вера моя сильно поколебалась, но тут она совершила коротенькую поездку в Париж — очень, надо сказать, дорогостоящую поездку,— и все кончилось хорошо. И у миледи, и у меня как гора с плеч свалилась.

— Мисс Кейт, я пришел сюда не выкурить папиросу, а стащить пригласительный билет, чтобы послать его мистеру Темплтону.

— Это было бы весьма непохвально.

— Согласен. Смилуйтесь, мисс Кейт, дайте мне карточку. Он не приедет, а счастлив будет безмерно. Ведь вы ничего против него не имеете?

— Нет, он всегда был со мной вполне вежлив. Он настоящий джентльмен, чего нельзя сказать про большинство людей, которые являются сюда набивать себе брюхо на деньги ее светлости.

У всякой важной особы есть в подчинении кто-то, к чьим словам она прислушивается. Эти подчиненные очень чувствительны к малейшей обиде и, если обойтись с ними не так, как они, по их понятиям, того заслуживают, способны вас возненавидеть и с помощью упорных нелестных намеков настроить против вас своих патронов. Эллиот знал это как нельзя лучше, и у него всегда находилось ласковое слово и дружелюбная улыбка для бедной родственницы, старой горничной или доверенного секретаря. Я был уверен, что он частенько занимал мисс Кейт легкой светской беседой и не забывал прислать ей к Рождеству коробку конфет или нарядную сумочку.

— — Ну же, мисс Кейт, будьте человеком!

Мисс Кейт поправила пенсне на своем внушительном носу.

— Вы, конечно же, не хотите толкнуть меня на бесчестный поступок, мистер Моэм, не говоря уже о том, что эта старая корова даст мне расчет, если узнает, что я ее ослушалась. Карточки лежат на столе, каждая в конверте. Мне хочется поглядеть в окно — размяться, а то ноги затекли от долгого сидения, да и просто полюбоваться видом. Ну а за то, что делается у меня за спиной, с меня ни Бог, ни человек не спросит.

Когда мисс Кейт вернулась на свое место, конверт с приглашением лежал у меня в кармане.

— Рад был повидать вас, мисс Кейт,— сказал я, протягивая ей руку.— В чем вы думаете появиться на маскараде?

— Я дочь священника, сэр,— отвечала она.— Такие легкомысленные забавы я предоставляю высшим классам. После того как я прослежу, чтобы репортеров «Геральд» и «Мейл» накормили ужином и подали им бутылку шампанского, но не самого лучшего, какое есть у нас в погребах, мои обязанности будут закончены и я удалюсь в свою спальню, где смогу без помех насладиться детективным романом.

VIII

Дня через два, когда я снова навестил Эллиота, он весь сиял от радости.

— Вот,— сказал он.— Получил приглашение. Пришло сегодня утром.

Он достал карточку из-под подушки и показал мне.

— Я же вам говорил,— сказал я.— Ваша фамилия начинается на «Т». Очевидно, секретарша только что добралась до нее.

— Я еще не ответил. Отвечу завтра.

На одно мгновение я испугался.

— Хотите, я отвечу за вас? И опущу, когда выйду.

— Нет, зачем же. Я вполне способен сам отвечать на приглашения.

К счастью, подумал я, конверт вскроет мисс Кейт, и у нее хватит ума утаить его от Эдны. Эллиот позвонил.

— Хочу показать вам мой костюм.

— Вы что, в самом деле собираетесь ехать?

— Конечно. Я не надевал его с бала у Бьюмонтов.

На звонок явился Жозеф, и Эллиот велел ему принести костюм. Он хранился в большой плоской картонке, обернутый папиросной бумагой. Длинное белое шелковое трико, короткие панталоны из золотой парчи с разрезами, подшитыми белым атласом, такой же камзол, плащ, огромный стоячий плоеный воротник, плоская бархатная шапка и длинная золотая цепь, с которой свисал орден Золотого руна. Я узнал роскошное одеяние Филиппа II на портрете Тициана в Прадо и, когда Эллиот сообщил мне, что это точная копия того костюма, в котором граф Лаурия присутствовал на бракосочетании испанского короля с королевой Англии, невольно подумал, что на этот раз он безусловно дал волю воображению.

На следующее утро меня позвали к телефону. Звонил Жозеф — ночью у Эллиота опять был приступ, и врач, которого тут же вызвали, не уверен, доживет ли он до вечера. Я поехал в Антиб. Эллиот был без сознания. До сих пор он упорно отказывался от сиделки, но сейчас у его постели дежурила женщина, к счастью присланная врачом из английской больницы, что находится между Ниццой и Болье. Я вышел послать телеграмму Изабелле. Они всей семьей проводили лето на недорогом приморском курорте Ла-Боль. Путь был не близкий, я опасался, что они уже не застанут Эллиота в живых. Если не считать двух братьев Изабеллы, которых он не видел много лет, другой родни у него не было.

Но воля к жизни была в нем сильна,— а может, подействовали лекарства,— только попозже он пришел в себя. Совершенно разбитый, он еще бодрился и для развлечения стал задавать сиделке нескромные вопросы о ее половой жизни. Я пробыл у него почти до вечера, а на следующее утро приехал опять и застал его слабым, но довольно бодрым. Сиделка впустила меня к нему совсем ненадолго. Меня беспокоило, что я не получаю ответа на свою телеграмму. Послал я ее на Париж, потому что не знал их адреса в Ла-Боль, и теперь боялся, что консьержка ее не переслала. Только через два дня они известили меня, что выезжают. Оказалось, что они, как на грех, совершали автомобильную поездку по Бретани, а телеграмма ждала их дома. Я посмотрел расписание — они могли приехать не раньше чем через тридцать шесть часов.

Наутро Жозеф позвонил мне очень рано. Эллиот провел беспокойную ночь и требует меня. Я тотчас поехал. Жозеф встретил меня на пороге.

— Мсье не против, если я заговорю об одном деликатном деле?— сказал он мне.— Я-то, конечно, неверующий, я считаю, что вся эта религия— просто сговор духовенства, чтобы держать народ в подчинении, но мсье знает, что такое женщины. Моя жена и горничная в один голос твердят, что нашему бедному хозяину надо причаститься перед смертью, а времени, как видно, осталось мало.— Он бросил на меня смущенный взгляд.— Да и кто знает, может, оно и лучше, когда придет твой час, уладить отношения с церковью.

Я отлично понял его. Большинство французов, какие бы насмешки они себе ни позволяли, стремятся под конец помириться с религией, которая вошла им в плоть и кровь.

— И вы хотите, чтобы я с ним об этом поговорил?

— Если бы мсье был так любезен.

Задача эта мне не улыбалась, но Эллиот как-никак уже много лет был набожным католиком, так почему бы ему не выполнить предписаний своей религии? Я поднялся к нему в спальню. Он лежал на спине, бледный и изможденный, но в полном сознании. Я попросил сиделку оставить нас одних.

— Боюсь, вы серьезно больны, Эллиот,— сказал я.— Я подумал... может, вы хотите повидать священника?

С минуту он смотрел на меня молча.

— Вы хотите сказать, что я скоро умру?

— Ну что вы, будем надеяться на лучшее. Но как знать, что может случиться.

— Понимаю.

Он умолк. Очень это страшно, когда приходится говорить человеку то, что я сказал Эллиоту. Я не мог смотреть на него. Стиснул зубы, чтобы не заплакать. Я сидел на краю его постели молча, лицом к нему, опершись на вытянутую руку. Он слабо похлопал меня по руке.

— Не огорчайтесь, мой дорогой. Вы же знаете, noblesse oblige.

Я истерически рассмеялся.

— Чудак вы, Эллиот.

— Вот так-то лучше. А теперь позвоните епископу и передайте, что я желаю исповедаться и причаститься святых тайн. Я буду ему признателен, если он пошлет ко мне аббата Шарля. Мы с ним друзья.

Аббат Шарль был старший викарий епископа, о котором я уже упоминал. Я спустился к телефону, меня соединили с самим епископом.

— Это срочно?— спросил он.

— Очень.

— Я займусь этим незамедлительно.

Приехал доктор, и я рассказал ему, что предпринял. Он вместе с сиделкой прошел к Эллиоту, а я остался ждать внизу, в столовой. Езды от Ниццы до Антиба всего двадцать минут, и немногим более чем через полчаса к подъезду подкатил черный закрытый автомобиль. В столовую заглянул Жозеф.

— C'est Monseigneur en personne, Monsieur,— сообщил он взволнованно.— Это сам епископ.

Я вышел его встретить. Сопровождал его почему-то не старший викарий, а совсем молодой аббат, несший шкатулку, в которой, очевидно, находились сосуды, нужные для совершения таинства. Следом шофер тащил старый черный чемодан. Епископ протянул мне руку и представил своего помощника.

— Как чувствует себя наш бедный друг?

— Он очень, очень плох, монсеньор.

— Не откажите в любезности указать нам комнату, где облачиться.

— Вот здесь столовая, монсеньор, а гостиная на втором этаже.

— Благодарю, мы устроимся в столовой.

Мы с Жозефом остались ждать в холле. Вскоре дверь отворилась, и вышел епископ, а за ним аббат нес в обеих руках потир, накрытый тарелкой, на которой лежала освященная облатка. Поверх была накинута салфетка из тончайшего, прозрачного батиста. До сих пор я видел епископа только за обеденным столом и помнил, что едок он был хоть куда, отдавал должное хорошему вину и со смаком рассказывал анекдоты, иногда весьма рискованные. Он виделся мне как крепкий, коренастый мужчина среднего роста. Сейчас, в стихаре и епитрахили, фигура у него была не только высокая, но величественная. Его красное лицо, обычно игравшее лукавыми, хоть и не злобными улыбками, было невозмутимо и важно. В нем ничего не осталось от кавалерийского офицера, которым он некогда был; сейчас он казался тем, чем и был на самом деле,— крупным церковным сановником. Меня не удивило, что Жозеф при его появлении перекрестился. Епископ в ответ чуть заметно склонил голову.

— Проводите меня к страждущему,— сказал он.

Я хотел пропустить его вперед, но он знаком попросил меня возглавить шествие. Мы поднялись по лестнице в торжественном молчании. Я вошел к Эллиоту.

— Епископ приехал сам, Эллиот.

Эллиот попытался приподняться и сесть.

— Монсеньор, на такую великую честь я не смел и надеяться.

— Лежите спокойно, друг мой.— Епископ обратился ко мне и к сиделке:— Оставьте нас.— А затем к аббату:— Я позову вас, когда кончу.

Аббат огляделся, и я понял, что он ищет, куда бы поставить потир. Я сдвинул в сторону черепаховые щетки на туалетном столике. Сиделка ушла вниз, а я увел аббата в соседнюю комнату, служившую Эллиоту кабинетом. Раскрытые окна глядели в синее небо, он подошел к одному из них. Я сел в кресло. На море шли гонки яхт, белые паруса ослепительно сверкали на фоне лазури. Большая черная шхуна, распустив красные паруса, пробивалась в порт, борясь с бризом. Я признал в ней рыболовное судно, привозившее от берегов Сардинии омаров, дабы не оставить роскошные рестораны и казино без рыбного блюда. Из-за двери доносились приглушенные голоса. Это Эллиот исповедовался в грехах. Мне очень хотелось курить, но я боялся оскорбить чувства аббата. Он стоял неподвижно, глядя вдаль, стройный и молодой, явно итальянец по рождению, с волнистой черной шевелюрой, прекрасными темными глазами и оливковой кожей. Во всем его облике угадывались горячие страсти юга, и я подумал, какая же неуемная вера, какое жгучее желание побудило его отказаться от радостей жизни, от присущих его возрасту плотских утех и посвятить себя служению Богу.

Голоса в соседней комнате внезапно смолкли, и я посмотрел на дверь. Она отворилась, появился епископ.

— Venez*,— сказал он аббату.

Я остался один. Снова послышался голос епископа, и я понял, что он читает отходную. Потом снова молчание — это Эллиот вкушал крови и тела Христова. Сам я не католик, но всякий раз, бывая на мессе, я испытываю чувство трепетного благоговения, должно быть, унаследованное от далеких предков, когда звоночек служки возвещает, что священник поднял для обозрения святые дары; и сейчас меня тоже пронизала

_____
* Входите (фр.).

дрожь, как от холодного ветра,— дрожь восторга и страха. Дверь снова отворилась.

— Можете войти,— сказал епископ.

Я вошел. Аббат аккуратно накрывал батистовой салфеткой потир и золоченую тарелочку, на которой недавно лежала облатка. Глаза Эллиота сияли.

— Проводите монсеньора до его машины,— сказал он.

Мы спустились по лестнице. Жозеф и горничные ждали в холле. Женщины плакали. Их было три, и они по очереди опускались на колени и целовали перстень епископа, а он благословлял их двумя пальцами. Жена Жозефа подтолкнула его, он тоже упал на колени и поцеловал перстень. Епископ едва заметно улыбнулся.

— Вы ведь неверующий, сын мой?

Жозеф явно сделал над собою усилие.

— Да, монсеньор.

— Пусть это вас не смущает. Вы были своему хозяину добрым и верным слугой. Господь не осудит вас за ваши заблуждения.

Я вышел с ним на улицу и открыл дверцу машины. Он поклонился мне, потом снисходительно улыбнулся.

— Наш бедный друг очень сдал. Недостатки его не шли глубже поверхности; он был человек большого сердца и не питал зла к своим ближним.

IX

Решив, что Эллиоту захочется побыть одному после совершенного над ним обряда, я пошел почитать в гостиную, но не успел я усесться с книгой, как пришла сиделка сказать, что он хочет меня видеть. Не знаю, что поддержало его — укол, который врач сделал ему перед приездом епископа, или волнение этой встречи, но взгляд у него был ясный, состояние спокойное и бодрое.

— Я удостоился великой чести, милейший,— сказал он.— Войду в царствие небесное с рекомендательным письмом от высокой духовной особы. Теперь там, наверно, все двери будут для меня открыты.

— Боюсь, общество покажется вам очень смешанным,— улыбнулся я.

— Не скажите, милейший. Из Священного писания нам известно, что классовые различия существуют на небесах точно так же, как на земле. Там есть серафимы и херувимы, ангелы и архангелы. В Европе я всегда вращался в лучших кругах и не сомневаюсь, что буду вращаться в лучших кругах на небе. Господь сказал: «В доме Отца Моего много обителей». По меньшей мере странно было бы поселить простонародье в условиях, к которым оно совершенно непривычно.

Мне подумалось, что райские кущи представляются Эллиоту в виде замка какого-нибудь барона Ротшильда — с панелями восемнадцатого века по стенам, столиками-буль, шкафчиками-маркетри и гарнитурами времен Людовика XV, обитыми вышитым шелком.

— Поверьте мне, милейший,— продолжал Эллиот, помолчав,— никакого этого чертова равенства там не будет.

Потом он как-то сразу задремал. Я сел у его постели с книгой. Он то просыпался, то опять засыпал. В час дня сиделка зашла сказать, что Жозеф предлагает мне позавтракать. Жозеф был подавлен и тих.

— Подумать только, монсеньор епископ сам приезжал. Это он большую честь оказал нашему бедному хозяину. Вы видели, что я поцеловал его перстень?

— Видел.

— Сам бы я нипочем этого не сделал. Но хотелось ублажить мою бедную жену.

Позавтракав, я опять поднялся к Эллиоту. Пришла телеграмма от Изабеллы — они прибудут Голубым экспрессом завтра утром. Я был почти уверен, что они опоздают. Заехал врач и только покачал головой. На закате Эллиот проснулся и немножко поел. Это, видимо, придало ему сил. Он поманил меня. Голос его был едва слышен.

— Я не ответил на приглашение Эдны.

— Полно, Эллиот, не думайте сейчас об этом.

— Почему? Я всегда помнил о светских приличиях и не вижу причин забывать о них сейчас, когда я покидаю сей мир. Где эта карточка?

Она лежала на каминной полке. Я вложил ее ему в руку, но не уверен, что он видел ее.

— Почтовая бумага на столе у меня в кабинете. Принесите ее, я продиктую вам ответ.

Я принес из соседней комнаты бумагу и бювар и сел у его постели.

— Готовы?

— Да.

Глаза его были закрыты, но губы скривились в озорной усмешке, и я ждал любого сюрприза.

— «Мистер Темплтон сожалеет, что не может принять любезное приглашение принцессы Новемали, будучи связан более ранней договоренностью со своим Спасителем».

Последовал смешок, призрачный, чуть слышный. Лицо его заливала жуткая синяя бледность, от него исходил тошнотворный запах, характерный для его болезни. Бедный Эллиот, он так любил опрыскивать себя духами от Шанель и Молинэ! Он все еще держал в руке похищенную мною карточку, я подумал, что она ему мешает, и попробовал отнять ее, но пальцы его сжались крепче. Я даже вздрогнул, когда он произнес совсем отчётливо:

— Старая стерва.

Это были его последние слова. Он впал в кому. Сиделка, продежурившая у него всю предыдущую ночь, валилась с ног, и я отправил ее поспать, сказав, что не засну и позову ее, если понадобится. Делать и правда было уже нечего. Я зажег лампу под темным колпаком и читал, пока не заболели глаза, а тогда погасил свет и сидел в темноте. Ночь была теплая, окна стояли настежь. Через равные промежутки времени комнату слабо озаряли вспышки маяка. Луна, которой предстояло, набрав полную силу, воссиять над шумным мишурным весельем маскарада у Эдны Новемали, зашла, и в иссиня-черном небе устрашающе ярко горели бесчисленные звезды. Вероятно, я задремал, но чувства мои не спали, и внезапно меня привел в сознание сердитый, нетерпеливый звук, самый страшный звук, какой можно услышать,— предсмертный хрип. Я подошел к постели и при вспышке маяка пощупал у него пульс. Эллиот был мертв. Я зажег лампу у изголовья и посмотрел на него. Челюсть у него отвисла. Глаза были открыты, и, прежде чем их закрыть, я заглянул в них. Я был глубоко взволнован, кажется, по щекам у меня скатилось несколько слез. Старый, добрый друг. Грустно было вспомнить, как глупо, без пользы и без смысла он прожил свою жизнь. Какое теперь имеет значение, что он побывал на стольких званых вечерах, знался с графами, князьями и герцогами? Они уже сейчас о нем забыли.

Будить умученную сиделку не было смысла, и я вернулся в свое кресло у окна. В семь часов, когда она вошла в комнату, я спал. Я оставил на нее то, что еще требовалось сделать, выпил кофе и поехал на вокзал встречать Изабеллу и Грэя. Я сообщил им о смерти Эллиота и предложил остановиться у меня, поскольку в его доме мало места, но они предпочли гостиницу. А я уехал к себе, чтобы принять ванну, побриться и переодеться.

Вскоре мне позвонил Грэй — сказать, что имеется письмо Эллиота на мое имя — оно хранилось у Жозефа. Поскольку в письме могло оказаться что-нибудь, предназначенное только для моих глаз, я сказал, что приеду немедленно, и, таким образом, меньше чем через час уже опять вошел в дом Эллиота. В письме с надписью *Вручить тотчас после моей смерти* содержались указания касательно его похорон. Я знал, что его заветное желание — покоиться в построенной им церкви, и уже успел сказать об этом Изабелле. Кроме того, он желал быть набальзамированным и назвал специалистов, которым следовало поручить это ответственное дело. *«Я навел справки,*— писал он далее,— *и узнал, что работают они превосходно. Доверяю вам проследить, чтобы не было допущено халтуры. Одетым я желаю быть в костюм моего предка графа Лаурия, с его мечом на боку и с орденом Золотого руна на груди. Выбор гроба оставляю на ваше усмотрение. Что-нибудь без претензий, но соответствующее моему положению. Чтобы никому не доставлять лишних хлопот, прошу перевозку моих останков поручить компании «Томас Кук и сын», и они же пусть выделят своего человека для сопровождения гроба к месту вечного упокоения».*

Я вспомнил, что Эллиот и раньше говорил о своем намерении лечь в гроб в маскарадном костюме, но в то время счел это минутной фантазией. Однако Жозеф твердил, что волю покойного необходимо исполнить, да, в конце концов, почему бы и нет? И вот, когда тело набальзамировали, мы с Жозефом отправились обряжать его в это нелепое одеяние. Гнусная то была работа. Мы засунули его длинные ноги в белое шелковое трико, натянули поверх парчовые панталоны. Труднее всего оказалось продеть руки в рукава камзола. Мы застегнули на нем огромный плоеный воротник, на плечи приладили атласный плащ. И, наконец, надели ему на голову плоскую бархатную шапку, а на шею повесили орден Золотого руна. Бальзамировщики нарумянили ему щеки и подкрасили губы. Костюм был широк для его иссохшего тела, и выглядел он как хорист в одной из ранних опер Верди. Печальный Дон-Кихот, борец за пустое дело. Когда его положили в гроб, я пристроил бутафорский меч у него между ног, а руки сложил на эфесе — так мне запомнилось скульптурное надгробие какого-то крестоносца.

Изабелла и Грэй поехали на похороны в Италию.

Глава шестая

I

Считаю своим долгом предупредить читателя, что он спокойно может пропустить эту главу, не утеряв сюжетной нити, которую мне еще предстоит дотянуть. Глава эта — почти целиком пересказ разговора, который у меня состоялся с Ларри. Впрочем, должен добавить, что, если бы не этот разговор, я бы, возможно, вообще не стал писать эту книгу.

II

В ту осень, месяца через три после смерти Эллиота, я по дороге в Англию провел неделю в Париже. Изабелла и Грэй из своего невеселого путешествия в Италию вернулись в Бретань, а теперь опять жили в квартире Эллиота на улице Сен-Гийом. Изабелла рассказала мне про его завещание. Он отказал церкви, которую построил, определенную сумму денег на панихиды за упокой его души и еще сумму — на содержание самой церкви. Щедрое даяние на благотворительные цели получил епископ в Ницце. Мне досталось несколько двусмысленное наследство: его собрание порнографических книг восемнадцатого столетия и прекрасный рисунок Фрагонара — сатир и нимфа, занятые делом, которое обычно совершается без свидетелей. Повесить такой рисунок на стену нельзя: слишком неприличен, а упиваться непристойностями в одиночестве не в моем характере. Он хорошо позаботился о своих слугах. Двум племянникам завещал по 10000 долларов, а все остальное — Изабелле. Сколько именно — она не сказала, а я не спросил, но, судя по ее довольному тону, наследство она получила немалое.

Грэй уже давно, с тех пор как восстановилось его здоровье, рвался в Америку, к работе, и Изабелла, хоть ей и неплохо жилось в Париже, заразилась его нетерпением. Он уже налаживал связи со старыми деловыми знакомыми, но самое интересное место из тех, что ему предлагали, могло быть ему предоставлено лишь при условии крупного вступительного взноса. До сих пор у него таких денег не было, теперь же, со смертью Эллиота, Изабелла легко могла уделить их из своего капитала, и Грэй, заручившись ее одобрением, вступил в переговоры с тем расчетом, чтобы, если перспективы действительно окажутся хороши, поехать в Америку и изучить ситуацию на месте. Но до этого им еще много чего предстояло сделать. Нужно было договориться с французским казначейством относительно налога на наследство. Нужно было продать дом в Антибе и распорядиться парижской квартирой. Нужно было устроить в отеле Друо распродажу с аукциона мебели Эллиота, его картин и рисунков. Они представляли большую ценность, и имело смысл подождать до весны, когда в Париж съезжаются крупнейшие коллекционеры. Изабелла была не прочь прожить в Париже еще одну зиму; дочери ее уже болтали по-французски не хуже, чем на родном языке, и ее радовала возможность еще на несколько месяцев оставить их во французской школе. За три года они сильно вытянулись, теперь это были длинноногие, худые, неугомонные подростки; материнская красота в них еще не проступила, но они были хорошо воспитаны и ненасытно любопытны.

Ну и хватит об этом.

III

Ларри я встретил случайно. Я справлялся о нем у Изабеллы, и она сказала, что после возвращения из Ла-Боль видела его очень мало. Теперь у них с Грэмом было много новых друзей одного с ними поколения, и они чаще выезжали и принимали гостей, чем в те приятные недели, когда мы столько времени проводили вчетвером. Однажды вечером я пошел в «Комеди Франсэз» смотреть «Беренику». Читать я ее, конечно, читал, но на сцене не видел, а поскольку ставят ее редко, грех было упустить такой случай. Это отнюдь не лучшая из трагедий Расина, фабула ее слишком бедна для пяти действий, но она волнует, и в ней есть несколько знаменитых сцен. Сюжет основан на коротком отрывке из Тацита: Тит, страстно влюбленный в Беренику, царицу Палестины, и даже, как полагают, обещавший взять ее в жены, в первые же дни своего правления удаляет ее из Рима по политическим соображениям: сенат и народ Рима решительно против его союза с иноземной царицей. Стержень пьесы — борьба, происходящая в его душе между любовью и долгом, и, когда его одолевают сомнения, сама Береника, уверившись, что он ее действительно любит, убеждает его послушать веления долга и расстается с ним навсегда.

Вероятно, только француз способен в полной мере оценить изящество и величие Расина и музыку его стихов, однако и иностранец, раз сделав скидку на чопорную формальность его стиля, не может остаться равнодушен к его страстной нежности и к благородству его чувств. Расин, как мало кто другой, понимал, сколько драматизма заложено в человеческом голосе. Для меня, во всяком случае, раскаты этих сладкозвучных александрийских стихов вполне возмещают недостаток внешнего действия, и от длинных монологов, с безупречным мастерством доведенных до ожидаемой кульминации, сердце у меня замирает ничуть не меньше, чем от самых захватывающих погонь и перестрелок на экране.

После третьего действия был антракт, и я вышел покурить в фойе, осененное саркастической беззубой улыбкой Гудонова Вольтера. Кто-то тронул меня за плечо. Я оглянулся, не скрывая легкой досады — жаль было расплескать высокую радость, которой наполнили меня звучные строки Расина,— и увидел Ларри. Как всегда, я ему обрадовался. Я не видел его целый год и тут же предложил встретиться после спектакля и пойти куда-нибудь выпить пива. Ларри ответил, что не обедал сегодня и проголодался, и со своей стороны предложил отправиться на Монмартр. И вот, найдя друг друга в вестибюле, мы вместе вышли на улицу. Театру «Комеди Франсэз» присуща своя особенная духота. Она пропитана запахом многих поколений тех хмурых женщин, так называемых ouvreuses, что показывают вам ваши места и всем своим видом требуют за это на чай. Свежий воздух оживил нас, ночь была ясная, и мы пошли пешком. Дуговые фонари на авеню Оперы горели так вызывающе ярко, что звезды небесные, точно не снисходя до состязания с ними, приглушили свой блеск мраком бесконечного расстояния. По дороге мы говорили о спектакле. Ларри был недоволен. Ему хотелось чего-то более естественного, чтобы текст произносили так, как люди говорят в жизни, и жестикуляция была не такая театральная. Я не мог согласиться с такой точкой зрения. Расин — это патетика, великолепная патетика, и исполнения требует патетического. Я наслаждался правильным чередованием рифм, а условные жесты, предписываемые давней традицией, на мой взгляд, вполне соответствовали всему строю этого формального искусства. Мне думалось, что и сам Расин был бы доволен таким исполнением. Я восхищался тем, как актеры, даже связанные традиционными канонами, сумели вложить в свою игру столько человечности, страсти и правды. Искусство торжествует, если ему удается подчинить условность высокой цели.

Мы дошли до авеню Клиши и завернули в ночной ресторан «Граф». Было только начало первого, народу полно, но мы нашли свободный столик и заказали яичницу с ветчиной. Я сказал Ларри, что недавно видел Изабеллу.

— Грэй будет рад вернуться в Америку,— сказал он.— Здесь он как рыба, вынутая из воды. Он не будет счастлив, пока опять не окунется в работу. Наверно, наживет уйму денег.

— Этим он будет обязан вам. Вы ведь исцелили его не только физически, но и духовно. Вернули ему веру в себя.

— Я сделал очень немного. Всего только научил его, как исцелиться.

— Но как вы сами постигли это немногое?

— Совершенно случайно. Когда был в Индии. Я страдал от бессонницы и упомянул об этом в разговоре с одним старым йогом, а он сказал, что этому легко помочь. Он проделал со мной то, что я на ваших глазах проделал с Грэем, и в ту ночь я впервые за несколько месяцев спал как убитый. А потом, примерно год спустя, я был в Гималаях с одним приятелем-индийцем, и он растянул лодыжку. Врача поблизости не было, а нога болела невыносимо. Я и подумал, попробую-ка я сделать то, что сделал старый йог. И поверите ли, подействовало, боль как рукой сняло.— Ларри засмеялся.— Уверяю вас, я сам удивился невероятно. Тут ничего особенного нет, нужно только внушить больному какую-то мысль.

— Легко сказать.

— Вас бы удивило, если бы рука у вас поднялась над столом без участия вашей воли?

— Безусловно.

— Ну так она поднимется. Когда мы вернулись в цивилизованный мир, мой приятель рассказал кое-кому об этом случае и привел ко мне на лечение еще несколько человек. Мне не хотелось этим заниматься, потому что тут было что-то непонятное, но он настоял. Каким-то образом я им помог. Я обнаружил, что способен избавлять людей не только от боли, но и от страха. Просто удивительно, сколько людей от него страдает. Я имею в виду не какую-нибудь боязнь замкнутого пространства или боязнь высоты, а страх смерти или, того хуже, страх жизни. Зачастую это люди вполне здоровые и благополучные, но притом настоящие мученики. Порой мне казалось, что никакое другое чувство не завладевает людьми так властно, и я готов был приписать это глубокому животному инстинкту, унаследованному человеком от того неведомого первобытного существа, что впервые ощутило трепет жизни.

Я слушал Ларри и с интересом ждал продолжения — как правило, он был немногословен, а тут разговорился. Быть может, пьеса, которую мы только что смотрели, сняла в нем какое-то торможение, и ритм полнозвучных стихов, подобно музыке, помог ему преодолеть природную замкнутость. Вдруг до моего сознания дошло, что моя рука ведет себя странно. Я успел забыть про вопрос, который как бы в шутку задал мне Ларри. А тут оказалось, что моя рука уже не лежит на столе, а оторвалась от него примерно на дюйм. Я был озадачен. Я стал смотреть на нее и увидел, что она слегка дрожит. Я ощутил какое-то нервное покалывание, что-то дернулось, и вот уже и локоть отделился от стола без помощи, но и без сопротивления с моей стороны. Потом пошла вверх вся рука от плеча.

— Что за чудеса,— сказал я.

Ларри засмеялся. Небольшое усилие воли— и рука моя снова опустилась на стол.

— Это пустяки,— сказал он.— Не имеет никакого значения.

— Вас обучил этому тот йог, про которого вы нам рассказывали, когда только вернулись из Индии?

— О нет, он такие вещи презирал. Не знаю, ощущал ли он в себе способности, на которые претендуют некоторые йоги, но применять их он счел бы ребячеством.

Яичницу с ветчиной принесли, и мы с аппетитом поели. И пива выпили. Все в полном молчании. Не знаю, о чем думал Ларри, а я думал о нем. Потом я закурил папиросу, а он — свою трубку.

— Как вы вообще попали в Индию?— спросил я без предисловий.

— По чистой случайности. То есть тогда мне так казалось. Теперь-то я склоняюсь к мысли, что это был неизбежный результат тех лет, что я провел в Европе. Почти всех людей, которые оказали на меня влияние, я встретил как будто случайно, а когда оглядываюсь назад, кажется, что я не мог их не встретить. Словно они только и ждали, чтобы я обратился к ним, когда они мне понадобятся. В Индию я поехал отдохнуть. Перед тем я очень напряженно работал, и мне хотелось разобраться в своих мыслях. Я нанялся матросом на туристский пароход, из тех, что совершают кругосветные рейсы, он шел на Восток, а потом через Панамский канал в Нью-Йорк. В Америке я не был пять лет и соскучился. И на душе было скверно. Вы ведь знаете, каким невеждой я был, когда мы с вами познакомились в Чикаго, сто лет назад. В Европе я много чего прочел и много чего увидел, но к тому, что искал, не приблизился ни на шаг.

Мне хотелось спросить, чего же он искал, но я подозревал, что он только рассмеется, пожмет плечами и скажет, что это не имеет значения.

— Но почему вы плыли матросом?— спросил я.— У вас же были деньги.

— Ради нового переживания. Когда мне случалось поглотить все, что я в данное время был способен вместить, и меня, так сказать, начинало засасывать в болото, эта мера всякий раз оказывалась полезна. После того как мы с Изабеллой расторгли нашу помолвку, я полгода проработал в угольной шахте под Лансом.

Тут-то он и рассказал мне эпизод из своей жизни, о котором я поведал в одной из предыдущих глав.

— Вы очень горевали, когда Изабелла дала вам отставку?

Прежде чем ответить, он некоторое время смотрел на меня своими до странности черными глазами, глядевшими, казалось, не на вас, а внутрь.

— Да. Я был очень молод. Я был уверен, что мы поженимся. Строил планы, как мы будем жить вместе. Эта жизнь представлялась мне чудесной.— Он засмеялся тихо и грустно.— Но в одиночку брак не построишь. Мне и в голову не приходило, что жизнь, которую я предлагал Изабелле, ей кажется ужасной. Будь я поумнее, я не заикнулся бы об этом. Она была слишком юная и пылкая. Винить я ее не мог. И уступить не мог.

Хоть я и не очень на это надеюсь, но, возможно, читатель вспомнит, что, когда Ларри сбежал с фермы после нелепой истории с вдовой, снохой хозяина, он направился в Бонн. Мне не терпелось, чтобы он продолжил свой рассказ с этого места, но, зная его, я воздержался от прямых вопросов.

— Я никогда не был в Бонне,— сказал я.— В юности учился в Гейдельберге, но недолго. Это было, кажется, самое счастливое время в моей жизни.

— Мне Бонн понравился. Я провел там год. Поселился у вдовы одного из профессоров тамошнего университета, она сдавала несколько комнат. Она и две ее дочери, обе уже немолодые, сами готовили и делали всю работу по дому. Другую комнату, как выяснилось, снимал француз, и сначала это меня огорчило, потому что я хотел разговаривать только по-немецки, но он был эльзасец и по-немецки говорил если не свободнее, то во всяком случае с лучшим произношением, чем по-французски. Одевался он как немецкий пастор, а через несколько дней я, к своему удивлению, узнал, что он монах-бенедиктинец. Его на время отпустили из монастыря, чтобы он мог заняться научной работой в университетской библиотеке. Он был ученый человек, но, по моим понятиям, так же мало походил на ученого, как и на монаха,— рослый, дородный блондин с голубыми глазами навыкате и круглой красной физиономией. Он был стеснителен и сдержан, меня словно бы сторонился, но вообще отличался несколько тяжеловесной учтивостью и за столом вежливо участвовал в разговоре. Я только за столом его и видел: сразу после обеда он снова шел работать в библиотеку, а после ужина, когда я сидел в гостиной и практиковался в немецком языке с той из дочерей, которая не мыла посуду, удалялся к себе в комнату.

Я был очень удивлен, когда однажды, с месяц после моего приезда, он предложил мне пойти на прогулку — он-де может показать мне такие места, которые я сам едва ли открою. Я неплохой ходок, но ему и в подметки не годился. Во время той первой прогулки мы отмахали не меньше пятнадцати миль. Он спросил, что я делаю в Бонне, я сказал, что хочу овладеть немецким и получить представление о немецкой литературе. Говорил он очень разумно, сказал, что будет рад мне помочь. После этого мы стали ходить на прогулки по два-три раза в неделю. Оказалось, что он несколько лет преподавал философию. В Париже я кое-что прочел по этой части — Спинозу, Платона, Декарта, но из крупных немецких философов никого не знал и с интересом слушал, как он о них рассказывал. Однажды, когда мы совершили экскурсию на другой берег Рейна и сидели в саду перед трактиром за кружкой пива, он спросил, протестант ли я.

Я ответил: «Наверно, так».

Он бросил на меня быстрый взгляд, в котором я уловил улыбку, и заговорил об Эсхиле. Он, понимаете, изучил древнегреческий и великих трагиков знал так, как я и надеяться не мог их узнать. От его слов у меня голова работала лучше. Я недоумевал, чем был вызван тот его вопрос. Мой опекун, дядя Боб Нелсон, был агностик, но в церковь ходил регулярно, потому что этого ждали от него пациенты, и по той же причине заставлял меня посещать воскресную школу. Марта, наша служанка, была ревностной баптисткой и отравляла мое детство рассказами об адском пламени, в котором грешники будут гореть до скончания века. Она с истинным наслаждением расписывала муки, уготованные разным нашим соседям, так или иначе заслужившим ее нерасположение.

К началу зимы я уже много чего знал про отца Энсхайма. По-моему, это был замечательный человек. Я не помню, чтобы он хоть раз на кого-нибудь рассердился. Он был добрый и милосердный, с широкими взглядами, на редкость терпимый. Эрудиция его меня потрясала, а он, конечно, понимал, как мало я знаю, но говорил со мной как с равным. Был со мной очень терпелив. Словно только того и желал, что быть мне полезным. Однажды со мной ни с того ни с сего случился прострел, и фрау Грабау, наша хозяйка, чуть не силком уложила меня в постель с грелкой. Узнав, что я нездоров, отец Энсхайм после ужина зашел меня проведать. Чувствовал я себя хорошо, если не считать сильной боли. Вы знаете породу книжных людей — их всякая книга интересует. Так вот, когда я при его появлении отложил книгу, он взял ее и посмотрел заглавие. Это было сочинение мейстера Экхарта, оно мне попалось у букиниста. Он спросил, почему я это читаю, и я ответил, что вообще читаю такого рода литературу, и рассказал ему про Кости и как тот пробудил во мне интерес к этой теме. Он глядел на меня своими выпуклыми голубыми глазами, в них была насмешливая ласка, иначе я это выражение определить не могу. У меня было такое ощущение, что он находит меня смешным, но преисполнен ко мне такого доброжелательства, что я от этого не кажусь ему хуже. А меня никогда не обижает, если людям кажется, что я с придурью.

«Чего вы ищете в этих книгах?»— спросил он.

«Если б я это знал,— ответил я,— это был бы хоть первый шаг к моей цели».

«Помните, я вас как-то спросил, протестант ли вы, а вы ответили — наверно, так. Что вы хотели этим сказать?»

«Меня растили в протестантской вере».

«А в Бога вы верите?»

Я не люблю слишком личных вопросов, и первым моим побуждением было заявить, что это его не касается. Но от него веяло такой добротой, что обидеть его было просто невозможно. Я не знал, что сказать, не хотелось ответить ни да, ни нет. Возможно, на меня подействовала боль, а возможно, что-то в нем самом, но я рассказал ему о себе.

Ларри помолчал, а когда заговорил снова, мне было ясно, что он обращается не ко мне, а к тому монаху-бенедиктинцу. Обо мне он забыл. Не знаю, что тут сыграло роль, время или место, но теперь он без моей подсказки говорил о том, что так долго таил про себя из врожденной скрытности.

— Дядя Боб Нелсон был очень демократичен, он отдал меня в среднюю школу в Марвине и только потому в четырнадцать лет отпустил в Сент-Пол, что Луиза Брэдли совсем его заклевала. Я особенно не блистал ни в ученье, ни в спорте, но в школе прижился. Думаю, что я был совершенно нормальным мальчиком. Я бредил авиацией. Она тогда только начиналась, и дядя Боб увлекался ею не меньше меня, у него были знакомые авиаторы, и, когда я сказал, что хочу учиться летать, он обещал мне это устроить. Я был высокий для своего возраста, в шестнадцать лет вполне мог сойти за восемнадцатилетнего. Дядя Боб взял с меня слово никому об этом не говорить, он знал, что за такое дело все на него обрушатся, но ведь это он сам помог мне тогда перебраться в Канаду и снабдил письмом к какому-то своему знакомому, и в результате я в семнадцать лет уже летал во Франции.

Опасные это были игрушки, тогдашние аэропланы: поднимаясь в воздух, ты всякий раз рисковал жизнью. Высота по теперешним меркам была ничтожная, но мы другого не знали и считали себя героями. Не могу описать, какое чувство это во мне рождало, но в воздухе я бывал горд и счастлив. Я ощущал себя частью чего-то необъятного и прекрасного. Точнее я не мог бы это выразить, я только знал, что там, на высоте две тысячи футов, я уже не один, хоть со мной никого и нет. Наверно, это звучит глупо, но что поделаешь. Когда я летел над облаками, а они ходили подо мной, как огромное стадо овец, я чувствовал себя на короткой ноге с бесконечностью.

Ларри умолк. Он уставился на меня своими непроницаемыми глазами, но, по-моему, не видел меня.

— Я и раньше знал, что людей убивают сотнями тысяч, но никогда не видел, как их убивают. И меня это близко не задевало. А потом я своими глазами увидел мертвеца. И мне стало невыносимо стыдно.

— Стыдно?— воскликнул я невольно.

— Стыдно, потому что этот мальчик, всего на три-четыре года старше меня, такой подвижный и храбрый, за минуту до того полный жизни и всегда такой славный, превратился в груду искромсанного мяса, так что и не верилось, что только что это был живой человек.

Я промолчал. Я видел немало мертвецов в свою бытность студентом-медиком и еще много больше — во время войны. Меня-то всегда угнетало, какой у них жалкий, ничтожный вид. В них не было ни на грош благородства. Марионетки, которых кукольник выбросил на помойку.

— В ту ночь я не мог уснуть. Я плакал. За себя я не боялся, я был глубоко возмущен. Бессмысленная жестокость смерти, вот с чем я не мог примириться. Война кончилась, я вернулся домой. Меня всегда тянуло к машинам, и я хотел, если ничего не выйдет с авиацией, пойти на автомобильный завод. После ранения меня сначала не тормошили, но потом они захотели, чтобы я начал работать. А за такую работу, как они хотели, я не мог взяться. Она мне казалась никчемной. У меня было время подумать. Я все спрашивал себя, зачем нам дана жизнь. Мне-то просто повезло, что я выжил, и хотелось на что-то употребить свою жизнь, а на что — я не знал. О Боге я раньше никогда не задумывался, а теперь стал о нем думать. Я не мог понять, почему в мире столько зла. Я понимал, что очень мало знаю, обратиться мне было не к кому, и я стал читать что попало.

Когда я рассказал все это отцу Энсхайму, он спросил: «Значит, вы четыре года читали. И к чему вы пришли?».

«Ни к чему не пришел».

Он поглядел на меня так любовно, что я смешался. Чем я мог вызвать в нем такую приязнь? Он стал тихонько барабанить пальцами по столу, словно что-то обдумывая, и наконец заговорил:

«Наша мудрая старая церковь пришла к выводу, что, если человек поступает как верующий, вера будет ему дана; если он молится сомневаясь, но молится искренне, сомнения его рассеются; если он покорится красоте богослужения, власть коей над человеческим духом доказана многовековым опытом, мир снизойдет в его душу. В скором времени я возвращаюсь к себе в монастырь. Не хотите ли вы поехать со мной и пожить у нас несколько недель? Вы могли бы работать в поле с нашими младшими монахами, могли бы читать в нашей библиотеке. Как переживание это будет не менее интересно, чем работа в угольной шахте или на немецкой ферме».

«А почему вы мне это предлагаете?»

«Я вас наблюдаю три месяца. Возможно, я знаю вас лучше, чем вы сами себя знаете. Стена, отделяющая вас от веры, не толще листка папиросной бумаги».

На это я ничего не сказал. У меня было странное чувство, точно кто-то ухватил меня за самое сердце и тянет. Я сказал, что подумаю. Он заговорил о другом. Потом до его отъезда из Бонна мы больше не говорили ни о чем связанном с религией, но, уезжая, он дал мне адрес своего монастыря и сказал, что, если я надумаю приехать, надо только черкнуть ему, и он все устроит. Я и не думал, что буду так о нем скучать. Время шло, лето уже было в разгаре. В Бонне все шло хорошо. Я читал Гете, Шиллера, Гейне, читал Гельдерлина и Рильке. Но по-прежнему топтался на месте. Я часто вспоминал отца Энсхайма и наконец решил воспользоваться его приглашением.

Он встретил меня на станции. Монастырь был в Эльзасе, в живописной местности. Отец Энсхайм представил меня настоятелю, потом провел в келью, где мне разрешено было жить. Там стояла узкая железная кровать, на стене висело распятие, а мебель была только самая необходимая. Зазвонил колокол к обеду, и я пошел в трапезную. Это была огромная палата со сводчатым потолком. В дверях стоял настоятель с двумя монахами, один держал таз, другой полотенце, и настоятель в виде омовения брызгал водой на руки гостей и вытирал их полотенцем, которое подавал ему монах. Гостей, кроме меня, было еще трое — два священника, ехавшие куда-то по своим делам и задержавшиеся здесь пообедать, и ворчливый пожилой француз, на время удалившийся от мира.

Настоятель и два приора, старший и младший, сидели в верхнем конце трапезной, каждый за своим столом, ученые монахи — вдоль двух длинных стен, а монахи-работники, послушники и гости — за столами посреди комнаты. Была прочитана молитва, и мы поели. Один из послушников, стоя в дверях, монотонно читал из какого-то назидательного сочинения. После обеда опять прозвучала молитва. Потом настоятель, отец Энсхайм, гости и тот монах, в чьем ведении они находились, перешли в небольшую комнату, где попили кофе и побеседовали о том о сем. А потом я вернулся в свою келью.

Я провел там три месяца. Мне было очень хорошо. Такая жизнь как нельзя более мне подходила. Библиотека оказалась богатейшая, я много читал. Никто из монахов не пытался на меня влиять, но разговаривали они со мной охотно. Их ученость, благочестие и отрешенность от мира произвели на меня большое впечатление. И не думайте, что они вели бездельную жизнь. Они сами обрабатывали все свои земли, так что и моя помощь пригодилась. Я наслаждался великолепием церковных служб, больше всего мне нравилась утреня. Ее служили в четыре часа утра. Удивительно это волнует — сидишь в церкви, а вокруг тебя еще ночь, и монахи, таинственные в своих клобуках и рясах, выводят песнопения сильными, звучными голосами. В самом однообразии ежедневного распорядка было что-то умиротворяющее, и, несмотря на деятельную жизнь, которая тебя окружала, и на неустанную работу мысли, тебя не оставляло чувство тишины и покоя.

Ларри улыбнулся чуть печально.

— Я как Ролла у Мюссе: «Я в слишком старый мир явился слишком поздно». Мне бы надо было родиться в средние века, когда вера была чем-то непреложным: тогда мой путь был бы мне ясен, и я сам просился бы в монашеский орден. Но у меня веры не было. Я хотел верить, но не мог поверить в Бога, который ничем не лучше любого порядочного человека. Монахи говорили мне, что Бог сотворил мир для вящей славы своей. Мне это не казалось такой уж достойной целью. Разве Бетховен создал свои симфонии, чтобы прославить себя? Нет, конечно. Я думаю, он их создал, потому что музыка, которая его переполняла, рвалась наружу, а он уж только старался потом придать ей самую совершенную форму.

Я часто слушал, как монахи читали «Отче наш», и думал, как они могут изо дня в день взывать к Отцу Небесному, чтобы Он дал им хлеб насущный? Разве дети на земле просят своих отцов, чтобы те их кормили? Это разумеется само собой, дети не чувствуют и не должны чувствовать за это благодарности, и мы осуждаем человека, только когда он производит на свет детей, которых не хочет или не может прокормить. Мне казалось, что, если всемогущий Творец не в силах обеспечить свои творения самым необходимым для физической и духовной жизни, лучше бы ему было их не творить.

— Милый мой Ларри,— сказал я,— надо радоваться, что вы не родились в средние века. Вы, несомненно, окончили бы жизнь на костре.

Он улыбнулся.

— Вы вот знаете, что такое успех. Вам приятно, когда вас хвалят в лицо?

— Меня это только конфузит.

— Я так и думал. И не мог поверить, что Богу это нужно. В полку мы не очень-то уважали тех, кто подлизывался к командиру, чтобы получить тепленькое местечко. Вот и мне не верилось, что Бог может уважать человека, который с помощью грубой лести домогается у него спасения души. Мне казалось, что самый угодный ему способ поклонения должен бы состоять в том, чтобы поступать по своему разумению как можно лучше.

Но больше всего меня смущало другое: я не мог принять предпосылку, что все люди грешники, а монахи, сколько я мог понять, исходили именно из нее. В авиации я знал многих ребят. Конечно, они напивались, когда представлялся случай, и от женщин не отказывались, когда повезет, и сквернословили; попадались и злостные мошенники; одного парня арестовали за то, что подсовывал негодные чеки, и дали ему шесть месяцев тюрьмы; но он был не так уж виноват: раньше у него никогда денег не водилось, а тут стал получать много, сколько и не мечтал, и ему это ударило в голову. В Париже я знавал порочных людей, и в Чикаго, когда вернулся, тоже, но в большинстве случаев в их пороках была повинна наследственность, против которой они были бессильны, и среда, которую они не сами себе выбирали; я готов допустить, что в их преступлениях виноваты не столько они, сколько общество. Будь я Богом, я бы ни одного из них, даже самого худшего, не осудил на вечное проклятие. Отец Энсхайм смотрел на вещи широко, он толковал ад как запрет лицезреть Бога, но, если это такое страшное наказание, что его можно назвать адом, как представить себе, что оно может исходить от милосердного Бога? Ведь он как-никак создал людей. Раз Он создал их способными на грех, значит, такова была Его воля. Если я обучил собаку набрасываться на каждого, кто зайдет ко мне во двор, негоже ее бить, когда она это делает.

Если мир создал всеблагой и всемогущий Бог, зачем он создал зло? По утверждению монахов — для того, чтобы человек, побеждая свою греховность, противясь соблазнам, приемля боль, несчастья и невзгоды как испытания, посланные ему Богом для его очищения, мог в конце концов сподобиться Его благодати. Мне это казалось очень похожим на то, как если бы я послал человека с поручением и только для того, чтобы затруднить ему задачу, сам же построил на его пути лабиринт, через который он должен пробраться, потом вырыл ров, который он должен переплыть, и, наконец, возвел стену, через которую он должен перелезть. Я отказывался поверить во всемудрого Бога, лишенного здравомыслия. Мне казалось, что с тем же успехом можно верить в Бога, который не сам создал мир, а нашел его готовеньким и достаточно скверным и пытается навести в нем порядок, в существо, неизмеримо превосходящее человека умом, добротой и величием, которое борется со злом, не им сотворенным, и, надо надеяться, его одолеет. Но, с другой стороны, верить в Него необязательно.

Добрые монахи не знали ответов на мои недоуменные вопросы, таких ответов, которые что-то говорили бы моему уму или сердцу. Мне среди них было не место. Когда я пришел проститься к отцу Энсхайму, он не спросил, принесло ли мне новое переживание ту пользу, какой он от него ждал. Он только поглядел на меня с несказанной лаской во взгляде.

«Боюсь, я разочаровал вас, отец мой»,— сказал я.

«Нет,— ответил он.— Вы — глубоко религиозный человек, не верящий в Бога. Бог вас разыщет. Вы вернетесь. Сюда или куда-нибудь еще — это никому, кроме Бога, неведомо».

IV

— Дожил я ту зиму в Париже. Я ничего не смыслил в естествознании и решил, что пора хоть слегка к нему приобщиться. Прочел много книг. И только убедился в том, что невежество мое беспредельно. Это я, впрочем, знал и раньше. Весной я уехал в деревню и пожил в маленькой гостинице на реке, близ одного из тех прекрасных старинных французских городов, где жизнь за двести лет как будто не сдвинулась с места.

Я догадался, что это было то самое время, которое он прожил с Сюзанной Рувье, но не стал его перебивать.

— А потом я поехал в Испанию. Мне хотелось посмотреть Веласкеса и Эль Греко. Думалось, может быть, искусство укажет мне тот путь, которого не указала религия. Я поездил по стране, попал в Севилью, она мне понравилась, и я решил провести там зиму.

Когда мне было двадцать три года, я тоже побывал в Севилье, и мне она тоже понравилась. Мне нравились ее белые извилистые улицы, ее собор и широко раскинувшаяся долина Гвадалквивира; но нравились и андалузские девушки, такие грациозные и веселые, с темными лучистыми глазами и гвоздикой в прическе, подчеркивающей черноту волос и еще ярче сверкающей на черном фоне; нравился теплый цвет их кожи и зовущая чувственность губ. Да, быть молодым тогда было поистине раем. Когда Ларри туда попал, он был лишь немногим старше, чем я в свое время, и я невольно спросил себя, неужели он остался равнодушен к чарам этих восхитительных созданий. Он сам ответил на мой невысказанный вопрос.

— Я там встретил одного французского художника, некоего Огюста Котте, я его знал по Парижу, он одно время содержал Сюзанну Рувье. В Севилью он приехал работать и жил с молодой женщиной, которую там подцепил. Как-то вечером они позвали меня послушать пение фламенко и захватили с собой ее подругу. Та была настоящая красотка. Ей было всего восемнадцать лет. Она сошлась с одним парнем и вынуждена была уехать из родной деревни, потому что ждала ребенка. А парень отбывал военную службу. Когда ребенок родился, она отдала его на воспитание, а сама пошла работать на табачную фабрику. Я привел ее к себе. Она была очень веселая, очень славная, и через несколько дней я предложил ей совсем перебраться ко мне. Она согласилась, мы сняли две комнаты в casa de huespedes*, спальню и гостиную. Я сказал ей, что она может уйти с работы, но она не захотела, и меня это устраивало, днем я, таким образом, был совершенно свободен. Нам разрешали пользоваться кухней, и до ухода на фабрику она успевала приготовить мне завтрак, в перерыв приходила и готовила второй завтрак, а обедали мы в ресторане и потом шли в кино или на танцы. Она считала меня помешанным, потому что у меня

---

* Пансион, меблированные комнаты (исп.).

была резиновая ванна и я каждое утро обтирался холодной водой. Ребенок ее находился в деревне, и по воскресеньям мы ездили его навещать. Она не скрывала, что живет со мной, потому что хочет накопить денег — обставить дешевую квартирку, которую они снимут, когда ее дружок отслужит в армии. Она была прелесть, и я уверен, что своему Пако она стала хорошей женой. Она никогда не теряла бодрости, была покладистая, ласковая. На то, что в медицине именуется половыми сношениями, она смотрела как на одну из естественных функций человеческого тела. Ей это было приятно, так отчего не сделать приятное другому. Конечно, это был всего лишь зверек, но милый, привлекательный, прирученный зверек.

А потом как-то вечером она сказала, что получила письмо от Пако из Испанского Марокко, где он проходил военную службу, он отслужил свой срок и через несколько дней прибудет в Кадис. Наутро она сложила свои пожитки, засунула деньги в чулок, и я проводил ее на поезд. На прощанье она меня расцеловала, но была так поглощена предвкушением встречи со своим милым, что обо мне, в сущности, уже не думала, и я уверен, что поезд еще не отошел от вокзала, а она уже забыла о моем существовании.

Я еще пожил в Севилье, а осенью пустился в странствие, которое привело меня в Индию.

V

Время было позднее. Народ расходился, только там и сям еще оставались занятые столики. Те, кто приходил сюда посидеть от нечего делать, ушли домой. Ушли и те, кто забегал выпить на скорую руку после театра или кино. Изредка появлялись новые лица. Пришел долговязый мужчина, по виду англичанин, в обществе молодого хлыща. У него было длинное утомленное лицо и поредевшие волнистые волосы английского интеллигента, и он, надо думать, пребывал в заблуждении, весьма, кстати сказать, распространенном, что за границей даже знакомые соотечественники нипочем вас не узнают. Молодой хлыщ с жадностью уплел целое блюдо бутербродов, а его спутник наблюдал за ним насмешливо и снисходительно. Ну и аппетит! Пришел пожилой человек, которого я знал с виду, потому что мы в Ницце ходили к одному и тому же парикмахеру. Мне запомнилась его толстая фигура, седые волосы, обрюзгшее красное лицо и тяжелые мешки под глазами. Он был банкир с американского Среднего Запада и после биржевого краха уехал из родного города, чтобы избежать судебного расследования. Не знаю, совершил ли он какое-нибудь преступление, если и так, то, вероятно, он был мелкая сошка и власти не сочли нужным требовать его выдачи. Держался он с апломбом и с притворной сердечностью мелкого политикана, но глаза у него были испуганные и несчастные. Он никогда не был ни совсем пьян, ни совсем трезв. При нем всегда находилась какая-нибудь особа, явно торопящаяся высосать из него все, что можно, а сейчас его сопровождали целых две накрашенные немолодые женщины — они откровенно над ним издевались, а он, не понимая и половины того, что они говорят, бессмысленно хихикал. Веселая жизнь! Я подумал, уж лучше бы он сидел дома и получил по заслугам. А то скоро эти женщины выжмут его досуха, и тогда ему останется только река или тройная доза веронала.

После двух часов ночи посетителей опять стало побольше — видимо, закрылись ночные клубы. Ввалилась орава молодых американцев, очень пьяных и шумных, но почти тут же исчезла. Неподалеку от нас две полные мрачные женщины в тесных мужского покроя костюмах сидели рядом и в угрюмом молчании тянули виски с содовой. Появилась компания в вечерних туалетах, так называемые люди из общества — они, видимо, совершили поездку по злачным местам и решили напоследок поужинать. Поужинали и уехали. Мое любопытство возбудил щуплый, скромно одетый человечек, который уже не меньше часа сидел с газетой за кружкой пива. Он был в пенсне, с аккуратной черной бородкой. Наконец в ресторан вошла женщина и приблизилась к нему. Он кивнул ей без намека на дружелюбие — наверно, был обижен, что она заставила его ждать. Она была молода, одета кое-как, но сильно накрашена и казалась очень усталой. Вот она достала что-то из сумки и подала ему. Деньги. Он глянул на них, и лицо его потемнело. Он заговорил, слов я не мог разобрать, но по мимике понял, что он ее бранит, а она оправдывается. Вдруг он подался вперед и залепил ей звонкую пощечину. Она вскрикнула и зарыдала. Старший официант, привлеченный шумом, подошел узнать, что случилось. Видимо, он велел им уйти, если они не могут вести себя прилично. Женщина повернулась к нему и громко, так что слышно было каждое слово, в непристойных выражениях предложила ему не соваться не в свое дело.

— Раз дал мне по морде, значит, заслужила!— выкрикнула она.

Ох, женщины! Мне всегда казалось, что жить на позорные заработки женщины может только какой-нибудь видный, самоуверенный малый, покоритель женских сердец, готовый в любую минуту пустить в ход нож или пистолет. Поразительно было, как этот хлюпик — не иначе мелкий служащий из адвокатской конторы — сумел затесаться в ряды столь труднодоступной профессии.

VI

У официанта, который нас обслуживал, кончилась смена, и, чтобы не упустить чаевых, он подал нам счет. Мы расплатились и заказали кофе.

— Ну, дальше?— сказал я.

Я чувствовал, что Ларри в настроении говорить, а сам я, конечно же, был в настроении слушать.

— Я вам не надоел?

— Нисколько.

— Ну так вот, приплыли мы в Бомбей. Пароход стоял там три дня, пока туристы осматривали город и окрестности. На третий день я с полудня был свободен и сошел на берег. Походил, поглядел на толпу, кого там только не было! Китайцы, мусульмане, индусы; черные как сажа тамилы; и эти их горбатые волы с длинными рогами, запряженные в повозки. Потом я поехал в Элефанту смотреть пещерные храмы. От Александрии на нашем пароходе плыл один индиец, туристы относились к нему немного свысока. Он был маленький, толстенький, в плотном костюме в черно-зеленую клетку и пасторском воротничке. Я как-то ночью поднялся на палубу подышать, он подошел и заговорил со мной. Мне в ту минуту ни с кем не хотелось разговаривать, хотелось побыть одному. А он задавал мне вопрос за вопросом, и я, вероятно, отвечал не слишком вежливо. В общем, я ему сказал, что я студент, а матросом зарабатываю обратный путь в Америку.

«Вам бы надо пожить в Индии,— сказал он.— Запад и не представляет себе, скольку он может научиться у Востока».

«Уж будто!»— сказал я.

«Во всяком случае,— сказал он,— непременно побывайте в пещерах Элефанты. Не пожалеете». Ларри перебил свой рассказ вопросом:— Вы-то бывали в Индии?

— Никогда.

— Ну так вот, когда я стоял перед исполинским изваянием о трех головах, которое считается главной достопримечательностью Элефанты, и раздумывал, что бы это могло значить, кто-то за моей спиной сказал: «Вы, я вижу, последовали моему совету». Я оглянулся и не сразу понял, кто со мной говорит. Это был тот человечек в плотном клетчатом костюме и пасторском воротничке, только теперь на нем было длинное шафрановое одеяние — такие балахоны, как я позже узнал, носят адепты Рамакришны — и от смешного суетливого человечка ничего не осталось, вид у него был внушительный, даже величественный. Мы постояли рядом, глядя на гигантский бюст.

«Брама — творец,— сказал он.— Вишну — охранитель и Шива — разрушитель. Три проявления Конечной Реальности».

«Что-то мне не совсем понятно»,— сказал я.

«Неудивительно,— отозвался он и с легкой улыбкой подмигнул, точно подтрунивал надо мной.— Бог, которого можно понять,— это не Бог. Кто может объяснить словами Бесконечность?»

Он сложил перед собой ладони и с едва заметным поклоном пошел куда-то дальше, а я еще долго смотрел на эти три загадочные головы. Наверно, я был настроен особенно восприимчиво, меня охватило непонятное волнение. Вы знаете, как иногда бывает — стараешься вспомнить какое-то имя, на языке вертится, а вспомнить не можешь. Вот и со мной тогда так было. Я вышел из пещер и еще долго сидел на ступенях и глядел на море. О брахманизме я не знал ничего, кроме стихов Эмерсона, и я попробовал их вспомнить, но не смог. Я даже рассердился и, когда вернулся в Бомбей, зашел в книжную лавку, думал, не найдется ли там книга, в которую эти стихи вошли. Они включены в «Оксфордскую антологию английской поэзии». Помните?

> Ошибаются те, кто обо мне забывает;
>
> Когда они бегут меня, я — крылья;
>
> Я — сомневающийся и сомнение,
>
> И я — тот гимн, что поет брамин.

Я поужинал в туземной харчевне, на пароход мне нужно было только к десяти, и опять пошел бродить по набережной и смотреть на море. Никогда еще, кажется, я не видел на небе столько звезд. Прохлада после дневного зноя была упоительна. Я забрел в какой-то сквер и сел на скамейку. Там было очень темно, беззвучно мелькали какие-то белые фигуры.

Этот удивительный день словно околдовал меня: слепящее солнце, шумные пестрые толпы, запах Востока, едкий и пряный; и как яркий мазок на картине объединяет всю композицию, так эти три огромные головы — Брама, Вишну и Шива — придавали всему этому некую таинственную значительность. Сердце у меня бешено заколотилось, потому что я вдруг ощутил неколебимую уверенность, что Индия может дать мне что-то очень мне нужное. Точно мне предлагалась некая возможность, за которую следовало ухватиться немедленно, а не то она больше никогда не представится. Я не раздумывал долго. Я решил не возвращаться на пароход. У меня остался там только чемоданчик с бельем. Я не спеша вернулся в туземный квартал и стал искать гостиницу. Нашел, снял номер. Кроме той одежды, что была на мне, у меня было только немножко денег, паспорт и аккредитив. Чувство свободы было так сладостно, что я громко смеялся.

Пароход мой отходил на следующее утро в одиннадцать часов, и до тех пор я из предосторожности сидел у себя в номере. Потом спустился на набережную, посмотрел, как он отваливает. А потом отправился в миссию Рамакришны и разыскал того человека, который говорил со мной в Элефанте. Имени его я не знал, но объяснил, что мне нужен уважаемый человек, который только что приехал из Александрии. Я сказал ему, что решил остаться в Индии, и спросил, что здесь следует посмотреть. Мы долго беседовали, и кончилось тем, что он сказал, что вечером уезжает в Бенарес, и предложил мне ехать с ним вместе. Я с восторгом согласился. Мы ехали третьим классом. Вагон был набит битком, люди ели, пили, разговаривали, жарища была страшная. Я всю ночь не сомкнул глаз, и к утру меня сильно разморило, а он был свеженький как огурчик. Я спросил его, как это так, а он отвечал: «Я размышлял о том, что не имеет образа, и черпал покой в Абсолюте». Я не знал, что и думать, но своими глазами видел, что он оживлен и бодр, точно всласть выспался в удобной постели.

Наконец мы дотащились до Бенареса, там его встретил молодой человек примерно моего возраста, и мой спутник попросил его найти мне комнату. Звали его Махендра, он преподавал в университете. Очень был приятный человек, неглупый и воспитанный, мы сразу прониклись друг к другу симпатией. Вечером он повел меня покататься на лодке по Гангу. Это было восхитительно — до того красив этот город, сползающий к самой воде, даже сердце замирает; но на утро у него было припасено зрелище и того лучше; он зашел за мной еще до рассвета, и мы опять сели в лодку. И тут я увидел такое, чего и вообразить не мог. Я видел, как тысячи и тысячи людей шли к реке совершать очистительные омовения и молиться. Я видел, как высокий, страшно худой мужчина, патлатый, со спутанной бородой и в одной набедренной повязке, стоял воздев длинные руки и закинув голову и громко молился восходящему солнцу. Не могу вам передать, как это меня потрясло. Я пробыл в Бенаресе полгода и еще много раз ходил на заре к Гангу, чтобы увидеть эту поразительную картину. Я не мог на нее надивиться. Эти люди верили не с прохладцей, не с оговорками и сомнениями, а всем своим существом.

Ко мне все были очень добры. Когда они убедились, что я приехал не для того, чтобы охотиться на тигров, и не для того, чтобы что-то продать или купить, а только чтобы учиться, они стали всячески мне помогать. Им понравилось, что я хочу научиться хинди, и они нашли мне учителей. Давали мне книги. Не уставали отвечать на мои вопросы... Вам что-нибудь известно об индуизме?

— Очень мало.

— А я думал, вас это должно интересовать. Можно ли вообразить что-нибудь более грандиозное, чем концепция, что Вселенная не имеет ни начала, ни конца, но снова и снова переходит от роста к равновесию, от равновесия к упадку, от упадка к распаду, от распада к росту, и так далее до бесконечности?

— А какова, по мнению индусов, цель этого бесконечного чередования?

— Вероятно, они бы ответили, что такова природа Абсолюта. Понимаете, они считают, что назначение всего сущего в том, чтобы служить стадией для наказания или награды за деяния прошлых существований души.

— И это предполагает веру в переселение душ?

— В него верят две трети человечества.

— То, что в какую-нибудь теорию верит много людей, еще не есть гарантия ее истинности.

— Да, но это хотя бы значит, что к ней стоит присмотреться. Христианство вобрало в себя многое от неоплатонизма, оно могло бы вобрать и эту идею, одна раннехристианская секта даже верила в нее, но она была объявлена еретической. Если бы не это, христиане верили бы в нее так же свято, как верят в воскресение Христа.

— Если я вас правильно понял, это значит, что душа переходит из тела в тело в ходе бесконечного опыта, обусловленного праведностью или греховностью предшествующих поступков?

— По-моему, так.

— Но подумайте, ведь «я» — это не только мой дух, но и мое тело, кто может сказать, в какой мере мое я, моя сущность, обусловлена случайностями моего тела? Был бы Байрон Байроном без своей хромоты или Достоевский Достоевским без своей эпилепсии?

— Индусы не стали бы говорить о случайности. Они ответили бы, что это ваши поступки в предыдущих жизнях предопределили вашей душе обитать в несовершенном теле.— Ларри побарабанил пальцами по столу, глубоко задумавшись и уставясь глазами в пространство. Потом со слабой улыбкой на губах заговорил снова:— Вам не приходило в голову, что перевоплощение одновременно и объясняет, и оправдывает земное зло? Если зло, от которого мы страдаем,— следствие грехов, совершенных в предыдущих жизнях, мы можем сносить его с покорностью и надеяться, что, если в этой жизни мы будем стремиться к праведности, наши будущие жизни будут не так несчастны. Но собственные невзгоды сносить легко, для этого требуется лишь немножко мужества; по-настоящему нестерпимо то зло, часто кажущееся столь незаслуженным, от которого страдают другие. Если ты способен убедить себя, что это зло — неизбежное следствие прошлого, тогда ты можешь жалеть людей, можешь и должен по мере сил облегчать их страдания, но причин возмущаться у тебя не будет.

— Но почему Бог не создал мир, свободный от страданий и горя, с самого начала, когда в человеке еще не было ни праведности, ни греховности, которые определяли бы его поступки?

— Индусы сказали бы, что начала не было. Каждая душа, сосуществуя с Вселенной, существует от века, и природа ее обусловлена каким-нибудь предыдущим существованием.

— И что же, оказывает эта вера в переселение душ ощутимое воздействие на жизнь тех, кто ее исповедует? Ведь вот где, в сущности, главный критерий.

— Думаю, что оказывает. Могу рассказать вам про одного человека, которого я лично знал; на его жизнь она, несомненно, оказала очень даже ощутимое воздействие. Первые два-три года в Индии я жил главным образом в туземных гостиницах, но изредка меня приглашали к себе друзья, а раза два я пожил в великой роскоши как гость махараджи. Через одного из моих знакомых я получил приглашение погостить в одном из мелких северных княжеств. Столица там была прелестная — «багряный город, вечности ровесник». Меня представили министру финансов. Он получил европейское образование, учился в Оксфорде. Производил впечатление человека передового, неглупого и просвещенного и к тому же слыл чрезвычайно дельным министром и ловким, прозорливым политиком. Он носил европейское платье, следил за своей внешностью, одни аккуратно подстриженные усики чего стоили; и собой был недурен, хоть и полноват, как многие индийцы не первой молодости. Он часто приглашал меня в гости. У него был большой сад, и мы сидели в тени развесистых деревьев и беседовали. У него была жена и двое взрослых детей. В общем, казалось бы, типичный англизированный индиец. Я ушам своим не поверил, когда узнал, что через год, когда ему стукнет пятьдесят, он намерен отказаться от своего прибыльного поста, передать свою собственность жене и детям и идти бродить по свету как нищенствующий монах. Причем самое удивительное было то, что ни его знакомые, ни махараджа не усматривали в этом ничего из ряда вон выходящего.

Однажды я ему сказал: «Вы человек без предрассудков, вы знаете жизнь, вы начитаны в естественных науках, философии, литературе, скажите положа руку на сердце, верите вы в перевоплощение?».

«Дорогой мой друг,— ответил он,— если бы я в него не верил, жизнь не имела бы для меня никакого смысла».

— А вы в него верите, Ларри?— спросил я.

— Это очень трудный вопрос. Мне кажется, мы, люди Запада, не в состоянии верить в него так же безоговорочно, как верят на Востоке. У них эта вера вошла в плоть и кровь. У нас вместо нее может быть только личное мнение. Я, например, и верю в него, и не верю.

Он помолчал, подперев рукой опущенную голову. Потом выпрямился.

— Хочу вам рассказать, какое у меня однажды было странное переживание. Как-то ночью в моей маленькой комнате в ашраме я упражнялся в размышлении, как меня учили тамошние друзья. Я зажег свечу и постарался сосредоточить на ней внимание и через некоторое время совершенно отчетливо увидел сквозь пламя длинную череду фигур. Первой была пожилая дама в кружевном чепце, с седыми локончиками, свисавшими на уши. На ней был узкий черный корсаж и черная шелковая юбка, вся в оборках,— так, кажется, женщины одевались в семидесятых годах, и стояла она ко мне лицом, в грациозной, застенчивой позе, опустив по бокам руки ладонями вперед. На ее увядшем лице было прелестное выражение доброты и мягкости. Чуть позади нее, но в профиль ко мне, стоял высокий тощий еврей, горбоносый и толстогубый, в желтом кафтане, с желтой ермолкой на густых черных волосах. У него был вид ученого, на лице печать фанатического аскетизма. Позади него, опять лицом ко мне, и видный яснее всех — протяни руку и тронешь,— находился молодой мужчина с веселым румяным лицом, без всякого сомнения, англичанин шестнадцатого столетия. Он стоял крепко, слегка расставив ноги,— этакий дерзкий, бесшабашный гуляка. За ним маячила еще бесконечная вереница фигур, как очередь перед кинематографом, но они были как в тумане, разглядеть их я не мог. Я видел только смутные очертания, да какое-то движение проходило по ним волнами — так пшеница колышется под летним ветром. Не знаю, сколько это длилось — минуту, или пять, или десять,— потом они постепенно растаяли в ночном мраке, и ничего не осталось, только ровное пламя свечи.

Ларри усмехнулся.

— Можно, конечно, предположить, что я задремал и видел сон. Или, сосредоточив все мысли на этом маленьком огоньке, я впал в какое-то гипнотическое состояние, и эти три фигуры, которые я видел так же ясно, как вижу вас, были забытыми картинами, сохранившимися у меня в подсознании. А может быть, это был я сам в прошлых воплощениях. Может быть, не так давно я был пожилой дамой в Новой Англии, а до этого — левантинцем-евреем, а еще раньше, вскоре после того как Себастьян Кабот отплыл из Бристоля,— щеголем при дворе Генриха, принца Уэльского.

— А что сталось с вашим приятелем из багряного города?

— Два года спустя я оказался на юге, в городке под названием Мадура. Вечером в храме кто-то тронул меня за плечо. Я оглянулся и увидел бородатого человека с длинными черными волосами, в одних трусах, с посохом и миской для подаяния, как ходят там святые люди. Я только тогда узнал его, когда он заговорил. Это был мой приятель. От удивления я онемел. Он спросил меня, что я делал, с тех пор как мы не виделись, и я ответил; спросил, куда я направляюсь, я ответил, что в Траванкур; тогда он сказал, чтобы я отыскал там Шри Ганешу. «Он вам даст то, чего вы ищете». Я просил рассказать мне о нем, но он улыбнулся и ответил, что когда я его увижу, то сам узнаю о нем все, что мне положено знать. Я успел оправиться от удивления и в свою очередь спросил, что он делает в Мадуре. Он сказал, что совершает паломничество — обходит пешком святые места Индии. Я спросил, как он питается и где ночует. Он сказал, что, когда ему предлагают приют, спит на галерее, а то под деревом или в ограде храма; а что до еды — если предлагают поесть, не отказывается, а нет — обходится без обеда. Я посмотрел на него повнимательнее и сказал: «А вы похудели». Он, смеясь, заявил, что это полезно для здоровья. Потом он простился со мной — забавно было услышать из уст этого нищего в набедренной повязке: «Пока, старина»— и прошел в ту часть храма, куда мне не полагалось входить.

Из Мадуры я уехал не сразу. Тамошний храм, кажется, единственный в Индии, по которому белый человек может свободно расхаживать, лишь бы он не входил в святилище. К ночи там собиралось множество народу: мужчин, женщин, детей. Мужчины — голые по пояс, в одних дхоти, лоб, а часто и грудь и руки густо намазаны белой золой от сожженного коровьего навоза. Они склонялись ниц то у одного священного места, то у другого, а иные лежали ничком на земле в ритуальной позе самоуничижения. Они молились, читали священные стихи, перекликались, здоровались, ссорились, затевали ожесточенные споры. Гам стоял несусветный, а между тем каким-то непонятным образом там ощущалось присутствие живого Бога.

Проходишь длинными залами между изукрашенных скульптурами колонн, и у подножия каждой колонны сидит нищенствующий праведник, перед каждым — миска для подаяния или маленькая циновка, на которую верующие изредка бросают медяк. Одни одеты, другие почти голые. Одни провожают тебя пустым взглядом; другие читают про себя или вслух, точно мимо них и не снуют эти толпы. Я искал среди них моего приятеля, но больше ни разу его не встретил. Наверное, он уже продолжил путь к своей цели.

— Какая же это была цель?

— Освободиться от уз нового рождения. По учению веданты, сущность человека, которую они называют «атман», а мы называем душой, отлична от тела и его чувств, отлична от рассудка и разума; она не есть часть Абсолюта, поскольку Абсолют, будучи бесконечным, не имеет частей; она и есть Абсолют. Она не сотворена, она существовала всегда, и когда она наконец сбросит семь покрывал невежества, то возвратится в бесконечность, из которой пришла. Она — как капля воды, что поднялась из моря и дождем упала в лужицу, а потом стекла в ручеек, пробралась в узкую речку, потом в мощный поток, бегущий по горным ущельям и широким равнинам, отклоняясь то вправо, то влево, встречая на пути и каменные завалы, и упавшие деревья, и наконец вливающаяся в бескрайнее море, из которого поднялась.

— Но к тому времени, когда эта бедная капля опять сольется с морем, она наверняка потеряет свою индивидуальность.

Ларри усмехнулся.

— Вам ведь хочется пососать кусок сахара, а не превратиться в сахар. Что такое индивидуальность, как не проявление нашего эгоизма? Пока душа не избавится от него, она не может слиться с Абсолютом.

— Вы очень бойко толкуете об Абсолюте, Ларри, и слово это звучит внушительно. Но что оно, по-вашему, означает?

— Реальность. Что она такое — этого нельзя сказать. Можно только сказать, чем она не является. Она необъяснима. Индусы называют ее «Брахман». Она нигде и везде. Она все подразумевает, и все от нее зависит. Это не человек, не вещь, не первопричина. У нее нет никаких свойств. Она за пределами неизменности и перемены, целое и часть, конечное и бесконечное. Она вечна, потому что ее законченность и совершенство не имеют отношения к времени. Она — истина и свобода.

«Ну и ну!»— сказал я про себя, а вслух спросил:

— Но как может страждущее человечество находить прибежище в чисто умозрительной концепции? Людям всегда требовался личный бог, к которому в тяжелую минуту можно обратиться за утешением и поддержкой.

— Возможно, когда-нибудь в далеком будущем люди станут умнее и поймут, что искать утешения и поддержки нужно в собственной душе. Мне лично представляется, что потребность молиться — это всего лишь пережиток древней памяти о жестоких богах, которых нужно было умилостивить. Я думаю, что Бог либо внутри меня, либо нигде. А если так, кому или чему мне молиться? Самому себе? Люди пребывают на разных уровнях духовного развития, и в Индии, например, воображение создало проявления Абсолюта, известные как Брама, Вишну, Шива и еще под множеством имен. Абсолют — в Ишваре, создателе и правителе мира, и в смиренном фетише, которому крестьянин на своем выжженном солнцем клочке земли приносит в жертву цветок. Бесчисленные индийские боги — это всего лишь образы, облегчающие понимание той истины, что «я» человека и высшее «я»— одно.

Я задумчиво поглядел на Ларри.

— Хотел бы я знать, почему вас потянуло к этой суровой вере?

— Думаю, что могу вам объяснить. Мне всегда казалось немного смешным, что основатели той или иной религии ставили человеку условие: веруй в меня, иначе не спасешься. Словно без веры со стороны они сами не могли в себя уверовать. Прямо как те древние языческие боги, которые худели и бледнели, если люди не поддерживали их силы жертвоприношениями. Веданта не предлагает вам что-либо принимать на веру; она только требует от вас страстного желания познать Реальность; она утверждает, что вы можете познать Бога так же, как можете познать радость или боль. И сейчас в Индии есть люди, может быть сотни людей, которые убеждены, что они этого достигли. Меня особенно пленяет мысль, что постигнуть Реальность можно с помощью знания. В более поздние эпохи индийские мудрецы, снисходя к человеческой слабости, допускали, что спасения можно достигнуть также через любовь и добрые дела, но они никогда не отрицали, что самый достойный, хоть и самый трудный, путь — это путь познания, потому что орудие его — самое драгоценное, чем обладает человек,— его разум.

VII

Здесь я должен прервать свой рассказ и пояснить, что я не пытаюсь сколько-нибудь последовательно описать философскую систему, известную под названием «веданта». Для этого мне недостает знаний, да если б я ими и располагал, такое описание было бы здесь не к месту. Разговор наш продолжался долго, и Ларри наговорил гораздо больше, чем я счел возможным воспроизвести,— ведь я как-никак пишу не научный трактат, а роман. Для меня главное — Ларри. Я и вообще-то коснулся этого сложного предмета только потому, что, если б я не упомянул хотя бы вкратце о раздумьях Ларри и о его необычайных переживаниях, вызванных, возможно, этими раздумьями, очень уж неправдоподобной показалась бы та линия поведения, которую он избрал и о которой читателю скоро станет известно. Мне до крайности обидно, что я не в силах дать хотя бы отдаленное представление о его чудесном голосе, придававшем убедительность даже самым пустячным его замечаниям, или о смене выражений на его лице, исполненном то важности, то легкой веселости, то задумчивом, то лукавом,— сопровождавшей его рассказ, как журчание рояля, когда скрипка выпевает тему за темой. Он говорил о серьезных вещах, но говорил просто, непринужденно, немного, пожалуй, застенчиво, но не более книжно, чем если бы речь шла о погоде и видах на урожай. Если у читателя создалось впечатление, что в его манере было нечто наставительное, то в этом повинен я. Скромность его была столь же очевидна, как его искренность.

В кафе остались считанные посетители. Кутилы давно удалились. Печальные создания, промышляющие любовью, расползлись по своим убогим жилищам. Заглянул усталый мужчина и выпил стакан пива с бутербродом; еще один, шатаясь, как в полусне, заказал чашку кофе. Мелкие служащие. Первый отработал ночную смену и идет домой спать. Второму, поднятому звонком будильника, еще предстоит томительно длинный рабочий день. Мне в жизни довелось побывать в разного рода диковинных ситуациях. Не раз я был на волосок от смерти. Не раз соприкасался с романтикой и понимал это. Я проехал верхом через Центральную Азию, по тому пути, которым Марко Поло пробирался в сказочную страну Китай; я пил из стакана русский чай в чопорной петроградской гостиной, и низенький господин в черной визитке и полосатых брюках занимал меня разговором о том, как он убил некоего великого князя; я сидел в зале богатого дома в Вестминстере и слушал безмятежно певучее трио Гайдна, а за окном рвались немецкие бомбы. Но в такой диковинной ситуации мне еще, кажется, не доводилось оказаться; час за часом я сидел на красном плюшевом диванчике в парижском ночном ресторане, а Ларри говорил о Боге и Вечности, об Абсолюте и медлительном колесе бесконечного становления.

VIII

Ларри уже несколько минут как умолк, торопить его не хотелось, и я ждал. Но вот он подарил меня короткой дружеской улыбкой, словно вдруг вспомнил о моем присутствии.

— Приехав в Траванкур, я обнаружил, что мог и не наводить заранее справок о Шри Ганеше. Там все его знали. Много лет он прожил в пещере в горах, а потом его уговорили спуститься в долину, где какой-то добрый человек подарил ему участок земли и построил для него глинобитный домик. От Тривандрума, столицы княжества, путь туда неблизкий, я ехал целый день, сперва поездом, потом на волах, пока добрался до его ашрамы. У входа стоял какой-то молодой человек, я спросил его, можно ли мне увидеть йога. У меня была с собой корзина фруктов — традиционное приношение. Через несколько минут молодой человек вернулся и провел меня в длинное помещение с окнами во всех стенах. В одном углу, на возвышении, застланном тигровой шкурой, сидел в позе размышления Шри Ганеша. «Я тебя давно жду»,— сказал он. Я удивился, но решил, что ему говорил про меня мой приятель. Однако, когда я назвал его, Шри Ганеша покачал головой. Я преподнес ему фрукты, и он велел молодому человеку их унести. Мы остались одни, он молча смотрел на меня. Не знаю, сколько длилось это молчание. Наверно, с полчаса. Я вам уже описывал его внешность; но я не сказал, какая от него исходила необычайная безмятежность, доброта, покой, отрешенность. Я после своего путешествия весь взмок и устал, но тут постепенно ощутил удивительное отдохновение. Он еще молчал, а я уже был уверен, что именно этот человек был мне нужен.

— Он говорил по-английски?— спросил я.

— Нет, но мне, вы знаете, языки даются легко, и на юге я уже успел нахвататься тамильского, так что много понимал и сам мог объясниться. Наконец он заговорил:

«Зачем ты сюда пришел?»

Я стал рассказывать, как попал в Индию и чем занимался три года, как ходил от одного святого человека к другому, будучи наслышан о их мудрости и праведности, и ни один не дал мне того, что я искал. Он перебил меня:

«Это я все знаю. Говорить об этом лишнее. Зачем ты пришел ко мне?»

«Чтобы ты стал моим гуру*»,— ответил я.

«Единственный гуру — это Брахман»,— сказал он.

Он все смотрел на меня до странности пристально, а потом тело его внезапно застыло, глаза словно обратились внутрь, и я увидел, что он впал в транс, который индусы называют «самадхи», то есть сосредоточением, и во время которого, по их верованиям, антитеза субъекта и объекта уничтожается и человек становится Абсолютным Знанием. Я сидел перед ним на полу скрестив ноги, и сердце у меня отчаянно билось. Сколько времени прошло, не знаю, потом он глубоко вздохнул, и я понял, что он опять в нормальном сознании. Он окинул меня взглядом, исполненным бесконечной доброты.

— Оставайся,— сказал он.— Тебе покажут, где можно спать.

Меня поселили в хижине, где Шри Ганеша жил, когда только спустился в долину. Здание, где он теперь проводил и дни и ночи, построили позже, когда вокруг него собрались ученики и все больше народу стало приходить к нему на поклон. Чтобы не выделяться, я перешел на удобную индийскую одежду и так загорел, что, если не знать, кто я, меня вполне можно было принять за местного жителя. Я много читал. Размышлял. Слушал Шри Ганешу, когда он был в настроении говорить; говорил он не много, но всегда был готов отвечать на вопросы, и слова его будили много мыслей и чувств. Как музыка. Сам он в молодости упражнялся в очень суровом аскетизме, но своих учеников к этому не понуждал. Он стремился отлучить их от рабства эгоизма и плотских страстей, толковал им, что путь к освобождению лежит через спокойствие, воздержание, самоотречение, покорность, через твердость духа и жажду свободы. Люди приходили к нему из ближайшего города за три-четыре мили — там был знаменитый храм, куда раз в год стекались на праздник несметные

_____

* Учителем.

толпы; приходили из Тривандрума и других отдаленных мест, чтобы поведать ему свои горести, спросить его совета, послушать его наставления; и все уходили утешенные, с новыми силами и в мире с самими собой. Суть его учения была очень проста. Он учил, что все мы лучше и умнее, чем нам кажется, и что мудрость ведет к свободе. Он учил, что самое важное для спасения души не удалиться от мира, а всего лишь отказаться от себя. Он учил, что работа, проделанная бескорыстно, очищает душу и что обязанности — это предоставленная человеку возможность подавить свое «я» и слиться воедино с вселенским «Я». Удивительно было не столько его учение, сколько он сам — его милосердие, величие его души, его святость. Самая близость его была благом. Около него я был очень счастлив. Я чувствовал, что наконец-то нашел то, что искал. Недели, месяцы летели с неимоверной быстротой. Я решил, что побуду там либо до его смерти — а он говорил, что не намерен долго обитать в своем бренном теле,— либо до тех пор, пока мне не будет дано озарение — то состояние, когда ты наконец разорвал путы невежества и познал с неоспоримой уверенностью, что ты и Абсолют — одно.

— А тогда что?

— Тогда, очевидно, нет больше ничего. Земной путь души окончен, и она больше не вернется.

— И Шри Ганеша умер?— спросил я.

— Да нет, не слышал.

Не успел он это сказать, как понял смысл моего вопроса и смущенно усмехнулся. Чуть помедлив, он продолжал, но так, что я сначала подумал, что он хочет уйти от второго вопроса, явно вертевшегося у меня на языке и вполне естественного,— было ли ему дано озарение?

— Я не все время проводил в ашраме. Мне посчастливилось познакомиться с одним местным лесничим, который жил на окраине деревни в предгорьях. Он был ревностным почитателем Шри Ганеши и, когда выдавалось свободное время, проводил у нас по два, по три дня. Приятный был человек, мы с ним много беседовали. Он был рад случаю попрактиковаться в английском. Через некоторое время он сказал мне, что у лесничества есть домик в горах и, если мне когда-нибудь захочется там побывать и пожить в одиночестве, он даст мне ключ. И я стал туда удаляться время от времени. Путь туда занимал два дня — сначала автобусом, до той деревни, где постоянно жил лесничий, потом пешком, но проделать его стоило — такое там было великолепие и тишина. Я забирал с собой рюкзак с вещами, нанимал носильщика, чтобы тащил припасы, и жил там, пока они не иссякнут. Домик был просто бревенчатая хижина с пристройкой, где стряпать, а внутри была походная койка, на которую каждый мог постелить свою спальную циновку, стол и два стула. Там, на высоте, никогда не было жарко, а по ночам бывало даже приятно развести костер. У меня сердце замирало от счастья при мысли, что ближе чем за двадцать миль от меня нет ни одной живой души. Ночью я нередко слышал рев тигра или страшный шум и треск, когда через джунгли продирались слоны. Я надолго уходил гулять. Там было одно место, где я особенно любил посидеть, потому что оттуда открывался широкий вид на горы, а внизу было озеро, к которому в сумерках сходились на водопой олени, кабаны, бизоны, слоны и леопарды.

Когда я прожил в ашраме уже два года, я отправился в мое горное убежище по причине, которая покажется вам смешной. Мне захотелось провести там мой день рождения. Пришел я накануне. А наутро проснулся еще затемно и подумал, что хорошо бы с моего любимого места посмотреть восход солнца. Дорогу туда я мог бы найти с закрытыми глазами. Я пришел, сел под деревом и стал ждать. Еще не рассвело, но звезды побледнели, день был близок. У меня возникло странное чувство, что вот-вот что-то должно случиться. Постепенно, почти незаметно для глаза, свет стал просачиваться сквозь темноту — медленно, как таинственное существо, скользящее меж деревьев. Сердце у меня забилось, словно в предчувствии опасности. Взошло солнце.

Ларри помолчал, виновато улыбаясь.

— Не умею я описывать, у меня нет слов, чтобы создать картину; я не в силах вам рассказать так, чтобы вы сами увидели, какое зрелище мне открылось, когда день воссиял во всем своем величии. Горы, поросшие лесом, за верхушки деревьев еще цепляются клочья тумана, а далеко внизу — бездонное озеро. Через расщелину в горах на озеро упал солнечный луч, и оно заблестело как вороненая сталь. Красота мира захватила меня. Никогда еще я не испытывал такого подъема, такой нездешней радости. У меня появилось странное ощущение, точно дрожь, начавшись в ногах, пробежала к голове, такое чувство, будто я вдруг освободился от своего тела, а душа причастилась такой красоте, о какой я не мог и помыслить. Будто я обрел какое-то сверхчеловеческое знание, и все, что казалось запутанным, стало просто, все непонятное объяснилось. Это было такое счастье, что оно причиняло боль, и я хотел избавиться от этой боли, потому что чувствовал — если она продлится еще хоть минуту, я умру; и вместе с тем такое блаженство, что я был готов умереть, лишь бы оно длилось. Как бы мне вам объяснить? Этого не опишешь словами. Когда я пришел в себя, я был в полном изнеможении и весь дрожал. Я уснул.

Проснулся я в полдень. Я пошел в свою хижину, и на сердце у меня было так легко, что казалось, я не иду, а парю над землей. Я приготовил себе поесть, голоден был как волк, и закурил трубку.

Ларри и сейчас набил трубку и закурил.

— Мне страшно было подумать, что это было прозрение и что я, Ларри Даррел из Марвина, штат Иллинойс, удостоился его, когда другие, которые ради него годами занимались умерщвлением плоти и лишали себя всех земных радостей, все еще ждут.

— А может быть, это было всего лишь гипнотическое состояние, вызванное вашим настроением, одиночеством, таинственностью рассветного часа и вороненой сталью вашего озера? Чем вы можете доказать, что это было именно прозрение?

— Только тем, что сам я в этом ни минуты не сомневаюсь. Ведь переживание это было того же порядка, как то, что знавали мистики во всех концах света, во все века. Брахманы в Индии, суфии в Персии, католики в Испании, протестанты в Новой Англии. И в той мере, в какой можно описать то, что не поддается описанию, они и описывали его примерно в тех же словах. Отрицать тот факт, что такое переживание бывает, невозможно; трудность в том, чтобы его объяснить. Слился я на мгновение в одно с Абсолютом, или то прорвалось наружу подсознание, или сказалось сродство с духом Вселенной, которое во всех нас скрыто,— право, не знаю.

Ларри передохнул и поглядел на меня не без лукавства.

— Между прочим,— сказал он,— вы можете коснуться мизинцем большого пальца?

— Конечно,— сказал я и тут же это проделал.

— А вам известно, что на это способен только человек и приматы? Рука — поразительное орудие именно потому, что большой палец противостоит другим пальцам. Так нельзя ли предположить, что этот противостоящий большой палец, конечно в каком-то рудиментарном виде, сначала развился только у отдельных особей далекого предка человека и гориллы, а общим для него признаком стал лишь через несчетное число поколений? И точно так же, что если единение с высшей Реальностью, которое пережило столько разных людей, указывает на появление у человека некоего шестого чувства, то это чувство в очень-очень далеком будущем станет свойственно всем людям и они смогут воспринимать Абсолют так же непосредственно, как мы сейчас воспринимаем чувственный мир?

— А как это должно на нас отразиться?— спросил я.

— Этого я не могу предугадать, так же, как первое живое существо, обнаружившее, что может коснуться мизинцем большого пальца, не могло предвидеть, какие бесконечные возможности открывает это простенькое движение. О себе могу только сказать, что неизъяснимое чувство покоя и радостной уверенности, которое охватило меня в ту минуту, живет во мне до сих пор и красота мира сияет мне так же свежо и ярко, как когда это видение впервые меня ослепило.

— Но как же, Ларри, ведь из вашей идеи Абсолюта должно бы следовать, что мир с его красотой всего лишь иллюзия, майя?

— Неправильно полагать, что индусы считают мир иллюзией; они только утверждают, что он реален не в том же смысле, как Абсолют. Майя — это всего лишь гипотеза, с помощью которой эти неутомимые мыслители объясняют, как Бесконечное могло породить Конечное. Шанкара, самый мудрый из них, решил, что это неразрешимая загадка. Понимаете, труднее всего объяснить, почему и зачем Брахман, то есть Бытие, Блаженство и Сознание, сам по себе неизменный, вечно пребывающий в покое, имеющий все и ни в чем не нуждающийся, а значит, не знающий ни перемен, ни борьбы,— словом, совершенный, зачем он создал видимый мир. Когда этот вопрос задаешь индусу, обычно слышишь в ответ, что Абсолют создал мир для забавы, без какой-либо цели. Но когда вспомнишь потопы и голод, землетрясения и ураганы и все болезни, которым подвержено тело, моральное чувство в тебе восстает против представления, что все эти ужасы могли быть созданы забавы ради. Шри Ганеша был слишком добр, чтобы в это верить; он полагал, что мир — это проявление Абсолюта, излишки его совершенства. Он учил, что Бог не может не творить и что мир есть проявление Его, Бога, природы. Когда я спросил, как же так, если мир — проявление природы совершенного существа, почему этот мир так отвратителен, что единственная разумная цель, которую может поставить себе человек, состоит в том, чтобы освободиться от его пут? Шри Ганеша отвечал, что мирские радости преходящи и только Бесконечность дает прочное счастье. Но от долговечности хорошее не становится лучше, белое — белее. Пусть к полудню роза теряет красоту, которая была у нее на рассвете, но тогдашняя ее красота реальна. В мире все имеет конец, неразумно просить, чтобы что-то хорошее продлилось, но еще неразумнее не наслаждаться им, пока оно есть. Если перемена — самая суть существования, логично, казалось бы, строить на ней и нашу философию. Никто из нас не может дважды вступить в одну и ту же реку, но река течет, и та, другая река, в которую мы вступаем, тоже прохладна и освежает тело.

Арии, когда пришли в Индию, понимали, что известный нам мир — только видимость мира, нам неведомого, но они приняли его как нечто милостивое и прекрасное. Лишь много веков спустя, когда их утомили завоевания, когда изнуряющий климат подорвал их жизнеспособность, так что они сами испытали на себе вторжение вражеских орд, они стали видеть в жизни только зло и возжаждали освободиться от ее повторений. Но почему мы, на Западе, особенно мы, американцы, должны страшиться распада и смерти, голода и жажды, болезней, старости, горя и разочарований? Дух жизни в нас силен. В тот день, когда я сидел с трубкой в своей бревенчатой хижине, я чувствовал себя более живым, чем когда-либо раньше. Я чувствовал в себе энергию, которая требовала применения. Покинуть мир, удалиться в монастырь — это было не для меня, я хотел жить в этом мире и любить всех в нем живущих, пусть не ради них самих, а ради Абсолюта, который в них пребывает. Если в те минуты экстаза я действительно был одно с Абсолютом, тогда, если они не лгут, ничто мне не страшно, и, когда я исполню карму моей теперешней жизни, я больше не вернусь. Эта мысль страшно меня встревожила. Я хотел жить снова и снова. Я готов был принять любую жизнь, какое бы горе и боль она ни сулила. Я чувствовал, что только еще, и еще, и еще новые жизни могут насытить мою жадность, мои силы, мое любопытство.

На следующее утро я спустился с гор, а еще через день прибыл в ашраму. Шри Ганеша удивился, увидев меня в европейском платье. А я надел его в доме у лесничего, перед тем как подняться к хижине, потому что там было холодно, да так и забыл переодеться.

«Я пришел проститься с тобой, учитель,— сказал я.— Я возвращаюсь к моему народу».

Он ответил не сразу. Он сидел, как всегда, скрестив ноги, на своем возвышении, застланном тигровой шкурой. Перед ним в жаровне курилась палочка благовоний, распространяя слабый аромат. Он был один, как в первый день нашего знакомства. Он вглядывался в меня так пристально, точно проникал взглядом в самые глубины моего существа. Без сомнения, он знал, что со мной произошло.

«Это хорошо,— сказал он.— Ты скитался достаточно долго».

Я опустился на колени, и он благословил меня. Когда я поднялся, глаза у меня были полны слез. Он был человек высокой души, святой. Я всегда буду гордиться тем, что мне довелось его узнать. Я простился с его учениками. Некоторые из них прожили там по многу лет, другие пришли позже меня. Свои скудные пожитки и книги я там оставил на случай, что кому-нибудь пригодятся, и, закинув за спину пустой рюкзак, в тех же спортивных брюках и коричневом пиджаке, в которых туда явился, и в потрепанном пробковом шлеме зашагал обратно в город. Через неделю я сел в Бомбее на пароход и высадился в Марселе.

Между нами легло молчание, каждый задумался о своем. Но, как я ни устал, был еще один вопрос, который мне очень хотелось ему задать, и я заговорил первый.

— Друг мой Ларри,— сказал я,— ваши долгие поиски начались с проблемы зла. Проблема зла — вот что вас подгоняло. А вы за все время ни разу не дали понять, что хотя бы приблизились к ее разрешению.

— Может быть, разрешить ее вообще невозможно, а может, у меня на это не хватает ума. Рамакришна утверждал, что мир — забава Бога. «Это все равно что игра,— говорил он,— в этой игре есть радость и горе, добродетель и порок, знание и невежество. Если совсем исключить из мира грех и страдания, игра не может продолжаться». С этим я никак не могу согласиться. По-моему, скорее уж так: когда Абсолют проявил себя, сотворив видимый мир, зло оказалось неразрывно связано с добром. Не могло бы быть потрясающей красоты Гималаев без невообразимо ужасного сдвига земной коры. Китайский мастер, который изготовляет вазу из тончайшего фарфора, может придать ей изящную форму, нанести на нее прекрасный узор, раскрасить ее в очаровательные тона и покрыть безупречной глазурью, но в силу самой ее природы не может сделать ее нехрупкой. Урони ее на пол — и она разлетится вдребезги. Возможно, вот таким же образом все, что есть для нас ценного в мире, может существовать только в сочетании со злом.

— Это остроумная теория, Ларри, только не очень-то она утешительна.

— Разумеется,— улыбнулся он.— В пользу ее можно сказать одно: если пришел к выводу, что что-то неизбежно, значит, нужно с этим мириться.

— Какие же у вас теперь планы?

— Мне нужно закончить здесь одну работу, а потом поеду домой, в Америку.

— И что там будете делать?

— Жить.

— Как?

Он ответил невозмутимо, но в глазах у него мелькнула шаловливая искорка — он знал, каким неожиданным для меня будет его ответ.

— Упражняясь в спокойствии, терпимости, сочувствии, бескорыстии и воздержании.

— Программа, что и говорить, обширная,— сказал я.— А почему воздержание? Вы же молоды. Разумно ли пытаться подавить в себе то, что наряду с голодом есть самый мощный инстинкт всякого животного?

— Мне в этом отношении повезло: для меня половая жизнь всегда была не столько потребностью, сколько удовольствием. Я по собственному опыту знаю, как правы индийские мудрецы, когда утверждают, что целомудрие способствует укреплению силы духа.

— Мне-то казалось, что мудрость состоит в том, чтобы уравновесить требования тела и требования духа.

— А индусы считают, что именно этого мы на Западе и не умеем. По их мнению, мы с нашей техникой, с нашими фабриками и машинами и всем, что они производят, ищем счастья в материальных ценностях, тогда как истинное счастье не в них, а в ценностях духовных. И еще они считают, что избранный нами путь ведет к гибели.

— И неужели Америка представляется вам подходящей ареной для применения добродетелей, которые вы перечислили?

— А почему бы и нет? Вы, европейцы, ничего не знаете об Америке. Оттого что мы наживаем большие состояния, вы воображаете, что мы только деньги и ценим. Вовсе мы их не ценим; чуть они у нас появляются, мы их тратим — хорошо ли, плохо ли, но тратим. Деньги для нас ничто, просто символ успеха. Мы — величайшие в мире идеалисты; я лично считаю, что идеалы у нас не те, что нужно. Мне лично представляется, что самый высокий идеал для человека — самоусовершенствование.

— Да, это благородная цель.

— Так не стоит ли хотя бы попробовать ее достигнуть?

— Но неужели вы воображаете, что вы один можете оказать какое-то воздействие на такую беспокойную, беззаконную, подвижную и насквозь индивидуалистическую толпу, какую являют собой американцы? Да это все равно что пытаться голыми руками сдержать течение Миссисипи.

— Попробовать можно. Колесо изобрел один человек. И закон тяготения открыл один человек. Ничто не остается без последствий. Бросьте в пруд камень — и вы уже немного изменили Вселенную. Напрасно думают, что жизнь индийских праведников никчемная. Они — звезды во мраке. В них воплощен идеал, поднимающий дух их ближних; рядовым людям, возможно, никогда его не достигнуть, но они его уважают, и он оказывает на их жизнь благое влияние. Когда человек становится чист и совершенен, влияние его распространяется вширь, и те, кто ищет правды, тянутся к нему. Возможно, что, если я буду вести такую жизнь, какую для себя наметил, она окажет воздействие на других; воздействие это может оказаться не больше чем круг на воде от брошенного камня, но за первым кругом возникнет второй, а там и третий; как знать, быть может, хоть несколько человек поймут, что мой образ жизни ведет к душевному покою и счастью, и тогда они в свою очередь станут учить других тому, что переняли от меня.

— Сдается мне, Ларри, что вы недооцениваете те силы, с которыми решили тягаться. Филистеры, знаете ли, уже давно отвергли костер и дыбу как средства подавления опасных для них взглядов, они изобрели более смертоносное оружие — издевку.

— Меня сломить нелегко,— улыбнулся Ларри.

— Ну что ж, могу сказать одно: счастье ваше, что у вас есть постоянный доход.

— Да, он сослужил мне хорошую службу. Без него я не мог бы сделать все то, что сделал. Но теперь мое ученичество окончено. Теперь деньги были бы для меня только обузой. Я решил с ними разделаться.

— Весьма неразумное решение. Единственное, что может позволить вам вести избранный вами образ жизни,— это материальная независимость.

— Напротив, материальная независимость лишила бы мой образ жизни всякого смысла.

Я не сдержал раздраженного жеста.

— Все это прекрасно для нищенствующего святого в Индии: он может спать под деревьями, и благочестивые люди, чтобы набраться праведности, готовы наполнять его миску едой. Но американский климат не годится для ночевок под открытым небом, и хотя я, возможно, не так уж много знаю об Америке, одно я знаю: если в чем-нибудь все ваши соотечественники согласны между собой, так это в том, что, если хочешь есть, изволь работать. Бедный мой Ларри, да вы там и оглядеться не успеете, как вас упекут в тюрьму за бродяжничество.

Он засмеялся.

— Я знаю. Надо приспосабливаться к обстановке. Конечно, я буду работать. Приеду и попробую получить работу в гараже. Я неплохой механик, думаю, что это мне удастся.

— А не будет ли это пустой тратой энергии, которую с большей пользой можно употребить на другое?

— Я физическую работу люблю. Я всегда спасался ею от умственного переутомления, очень помогает. Помню, я читал одну биографию Спинозы и еще тогда подумал, как глупо: Спинозе для заработка пришлось шлифовать линзы, и автор книги сокрушался об этом как о величайшем несчастье. А я уверен, что Спинозе это послужило подспорьем в его умственной работе, хотя бы уже потому, что на время отвлекло его внимание от утомительных теоретических выкладок. Когда я мою машину или копаюсь в карбюраторе, голова у меня отдыхает, а когда кончишь такую работу, приятно сознавать, что не зря провел время. Конечно, я не мечтаю работать в гараже всю жизнь. Я столько лет не был в Америке, надо заново ее узнавать. Постараюсь устроиться шофером грузовика. Это даст мне возможность изъездить всю страну из конца в конец.

— Вы забываете о самой полезной функции денег — они сберегают время. Жизнь так коротка, столько хочется сделать, надо дорожить каждой минутой, а вы подумайте, сколько теряется времени, если идти пешком, когда можно ехать автобусом, или ехать автобусом, когда можно взять такси.

Ларри улыбнулся.

— Правильно, я и сам об этом думал. Но с этой трудностью я справлюсь — заведу собственное такси.

— Это каким же образом?

— В конце концов я осяду в Нью-Йорке — отчасти потому, что там самые лучшие библиотеки. На жизнь мне нужно очень немного, мне решительно все равно, где жить, есть я могу один раз в день, мне этого хватает; к тому времени, как я вдоволь насмотрюсь Америки, я сумею скопить достаточно денег, чтобы купить такси и работать шофером.

— Вас нельзя оставлять на свободе, Ларри. Вы совсем спятили.

— Ничего подобного. Я очень разумный человек и очень практичный. Как шофер-владелец, я смогу работать столько времени, сколько мне потребуется, чтобы заработать на кров и пищу и еще на ремонт машины. Остальное время я смогу посвящать другим делам, а если захочу поскорее куда-нибудь попасть, опять же буду ездить на своей машине.

— Но подумайте, Ларри,— поддразнил я его,— такси — это такая же собственность, как государственная облигация. Как шофер-владелец, вы окажетесь в рядах капиталистов.

Он рассмеялся.

— Нет. Мое такси будет для меня всего-навсего орудием труда. Как посох и миска для нищенствующего паломника.

На этой шутливой ноте наш разговор, собственно, и закончился. Я уже заметил, что в ресторане стало прибавляться посетителей. Мужчина во фраке сел за столик недалеко от нас и заказал сытный завтрак. По его усталой, но довольной физиономии можно было сказать, что он с удовольствием вспоминает ночь, проведенную в любовных утехах. Несколько старичков, встав спозаранку — старость обходится немногими часами сна,— не спеша пили кофе с молоком и сквозь толстые стекла очков читали утренние газеты. Мужчины помоложе, одни аккуратные, вылощенные, другие в поношенных пиджаках, забегали проглотить чашку кофе с булочкой по пути в магазин или в контору. Появился древний старик с кипой газет и стал обходить столики, предлагая свой товар и почти не находя покупателей. Я глянул на большие зеркальные окна — на улице было совсем светло. Минут через пять в огромном ресторане погасили электричество, осталось гореть только несколько ламп в самой его глубине. Я посмотрел на часы. Четверть восьмого.

— Может, позавтракаем?— предложил я.

Мы поели рогаликов, хрустящих и теплых, только что из печи, выпили кофе с молоком. Я устал и раскис, вид у меня, наверно, был жуткий, а Ларри точно и не провел бессонной ночи. Глаза его сияли, на гладком лице не пролегло ни одной складки, и выглядел он лет на двадцать пять, не больше. Кофе немного взбодрил меня.

— Можно мне дать вам совет, Ларри? Я их даю нечасто.

— А я их нечасто слушаюсь,— отвечал он с широкой улыбкой.

— Обдумайте все очень тщательно, прежде чем расстаться с вашим и так весьма скромным состоянием. Раз потеряв, вы его не вернете. А может наступить день, когда деньги вам окажутся очень нужны либо для вас самого, либо для кого другого, тогда вы ох как пожалеете, что сваляли такого дурака.

Он прищурился насмешливо, но беззлобно.

— Вы придаете деньгам больше значения, чем я.

— Еще бы!— отпарировал я резко.— У вас они всегда были, а у меня нет. Они дали мне то, что я ценю превыше всего,— независимость. Вы и представить себе не можете, каким довольством наполнило меня сознание, что я, если захочу, кого угодно могу послать к черту.

— Но я никого не хочу посылать к черту, а если б захотел, то сделал бы это и не имея счета в банке. Поймите, для вас деньги означают свободу, а для меня — рабство.

— Вы упрямый осел, Ларри.

— Знаю. Тут уж ничего не поделаешь. Но, если на то пошло, время передумать у меня есть. Я уеду в Америку только весной. Мой приятель, Огюст Котте, художник, сдал мне свой домик в Санари. Я там проведу зиму.

Санари — это тихий приморский курорт на Ривьере, между Бандолем и Тулоном, там селятся художники и писатели, которых не прельщает мишурное веселье Сен-Тропеза.

— Местечко вам понравится, только скука там смертная.

— Мне нужно поработать. Я собрал большой материал и решил написать книгу.

— О чем?

— Узнаете, когда она выйдет в свет,— улыбнулся он.

— Если хотите, пришлите ее мне, когда кончите. Я почти наверняка смогу найти вам издателя.

— Спасибо, не трудитесь. У одних моих знакомых американцев есть в Париже небольшая типография, я с ними уже договорился, они мне ее напечатают.

— Но такое издание едва ли обеспечит книге сбыт, и рецензий не будет.

— А я за рецензиями не гонюсь и на сбыт не рассчитываю. Мне нужно совсем мало экземпляров, только послать друзьям в Индию да для тех немногих знакомых во Франции, которых она может заинтересовать. Особого значения она не имеет. Я напишу ее для того, чтобы вытряхнуть из головы весь этот материал, а опубликовать хочу потому, что по-настоящему судить о произведении можно, мне кажется, только когда увидишь его напечатанным.

— Готов согласиться с обоими вашими доводами.

Мы уже кончили завтракать. Я попросил счет. Официант подал его мне, а я передал Ларри.

— Раз уж вы решили бросить ваши деньги на свалку, можете, черт возьми, заплатить за мой завтрак.

Он рассмеялся и заплатил. От долгого сидения ноги у меня затекли и еле двигались, спина разболелась. Хорошо было выйти на улицу и вдохнуть свежий, чистый воздух осеннего утра. Небо голубело. Авеню Клиши, ночью неуютная и убогая, словно приосанилась, как изможденная накрашенная женщина, когда подражает легкой девичьей походке, и выглядела вполне приятно. Я остановил проезжавшее такси.

— Вас подвезти?— спросил я Ларри.

— Нет. Я спущусь к реке, выкупаюсь там в каком-нибудь бассейне, а потом мне нужно в библиотеку порыться в справочниках.

Мы простились. Я посмотрел, как он пересекает улицу большими, упругими шагами. Сам же, будучи не столь вынослив, сел в такси и вернулся к себе в гостиницу. Часы у меня в номере показывали начало девятого.

— Нечего сказать, в хорошенькое время пожилой джентльмен является домой,— укоризненно заметил я, обращаясь к обнаженной даме (под стеклянным колпаком), с 1813 года возлежавшей на ампирных часах в причудливой и, на мой взгляд, чрезвычайно неудобной позе.

Она продолжала разглядывать свое позолоченное бронзовое лицо в позолоченном бронзовом зеркале, а часы знай себе твердили «тик-так». Я пустил в ванной горячую воду. Полежал в ванне, пока вода не остыла, а потом растерся, проглотил таблетку снотворного и, взяв с тумбочки первый попавшийся томик, читал «Морское кладбище» Валери, пока не уснул.

Глава седьмая

I

Полгода спустя, апрельским утром, когда я работал в кабинете на крыше моего дома в Кап Ферра, ко мне поднялась горничная и сказала, что меня хочет видеть полиция из Сен-Жана (ближайщего городка). Я ненавижу, когда меня прерывают. И зачем я им понадобился? Совесть моя была чиста: на нужды благотворительности я уже подписался. Мне тогда выдали квитанцию, которую я хранил в автомобиле, так что, если меня останавливали за превышение скорости или за остановку в неположенном месте, я, доставая права, как бы нечаянно вытаскивал и ее и таким образом отделывался вежливым предупреждением со стороны блюстителей закона. Скорее всего, подумал я, на мою горничную или кухарку поступил анонимный донос, что у нее не в порядке документы,— такие милые шутки во Франции не редкость; будучи в хороших отношениях с местными полицейскими, которым я на прощание всегда подносил стакан вина, я и тут не предвидел особых затруднений. Оказалось, однако, что эта пара (они всегда работали парами) явилась ко мне по совсем другому делу.

Мы, как водится, поздоровались за руку и справились о здоровье друг друга, а затем старший из них — назывался он бригадир и обладал внушительного вида усами — достал из кармана блокнот. Полистав его грязным большим пальцем, он спросил:

— Говорит вам что-нибудь такое имя — Софи Макдоналд?

— Одну женщину с такой фамилией я знаю,— ответил я осторожно.

— Мы только что имели телефонный разговор с полицейским управлением в Тулоне. Главный инспектор срочно вызывает вас туда.

— Зачем?— спросил я.— С миссис Макдоналд я знаком еле-еле.

Я уже решил, что она попала в какую-нибудь историю, по всей вероятности связанную с опиумом, но не понимал, какое отношение это может иметь ко мне.

— Это меня не касается. Ваша связь с ней установлена неопровержимо. Она пять дней не появлялась у себя на квартире, а теперь в гавани вытащили из воды тело, и полиция имеет основания полагать, что это она. Вам предлагается опознать ее.

Я передернулся, как от озноба. Впрочем, особенно удивлен я не был. При такой жизни, какую она вела, легко было допустить, что в минуту упадка она покончит с собой.

— Но ее же ничего не стоит опознать по одежде и по документам?

— Она была найдена раздетой догола, с перерезанным горлом.

— Боже милостивый!— произнес я в ужасе. И тут же стал соображать. Кто их знает, наверно, они могут потащить меня туда силой, так уж лучше подчиниться добровольно.— Хорошо. Приеду первым же поездом.

Я посмотрел расписание и увидел, что поспеваю на поезд, прибывающий в Тулон в шестом часу. Бригадир сказал, что известит об этом главного инспектора по телефону, и просил меня по приезде тотчас явиться в полицию. Больше я в тот день не работал. Я сложил в саквояж все, что мне могло понадобиться, и после второго завтрака поехал на вокзал.

II

Когда я явился в штаб-квартиру тулонской полиции, меня сразу провели в кабинет главного инспектора. Он сидел за столом, грузный, смуглолицый и мрачный — видимо, корсиканец. Окинув меня, вероятно по привычке, подозрительным взглядом, он заметил ленточку ордена Почетного легиона, которую я предусмотрительно приколол к петлице; с елейной улыбкой он предложил мне сесть и стал многословно извиняться за то, что потревожил столь заслуженного человека. Я в том же тоне заверил его, что почту за счастье быть ему полезным. Затем мы перешли к делу. Теперь, когда он заговорил, глядя на разложенные перед ним бумаги, голос его опять звучал резко и нагловато.

— История не из приятных. У этой Макдоналд была прескверная репутация. Пьяница, наркоманка, нимфоманка. Спала не только с матросами, а и с местными подонками тоже. Как это возможно, что человек вашего возраста и с вашим положением был с ней знаком?

Мне очень хотелось ответить, что это не его дело, но я проштудировал сотни детективных романов и знал, что дерзить полиции не рекомендуется.

— Я знал ее очень мало. Познакомился с ней в Чикаго, когда она была еще девочкой. Позднее она там же вышла замуж за вполне порядочного человека. Потом года два назад я встретил ее в Париже — у нас оказались общие знакомые.

Я все думал, как он вообще мог связать меня с Софи, но тут он пододвинул ко мне какую-то книгу.

— Найдена в ее комнате. Если вы потрудитесь взглянуть на посвящение, то согласитесь, что оно едва ли подтверждает ваши слова о том, что вы с ней едва знакомы.

Это был мой роман во французском переводе, тот самый, который она увидела в витрине и просила меня надписать. Под моей фамилией стояло: «Mignonne, allons voir si la rose...»— первое, что тогда пришло мне в голову. Выглядело это и правда несколько интимно.

— Если вы думаете, что я был ее любовником, то ошибаетесь.

— Это меня не интересует,— сказал он и, вдруг подмигнув, добавил:— К тому же, не в обиду вам будь сказано, судя по тому, что я слышал о ее склонностях, вы, пожалуй, были не в ее вкусе. Но всякому ясно, что постороннюю женщину вы бы не назвали mignonne.

— Эта строчка, господин комиссар, начало знаменитого стихотворения Ронсара, чьи стихи, конечно же, известны такому образованному и культурному человеку, как вы. А написал я ее, потому что был уверен, что ей это стихотворение известно и она вспомнит дальнейшие строки и, возможно, поймет, что жизнь, которую она ведет, мягко выражаясь, недостойна.

— Ронсара я, разумеется, читал в школе, но теперь я по горло завален работой и, признаюсь, тех строк, о которых вы говорите, что-то не припоминаю.

Я прочел ему первую строфу и, отлично понимая, что он даже имя Ронсара слышит первый раз в жизни, не опасался, что он может вспомнить и последнюю строфу, которую едва ли можно истолковать как призыв к праведной жизни*.

— Она, видимо, была не без образования. Мы нашли в ее комнате с десяток детективных романов и несколько книжек со стихами. Там был Бодлер, и Рембо, и еще на английском языке какой-то Элиот. Он что, известный поэт?

— Очень.

— У меня времени нет читать стихи. Да я по-английски и не читаю. Если он хороший поэт, жаль, что он не писал по-французски, чтобы его могли читать образованные люди.

Я представил себе, как мой главный инспектор читает «Бесплодную землю», и мысленно порадовался. Вдруг он перебросил мне через стол любительский снимок.

— Это кто, вы не знаете?

Я сразу узнал Ларри. Он был в купальных трусах, и я догадался, что снимок сделан в то лето, когда он приезжал

---

* Пойдем, возлюбленная, взглянем

На эту розу, утром ранним

Расцветшую в саду моем.

Она, в пурпурный шелк одета,

Как ты, сияла в час рассвета

И вот уже увяла днем.

В лохмотьях пышного наряда —

О, как ей мало места надо!

Она мертва, твоя сестра.

Пощады нет, мольба напрасна,

Когда и то, что так прекрасно,

Не доживает до утра.

Отдай же молодость веселью!

Пока зима не гонит в келью,

Пока ты вся еще в цвету,

Лови летящее мгновенье —

Холодной вьюги дуновенье,

Как розу, губит красоту.

Перевод В. Левика

к Изабелле и Грэю в Динар. Первым моим побуждением было сказать: «Не знаю»— меньше всего мне хотелось, чтобы Ларри оказался замешан в эту гадостную историю; но я подумал, что, если полиция дознается, кто это, мои слова могут быть истолкованы как желание что-то скрыть.

— Это Лоренс Даррел, американский гражданин.

— Единственная фотография, найденная среди вещей этой женщины. В каких они были отношениях?

— Они росли в одном и том же городке под Чикаго. Друзья детства.

— Но это снимок недавний, сделан, как я подозреваю, на одном из курортов на севере или на западе Франции. Где именно — это мы узнаем без труда. Кто он такой, этот человек?

— Писатель,— ответил я храбро. Инспектор чуть вздернул мохнатые брови, из чего я заключил, что люди моей профессии в его глазах отнюдь не безупречны по части нравственности.— Человек со средствами,— добавил я, чтобы прибавить ему респектабельности.

— А где он сейчас?

Опять я хотел сказать, что не знаю, и опять решил, что это может хуже запутать дело. У французской полиции, может быть, немало грехов, но найти нужного им человека они умеют быстро.

— Он живет в Санари.

Инспектор поднял голову, явно заинтересованный.

— Где?

Я помнил, что в конце нашего последнего парижского разговора Ларри сказал, что Огюст Котте сдал ему свой домик, и, вернувшись к Рождеству на Ривьеру, написал ему, приглашая к себе погостить, но Ларри, как и следовало ожидать, отказался. Я дал инспектору его адрес.

— Позвоню в Санари и прикажу, чтобы его доставили сюда. Пожалуй, есть смысл допросить его.

Было ясно как день, что инспектор готов заподозрить Ларри в убийстве, но меня это только насмешило. Я был уверен, что ему ничего не стоит доказать свою полную непричастность к этому делу. Я попросил инспектора рассказать мне все, что известно о страшной гибели Софи, но он мог только добавить кое-какие подробности к тому, что я уже знал. Тело вытащили на берег два рыбака. «Раздетой догола» было романтической гиперболой моего сен-жанского полицейского. Убийца оставил ей поясок и лифчик. Если она была одета так же, как в день нашей последней встречи, значит, он стянул с нее только свитер и брючки. Опознать ее оказалось невозможно, и полиция дала объявление в местной газете. В ответ на него в полицию явилась женщина, державшая в одном из глухих переулков меблированные комнаты, куда мужчинам разрешалось приводить женщин и мальчиков. Она служила в полиции и поставляла сведения о том, кто у нее бывает и зачем. Несчастную Софи, оказывается, выставили из гостиницы на набережной, где она жила, когда мы с ней виделись,— даже ко всему притерпевшийся владелец не выдержал столь скандального поведения. Она попросила ту женщину сдать ей спальню с крошечной гостиной. Это помещение выгоднее было сдавать на короткое время, по два-три раза в ночь, но Софи предложила хорошую плату, и хозяйка согласилась брать с нее помесячно. И вот она явилась в полицию и рассказала, что ее жиличка уже несколько дней как отсутствует. Она не тревожилась, решила, что та отлучилась в Марсель или в Вильфранш, куда прибыли корабли британского торгового флота,— в таких случаях туда слетаются женщины, молодые и старые, со всего побережья; но потом она прочла объявление в газете и подумала, не о ее ли жиличке идет речь. Ей показали тело, и она после минутного колебания признала в нем Софи Макдоналд.

— Но раз тело уже опознано, зачем вы обратились ко мне?

— Мадам Белле — честнейшая женщина и с безупречной репутацией,— сказал инспектор,— но у нее могли быть свои, неизвестные нам причины опознать покойную; да и вообще, я считаю, что тут требуются показания кого-то из ее личных знакомых, так будет вернее.

— Как вы думаете, есть у вас шансы изловить убийцу?

Инспектор пожал грузными плечами.

— Мы, конечно, ведем расследование. Мы уже опросили целый ряд лиц в тех притонах, где она бывала. Ее мог убить из ревности какой-нибудь матрос, уже отбывший отсюда со своим кораблем, или какой-нибудь бандит, позарившийся на ее деньги. Как выяснилось, она всегда имела при себе некую сумму, которая такого человека могла прельстить. Возможно, кое-кто и знает, на кого может пасть подозрение, но из тех людей, среди которых она вращалась, едва ли кто назовет подозреваемого, разве что выскажется в его защиту. При том, с какой швалью она зналась, такого конца вполне можно было ожидать.

Сказать на это мне было нечего. Инспектор просил меня прийти завтра к девяти часам утра, он к тому времени успеет порасспросить «того господина с фотографии», а затем полицейский проводит нас в морг.

— А как насчет похорон?

— Если после опознания тела вы, как друзья покойной, пожелаете сами похоронить ее и взять на себя сопряженные с этим расходы, вам будет выдано соответствующее разрешение.

— Говорю с уверенностью и за себя, и за мистера Даррела, мы хотели бы получить его как можно скорее.

— Вполне вас понимаю. Это печальная история, и желательно, чтобы несчастная женщина была предана земле без проволочек. Кстати говоря, у меня имеется карточка отличного гробовщика, он вам все это устроит быстро и за умеренную плату. Я напишу на ней несколько слов, чтобы он отнесся к вам с должным вниманием.

Я не сомневался, что из суммы, которую я заплачу, ему достанутся комиссионные, однако тепло поблагодарил его и, когда он почтительно проводил меня до двери, сразу направился по указанному на карточке адресу. Похоронных дел мастер был понятлив и деловит. Я выбрал гроб, не самый дешевый, но и не самый дорогой, принял предложение достать для меня пару венков у знакомого владельца цветочного магазина — «чтобы избавить мсье от тягостной обязанности и из уважения к покойнице», как он выразился,— и договорился, что катафалк подадут к мертвецкой на следующий день в два часа. Я невольно отдал дань его деловой хватке, когда он сообщил мне, что насчет могилы я могу не беспокоиться, он сделает все, что нужно, и, более того, «мадам, надо полагать, была протестанткой», так он позаботится о том, чтобы на кладбище нас встретил пастор и отслужил заупокойную службу. Но поскольку я иностранец и он видит меня впервые, я, разумеется, не буду в претензии, если он попросит меня о любезности — внести задаток. Цену он заломил неожиданно высокую — видимо, с тем расчетом, что я буду торговаться, и, когда я без дальних слов достал чековую книжку и выписал чек, был явно удивлен и, кажется, даже слегка разочарован.

Я снял номер в гостинице и на следующее утро опять пришел в полицию. Меня попросили обождать, а через некоторое время предложили пройти в кабинет главного инспектора.

Там, на том же стуле, на котором я сидел накануне, сидел Ларри, очень серьезный и убитый. Инспектор приветствовал меня сердечно, как родного брата после долгой разлуки.

— Ну вот, mon cher monsieur, ваш друг как нельзя более откровенно ответил на все вопросы, которые я задал ему по долгу службы. У меня нет оснований не верить его заявлению, что он не видел эту несчастную женщину уже восемнадцать месяцев. Он вполне удовлетворительно отчитался в том, где провел последнюю неделю, а также объяснил, каким образом его снимок был найден в ее комнате. Снимок этот был сделан в Динаре и оказался у него в кармане, когда он как-то с ней завтракал. Из Санари о нем поступили самые благоприятные сведения, да я и сам, скажу без ложной скромности, неплохо разбираюсь в людях; я убежден, что он неспособен на преступление такого рода. Я решился высказать вашему другу сожаление, что женщина, которую он знал с детства, пользовавшаяся всеми преимуществами, которые дает нормальная семейная жизнь, так плохо кончила. Но такова жизнь. А теперь, господа, один из моих людей проводит вас в морг, и, после того как вы опознаете тело, вы вольны проводить время как вам угодно. Советую вам сытно позавтракать. У меня тут имеется карточка лучшего тулонского ресторана, я напишу на ней пару слов, и это обеспечит вам самое внимательное обслуживание. После такого тягостного переживания хорошая бутылка вина обоим вам будет полезна.

Теперь доброжелательство исходило от него, как сияние. Полицейский привел нас в морг. В этом учреждении дела шли не слишком бойко. Всего один стол был занят. Мы подошли к нему, и служитель откинул край простыни, прикрывавший голову. Зрелище было не из приятных. Морская вода уничтожила завивку, и крашеные серебристые волосы волглыми прядками облепили череп. Лицо отвратительно раздулось, на него было жутко смотреть, но это, без всякого сомнения, было лицо Софи.

Служитель стянул простыню пониже и показал нам то, чего мы предпочли бы не видеть,— страшную рану на шее, от уха до уха.

Мы вернулись в полицию. Инспектор был занят, но мы сказали то, что от нас требовалось, его помощнику; тот вышел и скоро вернулся с нужными бумагами. Мы отнесли их гробовщику.

— Теперь пойдем выпьем,— сказал я.

Ларри не проронил ни слова с тех пор, как мы ушли от инспектора, только, когда мы вернулись в полицию, подтвердил, что опознал в покойнице Софи Макдоналд. Я повел его на набережную, в тот кабачок, где мы с ней сидели около года назад. Дул сильный мистраль, и вода в гавани, обычно спокойная, была вся в клочьях белой пены. Рыбачьи лодки покачивались у причалов. Солнце ярко светило, и, как всегда во время мистраля, все вокруг приобрело необычайную отчетливость, словно увиденное в хорошо отрегулированный бинокль. Пульсирующая сила, разлитая в этой картине, била по нервам. Я выпил бренди с содовой, Ларри же не притронулся к своему стакану. Он сидел в хмуром молчании, и я не тревожил его.

Через некоторое время я посмотрел на часы.

— Пошли, поедим чего-нибудь,— сказал я.— Нам к двум часам надо быть в мертвецкой.

— Да, я голоден. Я утром не поел.

Судя по тому, как выглядел инспектор, он знал толк в еде, и я повел Ларри в рекомендованный им ресторан. Я помнил, что Ларри почти не ест мяса, и заказал омлет и жареного омара, потом попросил карту вин и, опять-таки следуя совету инспектора, выбрал одну из лучших марок. Вино принесли, я налил Ларри полный стакан.

— Пейте, и никаких отговорок,— сказал я.— Может, оно вам подскажет тему для разговора.

Он послушно осушил стакан.

— Шри Ганеша говорил, что молчание — тоже беседа,— заметил он негромко.

— Это приводит на ум веселое сборище высокообразованных преподавателей Кембриджского университета.

— Боюсь, вам придется одному расплачиваться за эти похороны,— сказал он.— У меня нет денег.

— Не возражаю,— отвечал я и вдруг понял, что кроется за его словами.— Неужели вы в самом деле совершили эту глупость?

Он чуть помедлил с ответом. В глазах его мелькнул знакомый мне насмешливый огонек.

— Неужели расстались со своими деньгами?

— Оставил себе только на что дожить, пока не прибыл мой пароход.

— Какой еще пароход?

— В Санари в соседнем доме со мной живет агент линии грузовых судов, которые курсируют между Ближним Востоком и Нью-Йорком. Ему сообщили по телеграфу из Александрии, что с одного судна, скоро прибывающего в Марсель, пришлось списать двух заболевших матросов, и предложили подыскать двух человек на их место. Мы с ним приятели, и он обещал меня взять. На прощание я подарю ему мой старый «ситроен». Когда я взойду на судно, у меня не будет ничего, кроме той одежды, что на мне, и чемодана с кое-какими вещами.

— Что ж, деньги ваши, и дело ваше. Вы свободны в своих поступках.

— Свободен, вот это верно. Никогда еще мне не было так хорошо и спокойно. В Нью-Йорке получу жалованье, будет на что жить, пока найду работу.

— А как ваша книга?

— Книга? Закончена и напечатана. Я составил список тех, кому просил ее послать, на днях получите.

— Спасибо.

Говорить было как будто не о чем, и мы доели завтрак в дружелюбном молчании. Я заказал кофе. Ларри закурил трубку, я — сигару. Я задумчиво смотрел на него. Почувствовав мой взгляд, он глянул на меня и лукаво подмигнул.

— Если вам очень хочется сказать мне, что я круглый идиот, не стесняйтесь, я не обижусь.

— Нет, такого желания у меня нет. Я только подумал, что, может быть, ваша жизнь сложилась бы более гармонично, если бы вы женились и обзавелись семьей, как все люди.

Он улыбнулся. Я, наверно, уже раз двадцать упоминал, какая чудесная у него была улыбка — милая, доверчивая, уютная, отражавшая всю его подкупающую прямоту и правдивость; и все же я должен упомянуть о ней еще раз, потому что сейчас в ней было вдобавок что-то ласковое и грустное.

— Теперь уже поздно. Из всех женщин, которых я встречал, я мог бы жениться только на бедной Софи.

Я изумился.

— И вы это говорите после всего, что случилось?

— У нее была удивительная душа — пылкая, добрая, устремленная ввысь. У нее были высокие идеалы. Даже в том, как она под конец рвалась навстречу гибели, было какое-то трагическое величие.

Я помолчал, не зная, как отнестись к этим странным суждениям.

— Почему же вы еще тогда на ней не женились?

— Она была ребенком. Сказать по правде, когда я ходил в дом к ее деду и мы с ней читали стихи под старым вязом, я и сам не понимал, сколько в этой угловатой девочке заложено душевной красоты.

Я с удивлением отметил про себя, что он даже не упомянул об Изабелле. Не мог же он забыть, что был с ней помолвлен. А раз так, значит, он, очевидно, не придавал этому эпизоду никакого значения, считал, что оба они были слишком молоды, сами не знали, чего хотят. Я был готов поверить, что ему ни разу даже в голову не пришло, что она с тех самых пор по нему страдает.

Нам пора было двигаться. Мы дошли до площади, где Ларри оставил свой автомобиль, теперь уже порядком обветшавший, и поехали в морг. Похоронных дел мастер оказался на высоте. Под безоблачным небом, на резком ветру, гнувшем кладбищенские кипарисы, вся процедура совершилась без сучка без задоринки и от этого показалась еще ужаснее. Когда все кончилось, он сердечно пожал нам руки.

— Ну вот, господа, надеюсь, вы довольны. Все сошло отлично.

— Отлично,— подтвердил я.

— Прошу мсье не забыть, что я всегда к его услугам, если потребуется. Обслуживаем и загородных клиентов.

Я поблагодарил его. У ворот кладбища Ларри спросил, нужен ли он мне еще зачем-нибудь.

— Да нет.

— Я бы хотел как можно скорее вернуться в Санари.

— Забросьте меня сначала в мою гостиницу, ладно?

По дороге мы не сказали ни слова. Он подвез меня к подъезду, мы простились, и он укатил. Я заплатил по счету, собрал саквояж и взял такси на вокзал. Мне тоже хотелось поскорее уехать.

III

Через несколько дней я выехал в Англию. По пути я не собирался нигде останавливаться, но, после того что случилось, мне захотелось повидать Изабеллу, и я решил на сутки задержаться в Париже. Я послал ей телеграмму, справляясь, могу ли в такой-то день прийти часа в четыре и остаться у них пообедать, и, прибыв в свою гостиницу, нашел там ответную записку: обедают они с Грэем в гостях, но она будет рада, если я зайду, только не раньше половины шестого, а то у нее примерка.

Было холодно, то и дело принимался идти дождь, и я подумал, что Грэй навряд ли поехал в Мортфонтен играть в гольф и сидит дома. Это не входило в мои планы, я хотел застать Изабеллу одну, но первые же ее слова меня успокоили: Грэй в клубе путешественников, играет в бридж.

— Я ему велела не засиживаться там, если он хочет вас повидать, но обедать мы приглашены к девяти, значит, можно ехать к половине десятого, так что время поболтать у нас будет. Мне много чего надо вам рассказать.

Они уже договорились о сдаче квартиры, распродажа коллекций Эллиота состоится через две недели. Им хочется на ней присутствовать, так что пока они перебираются в «Ритц». А потом — домой, в Америку. Изабелла решила продать все, кроме современных картин, которые висели у Эллиота в Антибе. Сама она ими не дорожила, но рассудила, и вполне правильно, что они ей пригодятся в их новом жилище — для престижа.

— Жаль, что дядя Эллиот не держался более передовых взглядов — ну, знаете, Пикассо, Матисс, Руо. То, что он собрал, конечно, по-своему неплохо, но боюсь, как бы оно не показалось старомодным.

— На этот счет вы можете не беспокоиться. Через несколько лет появятся новые художники, и Пикассо с Матиссом уже будут казаться не более современными, чем ваши импрессионисты.

У Грэя деловые переговоры близятся к концу, сообщила она, ее капитал позволит ему вступить в одну процветающую компанию на правах вице-президента. Компания связана с нефтью, и жить они будут в Далласе.

— Первым делом нужно будет подыскать подходящий дом. Обязательно с садом, чтобы Грэю было где копаться после работы, и с очень большой гостиной, чтобы я могла устраивать приемы.

— А мебель Эллиота вы не хотите с собой взять?

— Мне кажется, это не совсем то, что нужно. У меня все будет очень современное, возможно — с легким налетом мексиканского, для самобытности. В Нью-Йорке сразу надо будет выяснить, кто сейчас считается лучшим специалистом по внутренней отделке.

Лакей Антуан поставил на стол поднос с целой батареей бутылок, и Изабелла, помня, что девять мужчин из десяти считают, что умеют приготовить коктейль лучше, чем любая женщина (так оно, кстати, и есть), со свойственным ей тактом попросила меня смешать нам по коктейлю. Я налил сколько нужно джина и ликера, а затем добавил капельку абсента, превращающую скучный сухой мартини в напиток, на который олимпийские боги, несомненно, променяли бы свой прославленный домашнего приготовления нектар — мне он всегда представлялся чем-то вроде кока-колы. Подавая бокал Изабелле, я заметил на столе какую-то книгу.

— Ага,— сказал я.— Вот и сочинение Ларри.

— Да, принесли сегодня утром, но я была так занята — надо было сделать тысячу дел, а завтракала я не дома, а потом поехала к Молинэ. Просто не знаю, когда у меня до нее дойдут руки.

Я с грустью подумал — как часто бывает, что писатель работает над книгой много месяцев, вкладывает в нее всю душу, а потом она лежит неразрезанная и ждет, пока у читателя выдастся день, когда ему совсем уж нечего будет делать. Томик был страниц на триста, хорошо отпечатан и со вкусом переплетен.

— Вы, наверно, знаете, что Ларри провел всю зиму в Санари?

— Да, мы с ним только на днях виделись в Тулоне.

— Правда? А что вы там делали?

— Хоронили Софи.

— Разве Софи умерла?— вскрикнула Изабелла.

— Иначе зачем бы нам было ее хоронить?

— Неуместные шутки.— Она помолчала.— Не стану притворяться, будто мне ее жаль. Надо полагать, сгубила себя пьянством и наркотиками.

— Нет, ей перерезали горло, раздели догола и бросили в море.

Сам не знаю, почему я, как и бригадир из Сен-Жана, допустил тут некоторое преувеличение.

— Какой ужас. Несчастная. Конечно, при такой жизни она неизбежно должна была плохо кончить.

— То же самое сказал и полицейский комиссар в Тулоне.

— А они знают, кто это сделал?

— Нет. А я знаю. По-моему, ее убили вы.

Она изумленно воззрилась на меня.

— Какие глупости.— И добавила с едва заметным смешком:— Не угадали. У меня железное алиби.

— Прошлым летом я встретил ее в Тулоне. Мы с ней долго разговаривали.

— Она была трезвая?

— В достаточной мере. Она мне объяснила, почему так получилось, что она исчезла за несколько дней до того, как должна была выйти замуж за Ларри.

В лице Изабеллы что-то дрогнуло и застыло. Я в точности пересказал ей то, что узнал от Софи. Она слушала настороженно.

— Я с тех пор много об этом думал, и чем больше думал, тем больше убеждался, что дело тут нечисто. Я завтракал у вас десятки раз, и ни разу у вас к завтраку не подавали водки. В тот день вы завтракали одна. Так почему на подносе вместе с чашкой от кофе стояла бутылка зубровки?

— Дядя Эллиот только что мне ее прислал. Я хотела проверить, правда ли она такая вкусная, как мне показалось в «Ритце».

— Да, я помню, как вы тогда ее расхваливали. Меня это удивило, ведь вы не употребляете крепких напитков — бережете здоровье. Я еще подумал, что вы нарочно подзадориваете Софи. Издеваетесь над ней.

— Благодарю вас.

— Как правило, вы не опаздываете и не подводите людей, с которыми сговорились встретиться. Так почему вы ушли, когда знали, что Софи заедет за вами и вам предстоит такое важное для нее и интересное для вас дело, как примерка ее подвенечного платья?

— Она же вам сама сказала. У Джоун стали портиться зубы. Наш дантист завален работой, и мне приходилось соглашаться на те часы, которые он предлагал.

— С дантистом обычно договариваются о следующем визите перед тем, как уйти.

— Я знаю. Но утром он позвонил мне, сказал, что принять не может, и предложил перенести визит на три часа дня. Ну, я, конечно, согласилась.

— А почему было не отправить к нему Джоун с гувернанткой?

— Она, бедняжка, боялась. Я знала, что со мной ей будет не так страшно.

— А когда вы вернулись и увидели, что зубровки почти не осталось, а Софи ушла, это вас не удивило?

— Я решила, что ей надоело ждать и она отправилась к Молинэ одна. А когда приехала туда и узнала, что она не появлялась, просто не знала, что и думать.

— А зубровка?

— Ну да, я заметила, что ее сильно поубавилось. Я решила, что ее выпил Антуан, совсем уже собралась с ним поговорить, но ведь он был на жалованье у дяди Эллиота, дружил с Жозефом, ну, я и решила, что не стоит поднимать историю. Работает он очень хорошо, а если изредка пропустит рюмочку, мне ли его осуждать.

— Какая же вы лгунья, Изабелла.

— Вы мне не верите?

— Ни вот настолько

Она встала и перешла к камину. В нем потрескивали дрова, в такой ненастный день это было особенно приятно. Изабелла стояла, облокотившись одной рукой о каминную полку, в грациозной позе — она умела принимать такие позы как бы непреднамеренно, что меня всегда в ней пленяло. Как большинство элегантных француженок, она днем ходила в черном, что очень шло к ярким краскам ее лица; и сейчас на ней было черное платье изысканно простого фасона, эффектно облегавшее ее стройную фигуру. С минуту она молча попыхивала сигаретой.

— В сущности, я могу быть с вами совершенно откровенной. Все сложилось очень неудачно — и то, что мне пришлось уйти, и то, что Антуан оставил на столе бутылку и чашку. Он должен был их унести сразу после моего ухода. Когда я вернулась и увидела, что бутылка почти пуста, я, конечно, поняла, что случилось, а когда Софи исчезла, я не сомневалась, что она запила. А не сказала я этого потому, что не хотелось огорчать Ларри, ему и без того было тошно.

— И вы твердо помните, что не давали Антуану специальных указаний оставить бутылку на столе?

— Конечно.

— Не верю я вам.

— Ну и не надо.— Она со злобой швырнула сигарету в камин. Глаза ее потемнели от ярости.— Ладно, хотите знать правду, так получайте, и ну вас к дьяволу. Да, я это сделала и не жалею, что сделала. Я же вам говорила, что ни перед чем не остановлюсь, лишь бы не дать ей выйти за Ларри. Вы палец о палец не захотели ударить, ни вы, ни Грэй. Вы только пожимали плечами и сетовали, что это ужасная ошибка. Вам было все равно. А мне нет.

— Если б вы ее оставили в покое, она бы сейчас была жива.

— И была бы женой Ларри, и он был бы самым несчастным человеком. Он воображал, что сделает из нее другую женщину. Какие же вы, мужчины, идиоты. Я знала, что рано или поздно она сорвется. Это простым глазом было видно. Когда мы все вместе завтракали в «Ритце», вы сами заметили, в каком состоянии у нее были нервы. Я видела, вы смотрели на нее, когда она пила кофе: рука у нее так дрожала, что она боялась взять чашку одной рукой, ухватила двумя, чтобы не расплескать. И как она смотрела на вино, когда официант наливал нам бокалы,— следила за бутылкой этими гадостными своими линялыми глазами, точно змея за цыпленком, ясно было, что она бы душу продала за глоток вина.

Теперь Изабелла смотрела мне прямо в лицо, глаза ее метали молнии. Голос стал хриплым, слова так и наскакивали одно на другое.

— Я это задумала, когда дядя Эллиот стал разглагольствовать про эту проклятую польскую водку. Мне ее даром не надо, но я притворилась, будто в жизни не пила такой прелести. Я была уверена — дай ей только случай, и она нипочем не устоит. Потому я и повезла ее на выставку мод. Потому и предложила подарить ей подвенечное платье. В тот день, когда нужно было ехать на последнюю примерку, я сказала Антуану, чтобы подал зубровку к завтраку, а потом сказала, что ко мне должна прийти одна дама и пусть попросит подождать и предложит ей кофе, а зубровку пусть не убирает — может, ей захочется выпить рюмочку. Джоун я и правда повела к дантисту, но никакого уговора у меня с ним, конечно, не было, и он нас не принял, так я сводила ее в кино, посмотреть журнал. Про себя я решила: если окажется, что Софи не притронулась к водке — ну, тогда кончено, я смирюсь и постараюсь с ней подружиться. Я не вру, честное слово даю. Но когда я вернулась и увидела бутылку, то поняла, что поступила правильно. Она сбежала, и уж кто-кто, а я-то знала, что она не вернется.

Изабелла умолкла и тяжело перевела дух.

— Что-то в этом роде я себе и представлял,— сказал я.— Вот видите — я был прав. Вы ее зарезали, все равно что сами взяли нож и полоснули ее по горлу.

— Она была скверная, скверная, скверная. Я рада, что она умерла.— Она бросилась в кресло.— Дайте мне выпить, черт бы вас побрал.

Я смешал ей еще коктейль.

— Дьявол вы, а не человек,— сказала она, протягивая за ним руку. Потом разрешила себе улыбнуться. Улыбка была, как у ребенка, когда он знает, что набедокурил, но пробует умилить вас своей наивной прелестью, чтобы вы не рассердились.— Только не говорите Ларри, ладно?

— Ни за что не скажу.

— Честное слово? На мужчин так трудно положиться.

— Обещаю, что не скажу. Да если б и захотел, едва ли мне представится такая возможность: я, скорее всего, никогда больше его не увижу.

Она резко выпрямилась.

— Это почему?

— В настоящую минуту он плывет в Нью-Йорк на грузовом пароходе либо матросом, либо кочегаром.

— Нет, правда? Поразительное существо. Он был здесь с месяц назад, что-то ему нужно было проверить в Публичной библиотеке для своей книги, но он ни слова не сказал о том, что едет в Америку. Я рада, значит, мы будем встречаться.

— Сомневаюсь. Его Америка будет так же далеко от вашей, как пустыня Гоби.

И я рассказал ей, что Ларри сделал и что намерен делать. Она слушала меня раскрыв рот. Удивление и ужас были написаны на ее лице. Время от времени она перебивала меня восклицанием: «Он с ума сошел! С ума сошел...». Когда я замолчал, она опустила голову и две крупные слезы скатились у нее по щекам.

— Вот теперь я действительно его потеряла.

Она отвернулась от меня и заплакала, уткнувшись лицом в спинку кресла и уже не скрывая своего горя. Я был бессилен ей помочь. Я не знал, какие несуразные пустые надежды она еще лелеяла, пока я не сокрушил их своим рассказом. Я смутно догадывался, как нужно ей было хоть изредка его видеть или хотя бы знать, что он — часть ее мира; это казалось ей связующей нитью, пусть самой тоненькой, которую его последний поступок оборвал, так что она почувствовала себя навеки покинутой. Какие же напрасные сожаления ее терзают? Я подумал — пусть плачет, ей станет легче. Я взял со стола книгу Ларри и посмотрел оглавление. Мой экземпляр еще не прибыл, когда я уезжал с Ривьеры, теперь я мог получить его только через несколько дней. Книга оказалась для меня полной неожиданностью. Это был сборник очерков примерно такого же объема, как эссе Литтона Стрэчи о «Выдающихся викторианцах», и тоже о всяких известных личностях. Выбор их озадачил меня. Был там очерк о Сулле, римском диктаторе, который достиг неограниченной власти, а потом отказался от нее и вернулся к частной жизни; был очерк про Акбара, Великого Могола, завоевателя целой империи; и про Рубенса, и про Гете, и про лорда Честерфилда, автора знаменитых писем. Чтобы написать эти очерки, нужно было прочесть тысячи страниц, и меня уже не удивляло, что работа над книгой заняла столько времени, но я не мог взять в толк, почему Ларри не пожалел этого времени и почему выбрал именно данных героев. А потом мне пришло в голову, что каждый из них по-своему достиг в жизни наивысшего успеха, и я догадался, что это-то и привлекло внимание Ларри. Ему захотелось дознаться, что же такое в конечном счете успех.

Я раскрыл книгу наугад и стал читать: мне было интересно, как он пишет. Язык ученого, но ясный и естественный. Ни следа претенциозности или педантизма, слишком часто отличающих писания дилетантов. Чувствовалось, что он искал общества лучших писателей мира так же прилежно, как Эллиот Темплтон искал общества знати. Меня прервал шумный вздох Изабеллы. Она выпрямилась в кресле и с гримасой отвращения допила нагревшийся коктейль.

— Хватит реветь, и так глаза, наверно, ни на что не похожи.— Она достала из сумки зеркальце и с тревогой вгляделась в себя.— Ну да, пузырь со льдом на полчаса, вот что мне нужно.— Она напудрилась, подмазала губы. Потом задумчиво посмотрела на меня.— Вы теперь будете намного хуже обо мне думать?

— А для вас это имеет значение?

— Представьте себе, имеет. Я не хочу, чтобы вы думали обо мне плохо.

Я усмехнулся.

— Дорогая моя, я личность в высшей степени аморальная. Когда я хорошо отношусь к человеку, я могу скорбеть о его грехах, но на мое отношение к нему это не влияет. Вы по-своему неплохая женщина, и притом в вас бездна прелести и очарования. Ваша красота меня радует, хоть я и знаю, что она в большой мере зиждется на удачном сочетании безупречного вкуса и неколебимого упорства. Для полного совершенства вам недостает только одного...

Она ждала улыбаясь.

— Нежности.

Улыбка погасла, и она метнула на меня взгляд, начисто лишенный приязни, но, прежде чем она собралась ответить, в комнату ввалился Грэй. За три года, проведенных в Париже, Грэй сильно прибавил в весе, его красное лицо стало еще краснее, и волосы заметно поредели, но он пребывал в отменном здоровье и в отличном настроении. Он был искренне рад меня видеть. Разговаривал он одними штампами. Произнося самые заезженные речения, явно был убежден, что только что сам их выдумал. Он не ложился спать, а «отправлялся на боковую» и спал не иначе как «сном праведника», если шел дождь, так непременно «лило как из ведра», и Париж до конца оставался для него «веселым городком». Но он был такой незлобивый и нетребовательный, такой честный, надежный и скромный, что не чувствовать к нему симпатии было невозможно. Я был от души к нему расположен. Сейчас он был всецело поглощен предстоящим отъездом.

— Ох и здорово будет опять впрячься в работу,— говорил он.— Я просто жду не дождусь.

— Значит, все у вас решено?

— Подписи своей я еще не поставил, но дело верное. Тот парень, с которым я вхожу в долю, был моим соседом по комнате в колледже, он малый первый сорт и свинью мне не подложит, это я знаю. Но как только мы прибудем в Нью-Йорк, я слетаю в Техас, своими глазами проверю, как там что, и, может быть уверены, уж докопаюсь, нет ли там какого подвоха, прежде чем выложить хоть доллар из тех деньжат, что мне дала Изабелла.

— Грэй, знаете ли, превосходный бизнесмен,— сказала она.

— Да уж не хуже других,— улыбнулся он.

Он принялся, как всегда слишком многословно, рассказывать мне о фирме, в которую вступает, но я в таких делах смыслю мало и понял, в сущности, одно: что у него есть все шансы нажить уйму денег. Он так увлекся своим рассказом, что даже предложил Изабелле:

— Слушай, на черта нам сдался этот званый обед? Может, посидим тихо-мирно втроем в ресторане?

— Ну что ты, милый, как можно. Ведь обед устроили в нашу честь.

— Я-то во всяком случае не мог бы составить вам компанию,— вмешался я.— Когда я узнал, что вечер у вас занят, я позвонил Сюзанне Рувье и сговорился с ней повидаться.

— Кто такая Сюзанна Рувье?— спросила Изабелла.

Мне захотелось ее поддразнить.

— Так, одна из девиц, которые остались мне в наследство от Ларри.

— Я всегда подозревал, что он где-то прячет хорошенькую модисточку,— подхватил Грэй с добродушным смехом.

— Вздор,— отрезала Изабелла.— О половой жизни Ларри мне все известно. Ее просто нет.

— Ну, раз так, выпьем на прощанье,— сказал Грэй.

Мы выпили, и я с ними простился. Они вышли проводить меня в переднюю, и, пока я надевал пальто, Изабелла продела руку под локоть Грэя и, ластясь, заглянула ему в глаза с выражением, отлично имитирующим ту нежность, в недостатке которой я ее обвинил.

— Скажи мне, Грэй, только честно, по-твоему, я бесчувственная?

— Что ты, родная, с чего ты взяла? Тебе это кто-нибудь сказал?

— Нет.

Она повернулась к нему спиной и показала мне язык, что Эллиот, несомненно, счел бы весьма неаристократичным.

— Это не то же самое,— шепнул я, выходя на площадку, и закрыл за собою дверь.

IV

Когда я опять оказался в Париже, Мэтюрины уже уехали и в квартире Эллиота жили чужие люди. Я очень чувствовал отсутствие Изабеллы. На нее приятно было смотреть, с ней легко говорилось. Она была сметлива и незлопамятна. Больше я никогда ее не видел. Я не люблю и ленюсь писать письма. Изабелла же просто не умеет их писать. Если нельзя общаться по телефону или по телеграфу, она предпочитает вообще не общаться. К Рождеству я получил от нее открытку с изображением красивого дома с колоннами, окруженного виргинскими дубами,— очевидно, это был тот самый дом, который они не смогли продать, когда так нуждались в деньгах, а теперь, видимо, раздумали продавать. Судя по штемпелю, открытка была опущена в Далласе, из чего я заключил, что дело сладилось и они водворились на новом месте.

В Далласе я не бывал, но думаю, что там, как и в других крупных американских городах, имеется жилой район, откуда на машине рукой подать и до делового центра, и до загородного клуба, и где люди со средствами обитают в прекрасных домах с большими садами и из окон гостиной открывается красивый вид на окрестные горы и долы. В таком-то районе и в таком доме, отделанном от подвала до чердака в сверхсовременном духе самым модным нью-йоркским декоратором, наверняка и живет теперь Изабелла. Надо надеяться, что ее Ренуар и ее Гоген, ее натюрморт Мане и пейзаж Моне не выглядят там анахронизмами. Столовая там, без сомнения, достаточно просторная для дамских завтраков с хорошим вином и первоклассной едой, которые она устраивает довольно часто. Изабелла много чему научилась в Париже. Она не остановила бы свой выбор на этом доме, если бы сразу не оценила, что гостиная отлично подойдет для вечеров с танцами, которые она станет у себя устраивать, пока ее дочки еще не выезжают в свет. А скоро, глядишь, уже пора будет выдавать их замуж. Джоун и Присцилла, конечно же, прекрасно воспитаны, учились в лучших школах, и Изабелла позаботилась о том, чтобы всячески повысить их ценность в глазах приемлемых поклонников. Грэй, надо полагать, стал еще краснее лицом, еще больше обрюзг, облысел и погрузнел; а вот Изабелла, мне кажется, не могла измениться. Она и сейчас красивее своих дочерей. Мэтюрины, должно быть, стали украшением местного общества и пользуются заслуженной популярностью. Изабелла всегда интересна, изящна, обходительна и тактична, а Грэй — в полном смысле слова Парень Что Надо.

V

Сюзанну Рувье я продолжал изредка встречать до тех пор, пока неожиданная перемена в ее положении не заставила ее покинуть Париж, а тогда она тоже ушла из моей жизни. Как-то днем, года через два после описанных событий, с приятностью проведя часок среди книг в галереях Одеона, я увидел, что у меня осталось свободное время, и решил навестить Сюзанну. Перед этим я не видел ее полгода. Она открыла мне дверь — в заляпанной красками блузе, на большом пальце нацеплена палитра, в зубах кисть.

— Ah, c'est vons, mon cher ami. Entrez, je vous en prie[*].

Немного удивленный непривычной церемонностью ее тона, я вошел в маленькую комнату, служившую и гостиной, и мастерской. На мольберте стоял холст.

— Я так занята, просто вздохнуть некогда, но вы садитесь, а я буду работать дальше. Мне каждая минута дорога. Поверите ли, Мейерхейм устраивает мне персональную выставку, нужно подготовить тридцать картин.

— Мейерхейм? Но это замечательно. Как это вам удалось?

Надо сказать, что Мейерхейм — не какой-нибудь захудалый торговец с улицы Сены, из тех, чьи лавчонки вот-вот прогорят и закроются. Мейерхейм — владелец отличного выставочного зала на имущем берегу Сены и пользуется всемирной известностью. Художник, которого он пригрел, находится на верном пути к успеху.

— Мсье Ашиль привел его посмотреть мои работы, и он нашел, что я очень талантлива.

— A d'autres, ma vieille,— сказал я, что в переводе значит примерно: «Расскажи своей бабушке».

Она поглядела на меня и хихикнула.

— Я выхожу замуж.

— За Мейерхейма?

— Еще чего.— Она отложила палитру и кисти.— С утра работаю, можно и отдохнуть. Выпьем-ка мы с вами стаканчик портвейна, и я вам все расскажу.

Одна из мелких неприятностей парижской жизни состоит в том, что вам в любое время суток могут предложить стаканчик скверного портвейна. С этим нужно мириться. Сюзанна принесла бутылку и два стакана, налила и со вздохом облегчения опустилась на стул.

— Сколько часов простояла на ногах, а у меня ведь расширение вен, боли ужасные. Ну так вот. Жена мсье Ашиля в начале этого года умерла. Она была хорошая женщина и хорошая католичка, но женился он на ней не по любви, а из деловых соображений, и, хоть он очень ее уважал, сказать, что он после ее смерти был безутешен, было бы преувеличением. Сын его

_____
[*] А, это вы, мой друг. Входите, пожалуйста (_фр._).

женат и преуспевает в семейной фирме, а теперь и дочка сосватана за графа. Правда, бельгийского, но настоящего, без подделки, у него даже есть фамильный замок под Намюром. Мсье Ашиль говорит, что его покойная жена не захотела бы, чтобы из-за нее отложилось счастье двух любящих сердец, и, хоть они еще в трауре, свадьба состоится, как только будет улажена материальная сторона. Мсье Ашилю, конечно, будет скучно одному в их большущем доме в Лилле, ему нужна женщина — не только чтобы о нем заботиться, но и вести весь дом, как того требует его положение. Короче говоря, он попросил меня занять место его покойной жены и выразился так умно: «В первый раз я женился, чтобы покончить с конкуренцией между двумя фирмами, и не жалею об этом; но не вижу, почему бы во второй раз мне не жениться для собственного удовольствия».

— Позвольте вас поздравить,— сказал я.

— Мне, конечно, будет недоставать моей свободы. Я ее очень ценю. Но нужно думать о будущем. Скажу вам по секрету, мне ведь пошел пятый десяток. Мсье Ашиль сейчас в опасном возрасте: вдруг ему взбредет в голову увлечься двадцатилетней девчонкой, что я тогда буду делать? И о дочке подумать надо. Ей шестнадцать лет, она все хорошеет, вылитый отец. Я дала ей неплохое образование. Но что пользы отрицать факты, когда они так очевидны? У нее нет ни таланта, чтобы стать актрисой, ни темперамента, чтобы стать шлюхой, как ее бедная мать. Так я вас спрашиваю, на что она может рассчитывать? Место секретарши, работа на почте? А мсье Ашиль великодушно согласился, чтобы она жила с нами, и обещал дать за ней хорошее приданое, так что приличное замужество ей обеспечено. Поверьте мне, милый друг, что бы там ни говорили, а для женщины нет лучшей профессии, чем замужество. Раз дело шло о счастье моей дочери, я просто не могла не принять такое предложение, пусть и предстоит поступиться кое-какими радостями (впрочем, с годами они все равно становились бы все менее доступны), потому что, имейте в виду, когда я выйду замуж, я намерена стать жутко добродетельной — долгий опыт убедил меня в том, что основой счастливого брака может быть только абсолютная верность с обеих сторон.

— В высшей степени нравственная позиция, моя прелесть,— сказал я.— А как мсье Ашиль, будет по-прежнему раз в две недели ездить в Париж по делам?

— О-ля-ля, за кого вы меня принимаете, дружок? Когда мсье Ашиль попросил моей руки, я ему сразу сказала: «Имейте в виду, мой дорогой, когда вы будете ездить в Париж на заседания правления, я буду вас сопровождать. Одного я вас сюда не пущу, так и знайте». А он говорит: «Вы же не воображаете, что я способен на какие-нибудь глупости». «Мсье Ашиль,— сказала я ему,— вы мужчина в расцвете сил, и кому, как не мне, знать, что у вас очень страстный темперамент. У вас есть все, чем может плениться женщина. Словом, по-моему, вам лучше не подвергаться соблазнам». В конце концов он согласился уступить свое место в правлении сыну, теперь тот будет вместо него приезжать в Париж. Мсье Ашиль притворился, что считает мое требование неразумным, но на самом деле он был страшно польщен.— Сюзанна удовлетворенно вздохнула.— Если бы не безграничное тщеславие мужчин, нам, бедным женщинам, жилось бы еще труднее.

— Все это так, но какое отношение это имеет к вашей персональной выставке у Мейерхейма?

— Мой бедный друг, вы сегодня что-то плохо соображаете. Я же вам годами внушаю, что мсье Ашиль очень умен. Он должен думать о своем положении, а люди в Лилле всегда норовят осудить человека. Мсье Ашиль желает, чтобы я заняла в тамошнем обществе место, подобающее жене столь значительного лица. А вы же знаете этих провинциалов — обожают совать свой длинный нос в чужие дела, они же первым делом спросят: Сюзанна Рувье? А кто она такая? Так вот, ответ им будет готов. Она — та известная художница, чья выставка, состоявшаяся недавно в галерее Мейерхейма, удостоилась таких громких и заслуженных похвал. «Мадам Сюзанна Рувье, вдова офицера колониальной пехоты, с мужеством, характерным для истой француженки, в течение нескольких лет содержала своим талантом себя и свою прелестную дочь, безвременно лишившуюся отцовской заботы, и мы счастливы сообщить, что в скором времени широкая публика получит возможность оценить ее тонкое искусство и уверенную технику в галерее безошибочного знатока мсье Мейерхейма».

— Это что за галиматья?— спросил я.

— Это, мой дорогой, реклама, которую авансом организует мсье Ашиль. Она появится во всех крупных газетах Франции. Он проявил небывалое великодушие. Мейерхейм запросил безбожную цену, но мсье Ашиль согласился, словно речь шла о сущих пустяках. На предварительном просмотре будет шампанское, а откроет выставку сам министр изящных искусств — он кое-чем обязан мсье Ашилю — и произнесет очень красивую речь, в которой будет превозносить мои женские добродетели и художественный талант, а под конец сообщит, что государство, почитающее своим приятным долгом награждать достойных, приобрело одну из моих картин для национального фонда. Там будет весь Париж, а критиков Мейерхейм взял на себя. Он гарантирует, что их отзывы будут не только благоприятные, но и достаточно длинные. Они, бедняги, так мало зарабатывают; это чистая благотворительность — дать им немножко подработать на стороне.

— Все это вы заслужили, дорогая. Вы всегда были большой молодец.

— Et ta soeur,— ответила она, что уже совсем непереводимо.— Но это еще не все. Мсье Ашиль купил на мое имя виллу в Сен-Рафаэле, на берегу моря, так что в лилльском обществе я займу место не только как известная художница, но и как женщина с капиталом. Через два-три года он удалится от дел, и мы будем жить на Ривьере, как благородные. Пока я буду поглощена искусством, он сможет кататься на лодке и ловить креветок. А теперь я покажу вам мои картины.

Сюзанна занималась живописью уже несколько лет, по очереди подражала манере целого ряда своих любовников и выработала-таки свой собственный стиль. Рисовала она по-прежнему плохо, но чувство цвета у нее заметно развилось. Она показала мне пейзажи, которые написала, когда гостила у своей матери в Анжу, уголки Версальского сада и леса Фонтенбло, уличные сценки, привлекшие ее внимание в парижских предместьях. Это была живопись воздушная и невещественная, но в ней была прелесть полевого цветка и даже какая-то небрежная грация. Одна картина понравилась мне больше других, и, чтобы сделать приятное Сюзанне, я выразил желание купить ее. Не помню уж, как она называлась — не то «Поляна в лесу», не то «Белый шарф», я и по сей день этого не выяснил. Я спросил, сколько она стоит, цена оказалась сходная, и я сказал, что возьму ее.

— Вы ангел!— воскликнула Сюзанна.— Вот у меня и почин есть. Конечно, получить ее вы сможете только после выставки, но я прослежу, чтобы в газетах упомянули, что ее купили вы. В конце концов, вам лишняя реклама тоже не повредит.

Я рада, что вы выбрали именно эту вещь, я считаю ее одной из своих лучших работ.— Она взяла зеркало и, прищурившись, посмотрела, как картина в нем отражается.— В ней есть шарм,— сказала она,— это уж точно. Взять хотя бы зеленые тона — какие они сочные и вместе с тем нежные! А это белое пятно в центре — подлинная находка. Оно придает композиционное единство всей картине. Да, тут виден талант, что и говорить, настоящий талант.

Я убедился, что она уже перешагнула грань, отделяющую любителей от профессионалов.

— Ну а теперь, дружок, посплетничали, и хватит. Мне надо работать.

— А мне пора уходить,— сказал я.

— Кстати, где этот бедный Ларри, все там, у краснокожих? Так непочтительно она имела обыкновение именовать обитателей страны Господа Бога.

— Насколько я знаю, да.

— Нелегко ему, наверно, там приходится, ведь он такой милый, мягкий. Если верить кино, жизнь там страшная — гангстеры, ковбои, мексиканцы. Правда, как мужчины эти ковбои даже довольно привлекательны. О-ля-ля. Но в Нью-Йорке, говорят, опасно ходить по улицам без револьвера.

Она вышла со мной в переднюю и поцеловала в обе щеки.

— Мы с вами хорошо проводили время. Не поминайте лихом.

VI

Вот и конец моей повести. О Ларри я с тех пор ничего не слышал, да и не ожидал услышать. Поскольку он обычно выполнял свои намерения, вполне возможно, что, вернувшись в Америку, он поступил работать в гараж, а потом водил грузовик, пока не узнал получше родную страну, из которой отлучался на такой долгий срок. А тогда он вполне мог выполнить и свою фантастическую затею — стать шофером такси; правда, то была всего лишь шальная мысль, в шутку брошенная на столик в ночном ресторане, но я не слишком удивился бы, узнав, что он привел ее в исполнение; во всяком случае, садясь в Нью-Йорке в такси, я всякий раз заглядывал в лицо шоферу — а не глянут ли на меня в ответ глубоко посаженные глаза Ларри, с затаившейся в них улыбкой?

Этого не случилось. Началась война. В авиацию он уже не годился по возрасту, но, возможно, он опять водит грузовик на родине или за морем, а возможно, работает на заводе. Мне хочется думать, что в свободное время он пишет книгу, в которой пытается рассказать обо всем, чему научила его жизнь и чем он хочет поделиться с другими, но, если такая книга и начата, конца ей не видно. Время у него, впрочем, есть, ибо прожитые годы не оставили на нем следа и он по-прежнему молод душой и телом.

Он не честолюбив, не гонится за славой; перспектива стать «деятелем» была бы ему глубоко противна; возможно, он и не желает большего, чем жить той жизнью, какую выбрал, и просто оставаться самим собой. Он слишком скромен, чтобы ставить себя кому-то в пример, но, возможно, надеется, что несколько мятущихся душ, привлеченных к нему, как бабочки к свету свечи, разделят его веру в то, что подлинное удовлетворение может дать только жизнь духа и еще что, следуя кротко и бескорыстно по пути к совершенству, он будет тем самым служить людям не хуже, чем если бы писал книги или проповедовал перед тысячными толпами.

Однако все это домыслы. Сам я «из праха земного»; я могу только восхищаться светлым горением столь исключительного человека, но не могу поставить себя на его место и проникнуть в тайники его души, что мне как будто удавалось иногда с людьми более заурядными. Ларри, как и хотел, растворился — его поглотил тот бурный человеческий конгломерат, то скопище людей, раздираемых противоречивыми интересами, заблудившихся в мировом хаосе, тяготеющих к добру, внешне так уверенных в себе, а внутренне таких растерянных, таких добрых и жестоких, доверчивых и опасливых, скупых и великодушных, которое зовется населением Соединенных Штатов. Мне больше нечего о нем сказать. Я понимаю, как это огорчительно, но что поделаешь. Однако, заканчивая эту книгу с неприятным сознанием, что оставил читателей в неведении, и не зная, как поправить дело, я оглянулся на свое длинное повествование в надежде найти хоть какой-то способ закончить его не столь огорчительно и, к величайшему своему изумлению, убедился, что совершенно неумышленно написал не что иное, как историю со счастливой развязкой. Ведь все мои персонажи, оказывается, обрели то, к чему стремились: Эллиот — доступ в высокие сферы; Изабелла — прочное положение в культурном и деятельном общественном кругу, подкрепленное солидным капиталом; Грэй — постоянное прибыльное дело и к тому же контору, где проводит время от девяти до шести часов; Сюзанна Рувье — уверенность в завтрашнем дне; Софи — смерть, а Ларри — счастье. И пусть надменно брюзжат просвещенные критики: мы-то, читающая публика, все в глубине души любим истории с хорошим концом, так что моя развязка, пожалуй, не так уж и огорчительна.

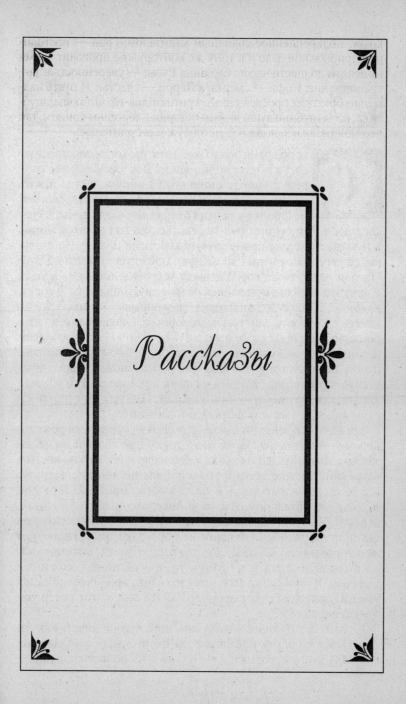

Рассказы

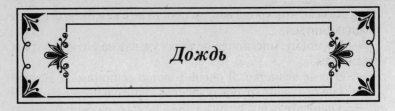

Дождь

коро время ложиться, а завтра, когда они проснутся, уже будет видна земля. Доктор Макфейл закурил трубку и, опираясь на поручни, стал искать среди созвездий Южный Крест. После двух лет на фронте и раны, которая заживала дольше, чем следовало бы, он был рад поселиться на год в тихой Апии, и путешествие уже принесло ему заметную пользу. На следующее утро некоторым пассажирам предстояло сойти в Паго-Паго, и вечером на корабле были устроены танцы — в ушах у доктора все еще отдавались резкие звуки пианолы. Теперь, наконец, на палубе воцарилось спокойствие. Неподалеку он увидел свою жену, занятую разговором с Дэвидсонами, и неторопливо направился к ее шезлонгу. Когда он сел под фонарем и снял шляпу, оказалось, что у него огненно-рыжие волосы, плешь на макушке и обычная для рыжих людей красноватая веснушчатая кожа. Это был человек лет сорока, худой, узколицый, аккуратный и немного педант. Говорил он с шотландским акцентом, всегда негромко и спокойно.

Между Макфейлами и Дэвидсонами — супругами-миссионерами — завязалась пароходная дружба, возникающая не из-за близости взглядов и вкусов, а благодаря неизбежно частым встречам. Больше всего их объединяла неприязнь, которую все четверо испытывали к пассажирам, проводившим дни и ночи в курительном салоне за покером, бриджем и вином. Миссис Макфейл немножко гордилась тем, что они с мужем были единственными людьми на борту, которых Дэвидсоны не сторонились, и даже сам доктор, человек застенчивый, но отнюдь не глупый, в глубине души чувствовал себя польщенным. И только потому, что у него был критический склад ума, он позволил себе поворчать, когда они в этот вечер ушли в свою каюту.

— Миссис Дэвидсон говорила мне, что не знает, как бы они выдержали эту поездку, если бы не мы,— сказала миссис Макфейл, осторожно выпутывая из волос накладку.—

Она сказала, что, кроме нас, им просто не с кем было бы здесь познакомиться.

— По-моему, миссионер не такая уж важная птица, чтобы чваниться.

— Это не чванство. Я очень хорошо ее понимаю. Дэвидсонам не подходит грубое общество курительного салона.

— Основатель их религии был не так разборчив,— со смешком заметил доктор.

— Сколько раз я просила тебя не смеяться над религией,— сказала его жена.— Не хотела бы я иметь твой характер, Алек. Ты ищешь в людях только дурное.

Он искоса посмотрел на нее своими бледно-голубыми глазами, но промолчал. Долгие годы супружеской жизни убедили его, что ради мира в семье последнее слово следует оставлять за женой. Он кончил раздеваться раньше ее и, забравшись на верхнюю полку, устроился почитать перед сном.

Когда на следующее утро доктор вышел на палубу, земля была совсем близко. Он жадно смотрел на нее. За узкой полоской серебряного пляжа сразу вставали крутые горы, до вершин покрытые пышной растительностью. Среди зелени кокосовых пальм, спускавшихся почти к самой воде, виднелись травяные хижины самоанцев и кое-где белели церквушки. Миссис Дэвидсон вышла на палубу и остановилась рядом с доктором. Она была одета в черное, на шее — золотая цепочка с крестиком. Это была маленькая женщина с тщательно приглаженными тусклыми каштановыми волосами и выпуклыми голубыми глазами за стеклами пенсне. Несмотря на длинное овечье лицо, она не казалась простоватой, а наоборот, настороженной и энергичной. Движения у нее были по-птичьи быстрые, а ее голос, высокий, металлический, лишенный всякой интонации, бил по барабанным перепонкам с неумолимым однообразием, раздражая нервы, как безжалостное жужжание пневматического сверла.

— Вы, наверное, чувствуете себя почти дома,— сказал доктор Макфейл с обычной своей слабой, словно вымученной улыбкой.

— Видите ли, наши острова непохожи на эти — они плоские. Коралловые. А эти — вулканические. Нам осталось еще десять дней пути.

— В здешних краях это то же, что на родине — соседний переулок,— пошутил доктор.

— Ну, вы, разумеется, преувеличиваете, однако в южных морях расстояния действительно кажутся другими. В этом отношении вы совершенно правы.

Доктор Макфейл слегка вздохнул.

— Я рада, что наша миссия не на этом острове,— продолжала она.— Говорят, здесь почти невозможно работать. Сюда заходит много пароходов, а это развращает жителей; и, кроме того, здесь стоят военные корабли, что дурно влияет на туземцев. В нашем округе нам не приходится сталкиваться с подобными трудностями. Ну, разумеется, там живут два-три торговца, но мы следим, чтобы они вели себя как следует, а в противном случае принимаем такие меры, что они бывают рады уехать.

Она поправила пенсне и устремила на зеленый остров беспощадный взгляд.

— Стоящая перед здешними миссионерами задача почти неразрешима. Я неустанно благодарю Бога, что хоть это испытание нас миновало.

Округ Дэвидсона охватывал группу островов к северу от Самоа; их разделяли большие расстояния, и ему нередко приходилось совершать далекие поездки в туземных лодках. В таких случаях его жена оставалась управлять миссией. Доктор Макфейл вздрогнул, представив себе, с какой неукротимой энергией она, вероятно, это делает. Она говорила о безнравственности туземцев с елейным негодованием, но не понижая голоса. Ее понятия о нескромности были несколько своеобразными. В самом начале их знакомства она сказала ему:

— Представьте себе, когда мы только приехали, брачные обычаи на наших островах были столь возмутительны, что я ни в коем случае не могу вам их описать. Но я расскажу миссис Макфейл, а она расскажет вам.

Затем он в течение двух часов смотрел, как его жена и миссис Дэвидсон, сдвинув шезлонги, вели оживленный разговор. Прохаживаясь мимо них, чтобы размять ноги, он слышал возбужденный шепот миссис Дэвидсон, напоминавший отдаленный рев горного потока, и, видя побледневшее лицо и полураскрытый рот жены, догадывался, что она замирает от блаженного ужаса. Вечером, когда они ушли к себе в каюту, она, захлебываясь, передала ему все, что услышала.

— Ну, что я вам говорила?— торжествуя, вскричала миссис Дэвидсон на следующее утро.— Ужасно, не правда ли?

Теперь вас не удивляет, что я сама не осмелилась рассказать вам все это? Несмотря даже на то, что вы врач.

Миссис Дэвидсон пожирала его глазами. Она жаждала убедиться, что достигла желаемого эффекта.

— Не удивительно, что вначале у нас просто опустились руки. Не знаю, поверите ли вы, когда я скажу, что во всех деревнях нельзя было отыскать ни одной порядочной девушки.

Она употребила слово «девушка» в строго техническом значении.

— Мы с мистером Дэвидсоном обсудили положение и решили, что в первую очередь надо положить конец танцам. Эти туземцы жить не могли без танцев.

— В молодости я и сам был не прочь поплясать,— сказал доктор Макфейл.

— Я так и подумала вчера вечером, когда вы пригласили миссис Макфейл на тур вальса. Я не вижу особого вреда в том, что муж танцует с женой, но все же я была рада, когда она отказалась. Я считаю, что при данных обстоятельствах нам лучше держаться особняком.

— При каких обстоятельствах?

Миссис Дэвидсон бросила на него быстрый взгляд сквозь пенсне, но не ответила.

— Впрочем, у белых это не совсем то,— продолжала она,— хотя я вполне согласна с мистером Дэвидсоном, когда он говорит, что не понимает человека, который может спокойно стоять и смотреть, как его жену обнимает чужой мужчина, и я лично ни разу не танцевала с тех пор, как вышла замуж. Но туземные танцы — это совсем другое дело. Они не только сами безнравственны, они совершенно очевидно приводят к безнравственности. Однако, благодарение Богу, мы с ними покончили, и вряд ли я ошибусь, если скажу, что в нашем округе уже восемь лет, как танцев нет и в помине.

Пароход приблизился ко входу в бухту, и миссис Макфейл тоже поднялась на палубу. Круто повернув, пароход медленно вошел в гавань. Это была большая, почти замкнутая бухта, в которой мог свободно поместиться целый флот, а вокруг нее уходили ввысь крутые зеленые горы. У самого пролива, там, куда с моря еще достигал бриз, виднелся окруженный садом дом губернатора. С флагштока лениво свисал американский флаг. Они проплыли мимо двух-трех аккуратных бунгало и теннисного корта и причалили к застроенной складами пристани. Миссис Дэвидсон показала Макфейлам стоявшую ярдах в трехстах от пирса шхуну, на которой им предстояло отправиться в Апию. По пристани оживленно сновали веселые добродушные туземцы, собравшиеся со всего острова, кто поглазеть, а кто продать что-нибудь пассажирам, направляющимся дальше, в Сидней; они наперебой предлагали ананасы, огромные связки бананов, циновки, ожерелья из раковин или зубов акулы, чаши для кавы* и модели военных пирог. Среди них бродили аккуратные, подтянутые американские моряки с бритыми веселыми лицами; в стороне стояла кучка портовых служащих. Пока выгружали багаж, Макфейлы и миссис Дэвидсон разглядывали толпу. Доктор Макфейл смотрел на кожу детей и подростков, пораженную фрамбезией — уродливыми болячками, напоминавшими застарелые язвы; и его глаза заблестели от профессионального интереса, когда он впервые в жизни увидел больных слоновой болезнью — огромные бесформенные руки, чудовищные волочащиеся ноги. И мужчины, и женщины были в лава-лава.

— Очень неприличный костюм,— сказала миссис Дэвидсон.— Мистер Дэвидсон считает, что его необходимо запретить в законодательном порядке. Как можно требовать от людей нравственности, если они носят только красную тряпку на чреслах?

— Костюм весьма подходящий для здешнего климата,— отозвался доктор, вытирая пот со лба.

Здесь, на суше, жара, несмотря на ранний час, была невыносимой. Закрытый со всех сторон горами Паго-Паго задыхался.

— На наших островах,— продолжала миссис Дэвидсон своим пронзительным голосом,— мы практически искоренили лава-лава. В них ходят только несколько стариков. Все женщины носят длинные балахоны, а мужчины — штаны и рубашки. В самом начале нашего пребывания там мистер Дэвидсон написал в одном из отчетов: «Обитатели этих островов по-настоящему проникнутся христианским духом только тогда, когда всех мальчиков старше десяти лет заставят носить штаны».

Миссис Дэвидсон птичьим движением повернула голову и взглянула на тяжелые серые тучи, которые, клубясь, поднимались над входом в бухту. Упали первые капли дождя.

— Нам лучше где-нибудь укрыться,— сказала она.

Они последовали за толпой под большой навес из гофрированного железа, и тут же начался ливень. Через некоторое

---

* *Кава* — опьяняющий напиток; приготовляется из корней растения кава — разновидности перца.

время к ним присоединился мистер Дэвидсон. Правда, на пароходе он несколько раз вежливо беседовал с Макфейлами, но, не разделяя любви своей жены к обществу, большую часть времени проводил за чтением. Это был молчаливый, мрачный человек, и чувствовалось, что, стараясь быть любезным, он только выполняет возложенный на себя долг христианина; характер у него был замкнутый, чтобы не сказать — угрюмый. Его внешность производила странное впечатление. Он был очень высок и тощ, с длинными, словно развинченными руками и ногами, впалыми щеками и торчащими скулами; при такой худобе его полные чувственные губы казались особенно неожиданными. Он носил длинные волосы. Его темные, глубоко посаженные глаза были большими и печальными, а красивые руки с длинными пальцами как будто свидетельствовали о большой физической силе. Но особенно поражало вызываемое им ощущение скрытого и сдерживаемого огня. В нем было что-то грозное и смутно тревожащее. Это был человек, с которым дружеская близость невозможна.

Теперь он принес неприятную новость. На острове свирепствует корь — болезнь для канаков очень серьезная и часто смертельная, и один из матросов шхуны, на которой они должны были плыть дальше, тоже заболел. Его свезли на берег и положили в карантинное отделение госпиталя, но из Апии по телеграфу отказались принять шхуну, пока не будет установлено, что больше никто из команды не заразился.

— Это означает, что нам придется пробыть здесь не меньше десяти дней.

— Но ведь меня ждут в Апии,— сказал доктор Макфейл.

— Ничего не поделаешь. Если на шхуне больше никто не заболеет, ей разрешат отплыть с белыми пассажирами, туземцам же всякие плавания запрещены на три месяца.

— Здесь есть отель?— спросила миссис Макфейл.

— Нет,— с тихим смешком ответил Дэвидсон.

— Так что же нам делать?

— Я уже говорил с губернатором. На приморском шоссе живет торговец, который сдает комнаты, и я предлагаю, как только кончится дождь, пойти посмотреть, нельзя ли там устроиться. Особых удобств не ждите. Нам повезет, если мы найдем себе постели и крышу над головой.

Но дождь все не ослабевал, и в конце концов они тронулись в путь, накинув плащи и раскрыв зонтики. Поселок состоял из нескольких казенных зданий, двух лавчонок и кучки туземных хижин, ютившихся среди плантаций и кокосовых пальм. Дом, о котором шла речь, находился в пяти минутах ходьбы от пристани. Это был стандартный дом в два этажа, с большой верандой на каждом этаже и с крышей из гофрированного железа. Его владелец, метис по фамилии Хорн, женатый на туземке, вечно окруженной смуглыми детишками, торговал в лавке на нижнем этаже консервами и ситцем. В комнатах, которые он им показал, почти не было мебели. У Макфейлов стояла только старая расшатанная кровать под рваной москитной сеткой, колченогий стул и умывальник. Они оглядывались по сторонам в полном унынии. Дождь все лил и лил, не переставая.

— Я достану только самое необходимое,— сказала миссис Макфейл.

Когда она распаковывала чемодан, в комнату вошла миссис Дэвидсон, полная обычной кипучей энергии. Безрадостная обстановка совершенно на нее не подействовала.

— Я посоветовала бы вам как можно скорее взять иголку и заняться починкой москитной сетки,— сказала она,— иначе вы всю ночь не сомкнете глаз.

— А здесь много москитов?— спросил доктор Макфейл.

— Сейчас как раз сезон для них. Когда вас пригласят в Апии на вечер к губернатору, вы увидите, что всем дамам дают наволочки, чтобы они могли укрыть в них свои... свои нижние конечности.

— Ах, если бы этот дождь прекратился хоть на минуту! — сказала миссис Макфейл.— При солнце мне было бы веселее наводить здесь уют.

— Ну, если вы собираетесь ждать солнца, вам придется ждать долго. Паго-Паго, пожалуй, самое дождливое место на всем Тихом океане. Видите ли, горы и бухта притягивают влагу, а, кроме того, сейчас вообще время дождей.

Она взглянула поочередно на Макфейла и на его жену, стоявших с потерянным видом в разных концах комнаты, и поджала губы. Она чувствовала, что ей придется за них взяться. Такая беспомощность вызывала в ней только раздражение, но при виде беспорядка у нее всегда начинали чесаться руки.

— Вот что, дайте мне иголку с ниткой, и я заштопаю вашу сетку, пока вы будете распаковывать вещи. Обед подадут в час. Доктор, вам следовало бы сходить на пристань приглядеть, чтобы ваш багаж убрали в сухое помещение. Вы же знаете, что такое туземцы — они вполне способны сложить вещи там, где их будет поливать дождь.

Доктор снова надел плащ и спустился по лестнице. В дверях стоял мистер Хорн. Он разговаривал с боцманом привезшего их парохода и с пассажиркой второго класса, которую доктор Макфейл несколько раз видел во время плавания. Боцман, приземистый, сморщенный и необыкновенно грязный человечек, кивнул ему, когда он проходил мимо.

— Скверное дело вышло с корью, а, доктор?— сказал он.— Вы как будто уже устроились?

Доктор Макфейл подумал, что боцман слишком фамильярен, но он был застенчив, да и обижаться было не в его характере.

— Да, мы сняли комнату на втором этаже.

— Мисс Томпсон собирается плыть с вами в Апию, вот я и привел ее сюда.

Боцман указал большим пальцем на свою спутницу. Это была женщина лет двадцати семи, полная, с красивым, но грубым лицом, в белом платье и большой белой шляпе. Ее толстые икры, обтянутые белыми бумажными чулками, нависали над верхом белых лакированных сапожек. Она заискивающе улыбнулась Макфейлу.

— Этот типчик хочет содрать с меня полтора доллара в день за какую-то конуру,— сказала она хриплым голосом.

— Послушай, Джо, я же тебе говорю, что она моя хорошая знакомая,— сказал боцман,— и больше доллара в день платить не может, ну и нечего тебе запрашивать больше.

Торговец был жирный, любезный и всегда улыбался.

— Ну, если вы так ставите вопрос, мистер Суон, я посмотрю, нельзя ли что-нибудь устроить. Я поговорю с миссис Хорн, и если мы решим, что можно сделать скидку, то сделаем.

— Со мной этот номер не пройдет,— сказала мисс Томпсон.— Мы покончим все дело сейчас. Я плачу за вашу клетушку доллар в день и ни шиша больше.

Доктор Макфейл улыбнулся. Его восхитила наглость, с какой она торговалась. Сам он был из тех людей, которые всегда платят столько, сколько с них требуют. Он предпочитал переплачивать, лишь бы не торговаться. Хорн вздохнул.

— Хорошо, ради мистера Суона я согласен.

— Вот это разговор,— сказала мисс Томпсон.— Ну, так заходите и вспрыснем это дело. Берите мой чемоданчик, мистер Суон, в нем найдется неплохое виски. Заходите и вы, доктор.

— Благодарю вас, но мне придется отказаться,— ответил он.— Я иду на пристань приглядеть за багажом.

Он вышел под дождь. Над бухтой проносились косые полосы ливня, и противоположного берега почти не было видно. Навстречу ему попалось несколько туземцев, одетых только в лава-лава; в руках у них были большие зонты. Они держались прямо, и их неторопливая походка была очень красива; проходя мимо, они улыбались ему и здоровались с ним на непонятном языке.

Он вернулся к самому обеду; стол для них был накрыт в гостиной торговца. Это была парадная комната, которой пользовались только в торжественных случаях, и вид у нее был нежилой и грустный. Вдоль стен были аккуратно расставлены стулья, обитые узорным плюшем, а на потолке висела позолоченная люстра, завернутая от мух в пожелтевшую папиросную бумагу. Дэвидсона не было.

— Он пошел с визитом к губернатору,— объяснила миссис Дэвидсон,— и его, наверное, оставили там обедать.

Маленькая девочка-туземка внесла блюдо рубленого мяса, а через некоторое время в комнату вошел сам хозяин, чтобы узнать, всем ли они довольны.

— Кажется, у нас появилась новая соседка, мистер Хорн?— сказал доктор Макфейл.

— Она только сняла комнату,— ответил торговец.— Столоваться она у меня не будет.

Он поглядел на обеих женщин с просительной улыбкой.

— Я поместил ее внизу, чтобы она вам не мешала. Она вас не побеспокоит.

— Она приехала на нашем пароходе?— спросила миссис Макфейл.

— Да, мэм, во втором классе. Она едет в Апию. Получила там место кассирши.

— А!

Когда торговец ушел, Макфейл сказал:

— Ей, наверное, скучно обедать одной у себя в комнате.

— Если она ехала вторым классом, то, надо полагать, это ее вполне устраивает,— сказала миссис Дэвидсон.— Я не совсем представляю, кто бы это мог быть.

— Я проходил мимо, когда боцман привел ее сюда. Ее фамилия Томпсон.

— Не она ли вчера танцевала с боцманом?— спросила миссис Дэвидсон.

— Пожалуй,— сказала миссис Макфейл.— Я еще тогда подумала: кто она такая? Она показалась мне чересчур развязной.

— Да, ничего хорошего,— согласилась миссис Дэвидсон.

Они заговорили о другом, а после обеда разошлись, чтобы вздремнуть, так как утром встали непривычно рано. Когда они проснулись, небо было по-прежнему затянуто серыми тучами, но дождь перестал, и они решили пройтись по шоссе, которое американцы провели вдоль берега бухты.

Когда они вернулись, их встретил Дэвидсон — он тоже только что вошел в дом.

— Нас могут задержать здесь на две недели,— недовольно сказал он.— Я возражал, но губернатор говорит, что ничего сделать нельзя.

— Мистеру Дэвидсону не терпится вернуться к своей работе,— сказала его жена, обеспокоенно поглядев на него.

— Мы отсутствовали целый год,— объяснил он, меряя шагами веранду.— Миссия оставлена на миссионеров-туземцев, и я очень боюсь, что они все запустили. Это весьма достойные люди, я ни в чем не могу их упрекнуть: богобоязненные, благочестивые, истинные христиане — их христианство посрамило бы многих и многих так называемых христиан у нас на родине,— но до крайности бездеятельные. Они могут проявить твердость один раз, два раза, но быть твердыми всегда они не могут. Когда оставляешь миссию на миссионера-туземца, то, каким бы надежным он ни был, через некоторое время непременно начнутся злоупотребления.

Мистер Дэвидсон остановился у стола. Его высокая сухопарая фигура и бледное лицо с огромными сверкающими глазами были очень внушительны, пламенные жесты и звучный низкий голос дышали глубочайшей искренностью.

— Я знаю, что мне предстоит большая работа. Я стану действовать — и действовать безотлагательно. Если дерево сгнило, оно будет срублено и предано огню.

А вечером, после заменявшего ужин позднего чая, пока они сидели в чопорной гостиной — дамы с вязаньем, а доктор с трубкой,— миссионер рассказал им о своей работе на островах.

— Когда мы приехали туда, они совершенно не понимали, что такое грех,— говорил он.— Они нарушали заповеди одну за другой, не сознавая, что творят зло. Я бы сказал, что самой трудной задачей, стоявшей передо мной, было привить туземцам понятие о грехе.

Макфейлы уже знали, что Дэвидсон провел пять лет на Соломоновых островах еще до того, как познакомился со своей будущей женой. Она была миссионером в Китае, и они встретились в Бостоне, куда приехали во время отпуска на съезд миссионеров. После брака они получили назначение на эти острова, где и трудились с тех пор на ниве Господней.

Разговаривая с мистером Дэвидсоном, доктор и его жена каждый раз удивлялись мужеству и упорству этого человека. Он был не только миссионером, но и врачом, и его помощь в любое время могла потребоваться на том или ином острове. В сезон дождей даже вельбот — ненадежное средство передвижения по бушующим валам Тихого океана, а за ним часто присылали просто пирогу, и тогда опасность бывала очень велика. Если его звали к больному или раненому, он никогда не колебался. Десятки раз ему приходилось всю ночь напролет вычерпывать воду, чтобы избежать гибели, и порою миссис Дэвидсон уже теряла надежду вновь его увидеть.

— Иногда я просто умоляю его не ездить,— сказала она,— или хотя бы подождать, пока море немного утихнет, но он ничего не слушает. Он упрям, и, если уж примет решение, его ничто не может остановить.

— Как мог бы я учить туземцев уповать на Господа, если бы сам страшился уповать на него?— вскричал Дэвидсои.— Но я не страшусь, не страшусь. Присылая за мной в час беды, они знают, что я приеду, если это в человеческих силах. И неужели вы думаете, что Господь оставит меня, когда я творю волю его? Ветер дует по его велению, и бурные волны вздымаются по его слову.

Доктор Макфейл был робким человеком. Он так и не сумел привыкнуть к визгу шрапнели над окопами, и, когда он оперировал раненых на передовых позициях, по его лбу, затуманивая очки, катился пот — с таким напряжением старался он унять дрожь в руках. Он поглядел на миссионера с легким трепетом.

— Я был бы рад, если бы мог сказать, что никогда не боялся.

— Я был бы рад, если бы вы могли сказать, что верите в Бога,— возразил Дэвидсон.

Почему-то в этот вечер мысли миссионера то и дело возвращались к первым дням их пребывания на островах.

— Порой мы с миссис Дэвидсон смотрели друг на друга, а по нашим щекам текли слезы. Мы работали без устали дни и ночи напролет, но труд наш, казалось, не приносил плодов.

Я не знаю, что бы я делал без нее. Когда у меня опускались руки, когда я был готов отчаяться, она ободряла меня и поддерживала во мне мужество.

Миссис Дэвидсон потупила глаза на вязанье, и ее худые щеки слегка порозовели. От избытка чувств она не могла говорить.

— Нам не от кого было ждать помощи. Мы были одни среди тьмы, и тысячи миль отделяли нас от людей, близких нам по духу. Когда уныние и усталость овладевали мной, она откладывала свою работу, брала Библию и читала мне, и мир нисходил в мою душу, как сон на глаза младенца, а закрыв, наконец, священную книгу, она говорила: «Мы спасем их вопреки им самим». И я чувствовал, что Господь снова со мной, и отвечал: «Да, с Божьей помощью я спасу их. Я должен их спасти».

Он подошел к столу и стал перед ним, словно перед аналоем.

— Видите ли, безнравственность была для них так привычна, что невозможно было объяснить им, как дурно они поступают. Нам приходилось учить их, что поступки, которые они считали естественными,— грех. Нам приходилось учить их, что не только прелюбодеяние, ложь и воровство — грех, но что грешно обнажать свое тело, плясать, не посещать церкви. Я научил их, что девушке грешно показывать грудь, а мужчине грешно ходить без штанов.

— Как вам это удалось?— с некоторым удивлением спросил доктор Макфейл.

— Я учредил штрафы. Ведь само собой разумеется, что единственный способ заставить человека понять греховность какого-то поступка — наказывать его за этот поступок. Я штрафовал их, если они не приходили в церковь, и я штрафовал их, если они плясали. Я штрафовал их, если их одежда была неприлична. Я установил тариф, и за каждый грех приходилось платить деньгами или работой. И в конце концов я заставил их понять.

— И они ни разу не отказались платить?

— А как бы они это сделали?— спросил миссионер.

— Надо быть большим храбрецом, чтобы осмелиться противоречить мистеру Дэвидсону,— сказала его жена, поджимая губы.

Доктор Макфейл тревожно поглядел на Дэвидсона. То, что он услышал, глубоко возмутило его, но он не решался высказать свое неодобрение вслух.

— Не забывайте, что в качестве последней меры я мог исключить их из церковной общины.

— А они принимали это близко к сердцу?

Дэвидсон слегка улыбнулся и потер руки.

— Они не могли продавать копру. И не имели доли в общем улове. В конечном счете это означало голодную смерть. Да, они принимали это очень близко к сердцу.

— Расскажи ему про Фреда Олсона,— сказала миссис Дэвидсон.

Миссионер устремил свои горящие глаза на доктора Макфейла.

— Фред Олсон был датским торговцем и много лет прожил на наших островах. Для торговца он был довольно богат и не слишком-то обрадовался нашему приезду. Понимаете, он привык делать там все, что ему заблагорассудится. Туземцам за их копру он платил сколько хотел, и платил товарами и спиртными напитками. Он был женат на туземке, но открыто изменял ей. Он был пьяницей. Я дал ему возможность исправиться, но он не воспользовался ею. Он высмеял меня.

Последние слова Дэвидсон произнес глубоким басом и минуты две молчал. Наступившая тишина была полна угрозы.

— Через два года он был разорен. Он потерял все, что накопил за двадцать пять лет. Я сломил его, и в конце концов он был вынужден прийти ко мне как нищий и просить у меня денег на проезд в Сидней.

— Видели бы вы его, когда он пришел к мистеру Дэвидсону,— сказала жена миссионера.— Прежде это был крепкий, бодрый мужчина, очень толстый и шумный, а теперь он исхудал, как щепка, и весь трясся. Он сразу стал стариком.

Дэвидсон невидящим взглядом посмотрел за окно во мглу. Снова лил дождь.

Вдруг внизу раздались какие-то звуки, и Дэвидсон, повернувшись, вопросительно поглядел на жену. Там громко и хрипло запел граммофон, выкашливая разухабистый мотив.

— Что это?— спросил миссионер.

Миссис Дэвидсон поправила пенсне.

— Одна из пассажирок второго класса сняла здесь комнату. Наверное, это у нее.

Они замолкли, прислушиваясь, и вскоре услышали шарканье — внизу танцевали. Затем музыка прекратилась, и до них донеслись оживленные голоса и хлопанье пробок.

— Должно быть, она устроила прощальный вечер для своих знакомых с парохода,— сказал доктор Макфейл.— Он, кажется, отходит в двенадцать?

Дэвидсон ничего не ответил и поглядел на часы.

— Ты готова?— спросил он жену.

Она встала и свернула вязанье.

— Да, конечно.

— Но ведь сейчас рано ложиться?— заметил доктор.

— Нам еще надо заняться чтением,— объяснила миссис Дэвидсон.— Где бы мы ни были, мы всегда перед сном читаем главу из Библии, разбираем ее со всеми комментариями и подробно обсуждаем. Это замечательно развивает ум.

Супружеские пары пожелали друг другу спокойной ночи. Доктор и миссис Макфейл остались одни. Несколько минут они молчали.

— Я, пожалуй, схожу за картами,— сказал наконец доктор.

Миссис Макфейл посмотрела на него с некоторым сомнением. Разговор с Дэвидсонами оставил у нее неприятный осадок, но она не решалась сказать, что, пожалуй, не стоит садиться за карты, когда Дэвидсоны в любую минуту могут войти в комнату. Доктор Макфейл принес свою колоду, и его жена, почему-то чувствуя себя виноватой, стала смотреть, как он раскладывает пасьянс. Снизу по-прежнему доносился шум веселья.

На следующий день немного прояснилось, и Макфейлы, осужденные на две недели безделья в Паго-Паго, принялись устраиваться. Они сходили на пристань, чтобы достать из своих чемоданов книги. Доктор нанес визит главному врачу флотского госпиталя и сопровождал его при обходе. Они оставили свои визитные карточки у губернатора. На шоссе они повстречали мисс Томпсон. Доктор снял шляпу, а она громко и весело крикнула ему: «С добрым утром, доктор!». Как и накануне, она была в белом платье, и ее лакированные белые сапожки на высоких каблуках и толстые икры, нависающие над их верхом, как-то не вязались с окружающей экзотической природой.

— Я не сказала бы, что ее костюм вполне уместен,— заметила миссис Макфейл.— По-моему, она очень вульгарна.

Когда они вернулись домой, мисс Томпсон играла на веранде с темнокожим сынишкой торговца.

— Поговори с ней,— шепнул доктор жене.— Она здесь совсем одна, и просто нехорошо ее игнорировать.

Миссис Макфейл была застенчива, но она привыкла слушаться мужа.

— Если не ошибаюсь, мы соседи,— сказала она довольно неуклюже.

— Просто жуть застрять в такой дыре, верно?— ответила мисс Томпсон.— Но я слыхала, что мне еще повезло с этой комнатенкой. Я бы не хотела жить в туземной хибаре, а кое-кому приходится попробовать и этого. Не понимаю, почему здесь не заведут гостиницы.

Их разговор продолжался недолго. Мисс Томпсон, громкоголосая и словоохотливая, явно была склонна поболтать, но миссис Макфейл быстро истощила свой небогатый запас общих фраз и сказала:

— Пожалуй, нам пора домой.

Вечером, когда они собрались за чаем, Дэвидсон, входя, сказал:

— Я заметил, что у этой женщины внизу сидят двое матросов. Непонятно, когда она успела с ними познакомиться.

— Она, кажется, не очень разборчива,— отозвалась миссис Дэвидсон.

Все они чувствовали себя усталыми после пустого, бестолкового дня.

— Если нам придется провести так еще две недели, не знаю, что с нами будет,— сказал доктор Макфейл.

— Необходимо заполнить день различными занятиями, распределенными по строгой системе,— ответил миссионер.— Я отведу определенное число часов на серьезное чтение, определенное число часов на прогулки, какова бы ни была погода — в дождливый сезон не приходится обращать внимание на сырость,— и определенное число часов на развлечения.

Доктор Макфейл поглядел на своего собеседника со страхом. Планы Дэвидсона действовали на него угнетающе. Они снова ели рубленое мясо. По-видимому, повар не умел готовить ничего другого. Затем внизу заиграл граммофон. Дэвидсон нервно вздрогнул, но ничего не сказал. Послышались мужские голоса — гости мисс Томпсон подхватили припев. А вскоре зазвучал и ее голос, громкий и сиплый. Раздались веселые крики и смех. Четверо наверху старались поддерживать разговор, но невольно прислушивались к звяканью стаканов и шуму сдвигаемых стульев. Очевидно, пришли еще гости. Мисс Томпсон устраивала вечеринку.

— Как только они там помещаются?— неожиданно сказала миссис Макфейл, перебивая своего мужа и миссионера, которые обсуждали какую-то медицинскую проблему.

Эти слова выдали, о чем она думала все время. Дэвидсон поморщился, и стало ясно, что, хотя он говорил о науке, его мысли работали в том же направлении. Вдруг, прервав доктора, который довольно вяло рассказывал о случае из своей фронтовой практики во Фландрии, он вскочил на ноги с громким восклицанием.

— Что случилось, Альфред?— спросила миссис Дэвидсон.

— Ну конечно же! Как я сразу не понял? Она из Иуэлеи.

— Не может быть.

— Она села на пароход в Гонолулу. Нет, это несомненно. И она продолжает заниматься своим ремеслом здесь. Здесь!

Последнее слово он произнес со страстным возмущением.

— А что такое Иуэлеи?— спросила миссис Макфейл.

Сумрачные глаза Дэвидсона обратились на нее, и его голос дрогнул от отвращения.

— Чумная язва Гонолулу. Квартал красных фонарей. Это было позорное пятно на нашей цивилизации.

Иуэлеи находился на окраине города. Вы пробирались в темноте боковыми улочками мимо порта, переходили шаткий мостик, попадали на заброшенную дорогу, всю в рытвинах и ухабах, и затем вдруг оказывались в полосе яркого света. По обеим сторонам дороги тянулись стоянки для машин, блестели витрины табачных лавок и парикмахерских, сияли огнями и позолотой бары, в которых гремели пианолы. Всюду чувствовалось лихорадочное веселье и напряженное ожидание. Вы сворачивали в один из узких проулков направо или налево — дорога делила Иуэлеи пополам — и оказывались внутри квартала. Вдоль широких и прямых пешеходных дорожек тянулись домики, аккуратно выкрашенные в зеленый цвет. Квартал был распланирован как дачный поселок. Эта респектабельная симметрия, чистота и щеголеватость выглядели отвратительной насмешкой — никогда еще поиски любви не были столь систематизированы и упорядочены. Несмотря на горевшие там и сям фонари, дорожки были бы погружены во мрак, если бы не свет, падавший на них из открытых окон зеленых домиков. По дорожкам прогуливались мужчины, разглядывая женщин, сидевших у окон с книгой или шитьем и чаще всего не обращавших на прохожих ни малейшего внимания. Как и женщины, мужчины принадлежали ко всевозможным национальностям. Среди них были американские матросы с пароходов, стоявших в порту; военные моряки с канонерок, пьяные и угрюмые; белые и черные солдаты из расположенных на острове частей; японцы, ходившие по двое и по трое; канаки; китайцы в длинных халатах и филиппинцы в нелепых шляпах. Все они были молчаливы и словно угнетены. Желание всегда печально.

— На всем Тихом океане не было более вопиющей мерзости!— почти кричал Дэвидсон.— Миссионеры много лет выступали с протестами, и наконец за дело взялась местная пресса. Полиция не желала ударить палец о палец. Вы знаете их обычную отговорку. Они заявляют, что порок неизбежен, и, следовательно, самое лучшее, когда он локализован и находится под контролем. Просто им платили. Да, платили. Им платили хозяева баров, платили содержатели притонов, платили сами женщины. В конце концов они все-таки были вынуждены принять меры.

— Я читал об этом в газетах, которые пароход взял в Гонолулу,— сказал доктор Макфейл.

— Иуэлеи, это скопище греха и позора, перестал существовать в день нашего прибытия туда. Все его обитатели были переданы в руки властей. Не понимаю, как я сразу не догадался, кто такая эта женщина.

— Теперь, когда вы об этом заговорили,— сказала миссис Макфейл,— я вспоминаю, что она поднялась на борт за несколько минут до отплытия. Помню, я еще подумала, что она поспела как раз вовремя.

— Как она смела явиться сюда!— негодующе вскричал Дэвидсон.— Я этого не потерплю!

Он решительно направился к двери.

— Что вы собираетесь делать?— спросил Макфейл.

— А что мне остается? Я собираюсь положить этому конец. Я не позволю превращать этот дом в... в...

Он искал слово, которое не оскорбило бы слуха дам. Его глаза сверкали, а бледное лицо от волнения побелело еще больше.

— Судя по шуму, там не меньше четырех мужчин,— сказал доктор.— Не кажется ли вам, что идти туда сейчас не совсем безопасно?

Миссионер бросил на него взгляд, исполненный презрения, и, не говоря ни слова, стремительно вышел из комнаты.

— Вы плохо знаете мистера Дэвидсона, если думаете, что страх перед грозящей ему опасностью может помешать ему исполнить свой долг,— сказала миссис Дэвидсон.

На ее скулах выступили красные пятна; она нервно сжимала руки, прислушиваясь к тому, что происходило внизу. Они все прислушивались. Они услышали, как он сбежал по деревянным ступенькам и распахнул дверь. Пение мгновенно смолкло, но граммофон продолжал завывать пошлые куплеты. Они услышали голос Дэвидсона и затем звук падения какого-то тяжелого предмета. Музыка оборвалась. Очевидно, он сбросил граммофон на пол. Затем они опять услышали голос Дэвидсона — слов они разобрать не могли,— затем голос мисс Томпсон, громкий и визгливый, затем нестройный шум, словно несколько человек кричали разом во всю глотку. Миссис Дэвидсон судорожно вздохнула и еще крепче стиснула руки. Доктор Макфейл растерянно поглядывал то на нее, то на жену. Ему не хотелось идти вниз, но он опасался, что они ждут от него именно этого. Затем послышалась какая-то возня. Шум стал теперь более отчетливым. Возможно, Дэвидсона тащили из комнаты. Хлопнула дверь. Наступила тишина, и они услышали, что Дэвидсон поднимается по лестнице. Он прошел в свою комнату.

— Пожалуй, я пойду к нему,— сказала миссис Дэвидсон. Она встала и вышла из комнаты.

— Если я вам понадоблюсь, позовите меня,— сказала миссис Макфейл и, когда жена миссионера закрыла за собой дверь, прибавила: — Надеюсь, с ним ничего не случилось.

— И что он суется не в свое дело?— сказал доктор Макфейл.

Они просидели несколько минут в молчании, и вдруг оба вздрогнули: внизу снова вызывающе завопил граммофон и хриплые голоса принялись с издевкой выкрикивать непристойную песню.

На следующее утро миссис Дэвидсон была бледна. Она жаловалась на головную боль и выглядела постаревшей. Она сказала миссис Макфейл, что миссионер всю ночь не сомкнул глаз и был страшно возбужден, а в пять часов встал и ушел из дому. Во время вчерашнего столкновения его облили пивом, и вся его одежда была в пятнах и дурно пахла. Но когда миссис Дэвидсон заговорила о мисс Томпсон, в ее глазах вспыхнул мрачный огонь.

— Она горько пожалеет о том дне, когда насмеялась над мистером Дэвидсоном,— сказала она.— У мистера Дэвидсона чудесное сердце, и не было человека, который, придя к нему в час нужды, ушел бы неутешенным, но он беспощаден к греху, и его праведный гнев бывает ужасен.

— А что он сделает?— спросила миссис Макфейл.

— Не знаю, но ни за какие сокровища мира не захотела бы я очутиться на месте этой твари.

Миссис Макфейл поежилась. В торжествующей уверенности маленькой миссис Дэвидсон было что-то пугающее. Они собирались в это утро совершить прогулку и вместе спустились по лестнице. Дверь в нижнюю комнату была открыта, и они увидели мисс Томпсон в замызганном халате — она что-то разогревала на жаровне.

— Доброе утро!— окликнула она их.— Как мистер Дэвидсон? Ему полегчало?

Они прошли мимо молча, подняв головы, словно не замечая ее. Но когда она насмешливо захохотала, обе покраснели. Миссис Дэвидсон не выдержала и обернулась.

— Не смейте заговаривать со мной! — взвизгнула она.— Если вы посмеете меня оскорбить, вас вышвырнут отсюда.

— Я ведь не приглашала мистера Дэвидсона навестить меня, как, по-вашему?

— Не отвечайте ей,— поспешно прошептала миссис Макфейл.

Они заговорили только тогда, когда она уже не могла их услышать.

— Бесстыжая дрянь! — вырвалось у миссис Дэвидсон.

Она задыхалась от ярости.

Возвращаясь с прогулки, они встретили мисс Томпсон, которая шла в сторону набережной. Она была в своем обычном одеянии. Огромная белая шляпа с безвкусными яркими цветами была оскорбительна. Проходя мимо, мисс Томпсон весело окликнула их, и два американских матроса, стоявшие неподалеку, широко ухмыльнулись, когда дамы ответили ей ледяным взглядом. Едва они добрались до дому, как снова пошел дождь.

— Надо полагать, ее наряд порядком пострадает,— сказала миссис Дэвидсон со жгучим сарказмом.

Дэвидсон пришел, когда они уже доедали обед. Он промок насквозь, но не захотел переодеваться. Он сидел в угрюмом молчании, почти не прикоснувшись к еде, и не отрываясь следил за косыми струями дождя. Когда миссис Дэвидсон рассказала ему о двух встречах с мисс Томпсон, он ничего не ответил. Только по его еще более помрачневшему лицу можно было догадаться, что он ее слышал.

— Как вы думаете, не следует ли потребовать, чтобы мистер Хорн выселил ее?— сказала миссис Дэвидсон.— Нельзя же допускать, чтобы она над нами издевалась.

— Но ведь ей больше некуда идти,— сказал доктор.

— Она может поселиться у какого-нибудь туземца.

— В такую погоду туземная хижина — вряд ли удобное жилье.

— Я много лет жил в туземной хижине,— сказал миссионер.

Когда темнокожая девочка принесла печеные бананы — их ежедневный десерт,— мистер Дэвидсон обратился к ней:

— Узнайте у мисс Томпсон, когда я могу к ней зайти.

Девочка робко кивнула и вышла.

— Зачем тебе нужно заходить к ней, Альфред?— спросила его жена.

— Это мой долг. Я ничего не хочу предпринимать, пока не дам ей возможности вернуться на путь истинный.

— Ты ее не знаешь. Она тебя оскорбит.

— Пусть оскорбляет. Пусть плюет на меня. У нее есть бессмертная душа, и я должен сделать все, что в моих силах, чтобы спасти ее.

В ушах миссис Дэвидсон все еще звучал насмешливый хохот проститутки.

— Она пала слишком низко.

— Слишком низко для милосердия Божьего?— Его глаза неожиданно засияли, а голос стал мягким и нежным.— О нет. Пусть грешник погряз в грехе более черном, чем сама пучина ада, но любовь Господа нашего Иисуса все же достигнет до него.

Девочка вернулась с ответом.

— Мисс Томпсон приказала кланяться, и, если только преподобный Дэвидсон придет не в рабочие часы, она будет рада видеть его в любое время.

Эти слова были встречены гробовым молчанием. Доктор поспешил подавить улыбку — он знал, что его жене не понравится, если он сочтет наглость мисс Томпсон забавной.

До конца обеда все молчали. Потом дамы взяли свое вязанье (миссис Макфейл трудилась над очередным шарфом — с начала войны она связала их бесчисленное множество), а доктор закурил трубку. Но Дэвидсон продолжал сидеть неподвижно и только рассеянно глядел на стол. Через некоторое время он поднялся и, не говоря ни слова, вышел из комнаты. Они услышали его шаги на лестнице и вызывающее «войдите», которым мисс Томпсон ответила на его стук. Он оставался у нее около часа. А доктор Макфейл смотрел в окно. Этот дождь начинал действовать ему на нервы. Он не был похож на английский дождик, который мягко шелестит по траве; он был беспощаден и страшен, в нем чувствовалась злоба первобытных сил природы. Он не лил, он рушился. Казалось, хляби небесные разверзлись; он стучал по железной крыше с упорной настойчивостью, которая сводила с ума. В нем была затаенная ярость.

Временами казалось, что еще немного — и вы начнете кричать; а потом вдруг наступала страшная слабость, словно все кости размягчались, и вас охватывала безнадежная тоска.

Когда миссионер снова вошел в гостиную, Макфейл повернул к нему голову и обе женщины подняли глаза от рукоделия.

— Я сделал все, что мог. Я призывал ее раскаяться. Она закоснела во зле.

Он умолк, и доктор Макфейл увидел, как его глаза потемнели, а бледное лицо стало суровым и непреклонным.

— Теперь я возьму бич, которым Господь наш Иисус выгнал продающих и покупающих из храма Всевышнего.

Он начал ходить взад и вперед по комнате. Его рот был крепко сжат, черные брови сдвинуты.

— Если бы она скрылась на краю света, я и там настиг бы ее.

Вдруг он резко повернулся и вышел. Они услышали, как он снова спустился вниз.

— Что он собирается делать?— спросила миссис Макфейл.

— Не знаю.— Миссис Дэвидсон сняла пенсне и протерла стекла.— Когда он трудится во славу Божию, я не задаю ему вопросов.

Она вздохнула.

— Что с вами?

— Он себя убивает. Он не знает, что значит щадить себя.

О первых результатах деятельности миссионера доктор Макфейл узнал от метиса-торговца, в доме которого они жили. Он окликнул доктора, когда тот проходил мимо лавки, и вышел на крыльцо поговорить с ним. На его жирном лице была тревога.

— Преподобный Дэвидсон напустился на меня за то, что я сдал комнату мисс Томпсон,— сказал он.— Но ведь я же не знал, кто она, когда договаривался с ней. Если люди хотят снять у меня комнату, я интересуюсь только одним — есть ли у них чем платить. А она заплатила мне за неделю вперед.

Доктор Макфейл предпочел не высказывать своего мнения.

— В конце концов, это ваш дом. Мы вам очень благодарны, что вы нас приютили.

Хорн посмотрел на него с некоторым сомнением. Он еще не решил, насколько доктор Макфейл сочувствует миссионеру.

— Миссионеры всегда стоят друг за друга,— начал он неуверенно.— Если они разозлятся на торговца, можно сразу прикрывать дело.

— Он потребовал, чтобы вы ее выгнали?

— Нет. Он сказал, что, пока она будет вести себя прилично, он не может этого требовать. Он сказал, что не хочет поступать несправедливо по отношению ко мне. Я обещал, что посетители к ней больше ходить не будут. Я ей только что об этом объявил.

— И как же она это приняла?

— Обругала меня.

Торговец смущенно поежился. Разговор с мисс Томпсон явно не доставил ему удовольствия.

— Ну, я думаю, она сама куда-нибудь переедет. Вряд ли она захочет оставаться здесь, если ей нельзя будет приглашать гостей.

— Переехать ей некуда, разве что к какому-нибудь туземцу, а из них ее теперь никто не примет, раз она не в ладах с миссионерами.

Доктор Макфейл посмотрел на непрерывно струящийся дождь.

— Пожалуй, нет смысла дожидаться, чтобы прояснилось.

Вечером в гостиной Дэвидсон стал рассказывать им о давних днях, когда он учился в колледже. Он был беден и смог закончить курс только благодаря тому, что подрабатывал в каникулы. Внизу было тихо. Мисс Томпсон сидела в своей комнатушке одна. И вдруг заиграл граммофон. Она завела его назло, стараясь забыть о своем одиночестве, но подпевать было некому, и музыка звучала тоскливо. Это был словно зов о помощи. Дэвидсон и бровью не повел. Он спокойно продолжал свой рассказ. Граммофон все играл. Мисс Томпсон ставила одну пластинку за другой. Казалось, темнота и безмолвие пугали ее. Ночь была безветренной и душной. Макфейлы ушли к себе, но долго не могли уснуть. Они лежали рядом и с открытыми глазами слушали сердитое пение москитов над сеткой.

— Что это?— вдруг прошептала миссис Макфейл.

За деревянной перегородкой раздавался голос — голос Дэвидсона. Он звучал не затихая, монотонно и торжественно. Миссионер молился вслух. Он молился о душе мисс Томпсон.

Прошло три дня. Теперь, когда они встречали мисс Томпсон на шоссе, она не приветствовала их с иронической сердечностью и не улыбалась; словно не замечая их, она угрюмо проходила мимо, задрав голову и хмуря подведенные брови. Торговец рассказал Макфейлу, что она пыталась найти другую комнату, но не смогла. Каждый вечер она проигрывала все свои пластинки, но это притворное веселье уже никого не обманывало. Бойкие мелодии звучали надрывно, словно фокстрот отчаяния. Когда она завела граммофон в воскресенье, Дэвидсон послал к ней Хорна с просьбой немедленно прекратить музыку, поскольку сегодня — день Господень. Граммофон умолк, и в доме воцарилась тишина, нарушаемая только ровным стуком дождя по железной крыше.

— Мне кажется, она все больше нервничает,— сказал торговец Макфейлу на следующий день.— Она не знает, что задумал мистер Дэвидсон, и боится.

Макфейл уже видел ее в это утро и сразу заметил, что вся ее самоуверенность исчезла. Вид у нее был затравленный.

Хорн искоса поглядел на него.

— Вы, наверное, не знаете, что мистер Дэвидсон предпринял по этому поводу?— осторожно спросил он.

— Не имею ни малейшего представления.

Вопрос Хорна смутил доктора — ему и самому казалось, что миссионер занят какой-то таинственной деятельностью. Ему чудилось, что Дэвидсон упрямо и осторожно плетет сеть вокруг этой женщины, чтобы, когда все будет готово, внезапно затянуть веревку.

— Он велел мне передать ей,— сказал торговец,— что, если он ей понадобится, пусть она в любое время пошлет за ним, и он непременно придет.

— И что же она ответила?

— Ничего не ответила. Я не дожидался. Я только сказал ей то, что он велел сказать, и ушел. Я боялся, что она примется плакать.

— Одиночество действует на нее угнетающе,— сказал доктор.— А тут еще дождь! От этого у кого угодно разыграются нервы,— продолжал он сердито.— Что, он никогда не прекращается на этом чертовом острове?

— В дождливый сезон льет почти без передышки. У нас в год выпадает триста дюймов осадков. Все дело в форме бухты. Можно подумать, что она притягивает дождь со всего океана.

— Черт бы побрал эту бухту с ее формой,— сказал доктор.

Он почесал место, укушенное москитом. Его душило раздражение. Когда дождь кончался и выглядывало солнце, остров превращался в оранжерею, полную влажных, тяжелых, удушливых испарений, и вас охватывало странное ощущение, что все кругом яростно растет. А в туземцах, которых считают беззаботными и счастливыми как дети, начинало сквозить что-то зловещее — может быть, из-за их татуировки и крашеных волос; и, услышав за спиной шлепанье их босых ног, вы инстинктивно оборачивались. Вы чувствовали, что в любую минуту они могут оказаться рядом и молниеносно всадить вам между лопаток длинный нож. Как знать, какие черные мысли прячутся за их широко расставленными глазами? Они чем-то напоминали изображения на стенах египетских храмов, и от них веяло древним ужасом.

Миссионер приходил и снова уходил. Он был занят, но чем — Макфейлы не знали. Хорн сказал доктору, что он каждый день посещает губернатора, и как-то раз Дэвидсон сам заговорил о нем.

— Он производит впечатление человека решительного, но на поверку оказывается, что у него нет никакой твердости.

— Другими словами, он не желает безоговорочно подчиняться вашим требованиям?— шутливо сказал доктор.

Миссионер не улыбнулся.

— Я требую только одного — чтобы он поступил как должно. Прискорбно, что есть люди, которым приходится напоминать об этом.

— Но ведь могут быть разные мнения, что считать должным.

— Если бы у больного началась гангрена ступни, могли бы вы равнодушно смотреть, как кто-то раздумывает, ампутировать ее или нет?

— Гангрена — вещь вполне реальная.

— А грех?

Что именно сделал Дэвидсон, скоро перестало быть тайной. Все четверо только что пообедали, дамы и доктор собирались, по обыкновению, пойти прилечь, пока не спадет жара (Дэвидсон презирал эту изнеживающую привычку). Внезапно дверь распахнулась, и в комнату ворвалась мисс Томпсон. Она обвела их взглядом и затем шагнула к Дэвидсону.

— Что ты, погань, наплел на меня губернатору?

Она заикалась от бешенства. На секунду воцарилась тишина. Затем миссионер пододвинул ей стул.

— Садитесь, пожалуйста, мисс Томпсон. Я давно надеялся еще раз побеседовать с вами.

— Сволочь ты поганая.

Она обрушила на него поток площадной ругани. Дэвидсон не спускал с нее внимательного взгляда.

— Меня не трогает брань, которой вы сочли нужным осыпать меня, мисс Томпсон,— сказал он,— но прошу вас не забывать, что здесь присутствуют дамы.

Теперь к ее гневу уже примешивались слезы. Лицо у нее покраснело и вздулось, словно ее что-то душило.

— Что случилось?— спросил доктор Макфейл.

— Ко мне заходил какой-то тип и сказал, чтобы я убиралась отсюда со следующим пароходом.

Блеснули ли глаза миссионера? Его лицо осталось невозмутимым.

— Едва ли вы могли ожидать, что при данных обстоятельствах губернатор разрешит вам остаться здесь.

— Это твоя работа!— взвизгнула она.— Нечего вилять. Твоя работа.

— Я не собираюсь вас обманывать. Я действительно убеждал губернатора принять меры, единственно совместимые с его долгом.

— Ну что ты ко мне привязался? Я же тебе ничего не сделала.

— Поверьте, даже если бы вы причинили мне зло, я не питал бы к вам ни малейшего недоброжелательства.

— Да что я, хочу, что ли, оставаться в этой дыре? Я привыкла жить в настоящих городах.

— В таком случае я не понимаю, на что вы, собственно, жалуетесь.

С воплем ярости она выбежала из комнаты. Наступило короткое молчание. Потом заговорил Дэвидсон.

— Очень приятно, что губернатор все-таки решился действовать. Он слабоволен и без конца тянул и откладывал. Он говорил, что здесь она во всяком случае больше двух недель не пробудет, а потом уедет в Апию, которая находится в британских владениях и к нему отношения не имеет.

Миссионер вскочил и зашагал по комнате.

— Просто страшно становится при мысли, как люди, облеченные властью, стремятся уклониться от ответственности. Они рассуждают так, словно грех, творимый не у них на глазах, перестает быть грехом. Самое существование этой женщины — позор, и что изменится, если ее переправят на другой остров? В конце концов мне пришлось говорить прямо.

Дэвидсон нахмурился и выставил подбородок. Он весь дышал неукротимой решимостью.

— Я вас не совсем понимаю,— сказал доктор.

«Дождь»

— Наша миссия пользуется кое-каким влиянием в Вашингтоне. Я указал губернатору, что жалоба на его халатность вряд ли принесет ему большую пользу.

— Когда она должна уехать?— спросил доктор.

— Пароход из Сиднея в Сан-Франциско зайдет сюда в следующий вторник. Она отплывет на нем.

До вторника оставалось пять дней. Когда на следующий день Макфейл возвращался из госпиталя, куда он от нечего делать ходил почти каждое утро, на лестнице его остановил метис.

— Извините, доктор Макфейл. Мисс Томпсон нездорова. Вы к ней не зайдете?

— Разумеется.

Хорн проводил доктора в ее комнату. Она сидела на стуле, безучастно сложив руки и уставясь в одну точку. На ней было ее белое платье и большая шляпа с цветами. Макфейл заметил, что ее кожа под слоем пудры кажется желтовато-землистой, а глаза опухли.

— Мне очень жаль, что вы прихворнули,— сказал он.

— А, да я вовсе не больна. Я это просто сказала, чтобы повидать вас. Меня отсылают на пароходе, который идет во Фриско.

Она поглядела на него, и он заметил, что в ее глазах внезапно появился испуг. Ее руки судорожно сжимались и разжимались. Торговец стоял в дверях и слушал.

— Да, я знаю,— сказал доктор.

Она глотнула.

— Ну, мне не очень-то удобно ехать сейчас во Фриско. Вчера я ходила к губернатору, но меня к нему не пустили. Я видела секретаря, и он сказал, что я должна уехать с этим пароходом, и никаких разговоров. Ну, я решила все-таки добраться до губернатора и сегодня утром ждала у его дома, пока он не вышел, и заговорила с ним. Сказать по правде, он не очень-то хотел со мной разговаривать, но я от него не отставала, и наконец он сказал, что позволит мне дождаться парохода в Сидней, если преподобный Дэвидсон будет согласен.

Она замолчала и с тревогой посмотрела на доктора Макфейла.

— Я не вижу, чем я, собственно, могу вам помочь,— сказал он.

— Да я подумала, может, вы согласитесь спросить его. Господом Богом клянусь, я буду вести себя тихо, если он позволит мне остаться. Я даже никуда из дому не буду выходить, если это ему нужно. Всего-то две недели.

— Я спрошу его.

— Он не согласится,— сказал Хорн.— И не надейтесь.

— Скажите ему, что я могу получить в Сиднее работу — то есть честную. Ведь я немногого прошу.

— Я сделаю что смогу.

— И сразу придете сказать мне, хорошо? Мне надо знать твердо, а то я себе просто места не нахожу.

Это поручение пришлось доктору не слишком по вкусу, и он — что, вероятно, было для него характерно — не стал выполнять его сам. Он рассказал жене о разговоре с мисс Томпсон и попросил ее поговорить с миссис Дэвидсон. По его мнению, требование миссионера было неоправданно суровым, и он считал, что не случится ничего страшного, если мисс Томпсон разрешат остаться в Паго-Паго еще на две недели. Но его дипломатия привела к неожиданным результатам. Миссионер сам заговорил с ним.

— Миссис Дэвидсон сказала мне, что вы имели беседу с мисс Томпсон.

Такая прямолинейность вызвала у доктора Макфейла раздражение, как у всякого застенчивого человека, которого вынуждают пойти в открытую. Он почувствовал, что начинает сердиться, и покраснел.

— Не вижу, какая разница, если она уедет в Сидней, а не в Сан-Франциско, и раз она обещает вести себя здесь прилично, то, по-моему, незачем портить ей жизнь.

Миссионер устремил на него суровый взгляд.

— Почему она не хочет вернуться в Сан-Франциско?

— Я не спрашивал,— запальчиво ответил доктор.— Я считаю, что надо поменьше совать нос в чужие дела.

Возможно, этот ответ был не слишком тактичен.

— Губернатор отдал распоряжение, чтобы ее отправили с первым же пароходом. Он только выполнил свой долг, и я не стану вмешиваться. Ее присутствие здесь — угроза для острова.

— Я считаю, что вы злой и жестокий человек.

Дамы с тревогой посмотрели на доктора, но они напрасно боялись, что вспыхнет ссора,— миссионер только мягко улыбнулся.

— Мне очень грустно, что вы считаете меня таким, доктор Макфейл. Поверьте, мое сердце обливается кровью от жалости к этой несчастной, но ведь я только стараюсь выполнить мой долг.

Доктор ничего не ответил. Он угрюмо посмотрел в окно. Дождь утих, и на другом берегу бухты среди деревьев можно было разглядеть хижины туземной деревушки.

— Я, пожалуй, воспользуюсь тем, что дождь перестал, и пройдусь немного,— сказал он.

— Прошу вас, не сердитесь на меня за то, что я не могу выполнить ваше желание,— сказал Дэвидсон с печальной улыбкой.— Я вас очень уважаю, доктор, и не хотел бы, чтобы вы думали обо мне дурно.

— Ваше мнение о самом себе, наверное, столь высоко, что мое вас не очень огорчит,— отрезал доктор.

— Сдаюсь! — засмеялся Дэвидсон.

Когда доктор Макфейл, сердясь на себя за неоправданную грубость, спустился вниз, мисс Томпсон ждала его у приоткрытой двери своей комнаты.

— Ну,— сказала она,— вы с ним говорили?

— Да, но, к сожалению, он отказывается что-нибудь сделать,— ответил доктор, смущенно отводя глаза.

И тут же, услышав рыдание, бросил на нее быстрый взгляд. Он увидел, что ее лицо побелело от ужаса, и испугался.

Вдруг ему в голову пришла новая мысль.

— Но пока не отчаивайтесь. Я считаю, что с вами поступают безобразно, и сам пойду к губернатору.

— Сейчас?

Он кивнул. Ее лицо просветлело.

— Вы меня здорово выручите. Если вы замолвите за меня словечко, он наверняка позволит мне остаться. Я, ей-Богу, ничего такого себе не позволю, пока я тут.

Доктор Макфейл сам не понимал, почему он вдруг решил обратиться к губернатору. Он был совершенно равнодушен к судьбе мисс Томпсон, но миссионер задел его за живое, а раз рассердившись, он долго не мог успокоиться. Он застал губернатора дома. Это был крупный красивый мужчина, бывший моряк, со щеточкой седых усов над верхней губой и в белоснежном мундире.

— Я пришел к вам по поводу одной женщины, которая сняла комнату в одном доме с нами,— сказал доктор.— Ее фамилия Томпсон.

— Я уже слышал о ней вполне достаточно, доктор Макфейл,— ответил губернатор, улыбаясь.— Я распорядился, чтобы она выехала в следующий вторник, и больше ничего сделать не могу.

— Я хотел просить вас, нельзя ли разрешить ей подождать парохода из Сан-Франциско, чтобы она могла уехать в Сидней. Я поручусь за ее поведение.

Губернатор продолжал улыбаться, но глаза его сузились и стали серьезными.

— Я был бы очень рад исполнить вашу просьбу, доктор, но приказ отдан и не может быть изменен.

Доктор изложил дело со всей убедительностью, на какую был способен, но губернатор совсем перестал улыбаться. Он слушал, угрюмо глядя в сторону. Макфейл увидел, что его слова не производят никакого впечатления.

— Мне очень неприятно причинять неудобства даме, но мисс Томпсон придется уехать во вторник, и говорить больше не о чем.

— Но какая разница?

— Извините меня, доктор, но я обязан объяснять свои решения только моему начальству.

Макфейл внимательно посмотрел на него. Он вспомнил намек Дэвидсона на пущенную им в ход угрозу и почувствовал в поведении губернатора какое-то непонятное смущение.

— Черт бы побрал этого Дэвидсона. И что он сует нос не в свое дело! — с жаром воскликнул он.

— Говоря между нами, доктор, я не стану утверждать, что у меня сложилось особенно благоприятное мнение о мистере Дэвидсоне, но не могу не признать, что он имел полное право указать мне на опасность, которую представляет пребывание женщины, подобной мисс Томпсон, на острове, где военнослужащие живут среди туземного населения.

Он поднялся, и доктор Макфейл тоже был вынужден встать.

— Прошу извинить меня. Мне надо кое-чем заняться. Кланяйтесь, пожалуйста, миссис Макфейл.

Доктор ушел от него в полном унынии. Он знал, что мисс Томпсон будет ждать его, и, чтобы не пришлось самому сообщать о своей неудаче, вошел в дом с черного хода и осторожно, как преступник, прокрался по лестнице.

За ужином он чувствовал себя неловко и говорил мало, зато миссионер был оживлен и общителен. Доктору Макфейлу показалось, что взгляд Дэвидсона несколько раз останавливался на нем с добродушным торжеством. Неожиданно ему пришло в голову, что Дэвидсон знает о его безрезультатном визите к губернатору. Но откуда? В той власти, которой обладал этот человек, было что-то зловещее. После ужина доктор увидел на веранде Хорна и вышел к нему, сделав вид, что хочет поболтать с ним.

— Она спрашивает, говорили ли вы с губернатором,— шепнул торговец.

— Да. Он отказал. Мне ужасно жаль, но я больше ничего сделать не могу.

— Я так и знал. Они боятся идти против миссионеров.

— О чем вы разговариваете?— весело спросил Дэвидсон, подходя к ним.

— Я как раз говорил, что вряд ли вам удастся выехать в Апию раньше чем через неделю,— без запинки ответил торговец.

Он ушел, а они вернулись в гостиную. После еды мистер Дэвидсон посвящал один час развлечениям. Вскоре послышался робкий стук в дверь.

— Войдите,— сказала миссис Дэвидсон своим пронзительным голосом.

Дверь осталась закрытой. Миссис Дэвидсон пошла и открыла ее. На пороге стояла изменившаяся до неузнаваемости мисс Томпсон. Это была уже не нахальная девка, которая насмехалась над ними на шоссе, а измученная страхом женщина. Ее волосы, всегда тщательно уложенные в прическу, теперь свисали космами. На ней были шлепанцы и заношенные, измятые блузка и юбка. Она стояла в дверях, не решаясь войти; по лицу ее струились слезы.

— Что вам надо?— резко спросила миссис Дэвидсон.

— Можно мне поговорить с мистером Дэвидсоном?— прерывающимся голосом сказала она.

Миссионер встал и подошел к ней.

— Входите, входите, мисс Томпсон,— сказал он сердечным тоном.— Чем я могу служить вам?

Она вошла.

— Я... я извиняюсь за то, что наговорила вам тогда, и за... за все остальное. Я, наверное, была на взводе. Прошу у вас прощения.

— О, это пустяки. У меня спина крепкая и не переломится от пары грубых слов.

Она сделала движение к нему, отвратительное в своей приниженности.

— Вы меня разделали вчистую. Совсем сломали. Не заставляйте меня возвращаться во Фриско, а?

Его любезность мгновенно исчезла, голос стал суровым и жестким.

— Почему вы не хотите возвращаться туда?

Она вся съежилась.

— Да ведь там у меня родня. Не хочу я, чтобы они меня видели такой. Я поеду, куда вы скажете. Только не туда.

— Почему вы не хотите возвращаться в Сан-Франциско?

— Я же вам сказала.

Он наклонился вперед, устремив на нее огромные сверкающие глаза, словно стараясь заглянуть ей в самую душу. Вдруг он резко перевел дыхание.

— Исправительный дом.

Она взвизгнула и, упав на пол, обхватила его ноги.

— Не отсылайте меня туда! Господом Богом клянусь, я стану честной! Я все это брошу.

Она выкрикивала бессвязные мольбы, и слезы ручьями катились по накрашенным щекам. Он наклонился к ней и, приподняв ее голову, заглянул ей в глаза.

— Так, значит, исправительный дом?

— Я смылась, а то бы меня зацапали,— отрывисто шептала она.— Если я попадусь быкам, мне припаяют три года.

Он отпустил ее, и она, снова упав на пол, разразилась отчаянными рыданиями. Доктор Макфейл встал.

— Это меняет дело,— сказал он.— Теперь вы не можете требовать, чтобы она вернулась туда. Она хочет начать жизнь снова, не отнимайте же у нее этой последней возможности.

— Я хочу предоставить ей ни с чем не сравнимую возможность. Если она раскаивается, пусть примет свое наказание.

Она не уловила истинного смысла его слов и подняла голову. В ее опухших от слез глазах мелькнула надежда.

— Вы меня отпустите?

— Нет. Во вторник вы отплываете в Сан-Франциско.

У нее вырвался стон ужаса, перешедший в глухой, хриплый визг, в котором не было уже ничего человеческого. Она стала биться головой об пол. Доктор Макфейл кинулся ее поднимать.

— Ну, ну, так нельзя. Пойдите к себе и прилягте. Я дам вам лекарство.

Он поднял ее и кое-как отвел вниз. Он был очень зол на миссис Дэвидсон и на свою жену за то, что они не захотели вмешаться. Метис стоял на площадке, и с его помощью доктору удалось уложить ее на кровать. Она стонала и судорожно всхлипывала. Казалось, она вот-вот лишится чувств. Доктор сделал ей укол. Злой и измученный, он поднялся в гостиную.

— Я, наконец, уговорил ее лечь.

Обе женщины и Дэвидсон сидели так же, как он их оставил. Очевидно, пока его не было, они не разговаривали и не шевелились.

— Я ждал вас,— сказал Дэвидсон странным, отсутствующим голосом.— Я хочу, чтобы вы все помолились со мной о душе нашей заблудшей сестры.

Он взял с полки Библию и сел за обеденный стол. Посуда после ужина еще не была убрана, и, чтобы освободить место, ему пришлось отодвинуть чайник. Сильным голосом, звучным и глубоким, он прочел им главу, в которой говорится о том, как к Христу привели женщину, взятую в прелюбодеянии.

— А теперь преклоните вместе со мной колени и помолимся о душе возлюбленной сестры нашей Сэди Томпсон.

Он начал с жаром молиться, прося Бога сжалиться над грешницей. Миссис Макфейл и миссис Дэвидсон встали на колени, закрыв лицо руками. Захваченный врасплох, доктор неуклюже и неохотно последовал их примеру. Миссионер молился с яростным красноречием. Он был в исступлении, по его щекам струились слезы. А снаружи лил дождь, лил не ослабевая, с упорной злобой, в которой было что-то человеческое.

Наконец миссионер умолк. На мгновение воцарилась тишина, потом он сказал:

— А теперь прочтем «Отче наш».

Они прочитали молитву и вслед за ним поднялись с колен. Лицо миссис Дэвидсон стало бледным и умиротворенным. На душе у нее, видимо, было легко и спокойно. Но доктора и миссис Макфейл внезапно охватило смущение. Они не знали, куда девать глаза.

— Я, пожалуй, спущусь поглядеть, как она себя чувствует,— сказал доктор Макфейл.

Когда он постучался к ней, дверь открыл Хорн. Мисс Томпсон сидела в качалке и тихонько плакала.

— Почему вы встали?— воскликнул доктор.— Я же велел вам лежать.

— Мне не лежится. Я хочу видеть мистера Дэвидсона.

— Бедняжка, зачем вам это? Вы не сможете его убедить.

— Он сказал, что придет, если я за ним пошлю.

Макфейл кивнул торговцу.

— Сходите за ним.

Они молча ждали, пока Хорн поднимался наверх. Дэвидсон вошел.

— Извините, что я попросила вас спуститься сюда,— сказала она, мрачно глядя на него.

— Я ожидал, что вы пошлете за мной. Я знал, что Господь услышит мою молитву.

Секунду они глядели друг на друга, потом она отвела глаза. Она смотрела в сторону все время, пока говорила.

— Я вела грешную жизнь. Я хочу покаяться.

— Хвала Господу! Он внял нашим молитвам!

Он повернулся к Макфейлу и торговцу.

— Оставьте нас вдвоем. Скажите миссис Дэвидсон, что наши молитвы были услышаны.

Они вышли и закрыли за собой дверь.

— Мда-а-а! — сказал торговец.

В эту ночь доктор Макфейл никак не мог заснуть; когда миссионер прошел к себе, он поглядел на часы. Было два. И все-таки Дэвидсон лег не сразу — через разделявшую их перегородку доктор слышал, как он молится, пока сам наконец не уснул.

Когда они встретились на следующее утро, вид миссионера удивил доктора. Дэвидсон был бледнее, чем обычно, и выглядел утомленным, но глаза его пылали нечеловеческим огнем. Казалось, его переполняет безмерная радость.

— Вы не могли бы теперь же спуститься к Сэди?— сказал он.— Боюсь, что ее тело еще не нашло исцеления, но ее душа — ее душа преобразилась.

Доктор чувствовал себя расстроенным и опустошенным.

— Вы долго пробыли у нее вчера,— сказал он.

— Да. Ей трудно было остаться одной, без меня.

— Вы так и сияете,— сказал доктор раздраженно.

В глазах Дэвидсона засветился экстаз.

— Мне была ниспослана величайшая милость. Вчера я был избран вернуть заблудшую душу в любящие объятия Иисуса.

Мисс Томпсон сидела в качалке. Постель не была убрана. В комнате царил беспорядок. Она не позаботилась одеться и сидела в грязном халате, кое-как зашпилив волосы в пучок. Ее лицо распухло и оплыло от слез, хотя она обтерла его мокрым полотенцем. Вид у нее был неряшливый и неприглядный. Когда доктор вошел, она безучастно посмотрела на него. Она была совсем разбита и измучена.

— Где мистер Дэвидсон?— спросила она.

— Он скоро придет, если он вам нужен,— кисло ответил доктор.— Я зашел узнать, как вы себя чувствуете.

— А, да ничего со мной нет. Не беспокойтесь обо мне.

— Вы что-нибудь ели?

— Хорн принес мне кофе.

Она беспокойно посмотрела на дверь.

— Вы думаете, он скоро придет? Мне не так страшно, когда он со мной.

— Вы все-таки уезжаете во вторник?

— Да, он говорит, что я должна уехать. Пожалуйста, скажите ему, чтобы он пришел поскорее. Вы ничем мне помочь не можете. Кроме него, мне теперь никто не может помочь.

— Очень хорошо,— сказал доктор Макфейл.

Следующие три дня миссионер почти все время проводил у Сэди Томпсон. Он встречался с остальными только за столом. Доктор Макфейл заметил, что он почти ничего не ест.

— Он не щадит себя,— жаловалась миссис Дэвидсон.— Он того и гляди заболеет. Но он не думает о себе.

Сама она тоже побледнела и осунулась. Она говорила миссис Макфейл, что совсем не спит. Когда миссионер уходил от мисс Томпсон и поднимался к себе, он молился до полного изнеможения, но даже и после этого засыпал лишь ненадолго. Часа через два он вставал, одевался и шел гулять на берег. Ему снились странные сны.

— Сегодня утром он сказал мне, что видел во сне горы Небраски,— сообщила миссис Дэвидсон.

— Любопытно,— сказал доктор Макфейл.

Он видел их из окна поезда, когда ехал по Соединенным Штатам. Они напоминали огромные кротовые кучи, округлые и гладкие, и высоко поднимались над плоской равниной. Доктор Макфейл вспомнил, что они показались ему похожими на женские груди.

Лихорадочное возбуждение, снедавшее Дэвидсона, было невыносимо даже для него самого. Но всепобеждающая радость поддерживала его силы. Он с корнем вырывал последние следы греха, еще таившиеся в сердце бедной женщины. Он читал с ней Библию и молился с ней.

— Это просто чудо,— сказал он как-то за ужином.— Это истинное возрождение. Ее душа, которая была чернее ночи, ныне чиста и бела, как первый снег. Я исполнен смирения и трепета. Я недостоин коснуться края ее одежды.

— И у вас хватает духа послать ее в Сан-Франциско?— спросил доктор.— Три года американской тюрьмы! Мне кажется, вы могли бы избавить ее от этого.

— Как вы не понимаете! Это же необходимо. Неужели вы думаете, что сердце мое не обливается кровью? Я люблю ее так же, как мою жену и мою сестру. И все время, которое она проведет в тюрьме, я буду испытывать те же муки, что и она.

— А, ерунда! — досадливо перебил доктор.

— Вы не понимаете, потому что вы слепы. Она согрешила и должна пострадать. Я знаю, что ей придется вытерпеть. Ее будут морить голодом, мучить, унижать. Я хочу, чтобы кара, принятая ею из рук человеческих, была ее жертвой Богу. Я хочу, чтобы она приняла эту кару с радостным сердцем. Ей дана возможность, которая ниспосылается лишь немногим из нас. Господь неизреченно добр и неизреченно милосерден.

Дэвидсон задыхался от волнения. Он уже не договаривал слов, которые страстно рвались с его губ.

— Весь день я молюсь с ней, а когда я покидаю ее, я снова молюсь, целиком отдаваясь молитве, молюсь о том, чтобы Христос даровал ей эту великую милость. Я хочу вложить в ее сердце столь пылкое желание претерпеть свою кару, чтобы, даже если бы я предложил ей не ехать, она сама настояла бы на этом. Я хочу, чтобы она почувствовала в муках тюремного заключения смиренный дар, который она слагает к ногам благословенного Искупителя, отдавшего за нее жизнь.

Дни тянулись медленно. Все обитатели дома, думавшие только о несчастной, терзающейся женщине в нижней комнате, жили в состоянии неестественного напряжения. Она была словно жертва, которую готовят для мрачного ритуала какой-то кровавой языческой религии. Ужас совершенно парализовал ее. Она ни на минуту не отпускала от себя Дэвидсона; только в его присутствии к ней возвращалось мужество, и она цеплялась за него в рабском страхе. Она много плакала, читала Библию и молилась. Порой, дойдя до полного изнеможения, она впадала в апатию. В такие минуты тюрьма действительно казалась ей спасением — по крайней мере, это была конкретная реальность, которая положит конец ее пытке. Ее смутный страх становился все более мучительным. Отрекшись от греха, она перестала заботиться о своей внешности и теперь бродила по комнате в пестром халате, неумытая и непричесанная. В течение четырех дней она не снимала ночной рубашки, не надевала чулок. Комната была замусорена. А дождь все лил и лил с жестокой настойчивостью. Казалось, небеса должны были уже истощить запасы воды, но он по-прежнему падал, прямой и тяжелый, и с доводящей до исступления монотонностью барабанил по крыше. Все стало влажным и липким. Стены и лежавшие на полу башмаки покрыла плесень. Бессонными ночами сердито ныли москиты.

— Если бы дождь перестал хоть на день, еще можно было бы терпеть,— сказал доктор.

Все как избавления ждали вторника, когда должен был прийти пароход из Сиднея. Напряжение становилось невыносимым. Жалость и негодование были вытеснены из души доктора Макфейла единственным желанием — поскорее отделаться от несчастной. Приходится принимать неизбежное. Он чувствовал, что, когда этот пароход наконец отчалит, ему станет легче дышать. На борт ее должен был доставить чиновник губернаторской канцелярии. Он зашел вечером в понедельник и попросил мисс Томпсон собраться к одиннадцати часам следующего утра. У нее был Дэвидсон.

— Я присмотрю, чтобы все было готово. Я сам намерен проводить ее.

Мисс Томпсон молчала.

Когда доктор Макфейл задул свечу и осторожно забрался под москитную сетку, он испустил вздох облегчения.

— Ну, слава Богу, все позади. Завтра в это время ее здесь уже не будет.

— Миссис Дэвидсон тоже будет рада. Она говорит, что он совсем замучил себя,— сказала миссис Макфейл.— Она изменилась до неузнаваемости.

— Кто?

— Сэди. Я бы не поверила, что это возможно. Невольно проникаешься смирением.

Доктор Макфейл не ответил и вскоре уснул. Он был очень утомлен и спал крепче обычного.

Его разбудило чье-то прикосновение. Он испуганно вскочил и увидел рядом с кроватью Хорна. Торговец приложил палец к губам и поманил его за собой. Обычно он носил парусиновый костюм, но на этот раз был бос и одет только в лава-лава, как туземец. От этого он неожиданно стал похож на дикаря, и доктор, выбираясь из постели, заметил, что все его тело покрыто татуировкой. Хорн вышел на веранду. Доктор Макфейл соскользнул с кровати и последовал за ним.

— Не шумите,— шепнул торговец.— Вы очень нужны. Накиньте на себя что-нибудь и наденьте башмаки.

Доктор решил, что с мисс Томпсон что-то случилось.

— В чем дело? Захватить инструменты?

— Скорее, ради Бога, скорее.

Доктор Макфейл прокрался назад в спальню, надел поверх пижамы плащ и сунул ноги в туфли на резиновой подошве. Он вернулся к торговцу, и они на цыпочках спустились по лестнице. Наружная дверь была открыта, перед ней стояло несколько туземцев.

— В чем дело?— спросил доктор.

— Пойдемте,— сказал Хорн.

Он вышел, и доктор последовал за ним. Туземцы кучкой шли сзади. Они пересекли шоссе и вышли к пляжу. Ярдах в двадцати пяти впереди доктор заметил группу туземцев, толпившихся вокруг чего-то, лежавшего у самой воды. Они ускорили шаг; туземцы расступились перед доктором. Торговец торопил его. Затем он увидел труп, лежавший наполовину в воде, наполовину на песке,— труп Дэвидсона. Доктор Макфейл нагнулся — он был не из тех, кто теряется в трудную минуту,— и перевернул его. Горло было перерезано от уха до уха, а правая рука все еще сжимала роковую бритву.

— Он совсем остыл,— сказал доктор.— Он умер уже довольно давно.

— Один из них только что заметил его — по дороге на работу,— пришел и сказал мне. Как вы думаете, он сам это сделал?

— Да. Надо послать за полицией.

Хорн сказал что-то на местном наречии, и двое юношей пустились бежать со всех ног.

— Его нельзя трогать до прихода полиции,— добавил доктор.

— Я не позволю отнести его в мой дом. Я не хочу, чтобы он лежал в моем доме.

— Вы сделаете то, что вам скажут!— резко ответил доктор.— Но я полагаю, что его отправят в морг.

Они стояли и ждали. Торговец достал из складок лава-лава две папиросы и протянул одну доктору. Они курили и глядели на труп. Доктор не мог понять, что произошло.

— Как, по-вашему, почему это он?— спросил Хорн.

Доктор пожал плечами. Вскоре подошли с носилками туземные полицейские под командой солдата морской пехоты, а за ними два морских офицера и флотский врач. Они принялись деловито распоряжаться.

— Надо бы поставить в известность его жену,— сказал один из офицеров.

— Раз вы тут, я пойду домой и оденусь. Я позабочусь, чтобы ей сообщили. По-моему, ей не стоит на него смотреть, пока его не приведут в порядок.

— Пожалуй, да,— сказал флотский врач.

Когда доктор Макфейл поднялся к себе, его жена заканчивала одеваться.

— Миссис Дэвидсон страшно беспокоится о муже,— сказала она, едва увидев его.— Он не ложился всю ночь. Она слышала, как он ушел от мисс Томпсон в два часа, но он вышел из дому. Если он столько времени гулял, то, конечно, будет смертельно измучен.

Доктор Макфейл рассказал ей о несчастье и попросил осторожно подготовить миссис Дэвидсон.

— Но почему он это сделал?— спросила она в ужасе.

— Не знаю.

— Я не могу. Не могу.

— Надо.

Она испуганно посмотрела на него и вышла. Он слышал, как она вошла в комнату миссис Дэвидсон. Подождав минуту, чтобы собраться с силами, он начал бриться. Потом, одевшись, сел на кровать и стал ждать жену. Наконец она вернулась.

— Она хочет видеть его.

— Его отнесли в морг. Нам, пожалуй, следует проводить ее. Как она это приняла?

— По-моему, ее словно оглушило. Она даже не заплакала. Но она дрожит как осиновый лист.

— Нужно пойти немедленно.

Когда они постучались, миссис Дэвидсон сразу вышла к ним. Она была очень бледна, но не плакала. В ее спокойствии доктору почудилось что-то неестественное. Не обменявшись ни единым словом, они молча пошли по шоссе. Когда они приблизились к моргу, миссис Дэвидсон заговорила.

— Я хотела бы побыть с ним одна,— сказала она.

Они отступили в сторону. Туземец открыл перед ней дверь и закрыл ее, когда она вошла. Они сели и стали ждать. Подошли несколько белых и шепотом заговорили с ними. Доктор снова рассказал о трагедии все, что знал. Наконец дверь тихо отворилась, и миссис Дэвидсон вышла.

— Теперь можно идти,— сказала она.

Ее голос был ровен и строг. Доктор Макфейл не понял выражения ее глаз. Ее бледное лицо было сурово. Они шли медленно, в полном молчании и наконец приблизились к повороту, который вел к дому Хорна. Миссис Дэвидсон ахнула, и все трое остановились как вкопанные. Их слух поразили немыслимые звуки. Граммофон, который столько времени молчал, хрипло и громко играл разухабистую песенку.

— Что это?— испуганно вскрикнула миссис Макфейл.

— Идемте,— сказала миссис Дэвидсон.

Они поднялись на крыльцо и вошли в переднюю. Мисс Томпсон стояла в дверях своей комнаты, болтая с матросом. В ней произошла внезапная перемена. Это уже не была насмерть перепуганная женщина последних дней. Она облачилась в свой прежний наряд: на ней было белое платье, над лакированными сапожками нависали обтянутые бумажными чулками икры, волосы были уложены в прическу, и она надела свою огромную шляпу с яркими цветами. Ее щеки были нарумянены, губы ярко накрашены, брови черны как ночь. Она стояла выпрямившись. Перед ними была прежняя наглая девка. Увидев их, она громко, насмешливо захохотала, а затем, когда миссис Дэвидсон невольно остановилась, набрала слюны и сплюнула. Миссис Дэвидсон попятилась, и на ее щеках запылали два красных пятна. Потом, закрыв лицо руками, она бросилась вверх по лестнице. Доктор Макфейл был возмущен. Оттолкнув мисс Томпсон, он вбежал в ее комнату.

— Какого черта вы себе позволяете?— закричал он.— Остановите эту штуку!

Он подошел к граммофону и сбросил пластинку.

— А ну, лекарь, не распускай рук. Что тебе понадобилось в моей комнате?

— То есть как?— закричал он.— То есть как?

Она подбоченилась. В ее глазах было неописуемое презрение, а в ответе — безграничная ненависть.

— Эх вы, мужчины! Поганые свиньи. Все вы одинаковы. Свиньи! Свиньи!

Доктор Макфейл ахнул. Он понял.

Заводь

Когда Чаплин, владелец гостиницы «Ме́трополь» в Апии, познакомил меня с Лоусоном, я вначале не обратил на него внимания. Мы сидели в холле, пили утренний коктейль, и я с интересом слушал местные сплетни.

Мне нравилось болтать с Чаплином. По образованию он был горный инженер, и, пожалуй, наилучшим образом характеризовало его именно то, что он поселился в местности, где не представлялось ни малейшего случая применить эту специальность. А между тем все утверждали, что Чаплин — чрезвычайно способный горный инженер. Это был низенький человечек, не толстый, но и не худой; поредевшие на макушке черные волосы начинали седеть, маленькие усики имели неопрятный вид, а физиономия — то ли от солнца, то ли от спиртного — была очень красной. Он был лишь номинальным владельцем гостиницы (несмотря на свое пышное название, она представляла собой просто двухэтажный деревянный дом), а всеми делами заправляла его жена — высокая тощая австралийка лет сорока пяти, особа весьма решительная и суровая. Маленький Чаплин, раздражительный и частенько пьяный, как огня боялся своей супруги, и каждому новому постояльцу скоро становилось известно об их семейных стычках, во время которых жена, чтобы держать мужа в подчинении, топала ногами и пускала в ход кулаки. Однажды, после очередной ночной попойки, она приговорила Чаплина к суточному домашнему аресту, и он, не смея покинуть свою тюрьму, стоял на балконе и жалобно взывал к прохожим.

Чаплин был весьма своеобразной личностью, и я с удовольствием слушал его любопытные воспоминания — не знаю уж, правдивые или выдуманные,— так что приход Лоусона даже несколько меня раздосадовал. Несмотря на ранний час, Лоусон уже успел порядком нагрузиться, и я без особой радости согласился на его настойчивую просьбу выпить еще один коктейль. Я уже знал, что у Чаплина слабая голова. Следующий стакан, который из вежливости придется поставить мне, вызовет у него чрезмерное оживление, и миссис Чаплин начнет бросать на меня грозные взгляды.

К тому же в наружности Лоусона я не нашел ничего привлекательного. Это был маленький худощавый человечек. На длинной испитой физиономии со слабовольным узким подбородком выделялся большой костлявый нос, косматые брови придавали лицу какой-то необычный вид, и только глаза, очень большие и очень черные, были великолепны. Он был весел и оживлен, но веселость эта производила впечатление неискренней, словно, стараясь обмануть окружающих, он надел маску, и я подозревал, что под его напускным оживлением скрывается ничтожная и слабая натура. Он изо всех сил старался прослыть «свойским парнем» и был со всеми запанибрата, но мне он почему-то показался хитрым и скользким. Он говорил много, хриплым голосом, и они с Чаплином наперебой распространялись о каких-то легендарных кутежах, о ночных выпивках в Английском клубе, о поездках на охоту, во время которых поглощалось несметное количество виски, и об увеселительных экспедициях в Сидней — оба невероятно гордились тем, что не могли вспомнить ничего между моментом высадки и моментом отплытия. Настоящие пьяные свиньи. Но и в пьяном виде (а теперь, после четырех коктейлей, ни тот, ни другой не был трезв) вульгарный, грубый Чаплин резко отличался от Лоусона — тот, даже напившись, продолжал вести себя, как подобает джентльмену.

В конце концов он, пошатываясь, поднялся со стула.

— Пойду-ка я домой,— сказал он.— До обеда еще увидимся.

— Мадам здорова?— осведомился Чаплин.

— Вполне.

Он вышел. Этот односложный ответ прозвучал так странно, что я невольно посмотрел ему вслед.

— Славный парень,— безапелляционно заявил Чаплин, когда Лоусон выходил из дверей на залитую солнцем улицу.— Молодчина. Беда только — пьет.— В устах Чаплина последнее замечание прозвучало несколько юмористически.— А когда напьется, лезет в драку.

— И часто он напивается?

— Мертвецки пьян два или три раза в неделю. Это все наш остров виноват, да еще Этель.

— Кто такая Этель?

— Его жена. Дочь старика Бривальда. Он женился на девушке смешанной крови. Увез ее отсюда. Правильно сделал. Но она там не выдержала, и теперь они снова вернулись. Боюсь, он скоро повесится, если прежде не умрет с перепоя. Парень славный, только в пьяном виде буянит.— Чаплин громко рыгнул.— Пойду-ка суну голову под душ. Зря я пил этот последний коктейль. Последний — он непременно доконает.

При мысли об уютной душевой Чаплин неуверенно взглянул на лестницу, потом с неестественно серьезным видом поднялся с места.

— Советую поближе познакомиться с Лоусоном,— сказал он.— Начитанный человек. Вот увидите,— когда он будет трезвый, вы даже удивитесь. Он умный. С ним стоит поговорить.

В этих отрывистых фразах Чаплин поведал мне всю историю Лоусона.

Вечером, после поездки вдоль побережья, я вернулся в гостиницу. Лоусон уже был там. Он сидел, развалясь в плетеном кресле, и, когда я появился, посмотрел на меня осоловелыми глазами. Было совершенно ясно, что он весь вечер пил. Он словно оцепенел, на лице застыло угрюмое, злобное выражение. Взгляд его на мгновение остановился на мне, но он не узнал меня. В холле сидело еще трое мужчин — они играли в кости и не обращали на него никакого внимания. Очевидно, все уже давно к нему привыкли. Я подсел к ним и тоже начал играть.

— Чертовски веселая у вас компания,— внезапно произнес Лоусон.

Он слез с кресла, нарочно согнул ноги в коленях и заковылял к двери. Не знаю, чего в этом зрелище было больше — смешного или отталкивающего. Когда он ушел, один из игроков фыркнул.

— Лоусон сегодня здорово нализался,— промолвил он.

— Если бы я так быстро пьянел,— сказал второй,— я б на всю жизнь зарекся пить.

Кто мог подумать, что этот несчастный — по-своему романтическая фигура и что жизнь его способна внушить чувства сострадания и ужаса, которые, по словам прославленного теоретика, необходимы для достижения трагического эффекта?

Я не встречал его дня два или три...

Однажды вечером, когда я сидел на веранде во втором этаже гостиницы, Лоусон вошел и опустился в кресло рядом со мной. Он был совершенно трезв. Он что-то сказал и, когда я довольно равнодушно ответил, добавил со смущенным смешком:

— Я в тот день зверски напился.

Я промолчал. Говорить и в самом деле было нечего. Попыхивая трубкой в тщетной надежде отогнать москитов, я глядел на туземцев, возвращавшихся после работы домой. Они шли широким, размеренным шагом, с большим достоинством, и топот их босых ног звучал мягко и как-то странно. Некоторые выбелили свои темные волосы глиной, и это придавало им необычайно благородный вид. Самоанцы были высоки ростом и хорошо сложены. За ними прошла с песней команда законтрактованных рабочих с Соломоновых островов. Более миниатюрные и стройные, чем самоанцы, они были черны как смоль и красили свои густые черные волосы в красный цвет. Время от времени какой-нибудь европеец проезжал на двуколке мимо гостиницы или заворачивал во двор. Несколько шхун любовались своим отражением в спокойных водах бухты.

— Что еще делать в такой дыре, если не пить?— произнес наконец Лоусон.

— Разве вам не нравится Самоа?— спросил я небрежно, лишь бы что-нибудь сказать.

— Почему же? Здесь очень мило.

Это банальное слово настолько не соответствовало волшебной красоте острова, что я невольно улыбнулся и с улыбкой посмотрел на Лоусона. Меня испугало выражение нестерпимой муки в его прекрасных черных глазах; я бы никогда не подумал, что он способен на такое глубокое трагическое чувство. Но выражение это исчезло, и Лоусон улыбнулся. Улыбка у него была простая и немного наивная. Она так изменила его лицо, что я усомнился, действительно ли он такой неприятный человек, каким показался мне с первого взгляда.

— Когда я приехал сюда, я прямо-таки влюбился в этот остров,— сказал он.— Три года назад я уехал, но потом вернулся.— Помолчав, он нерешительно добавил:— Жене захотелось вернуться. Она, понимаете, здесь родилась.

— Да, я слышал...

Он снова умолк. Спустя некоторое время он спросил, бывал ли я в Ваилиме. Он почему-то старался быть со мною любезным. Он упомянул о Роберте Луисе Стивенсоне, а потом разговор перешел на Лондон.

— Как там «Ковент-Гарден»? Наверно, хорош по-прежнему,— сказал он.— По опере я, пожалуй, соскучился больше всего. Вы слышали «Тристана и Изольду»?

Он задал этот вопрос так, словно ответ и в самом деле имел для него большое значение, а когда я сказал, что, разумеется, слышал, он, видимо, очень обрадовался и стал говорить о Вагнере не как музыкант, а просто как человек, получающий от музыки душевное удовлетворение, причина которого непонятна ему самому.

— По-настоящему, надо было съездить в Байрейт,— сказал он.— К сожалению, у меня никогда не было на это денег. Но, конечно, и в «Ковент-Гардене» неплохо — все эти огни, нарядные женщины, музыка. Я очень люблю первый акт «Валькирии». И еще конец «Тристана». Здорово, правда?

Глаза у него засверкали, и все лицо так осветилось, что он показался мне совсем другим человеком. На бледных худых щеках заиграл румянец, и я забыл, что у него хриплый, неприятный голос. В нем появилось даже какое-то обаяние.

— Черт побери, хотелось бы мне сейчас очутиться в Лондоне. Знаете ресторан «Пэлл-Мэлл»? Я частенько туда захаживал. А Пиккадилли — все магазины ярко освещены, везде толпы народу. Замечательно! Иной раз стоишь там, глядишь, как проезжают автобусы и такси, и кажется, будто им конца нет. А еще я очень люблю Стрэнд. Как это там говорится насчет Бога и Чаринг-кросс?

Я очень удивился.

— Вы имеете в виду Томпсона?— спросил я и прочел стихи:

> Тяжки утраты, лицо заплакано,
> Но слезы не вечны, как летние росы.
> Светит тебе лестница Иакова
> До самого неба от Чаринг-кросса.

Он вздохнул.

— Я читал «Небесную гончую». Это неплохо.

— Да, таково общепринятое мнение,— пробормотал я.

— Здесь никто ничего не читает. Они думают, что читать — это позерство.

Лицо его было печально, и я понял, что привело его ко мне. Я казался ему связующим звеном между ним и тем миром, по которому он тосковал, той жизнью, которой ему больше никогда не придется жить. Он смотрел на меня с благоговением и завистью — потому что я совсем недавно был в его любимом Лондоне. Не прошло и пяти минут с начала нашего разговора, как он произнес слова, которые потрясли меня силой своего чувства.

— Осточертело мне здесь,— сказал он.— Просто осточертело.

— Так почему же вам не уехать отсюда?— спросил я. Он нахмурился.

— У меня слабые легкие. Мне уж теперь не выдержать английской зимы.

В эту минуту на веранде появился еще один посетитель, и Лоусон угрюмо замолчал.

— Пора выпить,— сказал вновь пришедший.— Кто выпьет со мной шотландского виски? Вы как, Лоусон?

Лоусон, казалось, спустился с облаков на землю. Он встал.

— Пойдемте в бар,— сказал он.

Когда он ушел, у меня осталось к нему более теплое чувство, чем можно было ожидать. Он озадачил и заинтересовал меня. А несколько дней спустя я встретил его жену. Я знал, что они женаты лет пять или шесть, и поэтому удивился, что она так молодо выглядит. Когда они поженились, ей, очевидно, было не больше шестнадцати. Она была очаровательна — не темнее испанки, маленькая, прекрасно сложенная, стройная, с крошечными ручками и ножками. И лицо у нее было прелестное. Но больше всего поразило меня ее изящество. Женщины смешанной крови почти всегда отличаются некоторой грубостью и вульгарностью, от изысканной же красоты Этель просто дух захватывало. В ней было нечто настолько утонченное, что казалось странным встретить ее в такой среде, и при виде этой женщины невольно приходили на память прославленные красавицы при дворе Наполеона III. В своем простеньком кисейном платьице и соломенной шляпе она казалась элегантной светской дамой. Когда Лоусон увидел ее в первый раз, она, наверное, была неотразима.

Незадолго перед тем он приехал из Англии, чтобы занять должность управляющего местным отделением одного английского банка, и, прибыв на Самоа в начале сухого сезона, снял номер в гостинице. Он очень быстро со всеми перезнакомился. Жизнь на острове легка и приятна. Он наслаждался долгими ленивыми разговорами в холле гостиницы и веселыми вечеринками в Английском клубе, где мужчины играют на бильярде. Ему нравилась Апиа, беспорядочно разбросанная по берегу залива, нравились магазины, бунгало, туземная деревня. С субботы на воскресенье он уезжал верхом в гости к кому-нибудь из плантаторов и проводил одну или две ночи в горах. Прежде Лоусон никогда не знал свободы и досуга, а от солнца он совсем опьянел. Когда он ехал верхом среди густого кустарника, у него слегка кружилась голова от немыслимой красоты природы. Земля здесь была невероятно плодородна. Кое-где сохранились девственные леса: заросли каких-то незнакомых деревьев, великолепный подлесок, лианы — и все это вместе казалось таинственным и печальным.

Но больше всего пленила Лоусона заводь милях в двух от Апии, куда он часто по вечерам ездил купаться. Здесь среди скалистых утесов шаловливо пенилась быстрая речка, мелкая и прозрачная, как стекло. Образовав глубокую заводь, она бежала дальше через запруду из больших камней. Туземцы постоянно приходили сюда купаться или стирать одежду. Кокосовые пальмы, кокетливо обвитые лианами, отражались в зеленой воде. Точно такую же картину можно увидеть в Девонширских холмах, но здесь все отличалось тропической пышностью, сладострастием, благоуханным томлением, от которого замирало сердце. Человек, измученный дневною жарой, с наслаждением погружался в прохладную воду, которая освежала не только тело, но и дух.

В тот час, когда Лоусон приходил купаться, здесь не было ни души, и он подолгу оставался у заводи — то лениво плавал на спине, то грелся в лучах вечернего солнца, наслаждаясь одиночеством и ласковою тишиной. В такие минуты он не сожалел о Лондоне и о том, что осталось позади, ибо жизнь казалась полной и прекрасной.

Именно здесь он в первый раз увидел Этель.

Однажды он задержался допоздна из-за писем, которые нужно было отправить с отходившим на другой день пароходом. В сумерках он приехал верхом к заводи, привязал лошадь и пошел к воде. На берегу сидела девушка. Услышав шаги, она обернулась, беззвучно скользнула в воду и исчезла, словно наяда, испуганная появлением человека. Это удивило и позабавило Лоусона. Он никак не мог понять, куда она скрылась. Он поплыл вниз по течению и вскоре увидел, что она сидит на скале и смотрит на него безразличным взглядом.

— Талофа! — приветствовал он ее по-самоански.

Девушка ответила ему, улыбнулась и снова погрузилась в воду. Плавала она легко, и распущенные волосы широким веером тянулись за нею следом. Потом она пересекла заводь и вылезла на берег. Просторное платье, в котором она, по туземному обычаю, купалась, прилипло к ее стройному телу. Сейчас, когда она спокойно стояла на берегу, выжимая мокрые волосы, она еще больше напоминала какое-то сказочное существо, обитающее в лесу или в воде. Лоусон теперь увидел, что это женщина смешанной крови. Он вышел на берег и заговорил с нею по-английски.

— Поздно вы купаетесь.

Она отбросила назад свои густые вьющиеся волосы, и они рассыпались по плечам.

— Я люблю купаться одна.

— Я тоже.

Она засмеялась с детской непосредственностью туземки, надела через голову сухое платье, сбросила мокрое и переступила через него. Выжав мокрую одежду, она на мгновение остановилась в нерешительности, затем быстро ушла. Внезапно настала ночь.

Лоусон вернулся в гостиницу, описал наружность девушки посетителям, которые играли в кости на выпивку, и быстро выяснил, кто она такая. Отец ее, норвежец по имени Бривальд, часто заходил в гостиницу «Метрополь» выпить рому. Это был маленький старичок, узловатый и скрюченный, как старое дерево. Сорок лет назад он приехал на острова в качестве помощника капитана парусного судна, затем был кузнецом, торговцем, плантатором. Одно время он даже сколотил порядочное состояние, но после урагана девяностых годов у него осталась всего одна небольшая плантация кокосовых пальм. Женат он был четыре раза, и все на туземках, которые, как говорил он сам с хриплой усмешкой, народили ему без счету ребятишек. Часть детей умерла, остальные разбрелись по свету, и дома осталась одна только Этель.

— Не девочка, а персик,— сказал Нельсон, судовой приказчик с «Моаны».— Я не раз на нее поглядывал, да все впустую.

— Старик Бривальд не настолько глуп, сынок,— вмешался человек по имени Миллер.— Ему нужен зять, который обеспечит его на старости лет.

Лоусону было неприятно, что о девушке говорят в таком тоне. Чтобы переменить тему, он вставил замечание об отходящем почтовом пароходе. Однако на другой день он снова отправился к заводи. Этель была там, и сказочное очарование заката, таинственное молчание воды, тонкое изящество кокосовых пальм, оттеняя красоту девушки, будили неизведанные чувства в сердце. В этот раз ему почему-то не хотелось разговаривать с нею. Она не обращала на него никакого внимания, даже не смотрела в его сторону. Она плавала в зеленой воде, ныряла, отдыхала на берегу, словно была совсем одна, и у Лоусона появилось странное чувство, словно он стал невидимым. В голове проносились обрывки полузабытых стихов и смутные воспоминания о древней Элладе — в школьные годы он ею не интересовался. Когда девушка переоделась в сухое платье и ушла, на том месте, где она сидела, он нашел алую мальву. Цветок был у нее в волосах, когда она пришла купаться. Перед тем как войти в воду, она его вынула, а потом забыла или не захотела приколоть снова. Лоусон со странным чувством смотрел на алую мальву. Ему захотелось взять ее с собой, но он тут же рассердился на свою сентиментальность, бросил цветок в воду и с болью в сердце следил за тем, как он уплывает вниз по течению.

Лоусон никак не мог понять, что заставляет девушку ходить к этой уединенной заводи, когда там наверняка никого не встретишь. Жители островов очень любят воду. Они обязательно купаются каждый день, часто по два раза, но купаются всегда скопом, целыми семьями, со смехом и шутками. Часто можно увидеть, как большая группа туземок и метисок весело плещется на речных отмелях, а на коже их играют солнечные зайчики и причудливые тени листьев. Казалось, в этой заводи кроется какая-то тайна, которая притягивает к себе Этель.

Спустилась ночь, таинственная и безмолвная. Лоусон тихонько вошел в воду и лениво поплыл в теплую тьму. Казалось, вода еще хранит аромат стройного девичьего тела. Когда он возвращался в город, в небе зажглись звезды, и он чувствовал себя в ладу со всем миром.

Теперь Лоусон каждый вечер ездил к заводи и каждый вечер встречался с Этель. Вскоре ему удалось преодолеть ее робость. Она стала приветливой и веселой. Сидя на высоких скалах над рекою или лежа на каменных уступах, они смотрели, как сумерки таинственным покровом окутывают заводь. Об их встречах скоро стало известно — в Южных морях каждый знает всю подноготную о своем ближнем,— и завсегдатаи гостиницы бесцеремонно подшучивали над Лоусоном. Он только улыбался. Их грубые намеки не стоило опровергать. Чувства его были совершенно чисты. Он любил Этель, как поэт может любить луну в небе. Он думал о ней так, словно она была не женщиной, а каким-то неземным существом, таинственным духом заводи.

Однажды, проходя по бару гостиницы, он увидел, что там стоит старик Бривальд, как всегда одетый в поношенный синий комбинезон. Лоусону захотелось поговорить с Бривальдом — ведь это был отец Этель,— и потому он подошел к стойке, заказал виски, обернулся, словно невзначай, и предложил старику выпить. Некоторое время они болтали о местных делах, и Лоусон с неудовольствием заметил, что норвежец внимательно изучает его своими хитрыми голубыми глазками. В Бривальде было что-то неприятное — за внешним подобострастием этого старика, сильно потрепанного в битве с судьбой, все еще угадывалась былая свирепость. Лоусон вспомнил, что Бривальд когда-то служил капитаном на шхуне, промышлявшей работорговлей (в Тихом океане их называют ловцами черных дроздов), и у него была грыжа — последствие раны, полученной в схватке с жителями Соломоновых островов.

Раздался звонок на завтрак.

— Ну, мне пора,— сказал Лоусон.

— Вы бы как-нибудь заглянули ко мне,— хриплым голосом произнес Бривальд.— У меня не очень богато, но я буду рад вас видеть. С Этель вы ведь знакомы.

— Зайду с удовольствием.

— Лучше всего в воскресенье вечером.

Ветхое бунгало Бривальда стояло посреди кокосовых пальм плантаций, немного в стороне от Ваилимского шоссе. Вокруг дома росли огромные бананы. Лохматые листья придавали им трагическую красоту прелестной женщины, одетой в рубище. Все кругом казалось неряшливым и запущенным. Во дворе бродили тощие черные свиньи с острыми спинами, громко кудахтали куры, роясь в разбросанном повсюду мусоре. На веранде валялось несколько туземцев. Лоусон спросил Бривальда, и старик своим надтреснутым голосом позвал его в гостиную.

— Садитесь, будьте как дома,— сказал он, раскуривая старую вересковую трубку.— Этель еще прихорашивается.

Вошла Этель. Она надела юбку с блузкой и причесалась на европейский лад. В ней уже не было робкой и дикой грации той девушки, что каждый вечер приходила к заводи, но теперь она казалась более обыкновенной и потому более доступной. Она поздоровалась с гостем. Лоусон впервые коснулся ее руки.

— Надеюсь, вы выпьете с нами чаю,— промолвила она.

Лоусон знал, что Этель училась в миссионерской школе, и было забавно и в то же время трогательно смотреть, как ради него она старается вести себя словно светская дама. Стол уже был накрыт к чаю, и вскоре четвертая жена старого Бривальда принесла чайник. Это была красивая, немолодая уже туземка. Она знала всего несколько слов по-английски и все время улыбалась. Чаепитие проходило необычайно торжественно, было много бутербродов, приторно-сладкого печенья, и разговор велся весьма церемонный. Затем в комнату тихонько вошла маленькая сморщенная старушка.

— Это бабушка моей Этель,— пояснил Бривальд, громко сплюнув на пол.

Старушка неловко присела на краешек стула. Видно было, что она не привыкла к стульям, и ей гораздо удобнее сидеть на полу. Она молча уставилась на Лоусона блестящими глазками. В кухне за бунгало кто-то заиграл на концертино, и несколько голосов затянули гимн. Чувствовалось, что поют они не из благочестия, а просто потому, что им доставляет удовольствие музыка.

Когда Лоусон возвращался в гостиницу, он был счастлив, сам не зная почему. Его умилил сумбурный образ жизни этих людей, и в добродушной улыбке миссис Бривальд, в фантастической судьбе маленького норвежца, в блестящих таинственных глазах старой бабушки ему чудилось что-то странное и пленительное. Их жизнь была гораздо естественнее той, какую он знал, она была ближе к ласковой плодородной земле; в эту минуту его раздражала цивилизация, и от одного лишь общения с этими примитивными существами он чувствовал себя более свободным, чем прежде.

Лоусон представил себе, как он уходит из гостиницы, которая уже начинала действовать ему на нервы, и устраивается в своем собственном маленьком беленьком нарядном бунгало с окнами на море — так, чтобы перед глазами всегда были бесконечно изменчивые краски лагуны. Он полюбил прекрасный остров. Он больше не сожалел о Лондоне и об Англии, он готов был провести остаток дней своих в этом забытом уголке, который земля благословила драгоценнейшими из своих даров — любовью и счастьем. Он твердо решил, что никакие препятствия не помешают ему жениться на Этель.

Препятствий, однако, не оказалось. Он всегда был желанным гостем в доме Бривальда. Старик был любезен, с уст миссис Бривальд не сходила улыбка. По временам он замечал разных туземцев, которые, по-видимому, имели какое-то отношение к семейству, а однажды застал у Бривальда высокого юношу в лава-лава, покрытого с головы до ног татуировкой, с волосами, выбеленными глиной. Ему объяснили, что это племянник миссис Бривальд. Большей частью, однако, туземцы старались не попадаться ему на глаза. Этель была обворожительна. При виде Лоусона в глазах ее появлялось сияние, которое сводило его с ума. Она казалась наивной и очаровательной. Он с восхищением слушал ее рассказы о миссионерской школе, где она училась, и о сестрах-наставницах. Он ходил с нею в кино (новые фильмы показывали два раза в месяц), а потом оставался на танцы. В кино собиралась публика со всех концов острова — ведь на Уполу очень мало развлечений. Здесь можно увидеть все местное общество: белых дам — они всегда держатся особняком; женщин сме-

«Заводь»

шанной крови в элегантных американских туалетах; туземцев — темнокожих девушек в широких белых платьях и молодых людей в непривычных для них полотняных брюках и белых туфлях. Все были очень нарядны и веселы. Этель с удовольствием демонстрировала своего поклонника-белого, который не отходил от нее ни на шаг. Вскоре пронесся слух, что он собирается на ней жениться, и все подруги ей завидовали. Найти себе мужа-европейца — большая удача для девушки смешанной крови; даже незаконная связь — и то лучше, чем ничего, хотя никто не знает, к чему она может привести, а Лоусон благодаря своей должности управляющего банком считался одним из самых выгодных женихов на острове. Будь он чуть меньше поглощен Этель, он мог бы заметить, что на него устремлено множество любопытных глаз, что жены европейцев бросают на него косые взгляды, а потом шушукаются и сплетничают.

Однажды, когда мужчины, жившие в гостинице, собрались выпить на сон грядущий, Нельсон вдруг выпалил:

— Послушайте, говорят, Лоусон собирается жениться на этой девчонке.

— Ну и дурак,— сказал Миллер.

Миллер, американец немецкого происхождения (его настоящая фамилия была Мюллер), был высокий лысый толстяк с круглой, чисто выбритой физиономией. Большие очки в золотой оправе придавали ему добродушный вид, а белый полотняный костюм всегда сверкал безукоризненной чистотой. Неизменно готовый просидеть с «ребятами» всю ночь напролет, он много пил, но никогда не пьянел; он был обходителен и весел, но себе на уме. Ничто не могло отвлечь его от дела; он представлял сан-францисскую оптовую фирму по сбыту ситца, станков и прочих товаров на островах, и компанейская жилка тоже была чисто профессиональным приемом.

— Он не знает, чем это пахнет,— сказал Нельсон.— Надо, чтобы кто-нибудь его просветил.

— Послушайте моего совета: не суйтесь не в свое дело,— сказал Миллер.— Если человек решил разыгрывать из себя идиота, пускай себе разыгрывает на здоровье.

— Я с удовольствием провожу время с местными девушками, но жениться — нет уж, благодарю покорно.

Чаплин присутствовал при этом разговоре, и теперь слово было за ним.

— Многие так поступали, но до добра это их не довело.

— Поговорить бы вам с ним, Чаплин,— сказал Нельсон.— Вы ведь лучше всех его знаете.

— Мой вам совет, Чаплин: оставьте его в покое,— сказал Миллер.

Лоусон и тогда уже не пользовался симпатией, и никому не было до него дела. Миссис Чаплин поговорила на эту тему с некоторыми дамами, но они только выразили свое сожаление, а когда он объявил, что намерен жениться, было уже слишком поздно что-либо предпринимать.

Целый год Лоусон был счастлив. Он купил бунгало на окраине туземной деревни, на самом конце мыса, замыкающего лагуну, вдоль которой построена Апиа. Бунгало уютно примостилось меж кокосовых пальм. Окна его глядели на знойную синь Тихого океана. Прелестная, гибкая, грациозная, словно лесной зверек, Этель весело расхаживала по домику. Они много смеялись и болтали всякую чепуху. Вечерами их навещали постояльцы отеля, по воскресеньям они часто ездили к какому-нибудь плантатору, женатому на туземке; время от времени ходили на вечеринки, которые устраивал кто-нибудь из метисов — владельцев оптовых складов в Апии. Люди смешанной крови теперь относились к Лоусону совсем не так, как прежде. Благодаря своей женитьбе он стал одним из них, и они называли его Берти. Они брали его под руку и похлопывали по спине. На этих вечеринках Лоусон любовался Этель. Она смеялась, глаза ее блестели. Он радовался, глядя, как она сияет от счастья. Иногда в бунгало приходили родственники Этель: старик Бривальд с женой, а также двоюродные сестры и братья — какие-то туземки в широких балахонах, мужчины и мальчики в лава-лава; волосы у них были выкрашены в красный цвет, а тела покрыты искусной татуировкой. Возвращаясь домой из банка, Лоусон находил их во всех комнатах и добродушно смеялся.

— Смотри, как бы они не пустили нас по миру,— говорил он.

— Это мои родные. Я не могу отказать им, если они чего-нибудь просят.

Лоусон знал, что если европеец женится на туземке или девушке смешанной крови, то ее родственники непременно будут считать, что напали на золотую жилу. Он брал лицо Этель и целовал ее розовые губы. Ей, конечно, невдомек, что его жалованье, которого с избытком хватало на жизнь холостяку, следует экономить, если на него приходится содержать жену и дом.

Вскоре Этель родила сына. Когда Лоусон в первый раз взял новорожденного на руки, у него вдруг защемило сердце. Он не ожидал, что ребенок будет таким темнокожим. Ведь в нем всего лишь четвертая часть туземной крови, так почему бы ему в самом деле не быть таким же, как всякий английский младенец. Но нет — желтый младенец, свернувшийся калачиком в его руках, с головой, уже покрытой черными волосами, с огромными черными глазами, легко мог сойти за туземца.

Белые дамы стали игнорировать Лоусона с первого дня его женитьбы. Когда он встречался с мужчинами, у которых он холостяком привык обедать, им было явно не по себе, и они пытались преувеличенной любезностью скрыть свое смущение.

— Как поживает миссис Лоусон?— спрашивали они.— Вам повезло. Чертовски красивая женщина.

Но если они шли со своими женами и встречали его вместе с Этель, им было очень неловко, когда их жены снисходительно ей кивали. Лоусон только смеялся.

— Все они смертельно скучны,— говорил он.— Плевал я на то, что они не приглашают меня на свои паршивые вечеринки.

Но со временем это начало его раздражать.

Темнокожий младенец сморщил личико. Это его сын. Он подумал о детях смешанной крови в Апии. У них были нездоровые, изжелта-бледные лица, и их преждевременное развитие неприятно бросалось в глаза. Он видел, как их отправляли на пароходе в школу в Новую Зеландию,— надо было еще найти школу, куда принимают детей, в чьих жилах течет туземная кровь. Дерзкие и в то же время робкие, чем-то неуловимо отличающиеся от белых, они сидели, тесно сбившись в кучку. Между собой они разговаривали на местном наречии. Когда эти мальчики становились взрослыми, они получали меньшее жалованье из-за своей туземной крови; девушка могла еще выйти замуж за белого, но для юноши не оставалось никакого выхода — он вынужден был жениться на метиске или на туземке. Лоусон твердо решил избавить своего сына от подобных унижений. Нужно во что бы то ни стало вернуться в Европу. Он зашел взглянуть на Этель — хрупкая и прелестная, она лежала в постели, окруженная туземками,— и окончательно утвердился в своем решении. Если он увезет ее к себе на родину, она будет принадлежать ему безраздельно. Он любил ее так страстно, он так хотел, чтобы она слилась с ним душою и телом, а между тем он понимал, что она глубоко вросла корнями в туземную жизнь, и потому здесь в ней всегда будет нечто скрытое, непостижимое для него.

Не говоря никому ни слова (ему почему-то хотелось сохранить все это в тайне), он написал своему родственнику, совладельцу торговой фирмы в Абердине, что здоровье его (из-за которого он, подобно многим другим, уехал на острова) стало гораздо лучше, и потому ничто не мешает ему вернуться в Европу. Он просил родственника употребить все свое влияние, чтобы достать ему место, хотя бы и низкооплачиваемое, в долине реки Ди, где климат особенно хорош для легочных больных. Письма из Абердина на Самоа идут недель пять или шесть, а переписываться пришлось долго. У Лоусона было достаточно времени, чтобы подготовить Этель. Она радовалась, как ребенок. Забавно было смотреть, как она хвасталась перед друзьями, что едет в Англию,— для нее это была ступенька вверх, она там станет настоящей англичанкой; приближающийся отъезд чрезвычайно ее волновал. Наконец Лоусон получил телеграмму с предложением занять должность в Кинкэрдиншисрком банке, и Этель просто себя не помнила от восторга.

Когда длинное путешествие осталось позади и они поселились в Шотландии, в маленьком гранитном городке, Лоусон понял, как много значит для него снова очутиться среди соотечественников. Три года, проведенные в Апии, вспоминались ему как изгнание, и он со вздохом облегчения возвращался к нормальной человеческой жизни. Приятно снова играть в гольф и ловить рыбу — ловить по-настоящему, а не то, что в Тихом океане, где стоит только забросить удочку, как сразу начинаешь вытаскивать из битком набитого рыбой моря одну медлительную жирную рыбину за другой. Приятно ежедневно читать газету со свежими новостями, встречаться с мужчинами и женщинами своего круга — с людьми, с которыми можно поговорить; приятно есть свежее, не мороженое мясо и пить свежее, не консервированное молоко. Лоусоны жили гораздо уединеннее, чем в Апии, и он был счастлив, что Этель принадлежит только ему одному. После двух лет женитьбы он любил ее еще беззаветнее, чем прежде, не мог провести без нее минуты и стремился к все более тесной близости. Но — странное дело — после радостного волнения, связанного с переездом, Этель как будто гораздо меньше интересовалась новой жизнью, чем он ожидал. Она никак не могла привыкнуть к чуждой ей обстановке, казалась вялой и апатичной. Когда пышная осень сменилась мрачной зимой, Этель стала жаловаться на холод. Полдня она проводила в постели, потом лежала на диване, иногда читала романы, но большей частью ничего не делала. Вид у нее был подавленный и несчастный.

— Не огорчайся, детка,— говорил он.— Ты скоро привыкнешь. Подожди, пока наступит лето. Здесь бывает почти так же жарко, как в Апии.

Сам он уже много лет не чувствовал себя таким здоровым и крепким.

Небрежность, с какой Этель вела хозяйство, не имела значения на Самоа, но здесь была совершенно неуместной. Лоусону не хотелось, чтобы гости замечали беспорядок в доме, и он со смехом и с мягкими упреками по адресу Этель сам принимался за уборку. Этель лениво следила за ним. Она часами играла с сыном, болтая с ним на своем родном языке. Чтобы развлечь ее, Лоусон старался подружиться с соседями, и они часто бывали на вечеринках, где дамы пели романсы, а добродушные мужчины молча радовались, глядя на них. Этель робела и всегда сидела в стороне. Иногда, охваченный внезапным беспокойством, Лоусон спрашивал, счастлива ли она.

— Да, я совершенно счастлива,— отвечала Этель.

Но взор ее омрачала какая-то мысль, которой он не мог разгадать. Она настолько ушла в себя, что ему казалось, будто он знает о ней не больше, чем в тот день, когда впервые увидел, как она купается в заводи. У него все время было неприятное чувство, как будто она что-то от него скрывает, и это чувство мучило его, потому что он ее боготворил.

— Ты не скучаешь по Апии?— спросил он ее однажды.

— Нет, что ты. По-моему, здесь очень хорошо.

Какое-то смутное предчувствие беды заставило его пренебрежительно отозваться об острове и его обитателях. Этель улыбнулась и ничего не ответила. Изредка она получала пачку писем с Самоа и тогда целый день ходила бледная, с застывшим лицом.

— Ничто не заставит меня вернуться туда,— сказал он как-то.— Там не место для белого человека.

Однако вскоре он стал замечать, что в его отсутствие Этель часто плачет. В Апии она была словоохотлива, много болтала о домашних делах, любила посплетничать, но теперь постепенно сделалась молчаливой и, несмотря на его старания развеселить ее, оставалась безучастной ко всему. Ему казалось, что воспоминания о прежней жизни отдаляют от него жену, и он безумно ревновал ее к острову, к морю, к Бривальду и ко всем темнокожим людям, о которых он теперь вспоминал с ужасом. Когда она говорила о Самоа, он отвечал с горечью и издевкой. Однажды — это было поздней весною, когда распускались листья на березах,— вернувшись домой вечером после партии в гольф, он увидел, что Этель не лежит по своему обыкновению на диване, а стоит у окна. По-видимому, она ожидала его возвращения. Не успел он войти в комнату, как она, к его удивлению, заговорила на самоанском языке.

— Я этого не выдержу. Я не могу здесь больше жить. Я ненавижу все это. Ненавижу.

— Да говори же ты по-человечески, Бога ради!— раздраженно бросил он.

Она подошла к нему и неловко, каким-то варварским жестом обняла его обеими руками.

— Уедем отсюда. Вернемся на Самоа. Если я останусь здесь, я умру. Я хочу домой.

В отчаянии она разразилась слезами. Гнев его сразу прошел. Усадив Этель к себе на колени, он объяснил ей, что не может бросить службу — ведь иначе им не прожить. Его место в Апии давно уже занято. Ему там нечего делать. Он пытался внушить ей, какие неудобства и унижения ожидают их на острове, какая горькая участь уготована их сыну.

— В Шотландии можно получить прекрасное образование. Здесь хорошие недорогие школы, а потом он сможет поступить в Абердинский университет. Я сделаю из него настоящего шотландца.

Они назвали сына Эндрю. Лоусон хотел, чтобы он стал врачом. Он женится на белой женщине.

— Я не стыжусь того, что в моих жилах половина туземной крови,— угрюмо проворчала Этель.

— Конечно, нет, детка. Тут нечего стыдиться.

Когда она прижималась своей мягкой щекой к его щеке, вся его твердость мгновенно улетучивалась.

— Ты не знаешь, как я люблю тебя. Я бы все на свете отдал, лишь бы ты поняла, что у меня на сердце,— говорил он и искал ее губы.

Наступило лето. Зеленая горная долина благоухала, холмы покрылись ярким ковром цветущего вереска. Один солнечный день сменялся другим, и прохладная тень берез манила путника, утомленного знойным блеском дороги. Этель больше не вспоминала Самоа, и Лоусон перестал нервничать. Он решил, что она примирилась с новой жизнью, и ему казалось, что его страстная любовь не оставляет в ее сердце места для тоски. Но однажды его окликнул на улице местный врач.

— Послушайте, Лоусон, зачем вы позволяете своей жене купаться в наших горных речках? Тут вам не Тихий океан.

Лоусон очень удивился и не сумел этого скрыть.

— Я не знал, что она купается.

Врач засмеялся.

— Ее видело множество народа. Об этом болтают все, ведь этот затон близ моста — довольно-таки неподходящее место для купанья, и к тому же купаться там запрещено. Но не в этом дело. Я не понимаю, как она может купаться в такой холодной воде.

Лоусон знал затон, о котором говорил доктор, и ему вдруг пришло в голову, что он чем-то напоминает заводь на Уполу, где Этель любила купаться по вечерам. Извилистая прозрачная речка, весело журча, бежала между скал, образуя чуть повыше моста спокойный глубокий заливчик с небольшим песчаным пляжем. Затон осеняли большие деревья, только это были не кокосовые пальмы, а буки, и лучи солнца, пробиваясь сквозь густую листву, искрились на водной глади. Лоусон содрогнулся. Он представил себе, как Этель каждый день приходит к затону, раздевается на берегу, погружается в воду — гораздо более холодную, чем вода в родной заводи,— и ее на мгновение охватывают воспоминания о прошлом. Он снова увидел в ней сказочного духа реки, и он никак не мог понять, почему проточная вода с такой силой влечет ее к себе. В тот же вечер он отправился на реку. Он осторожно пробирался меж деревьев, и поросшая травою тропинка заглушала его шаги. Вскоре перед ним открылся затон. Этель сидела на берегу и глядела на воду. Она сидела очень тихо. Казалось, река неотвратимо притягивает ее к себе. Наконец она встала и на мгновение скрылась из виду. Потом он увидел ее снова. В свободном широком платье, легко ступая по мху босыми ногами, она подошла к реке, бесшумно скользнула в воду и медленно поплыла. Казалось, это плывет не женщина, а какая-то сказочная фея. Он не мог понять, почему это зрелище так бередит ему душу. Он подождал, пока она выбралась на берег. Мокрое платье плотно облегало ее тело. Постояв так с минуту, она медленно провела руками по груди, вздохнула легко и радостно и скрылась из виду. Лоусон повернулся и пошел обратно в поселок. Острая боль пронзила ему сердце — он понял, что Этель по-прежнему для него чужая и что его ненасытная страсть навсегда останется неудовлетворенной.

Он ни словом не обмолвился о том, что видел. Он вел себя так, будто ничего не случилось, но с любопытством поглядывал на жену, стараясь понять, что у нее на уме. Он стал относиться к ней еще нежнее, словно надеялся своей страстной любовью заглушить глубокую тоску в ее сердце.

И вот однажды, вернувшись домой со службы, он, к своему удивлению, не застал ее дома.

— Где миссис Лоусон?— спросил он служанку.

— Она уехала с мальчиком в Абердин, сэр,— отвечала служанка, слегка озадаченная вопросом.— Велела передать, что вернется с последним поездом.

— Ну что ж, прекрасно.

Ему было досадно, что Этель не предупредила его о поездке, но он не беспокоился — она в последнее время часто ездила в Абердин. Он даже обрадовался, что она походит по магазинам и, быть может, успеет побывать в кино. Он отправился встречать последний поезд, но она не приехала, и тут он вдруг испугался. Войдя в спальню, он сразу увидел, что на туалете ничего нет. Он открыл платяной шкаф, выдвинул ящики комода. Они были наполовину пусты. Этель сбежала.

Лоусон пришел в ярость. Было уже поздно звонить в Абердин и наводить справки, но он и так понял, что произошло. С дьявольской хитростью Этель выбрала время, когда в банке готовили годовой отчет и он не мог за нею погнаться. Служба связывала его по рукам и ногам. В газете он прочел, что на следующее утро уходит пароход в Австралию. Сейчас она уже едет в Лондон. Из его горла вырвались рыдания.

— Я сделал для нее все на свете,— кричал он,— а у нее хватило совести так поступить со мною! Как это жестоко, как невероятно жестоко!

В ужасной тоске прошло два дня. Наконец он получил письмо, написанное ее ученическим почерком. Писание всегда давалось ей с трудом.

«Милый Берти. Я не могла больше выдержать. Я возвращаюсь домой. Прощай. Этель».

Ни слова сожаления. Она даже не звала его с собою. Лоусон был убит горем. Он узнал, где будет первая остановка парохода, и, хотя отлично понимал, что она не приедет, отправил телеграмму, умоляя ее вернуться. В страшном волнении он ждал, что она пришлет ему хотя бы слово привета, но она даже не ответила. Один приступ отчаяния сменялся другим. Он то радовался, что наконец от нее избавился, то решал, что не даст ей денег и таким образом заставит вернуться. Он чувствовал себя одиноким и несчастным. Он тосковал по ней и по ребенку. Он понимал: как бы он ни обманывал себя, ему остается лишь одно — последовать за ней. Он не мог больше жить без нее. Все его планы на будущее рухнули, словно карточный домик, и он со злобным нетерпением отбросил их прочь. Ему не было дела до того, что станется с ним, его интересовало лишь одно — вернуть Этель. При первой же возможности он поехал в Абердин и заявил управляющему банком, что немедленно уходит со службы. Управляющий возмутился, сказал, что не может отпустить его так скоро. Лоусон не желал ничего слушать. Он решил во что бы то ни стало освободиться до отплытия следующего парохода и успокоился только тогда, когда продал все свое имущество и взошел на борт. До этой минуты все, кто сталкивался с ним, подозревали, что он не в своем уме. Перед тем как покинуть Англию, он послал на Самоа телеграмму, извещавшую Этель о том, что он выезжает к ней.

Вторую телеграмму Лоусон отправил из Сиднея, и, когда ранним утром пароход наконец подошел к Апии и он увидел белые домики, в беспорядке разбросанные по берегу, он почувствовал огромное облегчение. На борт поднялись врач и таможенный чиновник. Это были старые знакомые, и он рад был их видеть. Они выпили — по старой привычке и еще потому, что он страшно волновался. Он не был уверен, что Этель ему обрадуется. Он сел в шлюпку и, подъезжая к пристани, с беспокойством оглядывал кучку встречавших. Этель не было, и у него сжалось сердце. Однако вскоре он увидел старый синий комбинезон Бривальда и проникся теплым чувством к старику.

— Где Этель?— спросил он, спрыгнув на берег.

— В бунгало. Она теперь живет у нас.

Лоусон огорчился, но сделал веселое лицо.

— Вы сможете меня приютить? Пройдет, наверное, недели две, пока мы устроимся.

— Да, пожалуй, мы можем потесниться.

Пройдя через таможню, они зашли в гостиницу, и там Лоусона приветствовали его старые знакомые. Прежде чем удалось оттуда уйти, пришлось порядочно выпить, и, когда они наконец выбрались из гостиницы и направились к дому Бривальда, оба были сильно навеселе. Лоусон заключил Этель в объятия. При виде ее он забыл все свои горькие мысли. Теща была рада его видеть, старуха — бабка Этель — тоже; пришли туземцы и метисы и уселись вокруг, глядя на него сияющими глазами. Бривальд принес бутылку виски, и все выпили по глотку. С Лоусона сняли европейскую одежду, и он сидел голый, держа на коленях своего темнокожего ребенка. Этель в широком платье сидела рядом. Он чувствовал себя как возвративший ся блудный сын. Вечером он снова пошел в гостиницу и вернулся оттуда уже не навеселе, а совершенно пьяный. Этель и ее мать знали, что белые мужчины время от времени напиваются — от них следует этого ожидать. Добродушно посмеиваясь, они уложили его в постель.

Через несколько дней Лоусон начал искать работу. Он знал, что ему не приходится рассчитывать на место, подобное тому, какое он занимал до отъезда в Англию, но свой опыт он может применить в какой-нибудь торговой фирме, и от этого, пожалуй, даже выиграет.

— В конце концов в банке капитала не наживешь,— сказал он.— Торговля — дело другое.

Он надеялся вскоре сделаться настолько незаменимым, что кто-нибудь возьмет его в компаньоны, и тогда ничто не помешает ему через несколько лет разбогатеть.

— Как только я устроюсь, мы найдем себе домик,— сказал он Этель.— Нельзя же все время жить здесь.

В тесном бунгало Бривальда все сидели друг на друге, и Лоусон никогда не мог остаться вдвоем с Этель. Везде толкались люди, и не было ни минуты покоя.

— Впрочем, поживем здесь, пока не найдем того, что надо. Торопиться некуда.

Через неделю он устроился в фирму некоего Бейна. Но когда он заговорил с Этель о переезде, она сказала, что хочет остаться на старом месте до родов. Она ждала второго ребенка. Лоусон попытался ее уговорить.

— Если тебе здесь не нравится, живи в гостинице,— заявила она.

Он внезапно побледнел.

— Этель, как ты можешь предлагать мне это?

Она пожала плечами.

— Зачем нам свой дом, когда можно жить здесь?

Он уступил.

Теперь, когда Лоусон возвращался после работы в бунгало, там было полно туземцев. Они курили, пили каву, спали или без умолку болтали. В доме было грязно и не прибрано. Его сын ползал по комнатам, играл с туземными детьми и слышал одну только самоанскую речь. У Лоусона вошло в привычку по дороге домой заходить в гостиницу и пропускать пару коктейлей, ибо, не подкрепившись спиртным, он не находил в себе сил провести долгий вечер в обществе добродушных туземцев. И все время — несмотря на то, что он любил Этель более страстно, чем когда-либо,— он чувствовал, что она ускользает от него. Когда родился ребенок, он предложил Этель переехать в свой дом, но она отказалась. После пребывания в Шотландии она с какой-то неистовой страстью привязалась к своему народу и самозабвенно предалась туземным обычаям. Лоусон стал пить еще больше. Каждую субботу он ходил в Английский клуб и напивался до потери сознания.

В пьяном виде он становился сварливым и однажды крупно повздорил со своим хозяином. Бейн выгнал его, и ему пришлось искать себе другое место. Недели две или три он не работал и, чтобы не оставаться дома, сидел в гостинице или в Английском клубе и пил. Миллер, американец немецкого происхождения, взял его к себе в контору из чистой жалости. Однако он был человек практичный и, несмотря на то, что Лоусон обладал большим опытом в финансовом деле, без всяких колебаний предложил ему более низкое жалованье, чем тот получал на прежнем месте, зная, что обстоятельства заставят Лоусона согласиться. Этель и Бривальд ругали его за это, потому что Педерсен, метис, предлагал ему больше. Но Лоусон и слышать не хотел о том, чтобы подчиняться метису. Когда Этель начала ворчать, он в ярости выпалил:

— Я скорее сдохну, чем стану работать на черномазого.

— Не зарекайся,— отвечала она.

И через полгода он вынужден был пойти на это последнее унижение. Страсть к спиртному постепенно брала над ним верх, он часто напивался и небрежно исполнял свои обязанности. Миллер не раз предупреждал его, но Лоусон был не такой человек, чтобы спокойно выслушивать замечания. В один прекрасный день в разгар перебранки он надел шляпу и ушел. К этому времени его репутация была уже всем известна, и никто не хотел нанимать его на службу.

Некоторое время он слонялся без дела, а потом его свалил приступ белой горячки. Придя в себя, пристыженный и больной, он не мог больше противостоять беспрерывному нажиму и отправился просить места у Педерсена. Педерсен был рад иметь в своей конторе европейца, к тому же познания в бухгалтерии делали Лоусона очень полезным работником.

С этого времени Лоусон быстро покатился по наклонной плоскости. Европейцы обращались с ним подчеркнуто холодно. Окончательно прекратить с ним всякое знакомство им мешала только презрительная жалость да еще страх перед его пьяным гневом. Он стал страшно обидчив и то и дело воображал, будто его хотят оскорбить.

Лоусон жил теперь постоянно среди туземцев и метисов, но уже не пользовался престижем европейца. Туземцы чувствовали его отвращение к ним, и их злило, что он все время подчеркивает свое превосходство. Теперь он ничем не отличался от них, и они никак не могли понять, чего ради он чванится. Бривальд, прежде услужливый и подобострастный, теперь всячески выказывал ему свое презрение: Этель прогадала. Начались безобразные сцены, и несколько раз дело доходило до драки. Когда завязывалась ссора, Этель становилась на сторону своих родных. Они предпочитали, чтобы Лоусон напивался: пьяный, он лежал на кровати или на полу и спал тяжелым сном.

Вскоре он почувствовал, что от него что-то скрывают.

Когда он возвращался в бунгало, чтобы съесть жалкий ужин, наполовину состоявший из туземных блюд, Этель часто не бывало дома. Если он спрашивал о ней, Бривальд отвечал, что она ушла в гости к подруге. Однажды он пошел за нею в тот дом, куда, по словам Бривальда, она отправилась, но ее там не оказалось. Когда Этель вернулась, Лоусон спросил, где она была, и она ответила, что отец ошибся — она ходила к другой подруге. Но Лоусон знал, что она говорит неправду. В нарядном платье, с сияющими глазами, она была очень хороша.

— Ты, моя милая, эти штучки брось, а не то я тебе все косточки переломаю,— сказал он.

— Пьяная скотина,— с презрением отвечала Этель.

Ему показалось, что миссис Бривальд и старуха бабка бросают на него хитрые взгляды, а необычное дружелюбие Бривальда он объяснял тем, что тесть радуется случаю над ним посмеяться. Подозрительность его все росла, и он вообразил, будто европейцы с любопытством на него поглядывают. Когда он появлялся в холле гостиницы, внезапное молчание, воцарявшееся в обществе, убеждало его в том, что он был предметом разговора. Что-то происходит, и об этом знают все, кроме него. Лоусона охватила бешеная ревность. Он решил, что у Этель роман с кем-то из европейцев, и принялся внимательно изучать одного за другим, но не обнаружил ничего, что могло бы дать хоть какую-нибудь нить. Он был совершенно беспомощен. Не зная, кого подозревать, он с маниакальным упорством искал, на ком бы выместить свою ярость. Однажды вечером, когда он одиноко сидел в холле гостиницы, к нему подсел Чаплин. Чаплин был, пожалуй, единственным человеком на всем острове, кто питал к нему симпатию. Они заказали вина и некоторое время болтали о предстоящих скачках. Потом Чаплин сказал:

— Придется раскошеливаться на новые наряды.

Лоусон усмехнулся. Миссис Чаплин сама распоряжалась деньгами, и потому, если ей вздумается по случаю этого события сшить себе новое платье, она вряд ли станет просить денег у мужа.

— Как ваша хозяюшка?— любезно спросил Чаплин.

— А вам-то что?— сказал Лоусон, нахмурив свои черные брови.

— Я просто из вежливости спросил.

— Оставьте свою вежливость при себе.

Чаплин был не слишком сдержан. Долгое пребывание в тропиках, общение с бутылкой и собственные семейные дела сделали его не менее вспыльчивым, чем Лоусон.

— Послушайте, любезный, когда вы находитесь в моей гостинице, извольте вести себя как подобает порядочному человеку, а не то и оглянуться не успеете, как я вышвырну вас на улицу.

Мрачное лицо Лоусона потемнело и залилось краской.

— Говорю вам раз и навсегда и можете передать всем своим приятелям,— проговорил он, задыхаясь от ярости.— Если кто-нибудь из вас посмеет приставать к моей жене, пускай пеняет на себя.

— Кто это, по-вашему, собирается приставать к вашей жене?

— Я не так глуп, как вы воображаете. Я не хуже других разбираюсь, что к чему, и просто хочу вас предупредить, вот и все. Я никаких фокусов не допущу, так и знайте.

— Убирайтесь-ка вы отсюда и не возвращайтесь, покуда не протрезвитесь.

— Я уберусь, когда захочу, и ни на минуту раньше,— отвечал Лоусон.

Хвастал он совершенно зря, ибо Чаплин за то время, что он был хозяином гостиницы, приобрел незаурядный навык в обращении с господами, отсутствие которых он предпочитал их обществу. Едва Лоусон произнес эти слова, как Чаплин схватил его за шиворот и вытолкал из холла. Спотыкаясь по ступенькам, он вылетел на залитую ослепительным солнечным светом улицу.

Именно после этого случая и произошла первая безобразная сцена с Этель. Глубоко униженный, Лоусон не хотел возвращаться в гостиницу и в этот вечер пришел домой раньше обыкновенного. Этель собиралась уходить. Обычно она лежала на кровати босая, в широком белом платье, с цветком в черных волосах; теперь же, стоя перед зеркалом в белых шелковых чулках и в туфлях на высоких каблуках, она надевала новое платье из розовой кисеи.

— У тебя очень шикарный вид,— сказал он.— Ты куда?

— К Кросли.

— Я пойду с тобой.

— Зачем?— холодно спросила она.

— Не хочу, чтоб ты вечно шаталась одна.

— Тебя не приглашали.

— Наплевать. Ты без меня никуда не пойдешь.

— Ладно, полежи, пока я оденусь.

Она думала, что муж пьян, и стоит ему лечь, как он сразу же уснет. Но он уселся в кресло и закурил. Этель следила за ним с растущим раздражением. Когда она кончила одеваться, он встал. Против обыкновения, в бунгало никого не было. Бривальд работал на плантации, а его жена ушла в Апию. Этель посмотрела Лоусону в лицо.

— Никуда я с тобой не пойду. Ты пьян.

— Неправда. Ты без меня не уйдешь.

Она пожала плечами и хотела пройти, но он схватил ее за руку.

— Пусти, дьявол,— сказала она по-самоански.

— Почему ты хочешь уйти без меня? Ведь я сказал тебе, что не потерплю никаких фокусов.

Она ударила его кулаком по лицу. Лоусон потерял всякую власть над собой. Вся его любовь, вся ненависть волной поднялись в нем, он был вне себя.

— Я тебе покажу! — кричал он.— Я тебе покажу!

Он схватил попавшийся под руку хлыст и ударил Этель. Она вскрикнула. Ее крик довел его до такого безумия, что он ударил ее еще и еще раз. Бунгало наполнилось воплями. Лоусон продолжал избивать жену, осыпая ее проклятьями. Потом он бросил ее на кровать. Она лежала, всхлипывая от боли и страха. Он отшвырнул хлыст и выбежал из комнаты. Услышав, что он ушел, Этель перестала плакать. Она осторожно огляделась и поднялась с постели. Ей было даже не очень больно, и она стала смотреть, не разорвалось ли платье. Туземные женщины привыкли к побоям. Поступок Лоусона нисколько не возмутил Этель. Когда она смотрела на себя в зеркало и приводила в порядок прическу, глаза ее сияли. В них появилось какое-то странное выражение. Быть может, именно в эту минуту она впервые испытала к нему нечто вроде любви.

Тем временем Лоусон, точно безумный, не разбирая дороги, спотыкаясь, брел по плантации. Внезапно обессилев, слабый, как ребенок, он бросился на землю у подножия высокого дерева. Он чувствовал себя опозоренным и несчастным. Он подумал об Этель, и нежная любовь к ней, казалось, размягчила в нем все кости. Лоусон вспомнил прошлое, вспомнил свои надежды и ужаснулся тому, что сделал. Он никогда еще не желал ее так страстно. Он хотел обнять ее. Он должен немедленно пойти к ней. Он встал и, шатаясь от слабости, пошел в дом. Этель сидела перед зеркалом в их тесной спальне.

— Прости меня, Этель. Мне так стыдно. Я сам не знал, что делаю.

Он упал перед нею на колени и стал робко гладить подол ее платья.

— Мне страшно подумать, что я наделал. Это отвратительно. Я, наверное, лишился рассудка. Я люблю тебя больше всего на свете. Я готов все сделать, чтобы избавить тебя от страданий, а теперь я причинил тебе такую боль. Я никогда не прощу себе этого, но, ради Бога, скажи, что ты меня простила.

Он все еще слышал ее крики. Это было невыносимо. Этель молча смотрела на него. Он попытался взять ее за руку, и из его глаз полились слезы. Он униженно уткнулся лицом в ее колени, его слабое тело содрогалось от рыданий. На лице Этель выразилось глубочайшее отвращение. Как всякая туземка, она презирала мужчину, способного унижаться перед женщиной. Слабая тварь! А она чуть не подумала, будто в нем все-таки что-то есть. Он ползает перед ней, как собачонка. Этель с презрением толкнула его ногой.

— Убирайся,— сказала она.— Я тебя ненавижу.

Он старался удержать ее, но она оттолкнула его, встала и начала снимать платье. Она сбросила туфли, сняла чулки и накинула старый балахон.

— Куда ты идешь?

— А тебе какое дело? Я иду к заводи.

— Позволь мне пойти с тобой.

Он клянчил, как маленький ребенок.

— Неужели ты хочешь лишить меня даже этого?

Горько плача, Лоусон закрыл лицо руками, а Этель погляде́ла на него холодным взором и вышла из дому.

С этого дня она не выказывала к нему ничего, кроме презрения. Несмотря на то, что он, Этель с двумя детьми, Бривальд, его жена и ее мать, а также какие-то дальние родственники и прихлебатели, вечно толкавшиеся в доме, жили буквально на головах друг у друга, Лоусона, с которым теперь никто не считался, просто не замечали. Он уходил из дому утром после завтрака и возвращался только ужинать. Он перестал бороться и, когда у него не было денег, чтобы пойти в Английский клуб, проводил вечер дома, играя в карты с Бривальдом и туземцами. Если он не напивался, то бывал запуган и апатичен. Этель обращалась с ним, как с собакой. Порою она покорялась вспышкам его бешеной страсти и очень боялась приступов злобы, которые за ними следовали; но, когда он начинал униженно перед нею извиняться и хныкать, она испытывала к нему такое презрение, что готова была плюнуть ему в лицо. Иногда Лоусон затевал драку, но теперь Этель была готова к отпору и, когда он бил ее, пинала его ногами, кусалась и царапалась. Между ними происходили страшные потасовки, из которых он не всегда выходил победителем. Очень скоро всей Апии стало известно, что они на ножах. Лоусону никто не сочувствовал, а в гостинице все удивлялись, почему Бривальд до сих пор не выгнал его из дому.

— Бривальд — довольно гнусный тип,— сказал кто-то.— Я нисколько не удивлюсь, если он в один прекрасный день пристрелит Лоусона.

Вечерами Этель все еще ходила купаться в тихой заводи. Казалось, ее притягивает туда какая-то неземная сила — нечто подобное могла бы испытывать к соленым морским волнам русалка, наделенная человеческой душой. Иногда Лоусон следовал за ней. Не знаю, что влекло его туда, потому что его присутствие явно раздражало Этель. Быть может, он надеялся вновь обрести тот чистый восторг, которым наполнилось его сердце, когда он увидел ее в первый раз; а быть может, с безумием безнадежно влюбленного он рассчитывал своим упорством разбудить в ней ответное чувство. Однажды Лоусон пришел к заводи и внезапно — теперь это случалось с ним редко — почувствовал себя в ладу со всем миром. Спускался вечер, и сумерки, словно прозрачное облачко, прильнули к листьям кокосовых пальм. Легкий ветерок бесшумно шевелил их кроны. Над вершинами деревьев повис узкий серп луны. Лоусон подошел к берегу и увидел, что Этель с распущенными волосами плывет на спине, а в руках у нее большая красная мальва. Он на мгновение остановился, восхищенный. Она напомнила ему Офелию.

— Хэлло, Этель! — весело крикнул Лоусон.

Этель вздрогнула и упустила цветок. Он лениво поплыл прочь. Она нащупала ногами дно и встала.

— Уходи,— сказала она.— Уходи.

Он засмеялся.

— Не будь эгоисткой. Здесь хватит места на двоих.

— Почему ты не можешь оставить меня в покое? Я хочу побыть одна.

— К черту все это, я хочу выкупаться,— добродушно отвечал он.

— Ступай к мосту. Мне и без тебя хорошо.

— Очень жаль,— сказал он, все еще улыбаясь.

Он ничуть не сердился, он даже не заметил, что она в ярости, и принялся снимать куртку.

— Уходи! — крикнула она.— Не хочу я, чтобы ты был здесь. Неужели ты и этого не можешь мне оставить? Уходи.

— Не дури, детка.

Этель нагнулась, подняла с земли острый камень и запустила в мужа. Лоусон не успел увернуться, и камень попал ему в висок. Он вскрикнул и приложил руку к голове. Рука стала мокрой от крови. Этель молчала, задыхаясь от злобы. Лоусон побледнел. Он молча взял свою куртку и ушел. Этель снова опустилась в воду, и течение медленно понесло ее к запруде.

От камня на виске у Лоусона образовалась рваная рана, и несколько дней он ходил с забинтованной головой. На случай, если в клубе спросят, что с ним такое, он придумал целую историю, но ему не пришлось ее рассказывать — никто и словом не обмолвился о происшествии. Он замечал, что на него украдкой бросают взгляды, но никто ничего не говорил.

Молчание могло означать только одно — им известно, откуда у него рана. Теперь Лоусон окончательно убедился, что у Этель есть любовник и что все про это знают, но не мог напасть на след. Он ни разу ни с кем не видел Этель, никто не искал ее общества, никто не обращался с ним так, чтобы это могло вызвать у него подозрение. Лоусона охватила неистовая ярость, но излить ее было не на кого, и потому он стал пить еще больше. Незадолго до моего приезда на остров у него был второй приступ белой горячки.

Я встретил Этель в доме человека по имени Кастер — он жил в двух или трех милях от Апии с женой-туземкой. Я играл с ним в теннис, и, когда мы оба устали, он предложил выпить чаю. Войдя в дом, мы увидели в неприбранной гостиной Этель: она сидела и болтала с миссис Кастер.

— Хэлло, Этель,— сказал Кастер.— Я и не знал, что вы здесь.

Я с любопытством посмотрел на Этель. Я пытался понять, что могло возбудить в Лоусоне такую испепеляющую страсть. Но разве это можно объяснить? Этель и правда была прелестна, она напоминала цветок мальвы, которую на островах сажают в виде живой изгороди. Как и в мальве, в ней было много грации, томности и страсти, но больше всего удивили меня — принимая во внимание всю историю, о которой мне уже тогда было многое известно,— ее свежесть и простота. Она держалась спокойно и слегка застенчиво. В ней не было ничего грубого и вульгарного, она не отличалась экспансивностью, свойственной женщинам смешанной крови, и просто не верилось, что это сварливая баба, участница безобразных семейных сцен, о которых теперь уже все знали. В красивом розовом платье и туфлях на высоких каблуках Этель выглядела совсем по-европейски. Трудно было представить себе, что за этой внешностью скрывается пристрастие к неприглядному образу жизни туземцев. В ней не было и намека на интеллект, и я ничуть не удивился бы, узнав, что человек, проживший с ней некоторое время, в один прекрасный день почувствовал, как страсть, которая влекла его к ней, сменяется скукой. Мне пришло в голову, что она неуловима — словно мысль, которая мелькает в мозгу и тут же исчезает, не успев облечься в слова, и что именно в этом и состоит ее обаяние; но, быть может, то была всего лишь игра воображения, и, если бы я ничего про нее не знал, я увидел бы в ней просто хорошенькую метиску, и ничего больше.

Этель болтала со мною о том, о чем обычно говорят с иностранцами на Самоа: спрашивала, как прошло путешествие, спускался ли я по порогам Папасиа и собираюсь ли побывать в туземной деревне. Она рассказывала о Шотландии, и мне показалось, будто она склонна преувеличивать роскошь своей тамошней жизни. Она наивно интересовалась, не знаю ли я миссис такую-то и такую-то, с которыми она была знакома, когда жила на севере.

Потом появился толстяк Миллер, американец немецкого происхождения. Он дружески пожал всем руки, уселся за стол и громким, веселым голосом попросил виски с содовой. Он был очень толст и все время обливался потом. Он снял золотые очки, протер их, и тут стало видно, что его глазки, казавшиеся такими благодушными под большими круглыми стеклами, на самом деле хитры и проницательны. До прихода Миллера было скучновато, но он оказался веселым малым и хорошим рассказчиком. Вскоре обе женщины — Этель и жена моего приятеля — до слез смеялись его остротам. Миллер слыл на острове дамским угодником, и я убедился, что этот толстый, грубый старый урод все еще может нравиться женщинам. Юмор его был на том же уровне, что и мыслительные способности слушателей, все дело заключалось в живости и самоуверенности, а акцент уроженца американского Запада придавал особый колорит его рассказам.

Наконец Миллер обратился ко мне:

— Однако, если мы хотим попасть к обеду, нам пора ехать. Если желаете, я подвезу вас на своей машине.

Я поблагодарил и встал. Пожав всем руки, Миллер вышел из комнаты тяжелой походкой сильного человека и уселся в свой автомобиль.

— Хорошенькая девочка жена Лоусона,— заметил я по дороге.

— Он скверно обращается с ней. Бьет. Не могу спокойно слышать, что мужчина бьет женщину.

Проехав еще немного, Миллер сказал:

— Он глупо сделал, что женился на ней. Я и тогда это говорил. Если б он на ней не женился, он бы делал с ней что хотел. Он ничтожество, просто ничтожество.

Был конец года, приближался день моего отъезда с острова. Мой пароход отходил в Сидней 4 января. Рождество в гостинице отпраздновали с приличествующими случаю церемониями, но оно считалось всего лишь репетицией к Новому году, а уж Новый год завсегдатаи гостиницы решили отметить как полагается. Был устроен шумный обед, после чего компания отправилась играть на бильярде в Английский клуб, помещавшийся в простом деревянном домике. Гости много болтали, смеялись, без конца бились об заклад, но играли все очень плохо, за исключением Миллера. Он выпил не меньше остальных и, несмотря на то, что все были моложе его, единственный из всей компании сохранил верный глаз и твердую руку. Любезно подшучивая над молодыми людьми, он клал себе в карман их деньги. Через час мне это надоело. Я вышел на улицу, пересек дорогу и отправился на пляж. Там росли три кокосовые пальмы. Как три лунные девы, стояли они на берегу, ожидая, когда из волн морских выйдут их возлюбленные. Я сел у подножия пальмы и стал смотреть на лагуну и на звездное ночное небо.

Не знаю, где Лоусон провел весь вечер, но только между десятью и одиннадцатью он явился в клуб. Скучный и унылый, тащился он по пыльной пустынной дороге, а добравшись до клуба, решил зайти в бар и, прежде чем идти в бильярдную, выпить в одиночестве рюмку виски. Последнее время он робел в обществе европейцев, и для храбрости ему необходимо было напиться. Когда он стоял со стаканом в руке, к нему подошел Миллер. Миллер был без пиджака и все еще держал в руке кий. Он подмигнул буфетчику.

— Выйди на минутку, Джек,— сказал он.

Туземец-буфетчик, одетый в белую куртку и красные лава-лава, молча выскользнул из маленькой комнаты.

— Послушайте, Лоусон, я хочу сказать вам пару слов,— произнес огромный американец.

— Ну что ж, на нашем проклятом острове хоть это можно сделать бесплатно.

Миллер поправил на носу очки и холодным решительным взглядом уставился на Лоусона.

— Послушайте, молодой человек. Говорят, вы снова били миссис Лоусон. Я больше не намерен это допускать. Если вы теперь же не образумитесь, я вам все ваши грязные косточки переломаю.

Тут Лоусона осенило: наконец-то он нашел того, кого так долго искал. Это Миллер. Когда он представил себе этого старого лысого толстяка с круглой безволосой физиономией, с двойным подбородком, в золотых очках, с хитрым благодушным взором, словно у отступника-пастора, рядом с девически стройной Этель, его охватил ужас. Лоусон мог быть кем угодно, но трусом он не был. Вместо ответа он с яростью кинулся на Миллера. Миллер мгновенно отвел удар левой рукой, в которой держал кий, а потом изо всех сил размахнулся правой и ударил Лоусона кулаком по уху. Лоусон был на четыре дюйма ниже американца, он никогда не отличался крепким сложением и к тому же обессилел от болезни, расслабляющего тропического климата и от пьянства. Он упал и остался лежать возле буфетной стойки. Миллер снял очки и протер их носовым платком.

— Надеюсь, вам теперь ясно, чего следует ожидать. Я вас предупредил и советую вам зарубить это себе на носу.

Он поднял с пола кий и вернулся в бильярдную. Там стоял такой шум, что никто ничего не слышал. Лоусон встал, пощупал рукой ухо, в котором все еще гудело, и, крадучись, вышел из клуба.

Я увидел, что кто-то переходит улицу — во мраке ночи передо мною мелькнуло белое пятно,— но кто это, я не разобрал. Человек направился к пляжу, прошел мимо пальмы, под которой я сидел, и посмотрел на меня. Тогда я узнал Лоусона, но подумал, что он наверняка пьян, и промолчал. Лоусон двинулся дальше, нерешительно прошел еще несколько шагов и повернул назад. Подойдя ко мне, он наклонился и заглянул мне в лицо.

— Я так и знал, что это вы,— сказал он.

Он сел и вынул из кармана трубку.

— В клубе очень жарко и душно,— заметил я.

— Почему вы здесь сидите?

— Жду, когда начнется ночная служба в соборе.

— Если хотите, я пойду с вами.

Лоусон был совершенно трезв. Некоторое время мы молча курили. Иногда с залива доносился всплеск какой-нибудь большой рыбы, а немного поодаль, возле прохода в рифе, виден был огонь шхуны.

— Вы на той неделе уезжаете?— спросил Лоусон.

— Да.

— Хорошо бы снова вернуться домой. Но мне теперь этого не выдержать. Там слишком холодно.

— Трудно представить себе, что в Англии сейчас люди дрожат от холода, сидя у камина.

Было совсем тихо. Напоенная ароматом волшебная ночь застыла над лагуной. На мне была лишь тонкая рубашка и полотняные брюки. Наслаждаясь прелестью ночи, я лениво растянулся на песке.

— В такую новогоднюю ночь что-то не тянет принимать важные решения на будущее,— промолвил я с улыбкой.

Лоусон ничего не ответил. Не знаю, какие мысли разбудило в нем мое случайное замечание, но только вскоре он заговорил. Говорил он тихо, без всякого выражения, но речь его была правильной, и после гнусавого выговора и вульгарных интонаций, которые в последнее время оскорбляли мне ухо, слушать его было приятно.

— Я попал в скверную историю. Это ясно как день. Я лежу на самом дне пропасти, и мне оттуда не выбраться. «Как в адской мгле, в земном краю...»— Я почувствовал, что он улыбнулся, произнося эту цитату.— И ведь вот что удивительно: я никак не пойму, с чего все началось.

Я затаил дыхание: никогда я не испытываю большего благоговения, чем в те минуты, когда передо мною раскрывают душу. Тогда становится совершенно ясно, что до какого бы ничтожества и унижения ни дошел человек, в нем всегда остается нечто, вызывающее сострадание.

— Я не чувствовал бы себя так скверно, если бы видел, что во всем виноват только я один. Я пью, это правда, но я не стал бы пить, если бы все было иначе. Я никогда не питал пристрастия к спиртному. Наверное, мне не надо было жениться на Этель. Если бы я просто жил с ней, все было бы в порядке. Но я так любил ее...— Голос его сорвался.— Она неплохая женщина, нет. Мне просто не повезло. Мы могли бы быть счастливы, как боги. Когда она сбежала, мне надо было оставить ее в покое, но я не мог — я был без памяти влюблен в нее тогда. Да еще ребенок...

— Вы любите сына?— спросил я.

— Любил. Их теперь двое, как вам известно. Но теперь я уже не люблю их так, как прежде. Их легко можно принять за туземцев. Мне приходится разговаривать с ними по-самоански.

— Разве вы не можете начать жизнь сначала? Возьмите себя в руки и уезжайте отсюда.

— У меня нет сил. Я никуда не гожусь.

— Вы все еще любите свою жену?

— Теперь уже нет. Теперь уже нет.— Он повторил эти слова с каким-то ужасом.— У меня и этого теперь не осталось. Я человек конченый.

В соборе зазвонили колокола.

— Если вы в самом деле хотите пойти на новогоднюю службу, нам пора,— сказал я.

— Пойдемте.

Мы встали и пошли по дороге. Белый собор, обращенный фасадом к морю, имел внушительный вид, и рядом с ним протестантские часовни казались жалкими молельнями. Перед собором стояло несколько автомобилей и множество повозок, некоторые повозки выстроились вдоль стен. Люди приехали в церковь со всех концов острова, и сквозь открытые большие двери видно было, что собор переполнен. Алтарь сиял огнями. В соборе было несколько европейцев, много метисов, но большинство составляли туземцы. Все мужчины были в брюках: церковь решила, что носить лава-лава неприлично. В задних рядах возле дверей мы нашли свободные стулья и сели. Вскоре, следуя за взглядом Лоусона, я увидел, что в собор вошла Этель с большой компанией метисов. Все были очень нарядно одеты — мужчины в рубашках с высокими накрахмаленными воротничками и в начищенных башмаках, женщины в ярких шляпах. Пробираясь по проходу, Этель кивала и улыбалась знакомым. Началась служба.

Когда служба кончилась, мы с Лоусоном немного постояли в сторонке, глядя, как толпа выходит из церкви; потом он протянул мне руку.

— Спокойной ночи,— сказал он.— Желаю вам приятного путешествия.

— Но ведь мы еще увидимся до моего отъезда.

Он усмехнулся.

— Весь вопрос в том, буду ли я трезв.

Он повернулся и пошел прочь. У меня остались в памяти его огромные черные глаза — они горели диким огнем под косматыми бровями. С минуту я постоял в раздумье. Спать мне не хотелось, и я решил перед сном зайти на часок в клуб. В бильярдной уже никого не было; несколько человек играли в покер за столом в холле. Когда я вошел, Миллер поднял на меня глаза.

— Садитесь, сыграем.

— Ладно.

Я купил фишек и начал играть. Покер, безусловно, самая увлекательная игра в мире, и вместо часа я просидел за столом добрых три. Туземец-буфетчик, веселый и бодрый, несмотря на поздний час, подавал нам вино, а потом достал откуда-то окорок и большой каравай хлеба. Мы продолжали играть. Мои партнеры выпили гораздо больше, чем следовало, и безрассудно делали слишком большие ставки. Я играл скромно, не заботясь о выигрыше и не боясь проиграть, и с возрастающим интересом следил за Миллером. Вместе со всеми он пил стакан за стаканом, но при этом оставался совершенно спокойным и хладнокровным. Кучка фишек возле него все росла и росла; перед ним лежал аккуратный листок бумаги, куда он записывал суммы, которые давал взаймы неудачливым игрокам. Он любезно улыбался молодым людям, у которых отбирал деньги. Поток его шуток и анекдотов не иссякал ни на минуту, но он не пропустил ни одного прикупа, и ни один оттенок выражения на лицах игроков не ускользнул от его внимания. Наконец, тихонько и робко, словно извиняясь за непрошеное вторжение, в окна вполз рассвет. Наступило утро.

— Что ж,— произнес Миллер,— по-моему, мы встретили Новый год как полагается, по всей форме. Теперь остается хлопнуть еще по одной, а потом я забираюсь под свою москитную сетку. Не забывайте, мне уже пятьдесят, я не могу ложиться так поздно.

Мы вышли на веранду. Утро было прекрасное и свежее, лагуна блестела, как кусок разноцветного стекла. Кто-то предложил выкупаться перед сном, но купаться в лагуне никому не хотелось. Дно в ней вязкое и предательское. Автомобиль Миллера стоял у дверей, и он сказал, что отвезет нас к заводи. Мы забрались в машину и покатили по пустынной дороге. Когда мы подъехали к заводи, там, казалось, только начало рассветать. На воде лежали густые тени, и под деревьями еще таилась ночь. Мы были в отличном расположении духа. Никто не взял с собой ни купальных костюмов, ни полотенец, и я, со свойственным мне благоразумием, стал думать о том, чем мы будем вытираться. Все были легко одеты, и потому раздевание не заняло много времени.

— Я ныряю,— объявил Нельсон, судовой приказчик.

Он нырнул, вслед за ним нырнул еще кто-то, но, не добравшись до дна, тотчас всплыл на поверхность.

Вскоре из воды появился Нельсон.

— Эй, помогите мне вылезть! — крикнул он, карабкаясь на скалы.

— Что случилось?

С Нельсоном и в самом деле что-то произошло. Лицо его перекосилось от ужаса. Товарищи протянули ему руки, и он выбрался на берег.

— Там внизу кто-то стоит.

— Не валяй дурака. Ты просто пьян.

— Ну, значит, у меня белая горячка. Да только говорю вам, что там стоит человек. Я чуть не умер со страху.

Миллер с минуту смотрел на него. Маленький приказчик был бледен и дрожал всем телом.

— Пошли, Кастер,— обратился Миллер к высокому австралийцу.— Надо посмотреть, что там такое.

— Он там стоит,— повторил Нельсон.— Одетый. Он хотел меня схватить.

— Да замолчите же,— сказал Миллер.— Вы готовы?

Оба нырнули. Мы молча ждали на берегу. Нам показалось, что они пробыли под водой гораздо дольше, чем может выдержать человек. Наконец показался Кастер, а за ним Миллер. Лицо у него было такое красное, точно его вот-вот хватит удар. Они тащили что-то за собой. Кто-то спрыгнул в воду, чтобы им помочь; втроем они подтянули свою ношу к уступу и подняли на берег. И тут мы все увидели, что это Лоусон. К ногам его был привязан большой камень, завернутый в куртку.

— Он действовал наверняка,— произнес Миллер, вытирая свои близорукие глаза.

Источник вдохновения

Лишь очень немногие, вероятно, знают, как случилось, что миссис Альберт Форрестер написала «Статую Ахиллеса»; а поскольку эту книгу причислили к лучшим романам нашего времени, я смею думать, что краткий отчет об обстоятельствах, при которых она появилась на свет, будет небезынтересен для каждого серьезного литературоведа; в самом деле, если этой книге, как утверждают критики, суждена долгая жизнь, нижеследующий рассказ послужит цели более достойной, чем ненадолго развлечь скучающего читателя: будущий историк, возможно, усмотрит в нем любопытный комментарий к литературной летописи наших дней.

Все, конечно, помнят, какой огромный успех «Статуя Ахиллеса» имела у публики. Из месяца в месяц наборщики без устали набирали, а переплетчики без устали переплетали одно

«Заводь»

издание за другим; издатели как в Англии, так и в Америке едва поспевали выполнять срочные заказы книгопродавцев. Роман был немедленно переведен на все европейские языки, а недавно стало известно, что скоро его можно будет прочесть по-японски и на урду. Но сперва он печатался по частям в журналах на обоих берегах Атлантического океана, и с издателей этих журналов агент миссис Форрестер содрал сумму, которую нельзя назвать иначе как сногсшибательной. Переделанный в пьесу, он целый сезон не сходил со сцены в Нью-Йорке, и в Лондоне постановка эта будет, несомненно, иметь столь же бурный успех. Право экранизации уже продано за огромную цену. Хотя сплетники (из литературных кругов), обсуждая гонорар миссис Форрестер, наверняка преувеличивают цифру, однако можно не сомневаться, что на одной этой книге она заработает достаточно денег, чтобы безбедно прожить остаток своих дней.

Редкая книга встречает одинаково благосклонный прием у читателей и у критики, и миссис Форрестер должно бы доставить особенное удовольствие, что именно ей удалось, если можно так выразиться, найти квадратуру круга; ибо хотя критики и раньше не скупились на похвалы (она даже привыкла принимать это как должное), но публика почему-то никак не могла оценить ее по достоинству. Каждая новая ее книга — изящный томик в белом матерчатом переплете, набранный прекрасным шрифтом,— объявлялась шедевром в рецензии, занимавшей ровно один столбец, а в еженедельных обзорах, которые можно увидеть только в пыльной библиотеке какого-нибудь солидного клуба,— даже страницу; и все тонкие ценители читали книгу и хвалили ее. Но тонкие ценители, очевидно, не покупают книг, и творения миссис Форрестер не расходились. В самом деле, это был просто позор — пошлая чернь не желала замечать писательницу, обладающую таким прихотливым воображением, таким утонченным стилем! В Америке ее и вовсе почти не знали, и, хотя мистер Карл ван Вектен* написал статью, в которой порицал читающую публику за ее косность, читающая публика осталась равнодушна. Агент миссис Форрестер, горячий поклонник ее таланта, пригрозил одному американскому издателю, что, если тот не напечатает две ее книги, не видать ему других (скорей всего каких-то ерундовых романчиков),

* Американский критик и писатель, хорошо известный в 20— 30-х годах.

за которыми он охотился; и эти две книги были опубликованы. Пресса дала на них лестные отзывы, тем доказав, что и в Америке лучшие умы не безразличны к ее таланту; однако, когда зашел разговор о третьей книге, американский издатель (со свойственной издателям грубостью) заявил агенту, что предпочитает истратить лишние деньги на выпивку.

После появления «Статуи Ахиллеса» прежние книги миссис Форрестер были переизданы (и мистер Карл ван Вектен написал новую статью, в которой с грустью, но твердо указал, что еще пятнадцать лет назад пытался привлечь внимание читающего мира к исключительным достоинствам автора), и рекламировались они так широко, что едва ли могли ускользнуть от внимания интеллигентного читателя. Поэтому мне нет нужды о них распространяться, тем более что это были бы только перепевы мастерских статей мистера Карла ван Вектена.

Писать миссис Форрестер начала с ранних лет. Первая ее книжка (сборник элегий) вышла в свет, когда она была восемнадцатилетней девицей; и с тех пор каждые два-три года — она не торопилась, ибо уважала свое творчество — она печатала либо томик стихов, либо томик прозы. Ко времени написания «Статуи Ахиллеса» она достигла почтенного возраста — пятидесяти семи лет, из чего явствует, что и сочинений у нее набралось немало. Она подарила миру пять или шесть сборников стихов, озаглавленных на латыни, например «Felicitas», «Pax Maris», «Aes Triplex»[*], и очень серьезных, ибо ее муза, не склонная являться к ней «стопой воздушной, точно в танце», шествовала несколько тяжеловатой поступью.

Она осталась верна элегии, много внимания уделяла сонету, но главной ее заслугой было возрождение оды — поэтического жанра, которым наши современники пренебрегают, и можно с уверенностью сказать, что ее «Ода президенту Фальеру» войдет во все антологии английской поэзии. Она пленяет не только благородной звучностью стиха, но также на редкость удавшимся описанием прекрасной Франции. О долине Луары, овеянной памятью Дю Белле[**], о Шартре и цветных стеклах его собора, о солнечных городах Прованса миссис Форрестер пишет с теплым чувством, тем более примечательным, что сама она не бывала во Франции дальше Булони, куда вскоре после свадьбы ездила на экскурсион-

[*] «Счастье», «Морская тишь», «Отвага» (*лат.*).

[**] Французский поэт XVI века.

ном пароходе из Маргета. Но физические страдания, вызванные морской болезнью, и моральная травма, причиненная открытием, что жители этого многопосещаемого приморского курорта не понимают ее, когда она бегло и свободно изъясняется по-французски, подсказали ей решение — впредь не подвергать себя столь неприятным и бесславным испытаниям; и она действительно больше никогда не вверялась коварной пучине, которую, однако, продолжала воспевать («Pax Maris») «в стихах и сладостных и стройных».

«Ода Вудро Вильсону» тоже местами очень хороша, и мне жаль, что поэтесса, изменив свое отношение к этому превосходному человеку, не пожелала включить ее в новое издание. Но ярче всего, думается мне, миссис Альберт Форрестер проявила себя в прозе. Она написала несколько томов коротких, но безупречно построенных эссе на такие темы, как «Осень в Сассексе», «Королева Виктория», «О смерти», «Весна в Норфолке», «Архитектура эпохи Георгов», «Мсье Дягилев и Данте», а также труды, сочетающие большую эрудицию и полет фантазии, о иезуитской архитектуре XVII века и о Столетней войне в ее литературном аспекте. Именно своей прозе она обязана тем, что около нее образовался кружок преданных почитателей (немногочисленных, но избранных, как сама она выразилась с присущей ей меткостью), объявивших ее непревзойденным в нашем веке мастером английского языка. Она и сама признавала, что главное ее достоинство — это стиль, пышный, но хлесткий, отточенный, но не сухой, и только в прозе мог проявиться тот восхитительный, хоть и сдержанный юмор, который ее читатели находили неотразимым. Это был не юмор мыслей, и даже не юмор слов; это было нечто куда более тонкое — юмор знаков препинания: в какую-то вдохновенную минуту она постигла, сколько уморительных возможностей таит в себе точка с запятой, и пользовалась ею часто и искусно. Она умела поставить ее так, что читатель, если он был человек культурный и с чувством юмора, не то чтобы катался от хохота, но посмеивался тихо и радостно, и чем культурнее был читатель, тем радостнее он посмеивался. Ее друзья утверждали, что всякий другой юмор кажется после этого грубым и утрированным. Некоторые писатели пытались подражать ей, но тщетно; в чем бы ни упрекать миссис Форрестер, бесспорным остается одно: из точки с запятой она умела выжать весь юмор до последней капли, и никто не мог с ней в этом сравниться.

Миссис Форрестер занимала квартиру неподалеку от Мраморной Арки, сочетавшую в себе два преимущества — прекрасный район и умеренную плату. В квартире была большая гостиная окнами на улицу и просторная спальня для миссис Форрестер, темноватая столовая окном во двор и тесная спаленка рядом с кухней — для мистера Альберта Форрестера, в чьи обязанности входило платить за квартиру.

В гостиной миссис Форрестер по вторникам принимала гостей. Комната была обставлена строго и целомудренно. Обои, сделанные по рисунку самого Уильяма Морриса; по стенам меццо-тинто в простых черных рамках, собранные еще до того, как меццо-тинто поднялись в цене. Мебель чиппендейлская — вся, кроме бюро с выдвижной крышкой, в котором было нечто от стиля Людовика XVI и за которым миссис Форрестер писала свои сочинения. Его показывали каждому гостю, приходившему сюда впервые, и мало кто, глядя на него, не испытывал глубокого волнения. Ковер был толстый, лампы неяркие. Миссис Форрестер сидела в кресле с прямой спинкой, обитом темно-красным кретоном. В этом не было ничего показного, но, поскольку других удобных кресел в комнате не имелось, это как бы создавало дистанцию между ней и гостями. Чай разливала некая особа неопределенного возраста, бесцветная и бессловесная; ее ни с кем не знакомили, но было известно, что она считает за честь предоставленную ей возможность избавлять миссис Форрестер от нудной обязанности поить гостей чаем. Последняя могла таким образом целиком посвящать себя разговору, а послушать ее, безусловно, стоило. Рассуждения ее не отличались чрезмерной живостью; и, поскольку голосом трудно изобразить точку с запятой, им, возможно, недоставало юмора, но она могла беседовать о многих предметах со знанием дела, поучительно и интересно. Миссис Форрестер была неплохо осведомлена в социологии, юриспруденции и богословии. Она много прочла и обладала цепкой памятью. Она всегда умела привести цитату,— а это хорошая замена собственному остроумию,— и за те тридцать лет, что была знакома, более или менее близко, с множеством выдающихся людей, накопила множество забавных анекдотов, которые рассказывала, тактично скрывая истинных героев, и повторяла не чаще чем могли выдержать слушатели. Миссис Форрестер умела привлекать к себе самых разнообразных людей, и в ее гостиной можно было встретить одновременно бывшего премьера, владельца газеты и посла одной из великих держав. Мне всегда казалось, что эти важные лица бывали у нее потому, что воображали, будто здесь они общаются с богемой, но с богемой такой опрятной и чистенькой, что нет опасности о нее запачкаться. Миссис Форрестер всерьез интересовалась политикой, и я сам слышал, как один министр так прямо и сказал ей, что у нее мужской склад ума. В свое время она была против предоставления женщинам избирательного права, но, когда они наконец получили это право, стала подумывать, не выставить ли ей свою кандидатуру в парламент. Одно лишь ее смущало — какую партию выбрать.

— В конце концов,— говорила она, кокетливо поводя несколько грузными плечами,— не могу же я образовать партию из одной себя.

Не будучи уверенной, как повернутся события, она, подобно многим искренним патриотам, не торопилась определить свои политические взгляды; но за последнее время она все больше склонялась к лейборизму, усматривая в нем наилучший путь для Англии; и кой у кого создалось впечатление, что, если ей будет предложен надежный избирательный округ, она, не колеблясь, выступит в защиту прав угнетенного пролетариата.

Двери ее гостиной были широко открыты для иностранцев — для чехов, итальянцев и французов, если они чем-нибудь успели прославиться, и для американцев, даже безвестных. Но снобизмом она не грешила, и герцог мог появиться в ее гостиной, только если был сугубо интеллектуальной натурой, а супруга пэра — только если она вдобавок к титулу могла похвалиться каким-нибудь мелким нарушением светских приличий и заслужила расположение свободомыслящей хозяйки дома, разведясь с мужем, написав роман или подделав подпись на чеке. Художников миссис Форрестер недолюбливала за молчаливость и робость; музыканты ее не интересовали: даже если они соглашались поиграть у нее — а знаменитости чаще всего играть отказывались,— их музыка мешала разговору; кому нужна музыка, те пусть идут на концерт; она же предпочитает более изысканную музыку души. Зато писателям, особенно многообещающим и малоизвестным, она неизменно оказывала самое теплое гостеприимство. Она чутьем угадывала талант, и среди писателей с именем, которые время от времени заходили к ней на чашку чая, почти не было таких, кому она не помогла бы на первых порах советом и добрым словом. Собственное ее положение было так прочно, что исключало даже мысль о зависти, а слово «талант» так часто связывали с ее именем, что ее ни капельки не обижало, когда другим талант приносил коммерческий успех, не выпавший на ее долю.

Уверенная в признании потомков, миссис Форрестер могла позволить себе такую роскошь, как бескорыстие. Нужно ли удивляться после всего этого, что ей удалось создать самое близкое подобие французского салона XVIII столетия, какое возможно в нашей варварской стране. Приглашение «на чашку чая с булочкой» во вторник было честью, от которой мало кто отказывался; и, сидя на чиппендейлском стуле в строгой гостиной с затененными лампами, всякий невольно ощущал, что на его глазах творится история литературы. Американский посол выразился однажды так:

— Чашка чая у вас в гостиной, миссис Форрестер,— это лучшая интеллектуальная пища, какую мне доводилось вкушать.

Иногда все это действовало даже слегка угнетающе. Вкус у миссис Форрестер был такой безупречный, она так безошибочно знала, чем и в каких выражениях восторгаться, что порой вам просто не хватало воздуха. Я, например, считал за благо подкрепиться коктейлем, прежде чем вдохнуть разреженную атмосферу ее салона. Однажды мне даже грозила опасность быть навсегда из него изгнанным: явившись как-то в гости, я задал горничной, отворившей мне дверь, не стандартный вопрос: «Миссис Форрестер дома?», а другой: «Богослужение сегодня состоится?».

Разумеется, это была чистая оплошность с моей стороны, но, на беду, горничная фыркнула, а как раз в эту минуту Эллен Ханнеуэй, одна из самых преданных почитательниц миссис Форрестер, снимала в передней ботики. Когда я вошел в гостиную, она уже успела передать мои слова хозяйке дома, и та устремила на меня орлиный взор.

— Почему вы спросили, состоится ли сегодня богослужение?— осведомилась она.

Я объяснил, что всегда был рассеян, однако миссис Форрестер продолжала сверлить меня глазами.

— Может быть, мои приемы кажутся вам...— она не сразу нашла нужное слово,— сакраментальными?

Я не понял ее, но, не желая, чтобы столько умных людей сочли меня невеждой, решил, что единственное мое спасение — в беспардонной лести.

— Ваши приемы, дорогая миссис Форрестер, так же прекрасны и божественны, как вы сами.

По внушительной фигуре миссис Форрестер пробежала легкая дрожь. Словно человек неожиданно очутился в комнате, полной гиацинтов,— аромат их так пьянит, что начинает кружиться голова. Однако она сменила гнев на милость.

— Если вы в шутливом настроении,— сказала она,— то, прошу вас, шутите лучше с моими гостями, а не с горничными... Ну, садитесь, мисс Уоррен нальет вам чаю.

Мановением руки миссис Форрестер отпустила меня, но моей шутки она не забыла: в последующие два-три года, знакомя меня с кем-нибудь, она неизменно добавляла:

— Имейте в виду, он приходит сюда только каяться в грехах. Когда ему отворяют дверь, он всегда спрашивает: «Богослужение сегодня состоится?». Вот шутник, правда?

Но миссис Форрестер не ограничивала свои приемы еженедельными чаепитиями; каждую субботу у нее устраивался завтрак на восемь персон; это число она считала идеальным для общей беседы, и к тому же оно диктовалось скромными размерами ее столовой.

Если миссис Форрестер чем-нибудь гордилась, так это не своим исключительным знанием английской просодии, а именно своими завтраками. Гостей она подбирала тщательно, и приглашение к ней на завтрак было не только лестно, это был своего рода ритуал посвящения. Разговор в высоком плане легче вести за столом, чем рассеявшись по всей гостиной, и после такого завтрака всякий, вероятно, уходил от миссис Форрестер более чем когда-либо убежденный в ее одаренности и проникнутый более крепкой верой в человеческую природу. Приглашала она одних мужчин, ибо, хоть и высоко ценила женщин и в других случаях охотно с ними общалась, все же сознавала, что за столом женщина любит разговаривать исключительно со своим соседом слева или справа, а это мешает общему обмену мыслями, благодаря которому ее завтраки становятся праздником не только для желудка, но и для души. А надо сказать, что кормили у миссис Форрестер необычайно вкусно, вина были лучшей марки и сигары первоклассные. Это должно удивить всякого, кому случалось пользоваться гостеприимством литераторов: ведь обычно мысли их возвышенны, а жизнь проста; занятые духовными материями, они не замечают, что баранина не прожарилась, а картофель остыл; пиво у них еще туда-сюда, но вино действует отрезвляюще, а кофе лучше и не пробовать. Миссис Форрестер не скрывала своего удовольствия, когда гости расхваливали ее завтраки.

— Если люди оказывают мне честь, преломляя со мною хлеб,— говорила она,— я просто обязана кормить их не хуже, чем они могли бы поесть у себя дома.

Но чрезмерную лесть она пресекала.

— Вы, право же, конфузите меня, да и похвалы ваши не по адресу,— благодарите миссис Булфинч.

— Кто это миссис Булфинч?

— Моя кухарка.

— Не кухарка, а сокровище! Но ведь вы не станете утверждать, что она и вина тоже выбирает?

— А вам понравились? Я в этих вещах ровно ничего не понимаю; я целиком полагаюсь на своего поставщика.

Но если речь заходила о сигарах, миссис Форрестер расплывалась в улыбке.

— А за это скажите спасибо Альберту. Сигары покупает Альберт, и мне говорили, что никто так замечательно не разбирается в сигарах.

Она смотрела через стол на своего мужа блестящими гордыми глазами, какими породистая курица (скажем, орпингтон) смотрит на своего единственного цыпленка. И тут поднимался оживленный, многоголосый говор — это гости, до сих пор тщетно искавшие случая проявить вежливость по отношению к хозяину дома, осыпали его комплиментами.

— Вы очень добры,— отвечал он.— Я рад, что они пришлись вам по вкусу.

После этого он произносил небольшую речь о сигарах — объяснял, какие свойства он в них особенно ценит, и сетовал на снижение качества, вызванное массовым производством. Миссис Форрестер слушала его с умиленной улыбкой, и было видно, что его маленький триумф ее радует. Разумеется, нельзя говорить о сигарах без конца, и, заметив, что гости начинают поеживаться, она тотчас переводила разговор на что-нибудь другое, более интересное и значительное. Альберт умолкал. Но этой минуты торжества уже нельзя было у него отнять.

Из-за Альберта кое-кто находил, что завтраки миссис Форрестер не так приятны, как ее чаепития, ибо Альберт был невыносим; но она, хоть и должна была это знать, не желала без него обходиться и даже завтраки свои именно потому устраивала по субботам, что в остальные дни он был занят. По мнению миссис Форрестер, участие ее мужа в этих пиршествах было данью ее самоуважению. Она ни за что не призналась бы, что вышла замуж за человека, уступающего ей по духовному богатству, и, возможно, бессонными ночами размышляла о том, могла ли она вообще найти себе равного. Друзей миссис Форрестер подобные соображения не смущали, и они открыто ужасались, что такая женщина обременила себя таким мужчиной. Они спрашивали друг друга, как она могла выйти за него, и (будучи сами по большей части холосты) отвечали, что вообще невозможно понять, почему люди женятся и выходят замуж.

Не то чтобы Альберт был болтлив или назойлив; он не утомлял вас бесконечными рассказами, не изводил плоскими шутками; не распинал вас на трюизмах и не мучил прописными истинами — он просто был скучен. Пустое место. Клиффорд Бойлстон, постигший все тайны французских романтиков и сам даровитый писатель, сказал однажды, что, если заглянуть в комнату, куда только что вошел Альберт, там никого не окажется. Друзья миссис Форрестер нашли, что это очень остроумно, и Роза Уотерфорд, известная романистка и бесстрашная женщина, рискнула пересказать это самой миссис Форрестер. Та сделала вид, что рассердилась, но не могла удержаться от улыбки. Сама она обращалась с Альбертом так, что за это друзья уважали ее еще больше. Пусть думают о нем что хотят, но они обязаны оказывать ему полное почтение как ее супругу. Собственное ее поведение было выше всяких похвал. Если Альберт о чем-нибудь заговаривал, она слушала его доброжелательно, а когда он приносил ей нужную книгу или подавал карандаш, чтобы она могла записать внезапно возникшую мысль, всегда благодарила его. Друзьям ее тоже не разрешалось пренебрегать им, и, хотя, будучи женщиной тактичной, она понимала, что повсюду возить его с собою значило бы злоупотреблять чужой любезностью, и много выезжала одна, все же друзья ее знали, что не реже одного раза в год им следует приглашать его к обеду. Когда она ехала на официальный банкет, где ей предстояло произнести речь, он всегда сопровождал ее, а если она читала лекцию, то не забывала достать ему пропуск на эстраду.

Альберт был, вероятно, среднего роста, но рядом со своей крупной и внушительной супругой — а без нее его и вообразить было невозможно — казался низеньким. Он был узкоплеч, худощав и выглядел старше своих лет; они с женой были ровесниками. Волосы, седые и жидкие, он стриг очень коротко и носил седые усы щеткой; его худое, морщинистое лицо не было ничем примечательно; голубые глаза, в прошлом, возможно, красивые, казались выцветшими и усталыми. Одет он бывал безупречно: серые брюки в полоску, черная визитка и серый галстук с небольшой жемчужной булавкой. Он всегда держался в тени, и, когда он, стоя в гостиной миссис Форрестер, встречал гостей, приглашенных ею к завтраку, он так же мало бросался в глаза, как спокойная, корректная мебель. Воспитан он был прекрасно и пожимал гостям руки с учтивой улыбкой.

— Здравствуйте, очень рад вас видеть,— говорил он, если это были старые знакомые.— Надеюсь, вы в добром здоровье?

Если же это были знатные иностранцы, появлявшиеся в доме впервые, он подходил к ним, едва они переступали порог гостиной, и сообщал:

— Я — муж миссис Альберт Форрестер. Позвольте представить вас моей жене.

После чего подводил гостя к миссис Форрестер, стоявшей спиной к свету, и та спешила навстречу с радостным приветствием на устах.

Приятно было видеть, как скромно он гордится литературной славой жены и как ненавязчиво печется о ее интересах. Он умел вовремя появиться и вовремя исчезнуть. Он обладал тактом, если не выработанным, то врожденным. Миссис Форрестер первая признавала его достоинства.

— Просто не знаю, что бы я без него делала,— говорила она.— Это золотой человек. Я читаю ему все, что пишу, и замечания его часто бывают очень полезны.

— Мольер и его кухарка,— сказала мисс Уотерфорд.

— По-вашему, это смешно, милая Роза?— спросила миссис Форрестер не без сарказма.

Когда миссис Форрестер не одобряла чьих-нибудь слов, она имела обыкновение спрашивать, не шутка ли это, которой она по тупости своей не поняла, и многих таким образом смущала. Но смутить мисс Уотерфорд было невозможно. Эта леди за свою долгую жизнь испытала много увлечений, но всего одну страсть — к литературе. Миссис Форрестер не столько одобряла ее, сколько терпела.

— Бросьте, дорогая,— возразила мисс Уотерфорд,— вы прекрасно знаете, что без вас он был бы ничто. Он не был бы знаком с нами. Подумайте, какое это для него счастье — общаться с самыми умными и интересными людьми нашего времени.

— Пчела, возможно, погибла бы, не будь у нее улья, но и пчела имеет ценность сама по себе.

Поскольку друзья миссис Форрестер превосходно разбирались в искусстве и литературе, но в естественных науках смыслили мало, ее замечание осталось без ответа. А она продолжала:

— Он никогда мне не мешает. Он чувствует, когда меня нельзя беспокоить. Более того, если я что-нибудь обдумываю, мне даже приятно, что он в комнате.

— Как персидская кошка,— сказала мисс Уотерфорд.

— Но очень благонравная и благовоспитанная персидская кошка,— строго возразила миссис Форрестер и тем поставила-таки мисс Уотерфорд на место.

Но миссис Форрестер еще не исчерпала свою тему.

— Мы, люди интеллектуальные,— сказала она,— склонны слишком замыкаться в своем мире. Абстрактное интересует нас больше, чем конкретное, и порой мне думается, что мы взираем на суотолоку человеческих дел слишком издалека, с очень уж безмятежных высот. Вам не кажется, что нам грозит опасность несколько очерстветь? Я всегда буду признательна Альберту за то, что благодаря ему не теряю связи с рядовым человеком.

После этой тирады, которой, как и многим другим ее высказываниям, никак нельзя было отказать в проницательности и тонкости, Альберта некоторое время называли в ее тесном кружке не иначе как «Рядовой человек». Но это вскоре позабылось, а потом его прозвали «Филателистом». Кличку эту выдумал остроумный и злой Клиффорд Бойлстон. Однажды, истощив все доступные ему возможности разговора с Альбертом, он с горя спросил:

— Вы не собираете марки?

— Нет,— кротко отвечал Альберт.— К сожалению, не собираю.

Но Клиффорд Бойлстон, едва задав свой вопрос, усмотрел в нем интересные возможности. Его перу принадлежала книга о тетке жены Бодлера, привлекшая внимание всех, кто интересуется французской литературой, и было известно, что, годами изучая дух французской нации, он и сам приобрел немалую долю галльской живости ума и галльского блеска. Пропустив ответ Альберта мимо ушей, он при первом же удобном случае сообщил друзьям миссис Форрестер, что наконец открыл, в чем тайна Альберта. Альберт собирает марки. После этого он всякий раз при встрече спрашивал его: «Ну, мистер Форрестер, как ваша коллекция?»— или: «Приобрели вы какие-нибудь интересные марки с тех пор, как мы с вами виделись?».

Тщетно Альберт продолжал твердить, что не собирает марок,— из такой удачной выдумки нужно было извлечь максимум: все друзья миссис Форрестер включились в игру и, обращаясь к Альберту, редко забывали спросить про его коллекцию. Даже миссис Форрестер, будучи в особенно веселом настроении, иногда называла мужа Филателистом. Прозвище это как-то удивительно подходило Альберту. Иногда его называли так прямо в глаза, и все вынуждены были оценить, как благодушно он это принимает; он улыбался без всякой обиды, а скоро даже перестал уверять, что они ошибаются.

Конечно, миссис Форрестер слишком уважала светские приличия и слишком дорожила успехом своих завтраков, чтобы сажать самых знатных своих гостей рядом с Альбертом. Это было уделом более старых и близких друзей, и, встречая намеченную жертву, она говорила:

— Вы ведь не против того, чтобы сидеть с Альбертом?

Гостю оставалось только ответить, что он очень рад, а если он не мог скрыть своего огорчения, она кокетливо похлопывала его по руке и добавляла:

— В следующий раз вы будете сидеть со мной. Альберт так стесняется незнакомых, а вы так замечательно умеете к нему подойти.

Да, друзья миссис Форрестер это умели: они просто игнорировали его. С тем же успехом они могли бы сидеть возле пустого стула. Он не выказывал ни малейшего недовольства тем, что эти люди его не замечают, хоть и угощаются за его счет,— ведь на заработки миссис Форрестер никак нельзя было бы предложить гостям весенней лососины и ранней спаржи. Он сидел и молчал, а если открывал рот, так только для того, чтобы отдать распоряжение горничной. Если же он видел гостя впервые, то внимательно разглядывал его, но это не казалось невежливым, потому что взгляд у Альберта был совсем детский. Он словно спрашивал себя, что это за диво; но как разрешалось его недоумение — этого он не сообщал никому. Когда завязывалась оживленная беседа, он переводил взгляд с одного из говоривших на другого, но и тут по выражению его худого, морщинистого лица невозможно было догадаться, что он думает об этом фантасмагорическом обмене мнениями.

Клиффорд Бойлстон уверял, что все их умные речи и блестящие остроты перекатываются через него, как вода через спину утки. Он уже отчаялся что-либо понять и теперь только делает вид, что слушает. Но Гарри Окленд, критик с широким диапазоном, утверждал, что Альберт не упускает ни слова; для него все это просто откровение, и он, бедняга, изо всех сил старается понять хотя бы часть тех интереснейших вещей, которые при нем говорятся. А в Сити он, наверно, хвалится своими образованными знакомыми, там он, может быть, слывет знатоком по части литературы и философии — вот бы его послушать! Гарри Окленд был одним из самых верных почитателей миссис Форрестер и автором блестящего эссе о ее стиле. Тонким, даже красивым лицом он походил на святого Себастьяна, которого подвело слишком сильно действующее средство для ращения волос,— ибо волосат он был необычайно. Ему не было еще и тридцати лет, но он уже успел показать себя как театральный критик, литературный критик, музыкальный критик и критик живописи. Теперь, немного устав от искусства, он грозил в дальнейшем посвятить свой талант критике спорта.

Следует пояснить, что Альберт был коммерсантом и, к несчастью (которое миссис Форрестер, по мнению ее друзей, переносила с похвальной стойкостью), не был даже особенно богат. Будь он одним из тех магнатов коммерции, что держат в своих руках судьбы целых народов или посылают корабли, нагруженные экзотическими пряностями, в порты Леванта, чьи названия дали поэтам столько редких и звучных рифм,— в этом хоть было бы что-то романтическое. Но Альберт всего лишь торговал коринкой, и доходов его, надо думать, как раз хватало на то, чтобы миссис Форрестер могла жить красиво и ни в чем себя не стесняя. Так как он был занят в конторе до шести часов, то на вторники миссис Форрестер попадал уже после ухода самых важных гостей. В ее салоне к этому времени обычно оставалось лишь трое или четверо близких друзей, с большим юмором перемывавших косточки отбывшим, и, услышав, как Альберт поворачивает ключ в замке, они все разом приходили к мысли, что время уже позднее. Через минуту он приотворял дверь и заглядывал в комнату. Миссис Форрестер встречала его радостной улыбкой.

— Входи, входи, Альберт. По-моему, ты тут со всеми знаком. Альберт входил и пожимал руки друзьям своей жены.

— Ты прямо из Сити?— спрашивала она, хотя прекрасно знала, что больше прийти ему неоткуда.— Хочешь чашку чаю?

— Нет, спасибо, милая. Я выпил чаю в конторе.— Миссис Форрестер улыбалась еще радостнее, и гости отмечали про себя, как славно она с ним обращается.

— Но я ведь знаю, что ты с удовольствием выпьешь еще чашечку. Давай я сама тебе налью.

Она подходила к чайному столику и, забыв, что чай подан полтора часа назад и давно остыл, наливала ему чашку, клала сахару и добавляла молока. Альберт благодарил, брал чашку и начинал тихонько помешивать чай, но, когда миссис Форрестер возобновляла беседу, прерванную его приходом, незаметно отставлял чашку в сторону. Гости же, восприняв его появление как сигнал, начинали прощаться. Один раз, правда, разговор шел такой увлекательный и на такую важную тему, что миссис Форрестер просто не позволила им уйти.

— Нужно решить это раз и навсегда. И как-никак,— добавила она не без лукавства,— у Альберта может быть свое мнение на этот счет. Послушаем, что он скажет.

В то время в моду входила стрижка, и спор шел о том, остричься миссис Форрестер или нет. Выглядела миссис Форрестер внушительно. У нее была крупная кость, и притом отнюдь не только кости да кожа. Не будь она такого высокого роста, ее можно было бы заподозрить в тучности. Но полнота нисколько ее не портила. Черты лица у нее были крупноваты, чем, видимо, и объяснялась почти мужская интеллектуальность выражения. Смуглая кожа наводила на мысль, что среди ее предков были левантинцы; сама она признавалась, что чувствует в себе цыганскую кровь и, вероятно, поэтому в ее поэзии порой прорывается дикая и необузданная страстность. Глаза у нее были большие, черные, блестящие, нос — как у герцога Веллингтона, только более мясистый, подбородок квадратный, решительный. Ее полные губы алели без помощи губной помады, миссис Форрестер не снисходила до косметики; а волосы — густые, без блеска седые волосы — были уложены на макушке, отчего она казалась еще выше ростом. В общем, внешность у нее была импозантная, чтобы не сказать — устрашающая.

Одевалась она всегда к лицу, в дорогие ткани темных тонов, и весь ее облик говорил о том, что она причастна к литературе. Однако по-своему (ибо человеческая суетность не была ей чужда) она следовала моде, и платья на ней всегда бывали новейших фасонов. Я подозреваю, что ее уже давно подмывало остричься, но ей казалось, что приличнее будет сделать это не по собственному почину, а по просьбе друзей.

— Непременно, непременно! — сказал Гарри Окленд по-мальчишески упрямо.— Вы будете просто изумительны.

Клиффорд Бойлстон, работавший теперь над книгой о мадам де Ментенон, держался иного мнения. Он считал, что это опасный эксперимент.

— По-моему,— говорил он, протирая пенсне батистовым платком,— раз создав какой-то тип, нужно его держаться. Чем был бы Людовик XIV без парика?

— Право, не знаю,— сказала миссис Форрестер.— Нельзя все-таки отставать от века. Я современная женщина и хочу идти в ногу со своим временем. Америка, как сказал Вильгельм Мейстер, это «здесь и сейчас».— Она с улыбкой повернулась к Альберту:— Что скажет по этому поводу мой господин и повелитель? Как ты думаешь, Альберт? Остричься или нет, вот в чем вопрос.

— Боюсь, дорогая, что мое мнение не так уж важно,— ответил он кротко.

— Для меня оно очень, очень важно,— любезно возразила миссис Форрестер.

И почувствовала, как всех восхищает ее обращение с Филателистом.

— Я настаиваю,— не унималась она.— Настаиваю. Никто не знает меня так, как ты, Альберт. Пойдет мне стрижка?

— Возможно,— отвечал он.— Я только опасаюсь, как бы при твоей... монументальной внешности короткие волосы не вызвали в представлении... ну, скажем, «те солнечные острова, где гимн любви Сапфо слагала».

Последовала неловкая пауза. Роза Уотерфорд подавилась смешком, остальные хранили гробовое молчание. Улыбка миссис Форрестер застыла у нее на губах. Да, Альберт отличился!

— Я всегда считала Байрона очень посредственным поэтом,— сказала наконец миссис Форрестер.

Гости разошлись. Миссис Форрестер не остриглась, и этой темы в ее гостиной больше не касались.

Событие, имевшее столь важные последствия для литературной карьеры миссис Форрестер, тоже произошло на одном из ее вторников, уже под самый конец.

То был один из удачнейших ее вечеров. Приезжал лидер лейбористской партии, и миссис Форрестер дала ему понять (оставив себе, однако, путь для отступления), что готова связать свою судьбу с лейбористами. Если уж она решит делать политическую карьеру, выбирать нужно сейчас, не то будет поздно. Клиффорд Бойлстон привозил члена Французской академии, и, хотя миссис Форрестер было известно, что по-английски он не знает ни слова, все же она с удовольствием выслушала его любезный комплимент по поводу ее стиля — одновременно и пышного и строгого. Приезжал американский посол, а также некий молодой русский князь, который сильно смахивал бы на профессионального танцора, если бы в его жилах не текла кровь Романовых. Очень милостиво держала себя некая герцогиня, которая недавно развелась со своим герцогом и вышла замуж за жокея; герцогское ее достоинство, хоть и сильно потускневшее, несомненно, придало изысканность всему сборищу. Просверкала целая плеяда литературных светил. Теперь все они уже разъехались, и в гостиной остались только Клиффорд Бойлстон, Гарри Окленд, Роза Уотерфорд, Оскар Чарлз и Симмонс. Оскар Чарлз был маленький человечек, еще молодой, но с морщинистым лицом хитрой обезьянки; для заработка он служил в каком-то правительственном учреждении, свободные же часы посвящал литературе. Он писал статейки для дешевых еженедельников и энергично презирал все на свете. Миссис Форрестер он нравился — она считала его талантливым,— но он несколько отпугивал ее своей резкостью, несмотря на то, что безмерно восхищался ее стилем (он-то, кстати сказать, и назвал ее мастером точки с запятой).

Симмонс был ее агент; на круглом его лице блестели очки с очень сильными стеклами, совершенно менявшими форму глаз,— глядя на них, вы вспоминали глаза какого-то нелепого ракообразного, которое видели в аквариуме. Он всегда бывал на вечерах миссис Форрестер: отчасти потому, что преклонялся перед ее талантом, отчасти же потому, что мог завязать в ее гостиной новые деловые знакомства. Миссис Форрестер, для которой он уже давно трудился за более чем скромное вознаграждение, с радостью предоставляла ему эту возможность заработать и, рассыпаясь в благодарностях, знакомила его со всяким, у кого мог найтись литературный товар на продажу. Она даже гордилась тем, что именно в ее гостиной впервые были оценены мемуары леди Сент-Свизин, наделавшие впоследствии столько шуму и обогатившие издателей.

Итак, усевшись в кружок, центром которого была миссис Форрестер, они оживленно и, надо признать, не без ехидства обсуждали одного за другим всех уехавших гостей. Мисс Уоррен, бледная особа, два часа простоявшая на ногах у чайного столика, молча обходила комнату, собирая пустые чашки. Она где-то кем-то служила, но всегда могла освободиться, чтобы разливать чай гостям миссис Форрестер, а по вечерам перепечатывала на машинке ее рукописи. Миссис Форрестер не платила ей за это, справедливо полагая, что бедняжка и так многим ей обязана; но она отдавала ей бесплатные билеты в кино, которые ей присылали, и нередко дарила какие-нибудь предметы одежды, когда считала, что самой ей они больше не нужны.

Миссис Форрестер говорила что-то своим низким, звучным голосом, остальные внимательно слушали. Она была в ударе, и слова, лившиеся из ее уст, можно было бы печатать без всяких поправок. Вдруг в коридоре раздался стук, словно упало что-то тяжелое, а вслед за тем громкая перебранка.

Миссис Форрестер умолкла, и благородное чело ее слегка нахмурилось.

— Пора бы им знать, что я не терплю, когда в квартире шумят. Мисс Уоррен, будьте добры, позвоните и выясните, что там творится.

Мисс Уоррен позвонила, и через минуту вошла горничная. Мисс Уоррен вполголоса заговорила с ней у двери, чтобы не перебивать миссис Форрестер. Но та с некоторым раздражением сама себя перебила.

— Что там такое, Картер? Может быть, рушится дом или это наконец разразилась революция?

— Простите, мэм, это сундук новой кухарки. Швейцар уронил его, когда вносил в квартиру, а она испугалась, ну и расстроилась.

— Какая еще новая кухарка?

— А миссис Булфинч сегодня уехала, мэм,— сказала горничная.

Миссис Форрестер с удивлением на нее поглядела.

— В первый раз слышу. Разве она предупреждала, что уходит? Как только придет мистер Форрестер, скажите ему, что мне нужно с ним поговорить.

— Слушаю, мэм.

Горничная вышла, мисс Уоррен медленно вернулась к чайному столику и машинально налила несколько чашек, хотя пить никому не хотелось.

— Какое несчастье! — воскликнула мисс Уотерфорд.

— Вы должны ее вернуть,— сказал Клиффорд Бойлстон.— Ведь эта женщина — чистое сокровище, она готовит замечательно, и притом все лучше и лучше.

Но тут опять вошла горничная и подала хозяйке письмо на никелированном подносике.

— Что это?— спросила миссис Форрестер.

— Мистер Форрестер, мэм, велел, чтобы, когда вы его спросите, передать вам это письмо.

— А где же мистер Форрестер?

— Мистер Форрестер уехал, мэм,— отвечала горничная, словно удивленная этим вопросом.

— Уехал? Хорошо. Можете идти.

Горничная вышла, а миссис Форрестер, всем своим большим лицом выражая недоумение, вскрыла письмо. Роза Уотерфорд рассказывала мне потом, что первой ее мыслью было: наверно, Альберт, убоявшись гнева своей супруги, вызванного уходом миссис Булфинч, решил утопиться в Темзе. Миссис Форрестер прочла письмо, и на лице ее изобразился ужас.

— Это чудовищно!— вскричала она.—Чудовищно!

— Что случилось, миссис Форрестер?

Миссис Форрестер несколько раз топнула ногой по ковру, как застоявшаяся норовистая лошадь, и, скрестив на груди руки жестом, не поддающимся описанию (но знакомым всякому, кто видел рыночную торговку, изготовившуюся кого-то облаять), обратила взор на своих встревоженных и заинтригованных друзей.

— Альберт сбежал с кухаркой.

Все дружно ахнули. А потом случилось нечто страшное. Мисс Уоррен, стоявшая у чайного столика, вдруг поперхнулась. Мисс Уоррен, которая никогда не открывала рта и с которой никто не разговаривал, мисс Уоррен, которую они не узнали бы на улице, хотя видели ее каждую неделю в течение трех лет, мисс Уоррен вдруг разразилась безудержным смехом. Все как один оглянулись и растерянно воззрились на нее. Так, должно быть, изумился Валаам, когда заговорила его ослица. Мисс Уоррен хохотала все громче. Это было жуткое зрелище, точно нарушился извечный закон природы, и впечатление производило такое же, как если бы столы и стулья, внезапно сорвавшись с места, пустились выплясывать какой-то причудливый танец. Мисс Уоррен старалась сдержаться, но чем больше она старалась, тем безжалостнее сотрясал ее смех, и наконец она схватила платок и, засунув его в рот, выбежала из комнаты. Дверь захлопнулась.

— Истерика,— сказал Клиффорд Бойлстон.

— Разумеется, истерика,— сказал Гарри Окленд.

Но миссис Форрестер не сказала ничего.

Письмо, выпавшее из ее рук, лежало на полу. Симмонс поднял его и подал ей. Она отмахнулась.

— Прочтите,— сказала она.— Прочтите вслух.

Мистер Симмонс сдвинул очки на лоб, поднес письмо близко к глазам и прочел следующее:

«Моя дорогая!

Миссис Булфинч нуждается в перемене обстановки и решила от нас уехать, а так как мне не хочется оставаться без нее, я тоже уезжаю. С меня довольно, я по горло сыт литературой и искусством.

Миссис Булфинч не настаивает на законном браке, но, если ты со мной разведешься, она согласна выйти за меня замуж. Надеюсь, что новая кухарка сумеет тебе угодить. У нее отличные рекомендации. На всякий случай сообщаю, что мы с миссис Булфинч живем по адресу: Кеннингтон-роуд, 411, ЮВ.

Альберт».

Никто не прервал молчания. Мистер Симмонс стряхнул очки обратно на переносицу. Как ни привыкли они все при любых обстоятельствах находить тему для разговора, сейчас нужные слова просто не шли на язык. К такой женщине, как миссис Форрестер, не сунешься с утешениями, и к тому же каждый боялся какой-нибудь банальной фразой навлечь на себя насмешки остальных. Наконец Клиффорд Бойлстон решился.

— Просто не знаешь, что и сказать,— заметил он.

Опять наступило молчание, а потом заговорила Роза Уотерфорд.

— Какая эта миссис Булфинч с виду?— спросила она.

— Откуда мне знать?— с досадой отвечала миссис Форрестер.— Я никогда на нее не смотрела. Прислугу всегда нанимал Альберт. Ко мне Булфинч заходила только на минутку, чтобы я могла проверить общее впечатление.

— А разве вы не видели ее каждое утро, когда отдавали распоряжения по хозяйству?

— Все распоряжения отдавал Альберт. Он сам на этом настоял, чтобы я могла без помех отдаваться своей работе. В нашей жизни всюду поспеть невозможно.

— И завтраки по субботам тоже заказывал Альберт?— спросил Клиффорд Бойлстон.

— Конечно. Это входило в его компетенцию.

Клиффорд Бойлстон чуть вздернул брови. Дурак, как он не догадался, что замечательные завтраки миссис Форрестер — это работа Альберта! И несомненно, заботами Альберта превосходное шабли всегда бывало остужено как раз в меру — чтобы приятно холодило язык, не теряя при этом своего букета.

— Он знал толк в еде и в винах, этого у него не отнимешь.

— Я вам всегда говорила, что у него есть достоинства,— сказала миссис Форрестер, словно он в чем-то упрекал ее.— Вы все над ним смеялись. Вы не верили, когда я говорила, что он мне помогает жить.

Ответа не последовало, и снова наступило молчание — тяжелое и зловещее. Вдруг мистер Симмонс бросил бомбу.

— Вы должны вернуть его.

От удивления миссис Форрестер, наверно, попятилась бы, если б не стояла, прислонившись спиной к камину.

— Что вы говорите!— вскричала она.— Я, пока жива, больше его не увижу. Простить его? Ни за что. Пусть хоть на коленях меня умоляет.

— Я не говорил, чтобы вы его простили. Я сказал — верните его.

Но миссис Форрестер не обратила внимания на эту неуместную поправку.

— Я все для него делала. Ну скажите, чем бы он был без меня? Я дала ему положение, о каком он не мог и мечтать.

Негодование миссис Форрестер было великолепно, однако на мистера Симмонса оно, как видно, не произвело впечатления.

— А на что вы теперь будете жить?

Миссис Форрестер метнула на него взгляд, в котором никто не усмотрел бы дружелюбия.

— Бог меня не оставит,— отвечала она ледяным тоном.

— Сомневаюсь,— возразил он.

Миссис Форрестер пожала плечами. На лице ее изобразилось возмущение. Но мистер Симмонс уселся поудобнее на своем жестком стуле и закурил.

— Вы знаете, что никто не восхищается вами больше моего,— сказал он.

— Больше, чем я,— поправил его Клиффорд Бойлстон.

— Ну, и чем вы,— согласился мистер Симмонс.— Мы все считаем, что из живых писателей ни один с вами не сравнится. И стихи и проза у вас первый сорт. А что до стиля — всем известно, какой у вас стиль.

— Возвышенный, как у сэра Томаса Брауна, и прозрачный, как у кардинала Ньюмена,— сказал Клиффорд Бойлстон.— Хлесткий, как у Джона Драйдена, и точный, как у Джонатана Свифта.

Только по улыбке, на мгновение тронувшей уголки трагически сжатых губ миссис Форрестер, можно было понять, что она его слышала.

— И юмор у вас есть.

— Кто, кроме вас,— вскричала мисс Уотерфорд,— может вложить в точку с запятой столько остроумия, наблюдательности и сатирической силы!

— Но при всем том спроса на вас нет,— невозмутимо продолжал мистер Симмонс.— Я двадцать лет предлагаю ваш товар и прямо скажу — на таких комиссионных не разживешься. Просто хочется иногда продвинуть хорошую книгу. Я всегда в вас верил и все надеялся, что рано или поздно публика на вас клюнет. Но если вы воображаете, что на такие писания, как ваши, можно прожить, так, уверяю вас, вы ошибаетесь.

— Я опоздала родиться,— сказала миссис Форрестер.— Мне нужно было жить в восемнадцатом веке, когда богатый покровитель давал сто гиней в награду за посвящение.

— Как вы полагаете, торговать коринкой доходное дело?

— О нет,— отвечала миссис Форрестер с легким вздохом.— Альберт говорил, что его годовой доход составляет примерно тысячу двести фунтов.

— Он, как видно, умеет делать дела. Но из такого дохода он едва ли сможет назначить вам особо щедрое содержание. Верьте моему слову, у вас есть только один выход — вернуть его.

— Лучше я буду жить в мансарде. Неужели вы думаете, что я стерплю оскорбление, которое он нанес мне? Вы что же, хотите, чтобы я отбивала его у собственной кухарки?

Не забывайте, для такой женщины, как я, главное — не комфорт, а достоинство.

— А я как раз к этому и веду,— сухо произнес мистер Симмонс.

Он окинул взглядом присутствующих, и в эту минуту его странные, скошенные глаза больше чем когда-либо напоминали глаза рака.

— Я прекрасно знаю,— продолжал он,— что в литературном мире вы занимаете почетное, можно сказать, исключительное положение. Вы — единственная в своем роде. Вы никогда не продавали своего таланта за презренный металл, высоко держите знамя чистого искусства. Вы хотите попасть в парламент. Сам я не Бог весть какого мнения о политической деятельности, но признаю, что реклама это хорошая, и, если вас изберут, мы, вероятно, могли бы устроить вам лекционное турне по Америке. У вас есть идеалы, и вас, несомненно, уважают даже те, кто отроду не читал ваших книг. Но одного вы в вашем положении не можете себе позволить, а именно — стать посмешищем.

Миссис Форрестер заметно вздрогнула.

— Как я должна вас понять?

— Про миссис Булфинч я ничего не знаю, очень может быть, что она вполне порядочная женщина, но факт остается фактом: жена человека, сбежавшего с кухаркой, вызывает смех. Другое дело танцовщица или титулованная леди — это, возможно, вам и не повредило бы, но кухарка вас доконает. Через неделю весь Лондон будет над вами потешаться, а для писателя и для политического деятеля это — верная смерть. Нет, вы должны заставить своего мужа вернуться, и притом как можно скорее, черт побери!

Лицо миссис Форрестер вспыхнуло от гнева, но ответила она не сразу. В ушах у нее внезапно зазвучал безобразный, необъяснимый смех мисс Уоррен.

— Мы все тут ваши друзья, на нашу скромность можете положиться.

Миссис Форрестер взглянула на своих друзей, и ей показалось, что в глазах Розы Уотерфорд уже мелькают злорадные искорки. Сморщенная рожица Оскара Чарлза кривилась в усмешке. Миссис Форрестер пожалела, что сгоряча посвятила их в свою тайну. Но мистер Симмонс хорошо знал литературный мир. Он спокойно оглядел всю компанию.

— Ведь вы глава и средоточие этого кружка. Ваш муж сбежал не только от вас, но и от них. Для них это тоже не весело. Альберт Форрестер всех вас оставил в дураках.

— Всех,— подтвердил Клиффорд Бойлстон.— Все мы одинаково влипли. Он прав, миссис Форрестер. Филателиста нужно вернуть.

— Et tu, Brute*.

Мистер Симмонс не понимал на латыни, а если бы и понимал, едва ли восклицание миссис Форрестер смутило бы его. Он откашлялся.

— Я считаю так: пусть миссис Форрестер завтра побывает у него, благо адрес он оставил, и попросит его пересмотреть свое решение. Не знаю, что женщинам полагается говорить в таких случаях, но у миссис Форрестер есть и воображение и такт, уж она найдет, что сказать. Если мистер Форрестер будет ставить условия, пусть принимает их. Нужно идти на все.

— Если вы хорошо разыграете свои карты, вполне возможно, что вы завтра же привезете его с собой,— сказала Роза Уотерфорд беспечным тоном.

— Ну как, миссис Форрестер, согласны?

Отвернувшись от них, она минуты две, не меньше, глядела в пустой камин. Потом выпрямилась во весь рост и отвечала:

— Не ради себя, ради моего искусства. Я не допущу, чтобы кощунственный смех толпы запятнал все, в чем я вижу истину, красоту и добро.

— Правильно,— сказал мистер Симмонс, вставая с места.— Я завтра забегу к вам по дороге домой и надеюсь, что к тому времени вы с мистером Форрестером уже будете ворковать здесь как пара голубков.

Он откланялся, и остальные, страшась оказаться наедине с миссис Форрестер и ее чувствами, последовали его примеру.

На следующий день, часов около пяти, миссис Форрестер, очень представительная в черных шелках и бархатном токе, выплыла из своей квартиры и направилась к Мраморной Арке, чтобы доехать оттуда автобусом до вокзала Виктории. Мистер Симмонс объяснил ей по телефону, как добраться до Кеннингтон-роуд быстро и без больших затрат. На Далилу она была не похожа, да и не чувствовала себя ею. У вокзала Виктории она села в трамвай, который идет через Воксхоллский мост. За Темзой начинался район Лондона, более шумный, грязный

* И ты, Брут (*лат.*).

и тесный, нежели те, к которым она привыкла, но, занятая своими мыслями, она даже не заметила этой перемены. По счастью, оказалось, что трамвай идет по самой Кеннингтон-роуд, и она попросила кондуктора остановить вагон за несколько домов от того, который был ей нужен. Когда трамвай, гремя, умчался дальше, а она осталась одна на оживленной улице, ее охватило странное чувство одиночества, как путника из восточной сказки, которого джинн принес в незнакомый город. Она шла медленно, глядя по сторонам, и, несмотря на борьбу, которую вели в ее объемистой груди негодование и робость, невольно думала о том, что перед нею — материал для прелестного очерка. Низкие домики хранили что-то от ушедшего века, когда здесь была еще почти деревня, и миссис Альберт Форрестер отметила про себя, что нужно будет выяснить, какие литературные события и лица связаны с Кеннингтон-роуд.

Дом №411 стоял в ряду других таких же обшарпанных домов, немного отступя от мостовой; перед ним была узкая полоска чахлой травы, мощеная дорожка вела к деревянному крыльцу, давно не крашенному. Крыльцо это, да еще жидкий плющ, которым был увит фасад дома, придавали ему фальшиво-деревенский вид,— это было странно и даже неприятно здесь, среди шума и грохота уличного движения. Было в этом доме что-то двусмысленное, наводившее на мысль, что здесь обитают женщины, чья жизнь, прожитая в грехе, незаслуженно увенчалась наградой.

Дверь отворила худенькая девочка лет пятнадцати, длинноногая и растрепанная.

— Вы не скажете, здесь живет миссис Булфинч?

— Не в тот звонок позвонили. Это наверху.—Девочка указала на лестницу и пронзительно крикнула:— Миссис Булфинч, к вам пришли! Миссис Булфинч!

Миссис Форрестер стала подниматься по грязной лестнице, покрытой рваной дорожкой. Она шла медленно, чтобы не запыхаться. На втором этаже кто-то отворил дверь, и она узнала свою кухарку.

— Добрый вечер, Булфинч,— с достоинством произнесла миссис Форрестер.— Мне нужно повидать вашего хозяина.

Миссис Булфинч помедлила долю секунды, потом распахнула дверь настежь.

— Входите, мэм.— Она оглянулась через плечо.— Альберт, это миссис Форрестер к тебе.

Миссис Форрестер быстро шагнула мимо нее. У огня в сильно потертом кожаном кресле сидел Альберт в домашних туфлях и без пиджака. Он читал вечернюю газету и курил сигару. При виде миссис Форрестер он встал. Миссис Булфинч вернулась в комнату следом за гостьей и затворила дверь.

— Как поживаешь, дорогая?— бодро сказал Альберт.— Надеюсь, ты в добром здоровье?

— Ты бы надел пиджак, Альберт,— сказала миссис Булфинч.— А то миссис Форрестер Бог знает что о тебе подумает.

Она сняла пиджак с гвоздя и подала ему, а потом уверенной рукою женщины, для которой мужская одежда не таит секретов, обдернула на нем жилет, чтобы не наезжал на воротничок.

— Я получила твое письмо, Альберт,— сказала миссис Форрестер.

— Я так и думал, ведь иначе ты не знала бы моего адреса.

— Присаживайтесь, мэм,— сказала миссис Булфинч и, ловко смахнув пыль с одного из шести одинаковых стульев, обитых вишневым плюшем, выдвинула его вперед.

С легким поклоном миссис Форрестер села.— Я бы хотела поговорить с тобой наедине, Альберт.

Глаза его лукаво блеснули.

— Все, что ты можешь сказать, касается миссис Булфинч в той же мере, как и меня, поэтому лучше, я думаю, разговаривать при ней.

— Как хочешь.

Миссис Булфинч пододвинула себе стул и села. До сих пор миссис Форрестер видела ее только в ситцевом платье и большом фартуке. Сейчас на ней была белая шелковая блузка с мережкой, черная юбка и лакированные туфли на высоких каблуках и с серебряными пряжками. Это была женщина лет сорока пяти, рыжеватая, румяная, не то чтобы красивая, но цветущая и приятной наружности. Она напомнила миссис Форрестер пышнотелую служанку с жизнерадостной картины какого-то старого голландского мастера.

— Ну-с, дорогая, так что же ты хотела мне сказать?— спросил Альберт.

Миссис Форрестер подарила его одной из своих самых приветливых улыбок. Ее большие черные глаза глядели снисходительно и благодушно.

— Ты, конечно, понимаешь, Альберт, как все это глупо. Мне кажется, ты не в своем уме.

— Вот как, дорогая? Это интересно.

— Я не сержусь на тебя, мне просто смешно, но всякая шутка хороша до известного предела. А сейчас мы с тобою поедем домой.

— Разве я не ясно выразился в своем письме?

— Совершенно ясно. Я ни о чем тебя не спрашиваю и не собираюсь ни в чем упрекать. Будем считать это недоразумением и на том покончим.

— Ничто не заставит меня вернуться к тебе, моя дорогая,—сказал Альберт, впрочем, вполне дружелюбно.

— Ты шутишь?

— Нисколько.

— Ты любишь эту женщину?

Миссис Форрестер все еще улыбалась приветливой, немного деревянной улыбкой. Она твердо решила относиться ко всему происходящему легко. Наделенная тонким чувством пропорций, она, конечно, понимала комизм этой сцены.

Альберт взглянул на миссис Булфинч, и по его морщинистому лицу тоже поползла улыбка.

— Мы хорошо спелись, верно, старушка?

— Неплохо,— сказала миссис Булфинч.

Миссис Форрестер подняла брови; ни разу за всю их супружескую жизнь муж не назвал ее «старушкой», да она и не одобрила бы этого.

— Если Булфинч хоть сколько-нибудь уважает тебя, она должна понимать, что это невозможно. После той жизни, которую ты вел, того общества, в котором ты вращался, едва ли она может надеяться, что ты будешь счастлив с нею в каких-то меблированных комнатах.

— Это не меблированные комнаты, мэм,— сказала миссис Булфинч.— Вся мебель моя собственная. Я оставляю за собой эту квартиру, даже когда нахожусь в услужении, чтоб было куда вернуться. Такой уж у меня характер самостоятельный, всегда любила иметь свой угол.

— И очень уютный угол,— сказал Альберт.

Миссис Форрестер огляделась. На плите, установленной в камине, шумел чайник, на каминной полке стояли черные мраморные часы между двух черных мраморных подсвечников. Большой стол, накрытый красной скатертью, комод, швейная машина. На стенах — фотографии и картинки из воскресных приложений. За красной плюшевой портьерой была вторая дверь, и миссис Форрестер, посвятившая немало свободных часов занятиям архитектурой, поняла, что, принимая во внимание размеры дома, за этой дверью может находиться только одно — единственная в квартире спальня. Таким образом, в характере отношений, связывающих миссис Булфинч и Альберта, можно было не сомневаться.

— Разве ты не был счастлив со мною, Альберт?— спросила миссис Форрестер уже менее легким тоном.

— Дорогая моя, мы были женаты тридцать пять лет. Это долгий срок. Слишком долгий. Ты по-своему неплохая женщина. Но мне ты не подходишь. Ты живешь литературой и искусством, а я нет.

— Я всегда старалась вовлекать тебя в круг моих интересов. Всегда заботилась о том, чтобы, несмотря на мои успехи, ты не оставался в тени. Ты не можешь утверждать, что я тобой пренебрегала.

— Ты замечательная писательница, я этого не отрицаю, но скажу откровенно — мне твои книги не нравятся.

— Извини меня, но это только свидетельствует о недостатке вкуса. Все лучшие критики признают силу и обаяние моего таланта.

— И друзья твои мне не нравятся. Позволь открыть тебе один секрет. На твоих вечерах меня иногда так и подмывало раздеться — посмотреть, что из этого выйдет.

— Ничего особенного не вышло бы,— сказала миссис Форрестер, слегка нахмурившись.— Я бы послала за доктором, вот и все.

— И фигура у тебя для этого неподходящая, Альберт,— сказала миссис Булфинч.

Миссис Форрестер помнила намек Симмонса, чтобы она, если нужно будет, не стеснялась пустить в ход свои женские чары, лишь бы вернуть провинившегося супруга под семейный кров; но она понятия не имела, как это делается. Вероятно, подумалось ей, это было бы легче, будь она в вечернем туалете.

— Но, Альберт, ведь я тридцать пять лет была тебе верна, ни разу даже не взглянула на другого мужчину. Я к тебе привыкла. Не знаю, как я буду без тебя.

— Я все меню оставила новой кухарке, мэм,— сказала миссис Булфинч.— Вы только говорите ей, сколько гостей будет к завтраку, она все сделает как надо. Готовит она отлично, а уж на пирожное — так у нее особенно легкая рука.

У миссис Форрестер стала ускользать почва из-под ног. После замечания миссис Булфинч, подсказанного, несомненно, самыми добрыми намерениями, трудно было вести разговор в таком плане, чтобы высокие чувства не казались фальшивыми.

— Боюсь, дорогая, что ты попусту тратишь время,— сказал Альберт.— Решение мое бесповоротно. Я уже не молод, мне требуется забота. Тебя я, разумеется, по мере сил обеспечу. Коринна советует мне удалиться от дел.

— Кто такая Коринна?— спросила миссис Форрестер в крайнем изумлении.

— Это я,— сказала миссис Булфинч.— У меня мать была наполовину француженка.

— Этим многое объясняется,— заметила миссис Форрестер, поджав губы: при всем своем восхищении литературой наших соседей, она знала, что нравственность их оставляет желать лучшего.

— Я ему говорю, что довольно, мол, ему работать, пора и отдохнуть. У меня есть домик в Клектоне. Местность там здоровая, у самого моря, воздух замечательный. Мы там отлично проживем. Там не скучно — то на пляж сходишь, то на пристань. И люди хорошие. Никто тебя не трогает, если сам никого не трогаешь.

— Я сегодня говорил со своими компаньонами, они согласны выкупить мою долю. Кое-что я на этом потеряю. После всех формальностей у меня останется девятьсот фунтов годовых. Нас трое, значит, на каждого придется по триста фунтов в год.

— Разве я могу на это прожить?— вскричала миссис Форрестер.— Я должна думать о своем положении.

— Ты мастерски владеешь пером, дорогая.

Миссис Форрестер раздраженно повела плечами.

— Ты прекрасно знаешь, что мои книги не приносят мне ничего, кроме славы. Издатели всегда говорят, что печатают их в убыток, но все же печатают, потому что это повышает их престиж.

И тут-то миссис Булфинч осенила мысль, имевшая столь грандиозные последствия.

— А почему бы вам не написать детективный роман, такой, чтобы дух захватывало?

— Чего?— воскликнула миссис Форрестер, впервые в жизни забыв о грамматике.

— А это не плохая идея,— сказал Альберт.— Совсем не плохая.

— Критики разорвут меня в клочки.

— Не думаю. Дай только снобам возможность спуститься с небес на землю, не уронив своего достоинства, и они из благодарности не знаю что сделают.

— «Благодарю, Бернардо, за услугу»,— задумчиво проговорила миссис Форрестер.

— Дорогая моя, критики будут в восторге. А так как книга твоя будет написана великолепным языком, то они не побоятся назвать ее шедевром.

— Но это чистейший абсурд. Такие вещи чужды моему таланту. Я все равно не сумею угодить широким массам.

— Почему? Широкие массы любят читать хорошие книжки, но они не любят скучать. Имя твое знают все, но читать тебя не читают, потому что это скучно. Дело в том, дорогая, что ты невыносимо скучна.

— Не понимаю, как ты можешь это говорить, Альберт,— возразила миссис Форрестер, ничуть не обидевшись (экватор тоже, вероятно, не обиделся бы, если бы его назвали холодным).— Все признают, что у меня восхитительное чувство юмора и что никто не может добиться такого комического эффекта с помощью точки с запятой.

— Если ты сумеешь дать широким массам захватывающий роман и в то же время внушить им, что они пополняют свое образование, ты станешь богатой женщиной.

— Я в жизни не читала детективных романов,— сказала миссис Форрестер.— Я слышала про какого-то мистера Барнса из Нью-Йорка, он, говорят, написал книгу под названием «Тайна кэба». Но я ее не читала.

— Тут, конечно, требуется особое умение,— сказала миссис Булфинч.— Главное — не забывать, что про любовь писать не нужно, в детективном романе это ни к чему, там нужно, чтоб было убийство, сыщики и чтобы до последней страницы нельзя было угадать, кто преступник.

— Но нельзя и водить читателей за нос,— добавил Альберт.— Меня всегда злит, когда подозрение падает на секретаря или герцогиню, а потом оказывается, что убил младший лакей, который за все время только и сделал, что доложил: «Коляска подана». Запутывай читателя как можно больше, но не заставляй его чувствовать себя дураком.

— Обожаю детективные романы,— сказала миссис Булфинч.— Как прочтешь, что на полу в библиотеке лежит знатная леди в вечернем платье, вся в бриллиантах, и в сердце у нее воткнут кинжал,— просто вся дрожишь от радости.

— Кому что,— сказал Альберт.— Я, например, больше люблю, когда в Гайд-парке находят труп почтенного адвоката с бакенбардами, золотой цепочкой от часов и добрым выражением лица.

— И с перерезанным горлом?— живо спросила миссис Булфинч.

— Нет, убитого ножом в спину. Есть особая прелесть в том, чтобы убитый был пожилой джентльмен с безупречной репутацией. Всякому приятно думать, что за самой, казалось бы, почтенной внешностью скрывается что-то загадочное.

— Я тебя понимаю, Альберт,— сказала миссис Булфинч.— Ему была вверена роковая тайна.

— Мы можем дать тебе кучу полезных советов, дорогая,— сказал Альберт, ласково улыбаясь миссис Форрестер.— Я прочел сотни детективных романов.

— Ты?!

— С этого и началась наша дружба с Коринной. Я их прочитывал, а потом передавал ей.

— Сколько раз я, бывало, услышу, как он выключает свет, а на улице уже утро, всегда улыбнусь про себя и подумаю: ну вот, дочитал наконец, теперь можно ему и соснуть.

Миссис Форрестер встала и расправила плечи.

— Теперь я вижу, какая пропасть нас разделяет,— сказала она чуть дрогнувшим контральто.— Тридцать лет тебя окружало все, что есть лучшего в английской литературе, а ты сотнями читал детективные романы.

— Да, не одну сотню прочел,— подтвердил Альберт с довольной улыбкой.

— Я пришла сюда, готовая на любые разумные уступки, лишь бы ты вернулся домой, но теперь я этого больше не хочу. Ты доказал, что у нас нет и не было ничего общего. Мы живем на разных планетах.

— Хорошо, дорогая. Я подчиняюсь твоему решению. А о детективном романе ты подумай.

— «Теперь я в путь пускаюсь, в далекий Иннисфри»,— прошептала миссис Форрестер.

— Я провожу вас до парадного,— сказала миссис Булфинч.— Там дорожка рваная, недолго и споткнуться.

С большим достоинством, однако же внимательно глядя под ноги, миссис Форрестер спустилась по лестнице и, когда миссис Булфинч, отперев дверь, предложила ей позвать такси, покачала головой.

— Я поеду трамваем.

— А насчет мистера Форрестера не беспокойтесь, мэм,— дружелюбно сказала миссис Булфинч,— я о нем буду хорошо заботиться. Я вон за мистером Булфинчем три года ходила, когда он в последний раз захворал, не хуже сиделки. А мистер Форрестер, он для своих лет вон какой крепкий и бодрый. Ну и занятие у него, конечно, будет. Хуже нет, когда мужчине нечем заняться. Он будет собирать марки.

Миссис Форрестер вздрогнула от неожиданности. Но тут показался трамвай, и она, как свойственно женщинам (даже великим), с риском для жизни бросилась на середину улицы и отчаянно замахала рукой. Трамвай остановился, она села. Она не могла представить себе, что скажет мистеру Симмонсу. Ведь он ждет ее. И Клиффорд Бойлстон, наверно, явился. Все они явились, и ей придется сказать им, что она потерпела позорное фиаско. В эту минуту кучка ее преданных почитателей не вызывала у нее особенно теплых чувств. Сообразив, что уже поздно, она подняла глаза на пассажира напротив, чтобы убедиться, прилично ли будет спросить у него, который час,— и вздрогнула: перед ней сидел пожилой человек самой почтенной наружности, с бакенбардами, с добрым выражением лица и с золотой цепочкой. Тот самый, который, как сказал Альберт, был найден убитым в Гайд-парке, и он, конечно же, адвокат. Совпадение было поразительное,— в самом деле, точно перст судьбы поманил ее. На нем был цилиндр, черная визитка и серые брюки в полоску, он был крепкого сложения, немного располневший, а рядом с ним стоял небольшой чемоданчик. Когда они миновали Воксхоллский мост, он попросил кондуктора остановить вагон, и она видела, как он свернул в узкий мрачный переулок. Зачем? Если бы знать! Она так ушла в свои мысли, что, доехав до вокзала Виктории, не двинулась с места, пока кондуктор не напомнил ей довольно бесцеремонно, что надо выходить. Детективные рассказы писал Эдгар Аллан По. Она села в автобус и ехала по-прежнему погруженная в задумчивость, но у первых ворот Гайд-парка вдруг решила, что пойдет дальше пешком. Она больше не могла сидеть на месте. Войдя в парк, она медленно пошла по дорожке, глядя перед собой взглядом одновременно пристальным и рассеянным. Да, Эдгар Аллан По; этого никто не станет отрицать. В конце концов, ведь именно он изобрел этот жанр, а всем известно, какое влияние он имел на парнасцев.

Или на символистов? Впрочем, это неважно. Бодлер и прочие. У статуи Ахиллеса миссис Форрестер остановилась и с минуту глядела на нее, подняв брови.

Наконец она добралась до своей квартиры и, отворив дверь, увидела в передней несколько шляп. Все явились! Она вошла в гостиную.

— Наконец-то! — вскричала Роза Уотерфорд.

Миссис Форрестер энергично пожала протянувшиеся к ней руки. Да, все здесь — мистер Симмонс, Клиффорд Бойлстон, и Гарри Окленд, и Оскар Чарлз.

— Бедные вы мои, вам не дали чаю?— воскликнула она непринужденно и весело.— Я понятия не имею, который час, но я, наверно, ужасно запоздала.

— Ну что?— спросили все.

— Дорогие мои, я должна вам сообщить поразительную новость. На меня снизошло вдохновение. Зачем отдавать все козыри противнику?

— О чем вы?..

Она сделала паузу, чтобы эффект получился сильнее, а потом выпалила без всяких предисловий:

— Я буду писать детективный роман.

Они смотрели на нее, раскрыв рот. Она подняла руку в знак того, чтобы ее не прерывали, но никто и не собирался ее прерывать.

— Я подниму детективный роман до уровня высокого искусства. Эта идея явилась у меня внезапно в Гайд-парке. История с убийством, а разгадку я дам на самой последней странице. Я напишу ее безукоризненным языком, но, поскольку мне уже приходило в голову, что я, пожалуй, исчерпала ресурсы точки с запятой, теперь я начну обыгрывать двоеточие. Никто еще не исследовал его потенциальных возможностей. Юмор и тайна — вот к чему я стремлюсь. Называться книга будет «Статуя Ахиллеса».

— Какое заглавие! — воскликнул мистер Симмонс, первым приходя в себя.— Да мне только этого заглавия и вашего имени хватит для договора с журналами.

— А что же Альберт?— спросил Клиффорд Бойлстон.

— Альберт?— отозвалась миссис Форрестер.— Альберт?

Она посмотрела на Клиффорда Бойлстона так, словно не могла взять в толк, о чем он говорит. Потом негромко вскрикнула, будто вдруг что-то вспомнив.

— Альберт! Я же знала, что у меня было какое-то дело. Но когда я шла через Гайд-парк, меня осенила эта мысль, и все остальное вылетело из головы. Какой я вам, наверно, кажусь дурой!

— Так вы не видели Альберта?

— Боже мой, я о нем и думать забыла.— Она беспечно рассмеялась.— Пусть остается со своей кухаркой. Теперь мне не до Альберта. Альберт — это из эпохи точки с запятой. Я буду писать детективный роман.

— Дорогая моя, вы просто изумительны,— сказал Гарри Окленд.

Произведение

Литературно-художественное издание

Сомерсет Моэм

ТЕАТР

Редактор И. Коновалова
Художественный редактор А.Сауков
Подбор иллюстраций Л. Рофварга
Обработка иллюстраций Е. Шамрай
Компьютерная верстка А. Лисечко
Корректор Т. Алесина

ООО «Издательство «Эксмо»
127299, Москва, ул. Клары Цеткин, д. 18, корп. 5.
Тел.: 411-68-86, 956-39-21. **Интернет/Home page — www.eksmo.ru**
Электронная почта (E-mail) — **info@ eksmo.ru**

Оптовая торговля:
109472, Москва, ул. Академика Скрябина, д. 21, этаж 2.
Тел./факс: (095) 378-84-74, 378-82-61, 745-89-16.
Многоканальный тел. 411-50-74. E-mail: reception@eksmo-sale.ru
Мелкооптовая торговля:
117192, Москва, Мичуринский пр-т, д. 12/1. Тел./факс: (095) 932-74-71.
127254, Москва, ул. Добролюбова, д. 2. Тел. (095) 780-58-34

Книжные магазины издательства «Эксмо»:
Москва, ул. Маршала Бирюзова, 17 (рядом с м. «Октябрьское Поле»).
Тел. 194-97-86.
Москва, Пролетарский пр-т, 20 (м. «Кантемировская»). Тел. 325-47-29.
Москва, Комсомольский пр-т, 28 (в здании МДМ, м. «Фрунзенская»).
Тел. 782-88-26.
Москва, ул. Сходненская, д. 52 (м. «Сходненская»). Тел. 492-97-85.
Москва, ул. Митинская, д. 48 (м. «Тушинская»). Тел. 751-70-54.

ООО Дистрибьюторский центр «ЭКСМО-УКРАИНА»
Киев, ул. Луговая, д. 9.
Тел. (044) 531-42-54, факс 419-97-49; e-mail:
marinovich.yk@eksmo.com.ua

Северо-Западная компания представляет
весь ассортимент книг издательства «Эксмо».
Санкт-Петербург, пр-т Обуховской Обороны, д. 84Е.
Тел. отдела рекламы (812) 265-44-80/81/82/83.

Сеть книжных магазинов «БУКВОЕД». Крупнейшие магазины сети
«Книжный супермаркет» на Загородном, д. 35. Тел. (812) 312-67-34
и Магазин на Невском, д. 13. Тел. (812) 310-22-44.

Подписано в печать с готовых монтажей 15.03.2004.
Формат 84×108 $^1/_{32}$. Гарнитура «Таймс».
Печать офсетная. Усл. печ. л. 33,6. Уч.-изд. л. 35,1.
Тираж 4100 экз. Заказ № 2312

Отпечатано в полном соответствии
с качеством предоставленных диапозитивов
в ОАО «Можайский полиграфический комбинат».
143200, г. Можайск, ул. Мира, 93.

ISBN 5-04-002368-5